Hermann Kesten

DICHTER IM CAFÉ

HERMANN KESTEN

DICHTER IM CAFÉ

VERLAG KURT DESCH

WIEN MÜNCHEN BASEL

Von Hermann Kesten
erschienen in unserem Verlag:

Ich, der König (Philipp II. von Spanien), 1950
Um die Krone (Der Mohr von Kastilien), 1952
Sieg der Dämonen (Ferdinand und Isabella), 1953
Casanova, 1953
Copernicus und seine Welt, 1953
Ein Sohn des Glücks, 1955
Dichter im Café, 1959

Gesamtdeutsche Rechte beim Verlag Kurt Desch München Wien Basel
Copyright © 1959 by Hermann Kesten, New York
Gedruckt in der Buchdruckerei Georg Appl, Wemding
Gebunden in der Buchbinderei Georg Gebhardt, Ansbach
Schutzumschlag-Entwurf von Martin Kausche, Worpswede
Einbandzeichnung von Palayer
Printed in Germany 1959

INHALT

VORWORT

Ich habe einen guten Teil meines Lebens im Kaffeehaus verbracht, und ich bedauere es nicht. Das Kaffeehaus ist ein Wartesaal der Poesie. Das Beste am Kaffeehaus ist sein unverbindlicher Charakter. Da bin ich in einer Gesellschaft, und keiner kennt mich. Man redet, und ich brauche nicht zuzuhören. Ich sehe einen nach dem andern an und erkenne alle. Für mich agieren sie wie Komödianten. Wenn mir der erste beste mißfällt, greife ich nach meinem Hut und gehe ins nächste Kaffeehaus.

Zuweilen statte ich mir selber einen Besuch im Kaffeehaus ab. Manchmal gehe ich in ein halbes Dutzend Kaffeehäuser, ehe ich mich finde. Ringsum sind Spiegel mit zahlreichen gespiegelten Spiegeln, ich nicke meinem Bilde zu und sage: Guten Abend, alter Freund!

Wenn ich in Laune bin, ziehe ich mein altes Schulheft und einen Bleistift aus der Tasche, beginne zu schreiben und vergesse alle, die Kellner, die Gäste und mich. Das Kaffeehaus wird mein Parnaß. Ich bin Apoll. Ich schlage die Leier.

Oft leiht mir das Kaffeehaus eine geheime Unabhängigkeit. Ich bin der Fremde in einer Stadt, wo jeder jeden kennt. Ich bin der Gast an einem Ort, wo jeder andre zu Hause ist.

Für wenig Geld setze ich mich an einen Tisch, der mir nicht gehört, neben fremde Menschen, die nichts mit mir verbindet, ich nehme einen Schluck oder esse einen Bissen und beobachte das leidenschaftliche Getümmel auf den Straßen und den Gesichtern. Ich sehe in einer Stunde ein Dutzend Komödien und höre ein Echo von Tragödien, die keiner schreibt.

Ein großer Teil des Lebens hat Platz im Kaffeehaus, von der Liebe zum Tod, vom Spiel zum Geschäft, nur leiht das Café dem großen Publikum die falsche Leichtigkeit eines

Balletts. Die meisten Leute gehn ins Café wie auf Urlaub vom täglichen Leben.

Als Kind lernte ich im Café den Witz der Deutschen kennen. Mein Vater, der täglich mit dem beschäftigten Ernst ins Kaffeehaus eilte, den andere in ihrem Büro zeigen, nahm zuweilen uns Kinder in sein Stammcafé mit. Der Kellner kannte meinen Geschmack. Er brachte, ohne lang zu fragen, eine Melange, eine Schokoladentorte und einen Packen Witzblätter, den *Simplizissimus*, die *Jugend*, den *Kladderadatsch*, die *Meggendorfer Blätter*, den *Ulk*, ferner Maximilian Hardens *Zukunft* und *Die Fackel* von Karl Kraus, die der Kellner gleichfalls für Witzblätter hielt.

Dort begegnete ich zuerst den modernen deutschen Dichtern, teils schrieben sie in den Witzblättern, teils schrieben die Witzblätter über sie, einige wie Ludwig Thoma, Thomas Mann oder Jakob Wassermann waren sogar Witzblattredakteure.

Damals blickte ich noch zum Tischrand empor, ein Bübchen von sechs oder neun Jahren. Ehe ich die moderne deutsche Literatur ernst nehmen konnte, lachte ich bereits im Café über sie oder mit ihr.

Schon als Gymnasiast begann ich, allein ins Café zu gehn, jeden Mittwoch nachmittag, mit Erlaubnis des Rektors vom Melanchthongymnasium. Er hatte nach einem inquisitorischen Rundgang durch die Kaffeehäuser von Nürnberg das solideste für uns Schüler der Sekunda und Prima ausgesucht, nach langen moralischen Erörterungen mit dem Cafetier, der uns vor den zahllosen Anfechtungen des Kaffeehauslebens behüten sollte.

Im Vorderraum saßen lustlose Familien, mit Herzen aus Kattun und grellgefärbten Gesinnungen. Im Hinterzimmer stand ein Billard, das unser Schulfreund Richard Schrotter, rosig wie ein Mädchen, das nicht das Herz hat, ein Gänseblümchen zu pflücken, tödlich verwundete, wie ein junger Torero seinen ersten Stier.

Nach dem Abitur ging ich ohne Erlaubnis ins Café, in alle Sorten Cafés, wo Spieler saßen, Liebespaare oder Emigranten,

Maler und Poeten, Homosexuelle und dekolletierte Mütter mit Töchtern, die sie an den Mann bringen wollten. Ich saß in Strandcafés, Waldcafés, Weincafés, in Café-Restaurants und Kabarettcafés, im *bal musette* und in revolutionären Cafés, wo die Spitzel Kopf an Kopf saßen, in Verbrecherkaschemmen und im *Café de Paris,* in Zeitungskaffeehäusern, in Cafés, wo nur Herren, in Cafés, wo nur Damen liebten, und in Troglodytencafés im Süden von Tripolitanien, die mit dem billigsten Bordellbetrieb der Welt verbunden waren.

Was habe ich nicht alles in Kaffeehäusern erlebt! Ich spielte Schach im *Café Hauptwache* in Frankfurt. In Marrakesch deutete mir ein Schlangenbeschwörer die Zukunft. Im *Café Royal* in London aß ich Austern und Kaviar mit proletarischen Schriftstellern. Im *Café Rotonde* am Montparnasse saß ich an einem Silvesterabend zwischen zwei deutschen Dichterinnen im Exil, eine war aus Köln, die andre aus Mainz; die Irmgard Keun sagte zu jedem am Tisch: Küß mich auf den Mund (sie sprach es »Mond« aus) und wollte, wir sollten alle einen fremden Herrn vom Nebentisch an seinem schwarzen Vollbart berühren, das bringe uns Glück, indes die Anna Seghers verstört in den zahlreichen wandhohen Kaffeehausspiegeln imaginäre oder reelle Spitzel verfolgungswahnsinniger Diktatoren suchte, jenes Diktators, vor dem sie zitternd geflohen, und jenes, den sie zitternd anbetete. Drei Tische weiter saß Joseph Roth und machte gleichzeitig einer bayerischen Gräfin und deren Tochter den Hof, der Dichter blickte grimmig, die Komtesse lachte laut, die Gräfin sprach zu Roth und musterte uns.

Ich saß in Brüssel im Café, an der Place Brouckère, und ein Mann, den ich nicht kannte, hatte sich an meinen Tisch gesetzt, ohne mich zu fragen, und mir befohlen, mit ihm zu sprechen, und als ich ihn auslachte und ihm den Rücken zukehrte, hatte er mit der ruhigsten Stimme der Welt gesagt, wenn ich ihm nicht sofort eine Geschichte erzählte, würde er mich leider niederschießen müssen, es mache ihm nichts aus, denn sein Leben hänge davon ab, daß ich zu ihm spreche, und wenn er durch meine Schuld sterben müsse, nur weil ich ihm eine so unschuldige Bitte nicht gewähre, so ziehe er vor, mit einem blutigen Knalleffekt aus der Welt zu gehen. Da es an allen öffentlichen Orten viele Verrückte gibt, wandte ich mich ihm wieder zu und begann, ihm eine Geschichte zu erzählen, bald lachten wir beide Tränen, er klopfte mich auf die Schulter vor Vergnügen. Ich hatte meine Geschichte kaum beendet, da standen schon zwei Männer links und rechts von ihm, mit autoritären nackten Gesichtern und verhaftungsfrohen Händen, mein Zuhörer erbleichte und errötete, dann ging er, ohne mich auch nur eines Blickes zu würdigen, zwischen den Fremden fort, ein Verrückter zwischen Irrenwärtern, ein Verbrecher zwischen Detektiven, ein Kronprinz zwischen Erziehern, ein Kommunist zwischen zwei aufsichtführenden Parteifreunden? Ich werde es nie erfahren. Leider habe ich auch meine lustige Geschichte vergessen; oder lachten wir beide nur aus Angst?

Schon damals ging ich hauptsächlich ins Café, um zu schreiben. Erst ging ich natürlich spazieren, ein Peripatetiker, ein Akademiker wie jene Schüler des Aristoteles, und formulierte Verse, Dialoge, Szenen und ganze Prosaseiten, bis jedes Wort festgefügt wie ein Ziegelstein im Mauerwerk saß, dann setzte ich mich in mein Café und schrieb alles auf, als läse ich es aus eines andern Buch ab.

Ich schrieb auch auf Bahnhöfen und Schiffen, auf Moosbänken und Sandbänken am Meer, bei Mondschein, im Park und im Wartezimmer meiner Zahnärzte, sogar zu Hause zwischen meinen Büchern oder im Bett; fast jedes Lokal ward mir zum Café, ich saß ins Schreiben versunken, zwischen müßigen Menschen, die mir zuschauten, oder zwischen Wolken, Wipfeln und Wellen.

Im Café betrog ich den Müßiggang der andern mit meiner Arbeit. Ich sah wie ein Müßiggänger aus, aber neben mir zwitscherten die jungen Mädchen wie Stare. Wenn ich auf der Straße an einem der ausgesetzten Kaffeehaustische saß, wehte derselbe Wind durchs schmachtende Laub der Bäume am Straßenrand und durch die Seiten meines Schreibheftes. Die gleichen Autos fuhren an mir und meinen Figuren vorüber. Wenn das Liebespaar in meinem Roman verstummte, begann das Liebespaar am Nebentisch zu reden.

Ich saß vor der Tanzfläche in den Tanzcafés, und die Liebespaare tanzten im Tangorhythmus in meinen Roman hinein oder entstiegen meinem Heft wie einem Taxi und setzten sich an meinen Tisch und stritten mit mir und untereinander. Ich drohte, ich würde sie vor dem letzten Kapitel sterben lassen, aber sie seufzten nur und tranken Likör und kosten im Zank und zankten kosend.

Zuweilen legte ich hastig den Bleistift zwischen die Seiten meines Schreibheftes und tanzte mit einem der Mädchen, die mit einsamen Augen herumsaßen, als wüßten sie, daß keiner sie heiraten würde. Ich tanzte mit dem Fräulein ein paarmal herum und sprach, als wäre ich einer der jungen unbeschäftigten Helden aus meinen frühen Romanen, einer dieser mörderischen Moralisten ohne Zeit fürs Leben und ohne Geduld mit seinesgleichen. Ich führte die Mädchen wieder zu ihren erfrorenen Tischen und setzte mich vor mein Heft und schrieb, versunken, oder enthoben, als säße ich auf einem Leuchtturm im Meer oder an einer der tausend Quellen der großen Oasen inmitten der Sahara, und hörte die Rufe der *Muezzin*, das *Allah il Allah*. Die Kamele lagerten neben mir, wiederkäuend, und ich roch den Duft der Dattelpalmen und des schwarzgebrannten Kaffees. Nur die Jazzkapelle heulte mit Saxophon und dem Vorsänger: *Allah il Allah*. Und ich schrieb und sah tausend und eine Fata Morgana, das Meer mit Möwen, Wolkenkratzerkolonnen und Herden weißer Elefanten zwischen indischen Tempeln.

Bald wird es ein halbes Jahrhundert sein, daß ich in meinen Cafés sitze und schreibe. Ich sah die Fiebergespenster und die fröhlichen Helden eines halben Jahrhunderts. Ich schrieb das Jahrhundert auf, ich schrieb es ab. Ich notierte alles und prophezeite die Zeit, das Beste und Schlimmste, die Himmel und haufenweise die Höllen.

Im Jahre 1914 sah ich auf der Straße vor einem Café in Nürnberg ein ganzes Regiment in den Krieg reiten, mit

Kanonen und Fahnen. Mein Vater saß neben mir, viel jünger als ich heute bin, und seufzte und preßte seine Hände vor Verzweiflung und sagte: Mein armer Sohn! Da reiten sie meine ganze Epoche und deine schöne Zukunft in den Staub. Was willst du nun mit deinem Leben anfangen? Und wofür habe ich dich gezeugt?

Papa, sagte ich gekränkt, ich lebe doch gerne!

Bald waren die Reiter gefallen, die Pferde krepiert, mein armer Vater in einem Feldspital in Lublin gestorben, die Fahnen verwesten im Morast, die Kanonen und die Ideale waren geborsten, die jungen Witwen saßen mit entblößten Brüsten, zu kurzen Röcken und koketten schwarzen Schleiern in allen Cafés und warteten auf die Liebe der Kriegskrüppel, Gymnasiasten, Schieber und fremden Soldaten, ihr Lächeln war von Tränen wie frisch versalzen. Ich saß im Café und schrieb.

Im Winter 1918 auf 1919 schossen die unzufriedenen heimgekehrten Soldaten auf ihre Leidensgefährten, im Namen der Revolution und der Konterrevolution, alle wollten Frieden und Brot, die Armen schossen auf die Armen, Kugeln sirrten am Kaffeehaus vorüber, Stühle und Tische wurden Wurfwaffen, die Kellner kassierten in fliegender Eile doppelt, die Freudenmädchen nahmen je nach dem letzten Freier Partei, die Straßenkinder spielten Guillotine und Peloton. Ich saß im Café und schrieb.

In Berlin saß ich im März 1933 mit Freunden am Kurfürstendamm, vor dem *Café Wien,* vor dem *Café Dobrin* oder vor *Mampes Likörstube,* und Hitlers braune Buben mit einem Hakenkreuz im Herzen jagten blutende Juden und Arbeiter über den Kurfürstendamm. Da hörte ich zu schreiben auf und verließ das Café, schüttelte den Staub der Stadt Berlin von meinen Füßen und ging außer Landes und setzte mich in die fremden Kaffeehäuser im Exil und schrieb.

Im Exil wird das Café zu Haus und Heimat, Kirche und Parlament, Wüste und Walstatt, zur Wiege der Illusionen und zum Friedhof. Das Exil macht einsam und tötet. Freilich belebt es auch und erneuert. Im Exil wird das Café zum einzigen kontinuierlichen Ort. Ich saß in einem Dutzend Exilländern im Café, und es war wie immer dasselbe Café, am Meer, zwischen Bergen, in London, in Paris, an den Grachten von Amsterdam, zwischen den Klöstern von Brügge. Ich saß im Kaffeehaus des Exils und schrieb.

Ich träume so heiter im Café. Alle Alpträume der Menschheit gehen an mir vorüber. Hier und da bleibt ein hübsches Mädchen stehen. Hier und da setzt sich ein geistreicher Mann zu mir. Hier und da grüßt mich ein Engel oder ein Genius. Die böse Zeit legt sich schlafen für ein oder zwei Stunden, und das Jahrhundert scheint hell und heiter. Die Kellner gehn auf müden Füßen, aber ihre Hände lächeln in der Vorahnung üppiger Trinkgelder. Immer sitzt links von mir ein Gast, der gerade mit mir schwatzen will. Immer sitzt rechts von mir ein Gast, der wie eine Geschichte von mir aussieht. In der Ecke girrt oder gähnt, kichert oder zankt ein Liebespaar. Immer sitzt eine einzelne Dame da, als hätte nicht ein einzelner Mann sie versetzt, sondern das ganze männliche Geschlecht. Immer sitzt im Café eine Muse, unsichtbar oder transfiguriert hinter der Kasse. Immer tönt mir die Flöte Pans vernehmlich durch den eigentümlichen Lärm der Kaffeehäuser und durch ihre eigentümliche Stille.

Keine Stadt ist so fremd, ich brauche mich nur in ein Café zu setzen, schon fühle ich mich zu Hause. Der Müßiggang verbindet die Menschen. Ich ziehe es vor, angesichts müßiger Menschen zu arbeiten, statt angesichts arbeitender Menschen müßig zu sein. Ich beobachte mit Vergnügen, wie sie vergnügt sind. Verliebt gewahre ich die Verliebten. Lachend nehme ich an ihrem Gelächter teil. Ich beobachte, wie sie miteinander flirten und glücklich sind, und wie sie einander lieben, und wie sie zusammen unglücklich sind, einander hassen, und wie sie allein sind und mit sich selber reden, mit sich kämpfen, sich einsam fühlen, wie sie ungeduldig warten, geduldig verzweifeln, eilig kommen und gehn, nachdenken, mit sich und andern schwatzen, tausend Tode sterben und jeder ein einziges Leben leben.

Ich schreibe diese Zeilen auf der Piazza del Popolo in Rom, es ist sechs Uhr nachmittags, Ende September. Ich sitze vor dem *Café Rosati*. Der Himmel über mir zeigt ein vermischtes Blau und Rot; nur die Wolken, die wie Wellen ziehen, sind rot durchhaucht, im sanftesten Abschein ungeheurer Flammen. Zur Rechten stehen die beiden barocken Zwillingskirchen, begonnen von Rainaldi und vollendet von Bernini und Fontana. Links ist die Porta del Popolo, die Innenseite von Bernini, zu Ehren des Einzugs der Königin von Schweden, Christina, gebaut, mit einem Stern und einer Girlande. Daneben steht die tausendjährige Kirche Santa Maria del Popolo, mit einer frühen Renaissancefassade. Sie wurde auf römischen Kaisergräbern errichtet, um den Geist des Kaisers Nero darunter zu bannen.

In der Mitte des Platzes, umgeben von hundert parkenden Autos wie von einer stählernen Schafherde, steht der altägyptische Obelisko Flaminio, aus dem 13. Jahrhundert vor Christus, die Pharaonen Merentab und Rhamses II. haben ihn in Heliopolis errichtet, Kaiser Augustus hat ihn nach Rom gebracht, für den Circus Maximus, Papst Sixtus V. hat ihn auf der Piazza aufgestellt, und Leo XII. umgab ihn mit Fontänen und wasserspritzenden Löwen. Mir gegenüber sind Brunnen, Statuen, die Treppen zum Pincio und die Terrasse, die Valadier gebaut hat, mit Zypressen, Palmen und Pinien und einem Neptun und Tritonen wie aus dem Hofstaat von Louis XVI. Daneben ist das *Literaturcafé Canova,* an der Bar plaudern die jungen Schauspielerinnen, Regisseure und Dichter der Radiotelevisione Italiana. Im Kloster an der Ecke hat Martin Luther gewohnt. Von der Via Flaminia ritt Goethe durch die Porta del Popolo, von meinem Tisch sehe ich das Haus am Corso, wo er seine römischen Jahre verlebt hat.

Ist mein Café kein hübsches Schreibzimmer eines Poeten?

Eben geht Alberto Moravia vorbei, er wohnt um die Ecke in der Gänsegasse, er summt und blickt allen Frauen nach. Ein Kutscher hält auf seinem Kutschbock vor meinem Tisch. Eine junge schöne Mutter steigt mit ihren zwei halbwüchsigen Söhnen aus, sie gleicht einem schüchternen Mädchen mit zwei störrischen Liebhabern, es sieht aus, als würde sie in aller Stille und Wonne gleich in zwei Teile gerissen werden. Das Pferd, braun und vernünftig, wiehert leise und blickt in die Richtung des Tibers, als sähe es den nahen Fluß. Zwei Französinnen plappern am Nebentisch über Gott und de Gaulle, mit Stimmen wie aus Porzellan. Schwarzlockige, olivenbraune Jünglinge, allzu hell gekleidet, gehen mit wiegenden Hüften vorüber. Ein Chinese trägt eine Aktentasche, eine Zigeunerin ein geliehenes blondes Kind im Arm. Der Autobus »C« fährt in beiden Richtungen vorüber, in der einen Richtung bin ich mit ihm in fünf Minuten am Pantheon, in der andern in Parioli, vor meiner Wohnung. Ich habe schon bezahlt. Ich kann jeden Augenblick aufstehn und gehn. Die Glocken der drei Kirchen am Platz beginnen zu läuten. Die Autos fahren vorüber. Zwei Kinder spielen im Getümmel. Eine Bäuerin trägt ihren Packen auf dem Kopf. Der Kellner sieht mir grübelnd zu. Ein junger und ein alter Mönch bleiben stehn, um besser zu debattieren. Schon funkeln die Sterne am Himmel. Ich sitze und schreibe.

PARIS

Es ist die Dämmerstunde im November. Es hat geregnet. Es ist ungewöhnlich mild. Die offenen Kohlenbecken geben die Illusion der Wärme.

Ich sitze seit einer Stunde an einem kleinen Tisch vor dem *Café des deux Magots*, am linken Ufer der Seine. Die Türen der Dorfkirche gegenüber, St. Germain des Prés, sind offen. Alte Frauen und junge Priester gehen hinein.

Die Autos rollen unaufhörlich vorüber. Ein Algerier bietet Erdnüsse an. Er ruft: *Cacahuètes! Cacahuètes!* Die Laternen schimmern in einem nicht geheuern milchigen Nebel. Gäste kommen und gehn. Kellner rufen: *Attention, s'il vous plaît!* Zwei Amerikanerinnen sprechen von Liebe, zwei Italiener von der Olympiade in Rom.

Der Cafetier, der mir seit bald dreißig Jahren versichert, ich hätte mich gar nicht verändert, indes er von Jahr zu Jahr älter aussieht, schüttelt mir schon zum zweiten Male die Hand.

Ich versuche zu schreiben, muß aber von Zeit zu Zeit offen oder verstohlen auf die Leute am Nebentisch blicken oder ihnen zuhören. Ihr Aussehn, ihre Stimmen, ihr Lächeln kommen mir vor, als hätte ich von ihnen geträumt. Auch sie scheinen mich zu beobachten, gar mich zu kennen. Es sind zwei Damen und zwei Herren. Abwechselnd lächelt mir die eine oder die andre Dame zu, freundlich und auch ein wenig spöttisch. Ich schwöre schon zum zweiten Male, daß ich sie in Wirklichkeit noch nie gesehen habe. Obendrein sehn sie wie verstellt und verkleidet aus, wie Schauspieler in den Rollen alter Freunde von mir.

Sie sprechen französisch, als hätten sie zu viel Voltaire gelesen. Die Damen zeigen den Chic und das witzige Mienenspiel der Pariserinnen. Die Herren sprechen zwei Grenzdialekte, der eine kommt wohl von der italienischen, der andere von der deutschen Grenze her.

Der Herr mit dem germanischen Anklang ist elegant trotz seiner schlottrigen Figur, seine Miene ist ein wenig arrogant und eitel. Er trägt weißseidene Strümpfe und eine weiße seidene Krawatte, goldene Berlocken und Ringe. Seine Wangen und Hände glänzen wie von Pomade. Seine Nägel schimmern, als putzte er sie täglich zwei Stunden lang. Seine großen Augen blicken fein, als wäre er ein Intrigant.

Der Herr mit dem italienischen Akzent sieht wie ein Abenteurer aus besten Kreisen aus, mit seinen funkelnden Augen und der großen gescheiten Nase, mit den paar Pockennarben im Gesicht und mit der geschmeidigen Figur eines Fechters; dabei hat er das selbstzufriedene Wesen eines blasierten Weiberhelden und wäre, wenn er nicht so häßlich wäre, geradezu ein schöner Mann, wie schon der Prince de Ligne von Casanova gesagt hat.

Alle vier haben ein Air, als kämen sie aus einem der Salons des achtzehnten Jahrhunderts. Man sieht solche verschollenen Museumsstücke in gewissen Cafés von Prag, Palermo und Paris, als wären diese Cafés literarische Museen.

Meine Nachbarn sind so frech und frei in Blick und Wort, wie jene aufrührerischen Literaten des achtzehnten Jahrhunderts, die man »Philosophen« hieß, und dabei so maniert und geziert im Wesen und in ihren Wendungen, wie die *petits maîtres,* die Stutzer, als kämen sie vom Hofe von Louis Quinze, oder aus den Salons von Voltaire in Ferney, des Baron Holbach in Paris oder der Damen du Deffand, de Tencin, Geoffrin, d'Épinay und de Lespinasse.

Das geht so nicht weiter. Ich kann nicht neben falschen Bekannten in historischen Kostümen arbeiten, die vielleicht aus dem nächsten Film-Atelier kommen.

Ich werde mich nebenan ins *Café Flore* setzen und im Schwarm der außer Rand und Mode gekommenen Existentialisten, zwischen den Doppelgängern von Sartre und Camus, einen Aufsatz über jene europäischen Schriftsteller schreiben, die erst nach dem Massaker von Budapest, nach dem Aufstand kommunistischer Schriftsteller gegen eine kommunistische Diktatur anfingen, gegen die totale Tyrannei von Moskau zu protestieren; ihr politisches Gewissen braucht Massaker, es sind sehr schläfrige Gewissen. Moses erkannte den Jehova im Säuseln eines Windes. Diese Literaten fühlen menschlich erst, wenn Völker untergehn; erst bei künstlichen Monden und Katastrophen erwachen sie.

Garçon, l'addition, s'il vous plaît! – Zu spät! Der Mensch mit der großen Nase steht auf, er kommt zu mir. Er sagt, wir kennten uns. Ich habe es mir gedacht, daß er das sagen wird. Er sagt, sie seien alle Figuren aus meinen Büchern. Er sei ein Venezianer. Sein Freund sei ein Landsmann von mir, ein Journalist und Diplomat, der Herausgeber der *Literarischen, philosophischen und kritischen Korrespondenz,* Friedrich Melchior von Grimm! Sie kämen aus dem achtzehnten Jahrhundert.

Ich wüßte es doch? Zwei deutsche Barone spielten eine Rolle im Pariser literarischen Leben des achtzehnten Jahrhunderts, dieser Grimm und sein Freund Holbach.

Paul Heinrich Dietrich, Baron von Holbach, aus der Rheinpfalz, hatte den freiesten literarischen Salon in Paris. Dort konnten die »Philosophen« und Enzyklopädisten alles sagen. Sie bildeten eine gelehrte und freie Akademie, ein privates literarisches Kaffeehaus, bei diesem Papst der Atheisten, der die Bibel des Materialismus geschrieben hat, *Das System der Natur.* So wurde ein Pfälzer der verrufenste französische Philosoph, wie der deutsche Baron Grimm der verrufenste Chronist von Paris wurde. Grimm herrschte dreißig Jahre lang im Salon und im Herzen der Madame d'Épinay und im literarischen Leben von Paris. Freilich war er nirgends der einzige.

Grimm lächelte, erhob sich und verbeugte sich vor mir. Da stand auch ich auf und verbeugte mich vor den Damen und Kavalieren. Wir rückten unsere Tische ein wenig zusammen, setzten uns wieder, und Grimm flüsterte mir zu, wie eine Enthüllung, das seien die Damen Geoffrin und Juliette de Lespinasse, und ihre Salons seien berühmt gewesen, die Geoffrin hieß »die Zarin von Paris«, und der Salon der Lespinasse »das Laboratorium der Enzyklopädisten«.

Ich musterte die Damen neugierig, Grimm musterte mich selbstzufrieden und vor lauter eitler Liebenswürdigkeit beflissen. Er hatte die Manier der Besserwisser und Alleswisser, der Herausgeber exquisiter literarischer Zeitschriften, die dir mit dem gewissen Augurenlächeln entgegenkommen, als könntest nur du ihn verstehn, und dir mit einer gewissen Miene Dinge mitteilen, die nur du berufen seist zu erfahren.

Indes spricht er zu jedem so. Jeder Abonnent, der sein Blatt zugeschickt erhält, liest diese Geheimnisse gedruckt. Das meiste, was er mitteilt, ist nicht wissenswert. Aber er teilt die Atmosphäre des Spirituellen mit, die Ambivalenz von Gesellschaft und Literatur, die geistreiche Mischung aus witziger Welterfahrung und boshafter Menschenkenntnis.

Schon reichte mir Madame Geoffrin die Hand zum Kuß. Ich habe nicht die Gewohnheit, im Café den Damen die Hände zu küssen, doch war die Dame Geoffrin unwiderstehlich, wie man es sein mußte, um die frechsten Literaten und Kavaliere des lockersten Jahrhunderts in einem Salon zu versammeln und zu zähmen.

Sie sehen in der Tat wie eine Zarin aus, sagte ich zu ihr und küßte ihre Hand.

Ich eine Zarin? rief Madame, mit einer charmanten lustigen Empörung. Ich war immer eine anständige Frau. An der Wiege hat man es mir nicht gesungen, daß Genies und Potentaten in meinen Salon kommen würden. Mein Vater war ein Diener und ich ein Waisenkind. Meine Großmutter, die mich aufzog, erklärte, ein Mädchen brauche nichts zu wissen. Mit Vierzehn heiratete ich einen reichen Mann von achtundvierzig Jahren, mit dem ich eine Tochter und sechzehn ruhige Jahre hatte, ohne Toiletten, ohne die gute Gesellschaft.

Eines Tages lud mich unsere Nachbarin, in der Rue St. Honoré, zu einem ihrer Diners. Sie hieß Madame de Tencin. Bei ihr traf ich einige der klügsten Männer. Ich werde berauscht, wenn ein gescheiter Mann spricht. Da begriff ich sozusagen zum erstenmal, warum ein Gott uns Sprache verliehen hat. Ich merkte, daß die Sprache nicht ein Behelf, nicht nur eine akustische Maschinerie ist, sondern in der Tat auch einen göttlichen Atem hat, inspiriert wie große Kunst ist, ein Triumph der menschlichen Vernunft. Ich hörte Montesquieu sprechen. In den Büchern der geistreichen Männer sieht man nur ihren Schatten, hört man nur ihr Echo. Was für ein Genuß ist es, in einem gescheiten Gesicht die Gedanken kommen zu sehn, das Widerspiel ausgesprochener und unausgesprochener Gedanken, den Kampf von Witz und Höflichkeit, Güte und Bosheit, den Austausch von Hören und Sprechen, das Lächeln bei einem schneidenden Wort zu sehn, das alle Schärfe abbittet, die Handbewegung, die unterstreicht, kommentiert oder ableugnet, die ganze Erscheinung, die alles und nichts erklärt, die Musik der Stimme, die direkte sinnliche Gegenwart einer großartigen geistigen Erscheinung. Ich bete Bücher an, aber welch ein zweifelhafter Ersatz für einen wahren Menschen ist ein Buch. Ach, ich bete Menschen an!

Ich sprach mit Marivaux. Mir war, als hörte ich in zehn oder zwanzig Minuten zehn Komödien und die Essenz von zehn Romanen. Wenn der Abbé Charles Irénée de Saint-Pierre, Rousseaus Freund, sprach, vernahm ich neben seinem begeisterten Vortrag über den »Ewigen Frieden« oder den Völkerbund den Hymnus einer vom Krieg erlösten Menschheit.

Dort traf ich denkende Künstler und beredte Priester, gutmütige Politiker und aufrührerische Finanziers. Sie amüsierten mich mehr als die Frommen meines Viertels, die zu meinem Mann ins Haus zu kommen pflegten.

Mir war, als lebte ich zum erstenmal. Ein Vorhang hatte sich geteilt, und die Welt war nicht so grau, die Menschen waren nicht so gewöhnlich, ich selber war nicht so wenig, wie ich bisher gedacht hatte.

Schüchtern lud ich den einen und andern großen Mann in mein Haus zum Essen ein, und der und jener kam, schließlich kamen sie jeden Mittwoch um ein Uhr. Sie aßen bei mir. Am Nachmittag machten sie Konversation. Ich war selig. In meiner

Jugend hatte ich ein Stück der Welt nach dem andern zum erstenmal mit Augen gesehen. Ich lebte zwischen lauter Wundern, lauter Rätseln, lauter Geheimnissen. Kaum war ich erwachsen, da waren die Wunder verstaubt, die Rätsel hatten sich banal aufgelöst, die Geheimnisse hatte ich mit jedem geteilt. So schien es mir, und ich verriet meine eigene Jugend. Nun kam alles wieder in meinen Salon, die neuen alten Wunder, die Rätsel wurden auf neue Weise gelöst, die Geheimnisse auf andre Art mitgeteilt, und ich lebte zum erstenmal in einer neuen und ganzen Welt. Ich verstand die Welt und die menschliche Gesellschaft, mit den Ideen meiner neuen Freunde. Ich begriff unsere Gesetze, Finanzen, unsere Regierung, unseren Charakter, Musik und Malerei und Literatur. Ich begriff mich selber und die andern. Ich glaubte sogar Gott zu begreifen. Ich war selig. Ich war endlich die Madame Geoffrin.

Mein Gatte machte mir schreckliche Szenen. Er liebte weder den Geist und seinen Lärm noch die Kosten der Bewirtung. Aber meine Tochter sagte mit halbem Recht (das meiste, was wir übereinander sagen, ist halbwahr), ich hätte die Seele eines Eroberers und die Manieren eines Alexander von Makedonien. Mein guter Mann gab nach. Er starb fast gleichzeitig mit Madame de Tencin. Mit fünfzig Jahren war ich eine reiche Witwe und hatte den berühmtesten Salon Europas. Die alten Gäste der Tencin kamen zu mir, es kamen meine neuen Gäste, Kaiserinnen, Könige, Voltaire und Rousseau.

Madame Geoffrin lächelte triumphierend. Ich hob schon die Hand, um ihr etwas Hübsches zu sagen, da unterbrach mich der Herr mit dem italienischen Akzent und fragte: Warum kamen eigentlich so viele große Männer zu Ihnen, Madame Geoffrin? Und so viele der Großen dieser Welt? Sogar ich kam mehrmals zu Ihnen. Sie erinnern sich? Ich gehörte nicht zu den Gästen, die man übersah. Mein Bruder Francesco, der Schlachtenmaler, der mit seinen Bildern eine Million verdient hat, nahm mich zu Ihren Diners am Montag mit, da kamen Architekten, Archäologen, Bildhauer und Ihre Maler, Boucher, der die graziöse Begierde der Liebe, Vernet, der Seehäfen und Wasser gemalt hat, Bouchardon, der das Wasser aus Pariser Brunnen springen ließ, und Quentin de Latour, der Pastellmaler. Sie haben entdeckt, Madame, daß auch ein bildender Künstler etwas zu sagen hat und sagen kann. Sie teilten nicht die sozialen Vorurteile des Jahrhunderts. Sie kamen aus dem Volk wie ich. Meine Eltern waren Komödianten.

Aber die Marquise de Rambouillet, erwiderte Madame Geoffrin, die auf ihrem Schloß den ersten literarischen Salon gehalten, kam nicht aus dem Volk. Cathérine de Vivonne, eine halbe Italienerin, hatte als junges Mädchen in Rom die Reize einer gebildeten Gesellschaft empfunden, sie heiratete den Marquis de Rambouillet, und müde der martialischen Säufer, Fechter und Hurer am Hof von Henri IV. und in der Stadt, versammelte sie geistreiche Damen und gebildete Herren in ihrem Haus, in Erinnerung an die italienischen Höfe der Renaissance oder an den Hof der Valois, insbesondere an den Hof von Marguerite, der Königin von Navarra.

In ihrem Salon konnten Madame de Rambouillet und ihre Freundinnen eine würdige Rolle spielen. Sie wollte den jungen Leuten von Adel, die verroht aus den Kriegen heimgekehrt waren, eine freie und feine Lebensart schenken. Sie bewirtete jene bürgerlichen Literaten, die noch die Ideale der Renaissance hegten. Um keinen Preis wollte sie einen pedantischen Literatursalon gründen, das eben gründete sie. Hier pflegten die »Preziösen« die Schäferdichtung, die preziöse Literatur. Sprache und Manieren, Kleidung und Erotik wurden verfeinert und immer feiner. Statt der raschen sexuellen Befriedigung übte man die Galanterie, platonisch betete man die Geliebte an. Zwischen Kavalier und Dame kam es statt zu erotischen Akten zu erotischen Dialogen.

Der Humanist war die führende Figur der Renaissance, die Dame war es im Salon der Marquise de Rambouillet, *la précieuse,* das Orakel der Schicklichkeit. Sie hatte nur gesellschaftliche Interessen. Die Literatur war ein Mittel zum Zweck. In einer destillierten Sprache entwickelte man die gesellschaftlichen Gattungen der Literatur: Maximen und Briefe, Porträts, die kunstvollen Dialoge und Salonverse. Man strebte nach Distinktion in Manieren und Kleidung. Man benahm sich nach dem Code des *honnête homme* und der *grande dame*.

Die berühmten Literaten der Zeit, Sterne im Salon der Rambouillet, wurden Puristen. *Enfin Malherbe vint,* schrieb Boileau. Endlich kam Malherbe. Dieser ein wenig heuchlerische Preziöse suchte in seinen *Kommentaren zu Desportes* die zeitgenössische Sprache zu reformieren, er wollte die schmutzigen und gemeinen Worte *(le mot sale et bas)* verjagen, er verjagte die Laute der Natur. Er forderte Respekt vor der Grammatik und Syntax. Mit seinen Freunden wollte Malherbe die französische Sprache vernünftigen, die Zeitgenossen bilden und *l'usage,* den Brauch, freilich der gebildeten Gesellschaft, zum Gesetz der Sprache erheben.

Bald entstand ein zweiter literarischer Salon im Haus von Valentin Conrart, hier waren Sprache und Literatur Selbstzweck. Auf Richelieus Vorschlag erließ 1635 der König das Edikt, das aus dem Salon des Monsieur Conrart die *Académie Française* machte, zur Reinigung und Pflege der Sprache.

Schon gut, sagte Casanova. Ich verstehe es sehr wohl. Wenn Literaten regelmäßig zusammenkommen, bewegen sie den Geist der Zeit und ändern die Moden der Literatur. Aber warum gingen diese Literaten nicht lieber ins Café? Wozu geht man in literarische Salons?

In unserm lustigen achtzehnten Jahrhundert war die Dame des Salons meist übers galante Alter hinaus. Sie lud ein halbes oder ein Dutzend Herren zu Tisch, wobei die Dame mehr zuhören als reden sollte. Im Kaffeehaus war man frei von den dummen Konventionen der Gesellschaft. Nur ein Falschspieler hat es im Salon leichter als im Café. Schon ein Verführer findet im Gasthof jüngere Damen. Ein Literat findet im Salon auf eine gute Beziehung zwei böse Feinde.

Ich selber wurde Ihr Opfer, Madame Geoffrin, und bezahlte meine paar Besuche in Ihrem Salon viel zu teuer. Bevor Stanislaus Poniatowski im Bett der Kaiserin Katharina II. zum letzten König von Polen avanciert war, haben Sie, Madame

Geoffrin, ihn vor dem Pariser Schuldgefängnis gerettet, um später in Warschau mich vor ihm zu verleumden, ich sei aus dem Pariser Schuldgefängnis entwichen und *in effigie* gehängt worden, weil ich angeblich mit der Lotteriekasse der *École Militaire* durchgegangen sei. Kostümiert als die bürgerliche Moral verdrängten Sie mich vom Warschauer Hof und aus der Gunst des Königs, da wir beide damals seine Gäste und Günstlinge waren. Sie hieß er freilich seine »Mama«, und Sie sagten zu ihm: »Mein Sohn«!

Verleumdet? fragte Madame Geoffrin. Ich war eine anständige Frau. Ich duldete nichts Unziemliches. Nicht einmal die Philosophen oder Enzyklopädisten, die alles wagten, durften bei mir ihre frechsten Meinungen äußern. Man kannte mich. Ich sagte: *Voilà, qui est bon!* Und alle schwiegen, mein lieber Casanova!

Was, sagte ich und tat erstaunt (mit dem Anschein des Rechts, Mitte des zwanzigsten Jahrhunderts in einem Pariser Café!), Sie sind Casanova?

Giacomo Casanova, aus Venedig, Chevalier de Seintgalt, gab er mir mit finsterem Lächeln zu. Sie haben ein Buch über mich geschrieben und erkennen mich nicht?

Ich erklärte ihm ein wenig verlegen: Zwischen uns steht mein Buch. Ihre Fehler hat man mir vorgeworfen. War Eichendorff ein Taugenichts, weil er einen beschrieb? War Goethe, der Autor von Mephisto und Gretchen, ein Teufel und eine Kindsmörderin? Sie selber, mein lieber Casanova, spielen nur den Zyniker. Wissen Sie wirklich nicht, was man in literarischen Salons fand?

Zuweilen eine offene Börse, erwiderte lachend Casanova. Madame Geoffrin hat dreiundsiebzig Bilder bei Malern gekauft, die ihren Salon besuchten. Die Berühmten fanden im Salon ein Publikum, die Unberühmten die Protektion der Berühmten. *Vanitas vanitatum.*

Da erklärte Grimm, daß gewöhnlich die Eitelsten über die Eitelkeit andrer sich beschwerten.

Wir waren unruhige Köpfe, sagte er, mit brandneuen Ideen.

Wir hatten keine Geduld. Mein Freund Denis Diderot sagte es: »Allein lesen, ohne einen, mit dem man sprechen kann, und mit ihm disputieren oder vor ihm glänzen oder ihn hören, oder sich vor ihm hören zu lassen, das ist unmöglich.« Wir schrieben für den Leser, wenn wir keinen bessern Gesprächspartner hatten. Unsere freiesten Gedanken durften wir nicht schreiben. Aber in unseren Cafés tuschelte die Freiheit und scherzte die Revolution. Wir steckten voller Neuigkeiten und lechzten nach ihnen. Unsere Cafés waren gesprochene Zeitungen und Verschwörerhöhlen. Hier konnten wir in freier Diskussion gegen Ideen mit Ideen kämpfen, alte Institutionen durch Schlagworte zertrümmern und das Neueste aufs neue stellen. Die Salons waren die Schulen, die Cafés die Universitäten der Revolution. Die Philosophen steckten einander in den Cafés und steckten die Reichen und Mächtigen in den Salons mit ihren gesunden Ideen an; denn zuweilen stecken auch die Gesunden die Kranken an. Wir Philosophen zivilisierten in unserm Café die oberen Stände, ihre Salons zivilisierten uns. Im Café und im Salon wurde die Gesellschaft demokratisch. Hier trafen sich die Männer vieler Stände, Leute aus vielen Milieus, der kleine Adel und die großen Seigneurs, Literaten und Finanziers, Beamte und Geistliche, Soldaten und Parlamentarier, Musiker, Wissenschaftler und Frauen vieler Klassen.

In unsern Cafés und Salons diskutierten Buffon und Montesquieu, Voltaire und Rousseau, der Komponist Gluck unterhielt sich mit dem Maler Watteau, die Minister Turgot und Necker dozierten Moral, Philosophen lehrten Bankiers Finanzgeschäfte, Mozart saß neben Chardin, Beaumarchais neben Boucher und Horace Walpole. Man war kosmopolitisch, gelehrt und frivol, von einer unersättlichen Neugier und korrekt in der Sprache. Man las die neuesten Bücher laut, spielte Stücke von Voltaire, Marivaux und Diderot, hörte Mozart und Rameau, Gluck und Couperin.

Im Salon meines Freundes Holbach und bei meiner Freundin Madame d'Épinay, bei der Mozart und Rousseau wohnten, wurden zwei literarische Hauptwerke erst diskutiert, ehe sie in

Druck gingen, nämlich die *Enzyklopädie* und meine *Literarische Korrespondenz*. Sie lächeln ironisch, Mademoiselle de Lespinasse?

Wir alle blickten auf die jüngere Dame an meinem Tisch. Sie lächelte, und schon ihr Lächeln erschien wie eine Andeutung witziger Geständnisse. Es ließ uns fühlen, wir hätten das Feinste gesagt, und keiner hätte uns besser verstanden als sie. Ich selber hatte Lust, mit ihr zu flirten.

Ich habe neben zeitkritischen Romanen auch einige historische Romane und Biographien geschrieben und bin den Umgang mit historischen Personen, ja mit literarischen Gespenstern gewöhnt. Und leben wir nicht alle mit Gespenstern? Ist jeder, der polizeilich gemeldet ist und noch lebt, wirklich lebendig? Gibt es nicht lebende Gespenster?

Ich bin kein Spiritist. Aber wir sind zum geistigen Umgang mit Toten verurteilt. In den Museen, in den Bibliotheken finden wir die großen Zeugen der Menschheit aus allen Ecken der Welt und aus den Enden aller Zeiten. Warum sollte ich mich nicht mit historischen oder erfundenen Personen unterhalten, und vielleicht besser, als mit vielen Lebenden? Warum sollte ich nicht mit meinen eigenen Figuren flirten?

Einige Umsitzende mochten darüber verwundert sein, daß ich allein an meinem Tisch saß und mit lebhaften Gebärden zu Leuten sprach, die nicht da waren. Das tue ich häufig. Ich spreche, was ich schreibe. Ich spreche fast immer laut mit meinen Figuren, bin ihr Bauchredner und Vormund, Partner oder Gegner, der Demiurg in meiner fiktiven Welt, Schöpfer und Geschöpf.

Mein lieber Baron Grimm, fragte mit dem kokettesten Lächeln Juliette de Lespinasse, hieß ich nicht einst Juliette für Sie? Und wollen Sie wirklich Ihre *Literarische Korrespondenz* der *Enzyklopädie* gleichstellen?

Zwei aufrührerische, vulgäre Werke, rief Casanova, beide förderten den Untergang der Gesittung und der guten Gesellschaft.

Auf seine beiläufige Weise hatte Casanova am Untergang

der alten Gesellschaft mitgewirkt; dennoch betete er sie an, jene selbe Gesellschaft, die er foppte und stets verlachte. Sie war seine Bühne, ohne die er weder agieren noch genießen konnte. Also war er ein bitterer Feind der Französischen Revolution, ein Feind solcher Figuren, wie er selber eine war.

Baron Grimm war gereizt worden und mußte sprechen, vom Wichtigsten: Von sich! Hatte irgendeiner seine immense Bedeutung nicht begriffen? Dieser gestürzte und vergessene intellektuelle Papst eines toten Jahrhunderts war noch als Revenant nicht imstande, für möglich zu halten, daß es ihn nicht gab.

Dieselben Leute, rief er aus, schrieben für meine *Literarische Korrespondenz* und die *Enzyklopädie,* Voltaire oder d'Alembert oder Diderot, der für mich über Garrick sein *Paradox über den Komödianten* geschrieben hat, und seine »Salons«, wo Europa die Kunst verstehen und kritisieren lernte. Der Abbé Galiani, der Abbé Raynal, Madame d'Épinay arbeiteten für meine *Korrespondenz,* die einflußreichste literarische Zeitschrift des Jahrhunderts. Meine Abonnenten waren Katharina II. von Rußland, der König von Polen, die Königin von Schweden, die Herzöge und Prinzen Europas und Goethe.

Vielleicht wäre es besser für Ihren Nachruhm gewesen, sagte gleichmütig Casanova, wenn statt dieser Potentaten die Söhne von Bauern oder Schauspielern Sie gelesen hätten.

Sie lästern! rief Baron Grimm. Die französische Literatur war die einzige Literatur Europas. Durch mich erfuhr Europa von neuen Büchern, Theaterstücken und Ideen! Was man an den Höfen Europas sprach, in Pariser Salons und Cafés dachte, erfuhren die Höfe Europas bei mir. Durch mich erfuhr Europa die Entdeckungen der Wissenschaften und alle gesprochene Kritik. Ich reiste durch Europa, zweihundert erlesene Geister lasen mich und reisten im Druck und im Geist mir nach. Ich kannte alle Großen und die Genies. Ein Genie, das ich nicht erwähnte, existierte nicht für die Welt. Ich habe es weit gebracht, viel verdankte ich den Frauen. Als Rousseau nach Paris kam, erklärte ihm der Père Castel: »Man erreicht in

Paris nichts ohne die Frauen«. Sie lächeln, mein lieber Casanova? Sie denken an Fräulein Fel, die mich verschmäht hat. Sie war eine Komödiantin!

Casanova hob beide Hände zum Protest. Mein lieber Baron Grimm! Ein Weiberheld macht aus Niederlagen Triumphe. Sie traten wegen dieser schönen Schauspielerin in den Hungerstreik, und ganz Paris sprach davon. Man hieß Sie in allen Kaffeehäusern den »Mann der starken Gefühle«. In einem Jahrhundert, das alles zerredete, sogar die einfachsten Gefühle, war es das höchste Lob. Nur die Kaiserin Katharina II. sagte zu mir: »Grimm? Seine Exzellenz, der Wehleidige, der nie glücklicher ist, als wenn er bei oder nahe oder zur Seite oder vor oder hinter einer hohen deutschen Adelsperson steckt?«

So boshaft reden Weiber, die glauben, daß sie uns nicht mehr brauchen, erklärte Grimm. Aber Juliette, Sie lächeln schon wieder ironisch? Was halten Sie von mir?

Daß Sie zeitlebens heißer geliebt wurden als Sie verdient haben; Sie hatten ein kaltes Herz. Wie die meisten Egoisten überschätzten Sie sich.

Ich ein Egoist? rief Grimm überrascht. Ich hätte nicht geliebt?

Mein lieber Freund, erwiderte Fräulein de Lespinasse. Können Sie sogar anderthalb Jahrhunderte nach Ihrem Tod nicht die Wahrheit hören? Sie waren ein Schöngeist, pikant, fein, ein angenehmer Egoist. Diderot liebte Sie beinahe leidenschaftlich. In Ihnen sah er seinen besten Freund. In den Briefen an seine Freundin, Fräulein Voland, schilderte er Ihre Freundin Madame d'Épinay, mit ihren herabhängenden Haarlocken und einem blauen Band um die Stirn, wie sie ihren Baron Grimm schwärmerisch anblickt. Ihre Zeitschrift war ein geschriebener, klatschsüchtiger Salon, wie alle diese Salons uferlos im Gespräch. Aber die *Enzyklopädie* war eine Revolution des Menschengeistes im achtzehnten Jahrhundert, das Werk des großen Diderot. Er war die Seele und Stimme des Jahrhunderts, der Mittler zwischen Voltaire, Rousseau, Buffon und Holbach, zwischen Chemikern und Literaten, Mechanikern und Künstlern. Dieser Zauberer Diderot war eine Mischung von Größe und Gewöhnlichkeit, wie Sainte-Beuve später gesagt hat. Die *Enzyklopädie* sollte ursprünglich nur die verbesserte und vermehrte Übersetzung des englischen Wörterbuches von Chalmers sein. In fünfundzwanzig Jahren Arbeit des universalen Diderot wurde sie ein soziales Hauptwerk des Jahrhunderts, das komplette Sachregister des menschlichen Wissens seiner Zeit.

Ich übertreibe also meine Verdienste? fragte Grimm. War Diderot so groß? Warum nehmen Sie ihn nicht als Zeugen für mich?

Er war überall kompetent, nur nicht, wo er liebte. Er war Ihr Freund und überschätzte Sie, wie er seine Frauen überschätzt hat und vielleicht die Menschheit! Es ist nicht wahr, daß man einen Mann nach seiner Frau, gar nach seinen Freunden beurteilen kann. Wer saß in Ihren literarischen Cafés nicht alles beisammen? Wer kam nicht in unsere Salons? Eine gemischte Gesellschaft! Die Liebe paart eher ungleiche als gleiche. Freundschaft bindet wie ein Kaffeehaus mehr durch Zufall als durch Verwandtschaft. Die Enzyklopädisten saßen seit der Mitte des Jahrhunderts überall in Paris. Im *Café Procope* saßen sie um Diderot geschart. Sie richteten ihr Leben gemäß ihrer überschwänglichen Leidenschaft für geistreiche Gespräche, Geselligkeit und Gastereien ein.

Die Woche war für diese Literaten besetzt. Am Sonntag und am Donnerstag gingen sie zum Diner beim Baron Holbach, am Montag und Mittwoch zum Diner bei Madame Geoffrin, am Dienstag bei Helvétius, am Freitag bei Madame Necker, am Sonntag früh zum Frühstück beim Abbé Morellet. Und zu mir kamen sie elf Jahre täglich zwischen fünf bis neun Uhr abends, die ganze Bande der Philosophen, Turgot, Rousseau, Voltaire, Diderot. D'Alembert wohnte bei mir, in allen Ehren, wie Sainte-Beuve versichert hat, er muß es wissen. Ich gab keine Diners. Ich war weder reich noch schön. Ich hatte die Pocken gehabt. Ich war ein uneheliches Kind, wie d'Alembert, ein Kind der Sünde, eines Ehebruchs der Madame d'Albon. Meine Mutter hatte auch eine legitime Tochter, die den Bruder der Marquise du Deffand geheiratet hatte. Die Marquise besuchte ihren Bruder in der Bourgogne und traf mich in seinem Haus. Ich war fünfundzwanzig Jahre alt, unterdrückt, ein besserer Dienstbote bei meiner legitimen Halbschwester.

Die Marquise und ich gefielen einander beim ersten Wort. Sie mußte mich meiner Familie entreißen, als sie mich nach Paris, in ihre Wohnung im Kloster Saint-Joseph, als ihre Vorleserin bringen wollte. Ich war nämlich zu Lebzeiten des Monsieur d'Albon geboren, hätte Anspruch auf diesen Namen und aufs Erbteil erheben können, davor zitterte meine fromme Familie. In ihrem Interesse stellte die Marquise du Deffand mir Bedingungen, ehe sie mich aufnahm. Ich blieb bei ihr zehn Jahre lang, von 1754 bis 1764. Die Arme war im Erblinden. Sie machte den Tag zur Nacht. Sie erhob sich erst am Nachmittag und wurde nie vor sechs Uhr abends fertig. Sie behielt ihre Gäste bis vier oder fünf Uhr am Morgen, da sie schlaflos war, und bettelte noch, sie möchten länger bleiben.

Schließlich merkte sie, daß d'Alembert, der Stern ihres Salons, und einige andere Philosophen erst für eine Stunde in mein Stübchen kamen, bevor sie zur Marquise gingen. Da behandelte sie mich wie eine Diebin, als hätte ich ihre Philosophen gestohlen, und setzte mich vor die Tür. Meine Freunde verhalfen mir zu einer Existenz und einem kleinen Appartement in der Rue Belle-Chasse. Das taten d'Alembert und Turgot; der Chevalier von Chatellux, der künftige Kardinal Brienne und der Erzbischof von Aix, Boisgelin; und der Abbé von Boismont. Durch meinen Salon wurde ich ein geheimer Potentat von Paris.

Bald zog d'Alembert zu mir, und wir führten gemeinsam Haushalt. Er war ein uneheliches Kind wie ich und zu stolz, wie ich, auf seine Rechte Anspruch zu erheben. Er hatte bei seiner Amme, einer Glasermeisterin, gewohnt, weit von der Rue Belle-Chasse. Als er einmal sehr krank wurde, pflegte ich ihn und überredete ihn, bei mir zu wohnen. Ich liebte ihn sehr, und er liebte mich, in aller Tugend, wie alle Welt glaubte und Sainte-Beuve schreibt.

Ich war nicht hübsch, aber jung und leidenschaftlich. Ich hatte Grazie. Ich wollte gefallen. Ich gefiel. Vom ersten Tag an war ich in jeder Gesellschaft zu Hause. Man muß sich angehören, dann ist man nirgends ein Fremder. Ich sprach zu jedem nach seiner Art, auf seinem Niveau. Ach, könnte ich doch die schwache Seite eines jeden kennen! sagte ich zu d'Alembert. Da warf er mir meine Gefallsucht vor. Es sei falsch, allen gefallen zu wollen. Er war schüchtern, zu nüchtern, zu skeptisch in allem. Man sagte von meinen Kleidern, sie machten den Eindruck des Reichtums, der Gefallen an der Einfachheit finde. Ich war gefühlvoll und tugendhaft, ich habe es häufig selber gesagt. Man muß Tugend und Gefühl haben, nicht wahr?

Die Marquise du Deffand war eine gute Lehrerin. Sie riet mir, immer natürlich zu sein. Mir fiel es leicht. Ich war gern ich selber. Nur nichts Künstliches! riet die Deffand. Die Leute erwarteten, d'Alembert würde mich heiraten. Er liebte mich unglücklich, sagte man. Man sagte, die Enzyklopädie sei mein halbes Leben.

Wahrhaftig, die Philosophen waren die Freunde meiner Vernunft. Mein Herz verlor ich an andre. Die Philosophen merkten kaum, wie ich glühte. D'Alembert, der mit mir wohnte, las es nach meinem Tod in meinen Briefen. Nur zweimal liebte ich im Leben, zweimal rasend. Mit sechsunddreißig Jahren liebte ich bis zur Erschöpfung einen Vierundzwanzigjährigen, den Spanier Marquis de Mora, den Schwiegersohn des berühmten Ministers Graf Aranda. Er war schön, edel. 1766 kam er nach Paris, ich sah und liebte ihn. Von einer Reise nach Fontainebleau schrieb er mir zweiundzwanzig Liebesbriefe in zehn Tagen. Ich liebte ihn mit jeder Pore meiner Haut, wie mit tausend Augen, wie mit tausend Fingern, mit der zerreißenden Gewalt der Wollust, unvernünftig vor Liebe, voll der Vernunft der Liebe. Dauer hat in der Liebe nur die Raserei. Mehrmals mußte Mora Paris verlassen und eilte zu mir zurück. Er war brustkrank. Ich schrieb ihm: »Lieben und

Leiden, den Himmel oder die Hölle, dem möchte ich mich ganz hingeben ... Ach Gott, wie natürlich war mir die Leidenschaft, wie fremd die Vernunft! Mein Freund, nie hat jemand so unverhüllt sich gezeigt.« Als ihm die Ärzte befahlen, nach Spanien heimzukommen, als er Paris verlassen hatte, um nie mehr zurückzukehren, als ich verzweifelt ihm schrieb, und er mir ununterbrochen Liebesbriefe schrieb, die mich wie eine Reihe von Umarmungen entflammten und die ich mit meinen Briefen wie mit Küssen erwiderte, da – im selben Jahr, nach vier oder fünf Jahren der treuesten Liebe zu meinem Mora – sah ich den Grafen de Guibert, er war damals der junge Mann der Mode, elegant und geistreich, ein Schriftsteller, der Tragödien und Abhandlungen über die Strategie des Königs Friedrich II. schrieb und nach Voltaires Meinung zu Ruhm und Größe bestimmt war. Ich war vierzig, er neunundzwanzig. Mich liebte er beiläufig und unaufrichtig. Ich schrieb ihm meinen ersten Brief vor seiner langen Reise nach Preußen, Samstag, den 15. Mai 1773 abends. Er sollte den folgenden Dienstag, dann Mittwoch abreisen, nahm von mir Abschied und fuhr erst am Donnerstag, weil er die Nacht oder den Tag für andere Frauen brauchte. Statt unter Moras Abwesenheit litt ich unter Guiberts Untreue und machte mir über diesen Gram noch Vorwürfe. Ich trug Moras neuesten Brief am Herzen, wollte ihm alles opfern, hatte aber seit zwei Monaten ihm nichts mehr zu opfern.

Ich wollte nur Mora lieben und meine Liebe zu Guibert wie ein schönes Unkraut ausreißen. Mora schrieb mir fortwährend glühend aus Spanien, ich machte mir die glühendsten Vorwürfe. Mora schrieb, er halte es ohne mich nicht aus, er verlasse Spanien und komme nach Paris zu mir, unterwegs wurde er nur kränker, und indes ich wünschte, für Mora zu sterben und zur selben Zeit für Guibert zu leben, starb Mora für mich in Bordeaux an einem Freitag, den 27. Mai 1774, wie er am Freitag einst Paris, an einem Freitag zum letztenmal Madrid verlassen hatte. Ich schrieb an Guibert: »Können Sie die Qual begreifen, deren Beute ich bin? Mein Gewissen wirft mir vor, was ich Ihnen gebe, und ich bedauere, was ich zurückhalten muß!«

Nicht für lange! Guibert hatte in Paris zwei andre Frauen gelassen, eine liebte ihn, beschäftigte ihn aber wenig, die andre liebte er, sie behandelte ihn schlecht. Ich interessierte mich für beide, wollte mich zwischen sie und Guibert schieben. Ich beschwor Guibert, mir einen Platz in seinem Leben einzuräumen. Da ich den Wechsel nicht liebte, sollte der Platz gleich ein bißchen gut sein. »Ich möchte nicht die Stelle jener unglücklichen Person haben«, schrieb ich ihm, »die unzufrieden mit Ihnen ist, und ich möchte auch die Stelle jener andern Person nicht, mit der Sie unzufrieden sind. Ich weiß noch nicht, wo Sie mich hintun wollen, aber wenn's möglich ist, machen Sie es so, daß wir beide zufrieden sind; quälen Sie mich nicht; gewähren Sie mir viel, Sie werden sehen, daß ich es nicht mißbrauche. Oh, Sie sollen sehen, wie gut ich lieben kann. Ich tue nichts als lieben, ich kann nichts als lieben!«

Ich zählte die Briefe Guiberts, mein Leben hing vom Briefträger ab. Eine gewisse Poststunde machte mich jahrelang fiebern. Um die Qual abzukürzen und die Erwartung zu betrügen, griff ich zum Opium, verdoppelte bald die Dosen. Ich schrieb ihm: »Sie wissen nicht, was ich wert bin. Glauben Sie mir wenigstens, daß ich zu leiden und zu sterben weiß; und sagen Sie dann, ob ich den anderen Frauen gleiche, die nur gefallen und sich amüsieren können. Ich hasse Sie dafür, daß Sie mich Hoffnung, Furcht, Schmerz und Freude gelehrt haben; ich brauche diese Erregungen nicht; warum ließen Sie mich nicht in Ruhe? Meine Seele brauchte nicht zu lieben; sie war erfüllt von einem zärtlichen, tiefen, geteilten, erwiderten Gefühl, wenn es auch schmerzlich war; diese Empfindung hat mich Ihnen genähert: Sie sollten mir nur gefallen. Sie haben mich tief berührt; indem Sie mich trösteten, haben Sie mich an sich gefesselt. Ich lebe, ich existiere so stark, daß es Augenblicke gibt, wo ich mich dabei ertappe, sogar mein Unglück bis zum Wahnsinn zu lieben!«

Im Oktober 1773 kam de Guibert zurück, von Friedrich II.

ausgezeichnet, in neuem Glanz. Am 10. Februar 1774, ich vergesse die Stunde und den Tag nie mehr, geschah es, daß mich ein Gift berauschte, dessen Wirkung noch anhält, das ich noch als Tote spüre. Ich liebte noch Mora, glaubte ihn noch zu lieben, und indes er zweihundert Meilen entfernt dahinstarb, ergab ich mich Herrn de Guibert.

Seitdem war ich berauscht. Ich liebte Guibert ohne Maß. Ich vergaß alles, liebte in einer ungeheuren Welt mit Bergen, Blumen, Sternen, Völkern, Städten nur ein einziges Geschöpf, diesen Mann, mit seinen zwei Beinen und Augen, zwei Händen und Ohren, mit Haut und Haar, den Eingeweiden und dem Gang und den Manieren, ich liebte von der ganzen Schöpfung nur ihn. Und ich haßte ihn. Ich schrieb ihm zahllose Briefe, forderte sie alle zurück, er verlegte meine Briefe, mischte sie unter andre, ließ sie achtlos aus seiner Tasche fallen, vergaß, seine eigenen Briefe zu siegeln, gab mir auch einen Haufen meiner Briefe zurück, darunter Liebesbriefe andrer Frauen. Ich liebte ihn, ganz wie man lieben muß, mit Übermaß und Wahnsinn, hingerissen und verzweifelt. Ich gab das Opium auf, seine Träume waren schal gegen die Lustphantasien meiner Leidenschaft. Ich schrieb ihm, »ich muß Dich bis zum Wahnsinn lieben. Ich verlange nichts. Ich verzeihe alles. Ich spüre keine Regung des Ärgers gegen Dich, kein Ressentiment. Ja, mein Freund, ich bin vollkommen; denn ich liebe Dich vollkommen.«

Ich schrieb ihm gleich darauf: »Sie sind mein Freund nicht. Sie können es nie werden. Ich habe kein Vertrauen zu Ihnen. Sie haben mir den schärfsten Schmerz angetan, der einen ehrlichen Menschen zerreißen muß. Was soll ich Ihnen noch sagen? Ich leide unter Gewissensbissen und bedaure die Vergangenheit, die Zukunft, die furchtbare Gegenwart. Ach, mein Freund, ich bedenke alles und fühle mich zu Ihnen mit einer Gewalt hingezogen, mit einem Gefühl, das abscheulich aber unabwendbar und mächtig wie die ewige Verdammnis ist.«

Mit Entsetzen merkte ich, wenn ich mit mir allein war, meinen grauenvollen Irrtum. Dieser Guibert war ein lauer, äußerlicher, ein hohler Mensch. Nur daß ich ihn haßte und fort und fort unendlich lieben mußte, wie man sich selber, wie man sein Leben, wie man seine ganze Welt nie liebt. – Ich kannte seine Schwäche, seine täglichen Verrätereien und liebte ihn. Ich beschloß, vor ihm zu fliehn und rief ihn. Ich schrieb ihm täglich Briefe, die Umarmungen und Dolche waren, Gift und Balsam zugleich. Er irritierte mich maßlos und machte mich vor Zärtlichkeit schmelzen. Seine Briefe waren lau wie seine Seele, wie Herbsttage schaudersvoll und kalt. »Füllen Sie mir die Seele, oder ich sterbe. Quälen Sie mich nicht«, schrieb ich ihm. »Machen Sie, daß ich Sie immer lieben muß oder nie geliebt habe. Mit einem Wort, tun Sie das Unmögliche, beruhigen Sie mich endlich, oder ich sterbe. Und Sie waren es, der mich an meinem Mora hat zur Schuldigen werden lassen.«

Ich empfand Reue, Haß und Eifersucht, Gewissensbisse und Verachtung für mich und für Guibert. So liebte ich ihn unendliche lange drei Jahre, drei flüchtige Jahre. Wenn man so absurd täglich vor Liebe stirbt, weil man nie wahrhaft geliebt ward, verliert alles seinen Reiz, Literatur oder Emanzipation der Menschheit, die Philosophen verlieren allen Trost, die Künste alle Schönheit, Schönheit ward schal. Ich las *Tankred,* umsonst, hörte Glucks *Orpheus,* seine Musik, die reinste Liebe ist. Das nahm mir den Rest meines Verstandes. Und das Opium, nach dem ich wieder griff, machte mich doppelt dumm und elend, raubte mir meinen Atem, mein Selbstgefühl.

Inmitten meiner vernunftseligen Philosophen führte ich das finstere Leben einer Tollen, heimlich, in aller Unschuld sozusagen; denn was ist unschuldiger als unglückliche Liebe? Aber liebte ich unglücklich? Ich besaß ihn doch von Mal zu Mal. Ich hielt ihn im Arm, im Schoß, in den hundert Höhlen meiner Seele. Zwischen meinen Enzyklopädisten verlor ich den armen Rest meiner Philosophie. Ich wurde ganz Unnatur.

Ich ließ mir seine Briefe an alle Orte nachtragen, in fremde Häuser, zu Diners. Dann nahm ich mir bisweilen vor, seine Briefe nicht mehr zu öffnen. Einen Brief trug ich in der Tat sechs Tage ohne das Siegel zu verletzen an meinem Busen.

Tagelang, wochenlang fühlte ich mich endlich genesen. Da begann in einem jähen Augenblick, durch ein Wort, einen Gedanken die ganze Hölle, der falsche Himmel neu. Meine Leidenschaft hatte sich nur totgestellt. Meine Qual hatte nur geschlafen. Meine Liebe hatte nur geträumt, Opiumträume. Es ist wahr. Ich lebte. Aber es schien mir, als ob ich neben mir selbst einherginge. »Wenn ich Sie hasse«, schrieb ich ihm, »so wissen Sie wohl, daß ich Sie bis zu einem Grad der Leidenschaft liebe, die meinen Verstand verwirrt.« Alle Verzweiflung, jede Trennung endete mit einer neuen heftigeren Umarmung.

Schließlich verheiratete ich ihn sogar. Er heiratete im Augenblick unserer höchsten Leidenschaft. Ich traf seine junge Frau und lobte sie in meinen Briefen an ihn. Diese Heirat hätte alles zwischen uns beenden sollen. Ich liebte ihn aber ruhig weiter. Von ihm wollte ich nur, daß er sich lieben lasse. Am letzten Tag war es wie am ersten. Ich fühlte den Tod. Ich verdoppelte meine Dosis Opium. Ich sagte Herrn de Guibert: »Ich fühle nur noch das Bedürfnis, heute geliebt zu werden.« »Streichen wir die Worte ›niemals‹ und ›immer‹ aus unserm Wörterbuch«, schrieb ich ihm. So viele Widersprüche sind wahr und erklären sich durch ein Wort: Ich liebe Sie.

Indes sah ich meine Freunde so oft in meinem Salon, wie es anging. Meine Laune war zu oft schneidend. Man hielt mich für eine große Liebende. Ich war es, aber auf andre Weise, als man annahm. Man tat mir die Ehre an, zu glauben, der Verlust Moras habe mich für immer verwundet. Vergebens versuchte mich d'Alembert zu zerstreuen, zu trösten und verstand es nicht, wenn ich ihn zuweilen brüsk zurückstieß. Endlich starb ich, mit dreiundvierzig Jahren, am 23. Mai 1776. Mehr als drei Jahre hatte ich de Guibert geliebt.

Ich war eine Närrin, im Leben und im Tod. Einmal ging ich durch die Tuilerien und träumte davon, wie schön es da war. Wie göttlich das Wetter war! Die Luft, die ich atmete, beruhigte mich; ich liebte, ich bedauerte, ich wünschte! Aber alle diese Empfindungen waren in Sanftmut und Melancholie getaucht.

Ach, diese Art zu fühlen, hat mehr Reize als die Glut und die Stürme der Leidenschaft! Ja, ich glaube, ich hatte genug davon: Ich nahm mir vor, ich würde fortan mit Sanftmut lieben. Aber niemals wenig lieben! Ach, ich war eine Närrin.

Nein! rief der Baron Grimm. Nie verloren Sie Ihren Geist oder Ihr Gefühl für die Freiheit, nie Ihre Reize. Erst war man in Ihren Salon gekommen, um d'Alembert zu treffen, dann suchte man Juliette. Man zog Sie der reichen Marquise du Deffand vor, obgleich diese aus nobler Familie und immer geistreich war und eine der besten Schriftstellerinnen von Frankreich. Die Marquise, die ohne Gesellschaft nicht leben konnte, fühlte sich fremd und verraten in der Gesellschaft. Sie sagte einmal mit aufrichtigem Schmerz: Ist es nicht unerträglich, daß man nie die Wahrheit hört?

Sie durchlebte fast das ganze Jahrhundert, von 1697 bis 1780. Sie kam aus einer adligen Familie von Burgund. Sie zweifelte schon als kleines Mädchen an Gott, mitten im Kloster, wo sie erzogen ward. Ihre Familie sandte ihr den großen Kanzelredner Massillon. Der hörte sie an und sagte im Weggehn: »Sie ist reizend.«

Später beklagte sie ihre mangelhafte Erziehung und wollte gerne wieder vier Jahre alt sein, wenn man ihr nur den Horaz zum Lehrer gäbe. Man verheiratete sie mit einundzwanzig Jahren, sie fühlte Widerwillen vor dem Marquis du Deffand.

Sie entschädigte sich unbekümmert bei andern Männern und fühlte sich trotzdem immer enttäuscht. Fünfzehn Tage lang war sie auch die Geliebte des Regenten. Im Salon der Herzogin du Maine traf sie den Präsidenten Hénault und wurde seine Freundin, sie war ihm überlegen, sie führte später eine Vernunftehe mit ihm, eine wilde Ehe. Zeitlebens war sie die Freundin von Voltaire. Um 1740 blühte ihr Salon. Ihr ärgster Feind war die Langeweile. Wie früher im Bett, so wechselte sie jetzt die Partner im Salon. Sie sah in der Gesellschaft nur einen Haufen Dummheit und Lächerlichkeit.

Mit fünfzig Jahren schloß sie ihr mondänes Leben ab, zog ins Kloster St. Joseph und bewohnte einige Zimmer der Wohnung, die Frau von Montespan, die Gründerin des Klosters, innegehabt hatte. Dort empfing sie. Ihre Soupers wurden berühmt. In Gefahr zu erblinden, nahm sie statt Augen das Fräulein Juliette de Lespinasse. Sie hieß sich die »Lebendigste aller Toten«. Sie zitterte vor der Einsamkeit, vor der Stille ihrer doppelten Nacht, in der sie lebte, vor ihren *Vapeurs.* Sie empfing Voltaire und Rousseau, Montesquieu und Laharpe, d'Alembert und Fontenelle.

Dann »stahl« Juliette den d'Alembert und die andern jungen Philosophen. Die Deffand jagte die Philosophen fort und empfing Politiker und die Herzöge und Marschallinnen. In ihrem achtundsechzigsten Jahr verliebte sie sich besinnungslos in den zwanzig Jahre jüngeren Horace Walpole, den berühmten Briefschreiber, Autor des ersten Schauerromans *Das Schloß von Otranto* und Besitzer des »Gotischen Schlosses« zu Strawberry Hill. Walpole bewunderte und verehrte sie, zitterte aber vor der Lächerlichkeit dieser unpassenden Leidenschaft.

Er warnte sie davor, daß das »schwarze Kabinett« Briefe aus dem Ausland öffne und dem König vorlege; so konnten die Liebesbriefe der Siebzigjährigen samt dem Adressaten zum Spott des Hofes werden.

Walpole schrieb am 6. Oktober 1765 an einen Freund: »Der alte Präsident Hénault spielt die Rolle eines Hausgötzen im Hause der Marquise du Deffand, einer alten blinden Dame, einer Messalina des Geistes, bei der ich gestern abend gespeist habe. Der Präsident ist fast ganz taub, und seine Zeit scheint mir in jedem Belang vorüber.«

Fünfzehn Jahre lang dauerte die Leidenschaft dieser »alten Dame« für Walpole. Bald bewunderte er sie aufs höchste. Er kam öfters nach Paris, nur um sie zu sehn. Im Januar 1766 schrieb er an den Dichter Thomas Gray, mit dem er 1739 bis 1741 die Grand Tour durch Frankreich, die Schweiz und Italien gemacht hatte: »Die große Feindin der Geoffrin, die Madame du Deffand, war einen Augenblick lang die Geliebte des Regenten; sie ist jetzt ganz alt und blind, aber sie ist noch immer von höchster Lebhaftigkeit, voll munterer Einfälle, mit dem besten Gedächtnis und Urteil, von leidenschaftlichem Wesen und höchst angenehmem Geist. Sie besucht die Oper, das Schauspiel, man begegnet ihr in den Abendgesellschaften und in Versailles. Zweimal in der Woche veranstaltet sie selbst ein Souper; sie läßt sich die Tagesneuigkeiten vorlesen; sie dichtet Bänkellieder und Epigramme, die wahrhaft entzückend sind, und sie erinnert sich an alles, was auf diesem Gebiet in den letzten achtzig Jahren entstanden ist. Sie steht in brieflicher Verbindung mit Voltaire, diktiert die bezauberndsten Briefe, die an seine Adresse gerichtet sind, widerspricht ihm, rutscht weder vor ihm noch vor sonst jemand auf den Knien und macht sich in einem Atem über die Geistlichkeit und die aufgeklärten Geister lustig. Beim Debattieren, wozu sie eine lebhafte Neigung besitzt, ist sie sehr hitzig und hat doch fast niemals unrecht. Ihr Urteil in jeder Sache ist von unanfechtbarer Richtigkeit; gilt es aber, daraus eine Richtschnur für ihr Handeln zu machen, so läßt sie sich nur allzuleicht foppen oder foppt sich selber; denn sie ist ganz Liebe und ganz Haß, nichts bekümmert sie so sehr, als ob man sie liebt, sich mit ihr beschäftigt, und wenn sie auch für ihre Freunde durchs Feuer geht, so ist sie andererseits eine gefährliche Feindin, aber wenigstens eine, die sich nicht verstellt.«

Nach sieben Monaten in Paris kehrte Walpole nach London zurück. Die Deffand schrieb ihm zwei Tage nach seiner Abreise. Sie schrieb ihm fortwährend. Er wirft ihr Romantik, Metaphysik und Empfindsamkeit vor. Sie antwortet zornig, witzig, demütig und schreibt immer wieder von ihm, über ihn, Liebeserklärungen an ihn, sie scherzt, lacht, weint und liebt ihn und spricht unaufhörlich von ihm.

Walpole war ein Sammler, er sammelte Bücher, Antiquitäten und Steckenpferde, Tollheiten und Passionen und Menschen. Madame du Deffand beneidete ihn, weil er sich nie langweile, keine Menschen, keine Gesellschaft brauche. Er hieß sie überall seine »alte Freundin«.

»Mit dreiundsiebzig Jahren«, schreibt er, »ist sie so feurig wie eine andere mit dreiundzwanzig. Sie hat lange gelebt, hat aus der vergnüglichsten Epoche in die vernünftigste herübergelebt und vereinigt in ihrer Person die Vorzüge dieser beiden Zeitalter ohne ihre Fehler: all die Liebenswürdigkeit der früheren Zeit ohne ihre Eitelkeit, mit allem Ernst der neueren Zeit, ohne ihre Langweile. Sie stutzt der anerkannten Wahrheit gern ein bißchen die Flügel, ermutigt die noch nicht ganz flüggen jungen Gelehrten und findet für jeden das rechte Wort. Ebenso lebhaft in der Wiedergabe ihrer Eindrücke wie die Madame de Sévigné, hat sie doch keines ihrer Vorurteile und einen allumfassenden Geschmack. Von zartester Gesundheit, lebt sie unter dem Gebote eines unbesieglichen Temperaments in einem Tempo, das mich umbrächte, wenn ich mich ihm nicht durch die Flucht entzöge. Wenn wir um ein Uhr morgens von einer Abendgesellschaft auf dem Lande zurückkommen, schlägt sie einen Spaziergang über die Boulevards vor oder einen Besuch der Jahrmarktsbuden, weil es zu früh wäre, sich schlafen zu legen. Letzte Nacht erst hatte ich die größte Mühe, ihr, obwohl sie sich nicht ganz wohl fühlte, begreiflich zu machen, daß es keinen Sinn hätte, bis zwei oder drei Uhr morgens aufzubleiben, nur um den Kometen zu sehen; bereits hatte sie aus diesem Anlaß angeordnet, daß ein Astronom mit seinem Fernrohr beim Präsidenten Hénault rechtzeitig zur Stelle wäre, in der Annahme, mir damit ein Vergnügen zu bereiten.«

Walpole spottet über ihre »herkulische Schwachheit«. Im August 1775 überfiel ihn seine alte Freundin, kaum daß er in Paris angekommen war, und leistete ihm Gesellschaft, während er sich umzog. Da sie blind sei, wäre nichts Unpassendes dabei. Die verblendete Blinde! Bislang hatte sie alle romantischen Gefühle und die Narreteien der andern aufs witzigste verspottet, den Präsidenten Hénault wegen seiner Schwärmerei für den Mond ausgelacht, die verliebten Briefe der Héloise an ihren Abälard und die Liebesbriefe der portugiesischen Nonne verachtet, sie schrieb nun selber liebestolle Briefe und war närrisch verliebt in diesen Briten Walpole, liebeskrank bis in ihr dreiundachtzigstes Jahr.

Sie schrieb an Walpole: »Ach, mein Gott, wie recht haben

Sie. Die Freundschaft ist eine unsäglich jämmerliche Erfindung. Woher kommt sie? Wohin führt sie? Worauf gründet sie sich? Was kann man von ihr Gutes erhoffen? Was Sie mir sagen, ist nur allzu wahr. Aber warum sind wir auf der Welt, und warum, wozu wird man alt? ... Ich hatte gestern abend eine größere Gesellschaft; ich sah ihr mit Verwunderung zu; Männer und Frauen machten mir den Eindruck von mechanischen Apparaten: sie gingen, kamen, sprachen, lachten, ohne zu denken, ohne zu überlegen, ohne zu fühlen; jeder spielte seine Rolle gewohnheitsmäßig weiter: Die Herzogin von Aiguillon drohte vor Lachen zu platzen. Frau von Forqualquier spielte die Verächtliche, Frau von Valière schwatzte unaufhörlich. Die Männer erwiesen sich als um nichts bessere Komödianten ihrer selbst, und ich verlor mich in die schwärzesten Betrachtungen: Ich dachte daran, daß ich mein Leben in Illusionen verzettelt hatte, daß ich in Abgründe gestürzt bin, die ich mir selbst gegraben hatte; daß alle meine Urteile über Menschen falsch und unüberlegt, vor allem aber überstürzt gewesen waren und daß ich in Wahrheit niemand wirklich gekannt habe, daß auch mich niemand gekannt hat und daß ich mich möglicherweise selbst nicht kenne. Man sehnt sich nach einem festen Halt im Leben, man schmeichelt sich, ihn gefunden zu haben; es war ein Traum, den die Umstände widerlegen, indem sie uns ernüchtert erwachen lassen.«

Sie bedauerte, daß Walpole nicht ihr Sohn war.

Sie liebte an ihm vor allem seine unbekümmerte Rede, die lachende Aufrichtigkeit, das Unverblümte. »Was man heutigen Tages Beredsamkeit nennt, ist mir so verhaßt, daß ich dieser Art Schönrednerei die Sprache der Marktweiber vorzöge; um geistreich zu scheinen, verrät man den Geist.«

Walpole ging mit ihr soupieren, bis um halb drei Uhr morgens. Beim Erwachen empfing er einen Brief, den sie ihm noch in der Nacht geschrieben hatte. Er sagte: Ihre Seele ist unsterblich und zwingt ihren Körper, ihr Gesellschaft zu leisten.

Sie sagte: »Ach, mein Gott, welche große und schätzbare

Tugend ist doch die Güte! Ich nehme mir täglich vor, gut zu sein, hoffentlich gelingt es mir mit der Zeit.«

Geist und Ton ihres Salons wirkten noch auf die Salons unter Kaiser Napoleon ein. Als sie ihren letzten Brief an Walpole ihrem Sekretär Viart diktierte und dieser in Tränen ausbrach, fragte sie ihn verwundert: »Ja, lieben Sie mich denn?«

Sie trug Walpole auf, nach ihrem Tod für ihr Hündchen Tanton zu sorgen.

Und Baron Grimm schloß: Genialische Frauen führten Salons für genialische Männer. Welche Kraft besaß etwa die Marquise Tencin. Zweimal schien ihr Leben erledigt. Zweimal stand sie aus dem Staube wieder auf und triumphierte. Mein Freund Diderot schrieb: »Die Genies lesen wenig, treiben viel und bilden sich selber. Denkt nur an Caesar, Turenne, Vauban, die Marquise Tencin ...«

Sie interessiert mich seit langem, gestand ich dem Baron Grimm. Seit zwanzig Jahren will ich einen Roman schreiben: *Die Mutter des d'Alembert.* Welch ein Paar, Mutter und Sohn! Sie war die Tochter eines Parlamentsmitglieds aus Grenoble und wurde Nonne bei den Dominikanerinnen. Mit achtundzwanzig Jahren floh sie aus ihrem Kloster in der Provinz, um in Paris ein galantes Leben zu führen. Sie hieß sich eine Stiftsdame und zog zu ihrer Schwester, der Gräfin Ferriol, durch die sie viele Diplomaten kennen lernte. Sie ging von Mann zu Mann. Serienweise schloß sie so kurze wie nützliche Liaisons. Zwei englische Botschafter, Prior und Bolingbroke, fanden Gefallen an ihrer Liebe und ihren Intrigen. Der Regent, ihr nächster Liebhaber, verabscheute ihre Intrigen. Saint-Simon sagte, sie fiel vom Herrn zum Knecht. Denn sie nahm nach dem Regenten den Dubois, der dank ihrem Bruder, de Tencin, Kardinal wurde, aber in Rom starb. Vom Kriegskommissar Chevalier Destouches hatte sie 1717 einen Sohn. Sie legte das Kind auf die Stufen der Kirche St. Jean le Rond. Der Chevalier Destouches ließ seinen Sohn suchen und gab ihm eine gute Erziehung. Das wurde Jean le Rond-d'Alembert. Er war ein mathematisches Genie, schon in früher Jugend. Er war mit Denis Diderot

Herausgeber der *Enzyklopädie*, er hat die berühmte Einleitung geschrieben, den *Discours préliminaire*. Er gab Europa neue Ideen. Er war fast so bekannt wie Voltaire.

Aber die Tencin? Was wurde aus dieser Mutter? Sie setzte ihr Kind auf der Kirchentreppe aus und nahm neue Liebhaber. Hatte sie zu viel oder zu wenig Talent für die Liebe? Nacheinander wurden die beiden Marquis d'Argenson, Vater und Sohn zu Polizeipräsidenten von Paris und Liebhabern der Madame Tencin. Brauchte sie Protektion bei der Polizei? Auch der spätere Präsident Hénault, der Mann zur Linken der Marquise Deffand, war ein Freund der Tencin. Die entlaufene Nonne eröffnete mit ihm ein Börsenkontor, nach dem System des Inflationisten und Autors des französischen Staatsbankrotts John Law. Die Dame Tencin wurde reich.

Aber 1726 kam ihr zweiter Sturz, sie war vierundvierzig Jahre alt. La Fresnais, ein naiver Liebhaber, den sie ruiniert hatte und der ihr in aller Unschuld die eine oder andere leichte Koketterie vorgehalten hatte, entdeckte plötzlich, daß er einer von hundert Betrogenen, einer ihrer hundert Liebhaber war, ein Serienartikel, und er ging in ihre Wohnung und brachte sich um. Unter Mordverdacht kam sie in den Kerker des Châtelet. Als man sie endlich freisprach, beschloß sie, »vernünftig zu werden«. Frauen, die in einer moralischen Erneuerung begriffen sind, wirken demoralisierend. Die Tencin wurde ehrgeizig und eine große Intrigantin. Erst war sie krank und umgab sich mit Geistlichen. Dann ging sie in die Politik. Aus ihrem Bruder, dem Erzbischof, wollte sie einen Kardinal, einen Papst oder den ersten Minister Frankreichs machen und durch ihn die Christenheit oder mindestens Frankreich beherrschen. Goethe sagte: Im geselligen und tätigen Leben entwickelte sie die größten Vorzüge; sie verbarg unter der äußern, unscheinbaren Hülle einer gutmütigen Gevatterin die tiefste Menschenkenntnis und das größte Geschick, in weltlichen Dingen zu wirken.

Sie eröffnete also einen Salon und bewies bald wieder ihren entschlossenen Charakter. Sie schien allen Katastrophen überlegen. Das Schicksal konnte sie anscheinend nicht zerstören. Von immer neuen Schlägen getroffen, weckte sie Bewunderung statt Mitleid. Ein Jahr nach der Entlassung aus dem Kerker erscheint die entlaufene Nonne verehrungswürdig, eine wahre Kirchenmutter. Sie ist fromm oder tut so. Bruder und Schwester de Tencin wurden im Kampf gegen die Jansenisten zu erbitterten Ultramontanen. Im Salon der Madame de Tencin wollte man ein Konzil zur Bekämpfung eines Bischofs zusammenbringen, der des Jansenismus verdächtig war. Die Literaten, Fontenelle an der Spitze, und der berühmte Arzt Astruc und Jesuiten, Prälaten und Gelehrte sollten mithelfen, damit Tencin endlich Kardinal wurde.

Das Parlament protestierte. Der Bischof wird verurteilt. Die öffentliche Meinung gerät in Aufruhr. Pamphlete greifen die Tencin an. Sie antwortet durch Broschüren. Kardinal Fleury, Frankreichs erster Minister, ist irritiert und schickt sie ins Exil außerhalb von Paris, begnadigt sie bald, doch muß sie sich verpflichten, jede Intrige aufzugeben.

Da wurde ihr politischer Salon ein literarischer Salon, mit Fontenelle und Marivaux, dem Abbé Prévost und Montesquieu. Zehn Jahre lang gab sie Ruhe. Aber 1739 wird ihr Bruder Kardinal, 1740 sogar Erzbischof von Lyon. Kardinal Fleury ist schon siebenundachtzig Jahre alt, Kardinal de Tencin soll nach dem Wunsch seiner Schwester zum Nachfolger Fleurys werden. Sie belagert den alten Fleury und Louis XV. Fleury ist sogar zu müde, um gegen Intrigen aufzutreten. Eine neue Mätresse soll den König erobern. Die vereinten Bemühungen von einem Dutzend Kuppler bringen ihn schließlich ins Bett der Herzogin von Chateauroux. Rasch setzt die Tencin alles und alle in Bewegung, Bischöfe und hübsche Frauen, Generäle und Richelieu, sogar ihren alten Freund, den Kardinal Lambertini. Er ist jetzt der Papst Benedikt XIV. und schickt der entlaufenen Nonne sein Porträt mit einer Widmung. Aber die neue Mätresse des Königs und der uralte Kardinal Fleury sterben, und Monsieur de Tencin wird nicht Fleurys Nachfolger.

Da greift die Tencin nochmals zur Feder. Sie schreibt ihr letztes Buch: *Les Malheurs de l'Amour* und sagt: »Die Leute von Geist benehmen sich oft voller Fehler, weil sie die Welt nicht für so dumm halten wollen, wie sie ist.«

Ich blickte auf. Baron Grimm und der Chevalier de Seintgalt flüsterten miteinander. Das Fräulein de Lespinasse starrte auf einen jungen Menschen, der drei Tische entfernt saß und nicht halb so alt wie sie aussah. Es war ein schöner Mensch, mit einem melancholischen Gesicht. Wollte sie sich noch als Gespenst in einen jüngern Mann verlieben? Frauen von Geist machen sich so unbekümmert durch ihre Leidenschaften zum Gespött, als wären sie Männer von Geist. Auch die Geoffrin schien tief in Gedanken. Plötzlich sah sie mich voller Schalkheit an und erklärte: Diesen Salon der Madame Tencin habe ich geerbt. Eines Tages sagte sie zu ihren Freunden: »Wissen Sie, was die Geoffrin hier macht? Sie sieht sich um, was sie von meinem Inventar brauchen kann.« Marivaux schrieb, Madame de Tencin hätte das beste und das sonderbarste Herz von der Welt. Natürlich wollte sie die Freundin aller Mächtigen sein. Duclos sagte, sie sei sehr gefällig, wenn es nicht gegen ihr Interesse ging. Ihre Gäste hieß sie ihre »Bestien«. Sie nahm sich der Geschäfte ihrer Freunde an, bot ihnen eine interessante und gemischte Gesellschaft, amüsierte sie durch ihre sprühenden Einfälle und das faszinierende Schauspiel ihrer Person und ihres Lebens. Marivaux hat sie in seinem Roman *Das Leben Mariannes* porträtiert, mit ihrem Charme und ihrem tiefen Gemüt.

Man dinierte köstlich bei ihr. Voltaire las eine Komödie, der Abbé Prévost aus *Manon Lescaut,* Montesquieu aus seinem *Geist der Gesetze.* Es war der erste Salon, wo die Philosophen hinkamen und über Liebe, Poesie, Politik, Medizin und ähnliche hybride Wissenschaften diskutierten. Man zerriß Freunde und Feinde im Scherz und Ernst, verspottete Götter, Könige und Literaten und tauschte Geschenke aus.

Man schenkte der Marquise einen grünen Strohhut, den sie

vor den Freunden anprobierte. Sie schenkte ihren Philosophen gelben und blauen Samt für Hosen. Piron erzählte seine obszönen Geschichten.

Diese Salons und Cafés wurden zum Stoff für die Literatur. Der Komödiendichter Marivaux schulte uns, wir schulten ihn. Er hat aus der Liebe eine Komödie gemacht.

Lieber Casanova, sagte ich, da haben Sie also bei Marivaux gelernt.

Der Chevalier de Seintgalt schien gekränkt. Meine Natur ist es, erwiderte er trocken, die Liebe komisch zu finden. Ich muß lachen, wenn ich liebe; ich liebe besser, wenn ich lachen muß. Mein Lehrmeister in der Liebe ist das weibliche Geschlecht und kein Komödienschreiber gewesen.

Die Geoffrin lachte den Casanova aus, sie lachte ihn an und sagte: Schon Molière machte sich über die Preziösen lustig. Und Marivaux verspottete alles Preziöse so treffend, daß man es *Marivaudage* hieß. Unseren Salons warf man die *petits-maîtres* vor, die Stutzer, die Putzdämchen, die Fadiane, die kleinen Abbés, die sogenannten *Nécessaires,* alle, die nur glänzen und persiflieren wollten. Uns machte man für tausend Künstlichkeiten der Epoche verantwortlich, für die Fehler der Mode-Autoren, welche die Natur vergaßen, bis ihre subtile Kunst zur Lüge wurde, bestenfalls zur Badinage. Sogar Rousseau schrieb Satiren auf unsere Frivolität.

Ich war eine anständige Frau. Man sagte hinter meinem Rücken, ich sei nur eine kleine Bürgerin. Ich schwärmte für geistreiche Leute und wollte meine Künstler, Literaten und Wissenschaftler protegieren. Ich gab drei separate Empfänge jede Woche und kleine Soupers für Potentaten und Prinzen. Meine Börse stand allen offen. Bei mir regierten nicht die hübschen Larven der jungen Frauen, sondern ein Voltaire, ein Baron Grimm, ein Rousseau.

Grimm, der sich zwischen zwei Genies am rechten Platz fühlte, bestätigte alles nachdrücklich. Wir Philosophen gediehen in diesen Salons. Unter Ludwig XV. gab es bei Hof keine Männer von Geist, oder sie schwiegen. Um ›gut‹ zu reden, ging man in die Cafés und Salons. Madame Lambert hat neben geistreichen Männern sogar einige schöne junge Frauen empfangen. Schauspieler deklamierten bei ihr, Watteau sprach über die Kunst, Rameau und Couperin saßen am Klavier, und keiner erwähnte, daß die Lambert in ihren übermütigen Jahren sogar mit den Angestellten ihres Mannes geschlafen hat. Diese Damen wurden aus wahllosen Liebhaberinnen die erwählten Stiefmütter der Französischen Revolution. Alle Skeptiker und Aufklärer, alle unruhigen Aufrührer speisten bei ihnen. Hat der alte Fontenelle angesichts dieser Damen sein Bonmot gefunden: *Tout est possible, tout le monde a raison?* Alles ist möglich? Alle Welt hat recht?

Diese Damen durften wie der Figaro des Beaumarchais sagen: »Ich habe alles gesehen, alles gemacht, alles abgenutzt. Dann war die Illusion zerstört.«

Ich habe, erzählte Grimm, noch den Fontenelle erlebt, der die Frauen liebte und hundert Jahre alt wurde, ein Reformator und Salonlöwe, ein dauerhafter, beständiger Liebhaber und Liebling dieser großen Damen.

Die Revolution, sagte ich zu meinen gespenstischen Besuchern, hat euch alle weggefegt. Aber die literarischen Salons und Cafés wechselten nur ihre Besitzer, ihre Koryphäen, ihr Publikum und zuletzt ihre Lokale. Madame de Sévigné schrieb laut Voltaire: *Racine passera comme le café.* – Man trinkt noch Kaffee. Man spielt den Racine.

Im neunten Jahrhundert der Hegira gab es die ersten Kaffeehäuser in Mekka, Medina, Mokka und Aden. Da saßen Poeten und Müßiggänger, spielten Schach, disputierten, sangen und tanzten oder schwiegen zusammen. Schon Mahomet hatte seine Milch gern in Gesellschaft getrunken. Bald gab es Kaffeehäuser in Kairo und Aleppo, in Damaskus und Konstantinopel, wo seit 1554 Kadis, Veziere und Poeten in den *Cafés Hakim* und *Schemz* saßen. Die Tasse Kaffee kostete einen Aspre. Man spielte Mühle. Man vergaß die Stunde des Gebets. Die Zeloten

Vorlesung der Enzyclopädisten im Salon der Madame Geoffrin

Café Procope im 18. Jhrh. In den Medaillons: Buffon – Gilbert –
Diderot – D'Alembert – Marmontel – Le Kaïn – J. B. Rousseau –
Voltaire – Piron – D'Holbach

Casanova de Seingalt 1725–1798   *François de Voltaire 1694–1778*

Schriftsteller im Café de Foix (August 1789)

ließen die Cafés schließen und den Gästen vierundzwanzig Stockhiebe verabreichen.

Man öffnete die Cafés wieder, lag auf Sofas, reimte und plauderte, hörte die neuesten Gedichte der Poeten und diskutierte die Moral. Der Engel Gabriel hatte den Kaffee erfunden, hieß es in Persien, um den Propheten Mahomet zu beleben. Mit Kaffee im Leib hob Mahomet vierzig Reiter aus dem Sattel und liebte gleichzeitig vierzig Frauen.

In Konstantinopel hieß man die Kaffeehäuser die »Schulen der Weisheit«, als hätten dort Darmstädter Philosophen verkehrt. Märchenerzähler erzählten Märchen. Prediger sprachen zu Sündern. Die Frommen spielten Schach.

1647 erstand das erste Café in Venedig, am Markusplatz, unter den Arkaden der neuen Prokurazien, 1650 das erste Café (von einem syrischen Juden begründet) in Oxford, 1652 in London, 1654 in Marseille, 1689 in Frankfurt. Schon öffneten die ersten Cafés in Rom und 1683 in der Domgasse 6 das erste Wiener Kaffeehaus *Zur blauen Flasche*. Armenier errichteten die ersten Cafés in Paris, Pascal ein türkisches Kaffeehaus am Quai de l'École, Grégoire auf der Foire de St. Germain, Maliban in der Rue de Buci.

Der Sizilianer Procope Cultelli, der 1660 das Speiseeis erfunden hatte, eröffnete in der Rue des Fossés-Saint-Germain, Nr. 13, gegenüber der alten Comédie Française, das *Café Procope*. Von dem galanten Badhaus, das zuvor in jenen Räumen war, behielt Cultelli die großen Wandspiegel, die Marmorplatten, Kronleuchter, Marmortische und gedrechselten Möbel. Aus den Theaterproben kamen die Dramatiker Crébillon und Jean Baptiste Rousseau und Piron und tranken Kaffee. Bald folgten die Schauspieler und Fontenelle und Voisenon, Voltaire und Jean Jaques Rousseau, Rétif de la Bretonne und Marmontel und die drei Freunde Grimm, Diderot und d'Alembert. Sie sprachen von sich und den Komödiantinnen, kritisierten die Regierung und die Literatur, debattierten über Liebe und Religion, schmähten Gott und kleinere Könige, deren Joch so real war wie das Joch der Priester.

Um trotz Polizeispitzeln und Regierungsdenunzianten frei zu reden, hatten die Literaten einen Argot erfunden. Statt Religion sagten sie *javotte*. Der liebe Gott führte den Titel *Monsieur de l'Être*. Die Seele hieß *Margot* – und verdient sie einen bessern Namen? *Passer sa vie dans les Cafés,* das wurde eine Profession. Ganze Generationen verbrachten ihr Leben im Café. Das waren die Väter und Söhne der Revolution. Müßige Kaffeehausgäste wie Robespierre proklamierten für alle das Recht auf Arbeit.

Montesquieu schrieb: »Es ist ein Vorzug des Kaffeehauses, daß man den ganzen Tag dort sitzen kann und ebenso nachts, mitten unter Leuten aus allen Klassen. Das Kaffeehaus ist der einzige Ort, wo das Gespräch die Realität schafft, wo gigantische Pläne, utopische Träume und anarchistische Verschwörungen geboren werden, ohne daß man seinen Stuhl verläßt.«

Im Café der Witwe Laurent nahe der Rue Dauphine hatte Jean Baptiste Rousseau seine aufrührerischen Verse den Freunden vorgelesen. Als man einige gereimte Satiren in seiner Handschrift unterm Tisch der Poeten fand, wurde ihm der Prozeß gemacht, er mußte ins Exil gehen.

Im *Café Procope* brachten Kinder, *petits garçons,* den Kaffee auf Tabletts, seitdem heißen auch alte Kellner *Garçons.*

Als die Comédie Française umzog, kamen statt Schauspieler und Dramatiker die Akteure der politischen Dramen. Um einen kleinen Ofen in der Mitte des Cafés saßen Mirabeau, Danton und Marat, Hébert und Robespierre. Das *Procope* wurde ein Quartier der Revolution. Unter Napoleon bereitete General Malet im *Café Procope* seine Revolte vor. Später kamen Modedamen, Stutzer und die Romantiker, Théophile Gautier, Balzac, Gérard de Nerval, Henri Murger, zuweilen Alfred de Musset. Es kamen Studenten und ihre Freundinnen vom Quartier Latin. 1872 schloß das Café und wurde 1893 neu eröffnet, mit Zeichnungen und Bildern von Corot, Daubigny, Courbet und Willette an den Wänden, mit den Porträts der berühmten Gäste, Voltaire und Robespierre, Diderot und Marat, Mirabeau und Gambetta. Nun kamen

Huysmans, Rachilde, Pierre Louys, Charles Richepin, Anatole France, Paul Verlaine, Oscar Wilde.

Die neuen Bohemiens waren anders kostümiert, dichteten nach einer neuen Mode, einige zerstörten ihr Leben nach einer neuen Fasson, alle träumten sie von einer neuen Poesie. Die Freunde der Aufklärung hatten die Sonne in ihrem poetischen Gepäck geführt. Die Romantiker liebten den Mond.

Die Naturalisten, Symbolisten und Parnassiens suchten das künstliche Licht, die artifiziellen Räusche, die abwegigen Phantasien und Alpträume der Menschheit im Schnaps, im Absinth und Äther, in der Doppelgängerei und Bewußtseinsspaltung, in der sozialen und politischen Revolution der Sprache, in der Auflösung des Menschen.

Welche Schattenspiele der Literatur! Wieviele Kaffeehausträume der Menschheit schwankend zwischen einer Gassenkneipe und dem Parnaß! Wieviele Zwerge und Giganten! Welche Tauromachie! Ein Marktplatz, ein Bordell, ein Tempel, eine Börse, eine marmorne Wiese mit Schäfern und verführerischen Schäfchen! Was für eine Possenbühne! Welche Walstatt welker oder aufblühender Ideale – solch ein literarisches Café!

Ich würde sogleich ins *Café Procope* gehn, wenn ich mir einige Gäste zweier Jahrhunderte bestellen könnte, von Voltaire und Diderot bis Balzac und Anatole France, und gar die teuern Landsleute, meine Lieblinge im Exil, den Heinrich Heine und Ludwig Börne und ihre Gäste, Karl Marx und Richard Wagner und Friedrich Hebbel. So lange sitze ich nun schon in den Cafés vieler Länder, musterte die Gäste und warte, welchen alten Freund der gefällige Wind des Zufalls in mein Kaffeehaus weht, noch nie kam Heine, noch nie Diderot, noch nie Lessing.

Wieviele Cafés waren in den letzten zweihundert Jahren in Paris berühmt. Vor ihren Terrassen und an ihren Tischen saßen zehntausend berühmte Leute. Die literarischen Cafés und Salons gehn mit den literarischen Moden, folgen dem literarischen Ruhm. Viele Schriftsteller verdankten ihren Ruhm mehr den Salons, den Clubs, den Cafés, den Cliquen als ihren Werken. Und warum nicht? Alle Welt liebt den Erfolg, den unverdienten wie den verdienten. So verdankte Anatole France dem Salon der Madame de Caillavet wahrscheinlich die Scheidung von seiner ungeliebten Frau, wahrscheinlich seinen Stuhl in der Académie Française, wahrscheinlich manche politische und literarische Entscheidung, wahrscheinlich eine Geliebte, nämlich Madame de Caillavet, sicherlich seinen Roman *Le Lys rouge*, der die meisten Figuren einschließlich der Madame de Caillavet aus ihrem Salon in der Avenue Hoche geholt hat.

Der Historiker Jules Michelet rühmt am Kaffee seine ideenschöpfende Kraft. In seiner *Histoire de France* erinnert er daran, daß jeder Apotheker Kaffee verkauft und in seiner Pharmacie ausgeschenkt habe.

Unzeitige Erinnerung! In den meisten Pariser Cafés schmeckt heute der Kaffee, als käme aus der Apotheke eine mißduftende Medizin. Aber nur ein guter Kaffee regt an. *Garçon, encore un café!* Erhält man für so wenig so viel? Also eine Tasse voller Ideen!

Michelet erzählt, in den Sprechzimmern der Klöster, die mit Kaffee handelten, schenkten die Laienschwestern den Gästen Kaffee ein. »Nie plauderte man in Frankreich mehr und besser.« Das Kaffeehaus habe die Schenke entthront, wo unter Ludwig XIV. junge Männer und liederliche Weiber zwischen den Tonnen sich wälzten. Nun hörte man nachts weniger weintrunkene Gassenhauer, sah weniger Kavaliere im Rinnstein.

Im Zelt vor den Arkaden des *Café Caveau* saßen Gluck, Piccini, André Grétry und Philidor, der große Schachspieler, eigentlich François André Danican, ein Opernkomponist. Im *Café Cuisinier* dinierte Bonaparte mit Duroc, und keiner konnte zahlen. Die Inhaberin des *Café Bourette* schrieb Verse wie ihre Gäste Voltaire und Fontenelle. Sie hieß die »Limonadenmuse«, Grimm nannte sie eine »verwüstete Kaffeewirtin«.

Im alten *Literaturcafé Régence* saß ich zwischen 1933 und 1940 so oft mit meinen Freunden, von Asch bis Zweig. Im *Café Régence* hat mir mein Freund Joseph Wittlin, der einer der besten polnischen Dichter ist und darum in New York lebt, weil er das freie Wort mehr als den goldenen Lohn und die großen Auflagen liebt, auf polnisch seinen schönen Roman *Das Salz der Erde* vorgelesen. Ich war damals der literarische Leiter des Exil-Verlages Allert de Lange in Amsterdam und publizierte diesen Roman auf deutsch. Die Übersetzung, von einem hochgebildeten polnischen Juden, klang stellenweise mehr jiddisch als deutsch. Wittlin und ich wollten die Übersetzung verbessern. Wittlin, der viele Jahre seines Lebens an eine polnische Übersetzung der Odyssee Homers gewandt hatte, wußte, daß es auf den Rhythmus einer Prosa ankommt, und psalmodierte, ja sang die polnische Prosa seines Romans in halber Ekstase und schallend vor mir und den andern bewundernden Gästen des *Café Régence,* die so viel und so wenig wie ich von der polnischen Sprache verstanden, nämlich gar nichts.

In diesem *Café Régence,* am Platz des Théâtre Français, saßen im achtzehnten Jahrhundert in einem kleinen, engen, ungesunden Saal die drei Freunde Diderot, Grimm, d'Alembert oder Voltaire und Rousseau, Marmontel und Chamfort, und neben dem »Sturmvogel der Revolution« Bernardin de Saint-Pierre der Herzog von Richelieu oder der Marschall von Sachsen, neben Benjamin Franklin, dem Gesandten der dreizehn freien Staaten von Nord-Amerika, saß der witzsprühende Neapolitaner Abbé Galiani. Dort besiegte Philidor seinen Schachlehrer Légal und spielend den Rousseau, den Voltaire, den Diderot und den Neffen des Rameau.

Im postum publizierten Dialog *Rameaus Neffe,* den Goethe auf Schillers Empfehlung aus dem Manuskript übersetzt hatte, lange vor der Publikation des Originals, schilderte Diderot das *Café de la Régence,* den Neffen des Rameau, den Rameau und sich. »Es mag schön oder häßlich Wetter sein«, so beginnt er, »meine Gewohnheit bleibt auf jeden Fall, um fünf Uhr abends im Palais Royal spazieren zu gehen. Mich sieht man immer allein, nachdenklich auf der Bank d'Argenson. Ich unterhalte mich mit mir selbst von Politik, von Liebe, von Geschmack oder Philosophie und überlasse meinen Geist seiner ganzen Leichtfertigkeit. Mag er doch die erste Idee verfolgen, die sich zeigt, sie sei weise oder töricht! So sieht man in der Allée de Foi unsere jungen Liederlichen einer Courtisane auf den Fersen folgen, die mit unverschämtem Wesen, lachendem Gesicht, lebhaften Augen, stumpfer Nase dahingeht; aber gleich verlassen sie diese um eine andere, necken sie sämtlich und binden sich an keine. Meine Gedanken sind meine Dirnen.

Wenn es gar zu kalt oder regnerisch ist, flüchte ich mich in das *Café de la Régence* und sehe zu meiner Unterhaltung den Schachspielern zu. Paris ist der Ort in der Welt, und das *Café de la Régence* der Ort in Paris, wo man das Spiel am besten spielt ... Da sieht man die bedeutendsten Züge, da hört man die gemeinsten Reden ...«

In seinen Noten dazu zitiert Goethe aus Merciers *Gemälde von Paris:* »Er (der Komponist Rameau) konnte Voltaire nie eine Note begreiflich machen und dieser jenem nie die Schönheit eines seiner Verse, so daß, als sie einst gemeinsam an einer Oper arbeiteten, sie fast handgemein wurden, indem sie über die Harmonie sprachen.

Derselbige Rameau, eines Tages eine schöne Dame besuchend, erhebt sich plötzlich von seinem Stuhle, nimmt einen kleinen Hund von ihrem Schoß und wirft ihn aus dem dritten Stockwerk zum Fenster hinaus. Die erschrockene Dame ruft: Was macht Ihr, mein Herr! Er bellt falsch, sagt Rameau, indem er mit dem Unwillen eines Mannes auf und ab geht, dessen Ohr höchlich beleidigt worden.

Ich habe auch Rameaus Neffen gekannt, der halb ein Abbé halb ein Laie war, der in den Kaffeehäusern lebte, und alle Wunder der Tapferkeit, alle Wirkungen des Genies, alle edle Selbstverleugnung, kurz alles Große und Gute, was je in der Welt geschehen, auf das Kauen reduzierte. Nach ihm hatte all das keinen andern Zweck und keinen andern Erfolg gehabt, als um etwas zwischen die Zähne zu bekommen.

Er predigte diese Lehre mit einer sehr ausdrücklichen Gebärde und einer höchst malerischen Bewegung der Kinnladen.

Dieser Neffe Rameaus hatte am Tage seiner Hochzeit, für

einen Taler den Kopf, alle Leiermädchen von Paris gemietet, und er ging in ihrer Mitte durch die Straßen, indem er seine Frau am Arme führte. Du bist die Tugend, sagte er, aber ich habe dir einen noch größern Glanz geben wollen durch diese Schatten, die dich umringen.«

Im *Café de la Régence* spielte später Bonaparte Schach und später Alfred de Musset, vielleicht am selben Tisch, wo Robespierre gegen eine als Mann verkleidete Frau mehrere Partien Schach verloren hatte, worauf sie die Befreiung ihres eingekerkerten Geliebten von Robespierre erbat und empfing.

Honoré de Balzac hatte schon prophezeit *L'avenir est aux limonadiers!* Die Revolutionäre machten Revolution, die Reaktionäre Reaktion, zuweilen im selben Café im Palais Royal. Die Romantiker fanden blaue Blumen im Café, die Realisten ihre wahre Welt, Paul Verlaine den Absinth, Charles Baudelaire vielleicht die Syphilis. Im neunzehnten Jahrhundert waren die literarischen Cafés und Restaurants gleichsam Ateliers der Dichter. Barbey d'Aurevilly schrieb ein satirisches Kapitel *La Littérature qui mange!*

Henri Murger traf im *Café Momus* seine »Bohème«. Der Dichter der Napoleonmythen, der Volksfreund Béranger, saß zwischen den Historikern Mignet und Thiers in einem kleinen Restaurant beim Montparnasse, nach der Mahlzeit sangen sie seine Lieder und schunkelten wie die Deutschen in ihren Weinstuben.

Die berühmten literarischen Cafés waren überall in Paris, im Quartier Latin, im Palais Royal, in den Tuilerien, auf den großen Boulevards, am Montmartre und am Montparnasse.

Im Palais Royal gab es zahlreiche Gartencafés. Da flanierten die Stutzer, da lustwandelten die hübschen liederlichen Mädchen, da promenierten die neugierigen Ausländer, da redeten die politischen Agitatoren, ehrgeizige junge Advokaten, menschheitstrunkene und menschheitssatte Poeten oder junge Ärzte ohne Patienten, die das ganze Volk mit einem chirurgischen Schnitt kurieren wollten, durchs Messer der Guillotine.

Camille Desmoulins schrieb seinem Vater, im Palais Royal

stiegen Herren, stimmstark wie Stentor, auf die Tische und sprächen zum Volk, das müßig herumstand und um so freudiger bravo! rief oder bis!, je schärfer die Redner schrien.

Im Palais Royal, dem Hörsaal der Revolution, wurden friedliche Spaziergänger zu blutigen Parteigängern. Neben Dutzenden Bordellen und Spielclubs gab es den politischen und literarischen Tumult von einem halben Dutzend Kaffeehäusern. Spieler, Politiker, Gymnasiasten, Spitzel, Idealisten und Liebhaber waren Stammgäste in Cafés, Bordellen und Spielclubs. Im Bordell verspielten sie ihre Unschuld, im Spielclub ihr Geld, im Café ihr Leben.

Im *Café de Foy* saßen und standen radikale Revolutionäre herum. Am 12. Juli 1789, nach der Entlassung des Finanzministers Necker (dessen Frau den literarischen Salon führte), rief Camille Desmoulins vor dem *Café de Foy* das Volk zum bewaffneten Widerstand gegen die Tyrannei auf. Seit dem 14. Juli tagte im Garten des Palais Royal ein permanentes revolutionäres Tribunal, das Todesurteile fällte und vollstreckte. Am 30. August 1789 forderte der verarmte Marquis de Saint-Hurugue das Volk auf, in der Nationalversammlung zu demonstrieren. Der Kommandant der Nationalgarde, Marquis de Lafayette, sperrte die Ausgänge ab, verhaftete verschiedene und ließ die Soldaten mit dem Bajonett angreifen. Die Menge floh durch die Fenster des Cafés.

Théroigne de Méricourt spielte im *Café de Foy* die »Amazone der Revolution«. Sie hieß in Wahrheit Anna Josephe Terwagne, war die Tochter flämischer Bauern, hatte in London als eine angebliche Gräfin viel geliebt, war nach ihrer Rückkehr aus einem österreichischen Gefängnis von der Kommune von Paris wie eine »Königin von Saba« begrüßt worden, hatte am Weiberzug nach Versailles teilgenommen und war neben dem Wagen geritten, der den König von Versailles nach Paris transportiert hatte. Im *Café de Foy* hielt sie blutige Volksreden, im Hotel de Grenoble in der Rue Bouloy einen politischen Salon. Sie war die Geliebte von Saint-Just und von Camille Desmoulins. Graf Mirabeau, Marie-Joseph Chénier, der Abbé Sieyès und der Abgeordnete Barnave machten ihr ganz unverblümt den Hof. Später wurde sie die Freundin von Brissot, einem Führer der Girondisten, die gemäßigt und kriegslüstern waren, und hatte in einer feurigen Rede im *Café Hottot* den Robespierre einen Verräter an der Revolution geheißen. Als Robespierre im Club der Jakobiner über diese Rednerin spottete und versicherte, er habe nie mit der »Amazone« ein Wort gesprochen, sprang sie mit der Reitpeitsche über die Barriere, um ihre Feinde zu schlagen. Im Garten der Tuilerien zogen ihr eines Morgens Weiber aus den Hallen die Röcke über den Kopf und prügelten ihren weißen nackten Hintern. Sie hätten sie in einem Bassin ertränkt, wenn nicht Marat dahergekommen wäre und sie gerettet hätte. Georg Forster, einer der drei Delegierten der »Rheinischen Republik«, sah sie einige Tage später, sie »wirkte bestrickend und trat als große Dame auf«. Kurt Kersten zitiert in seiner Biographie von Georg Forster, *Der Weltumsegler,* aus einem Briefe Forsters, dem sie als eine »Märtyrerin der Freiheit« vorkam: »Denke Dir ein fünf- oder achtundzwanzigjähriges braunes Mädchen mit dem offensten Gesicht und Zügen, die einst schön waren, zum Teil es noch sind, und einen einfachen, festen Charakter voll Enthusiasmus verraten, besonders etwas sanft Sprechendes in Augen und Mund, ihr ganzes Wesen ist aufgelöst in Freiheitssinn, sie spricht unaufhörlich nur von der Revolution, und wohl zu merken, ihre gestern geäußerten Urteile waren treffend ohne Ausnahme, bestimmt, und trafen gerade auf den Punkt, worauf es ankam.« Kurz darauf erwähnte Forster ihre venerische Erkrankung und urteilte unfreundlicher. Die Arme hatte durch die Prügel der Damen der Markthallen eine Hirnverletzung erlitten, tobsüchtig kam sie ins Irrenhaus, wo sie, vor der Guillotine in Sicherheit, mit 55 Jahren starb.

Gäste des *Café de Foy* und des *Café Hottot* verkündeten 1789 die Menschenrechte. Diese Kaffeehausbesucher verkündeten 1792 das Recht auf Arbeit und hoben die Schuldhaft auf.

Nachdem Ludwig der Sechzehnte, Marie Antoinette und die

Gräfin Dubarry durch die Guillotine umgekommen waren, frequentierten viele Jakobiner das *Café Corazza* im Palais Royal, wo bisher reiche Italiener gut gespeist und hoch gespielt hatten. Da hetzten Collot d'Herbois und Chabot zum Sturz der Gironde, zum Aufruhr der Pariser Vorstädte im Mai, zur Umzingelung des Konvents. Da predigte der »Redner des Menschengeschlechts«, der deutsche Baron Anacharsis Cloots, eine Familie aller Völker, eine Religion der Vernunft anstelle des Christentums, er predigte, bis man ihn guillotinierte. Da saßen die deutschen Abenteurer Baron Trenck, Graf Schlabrendorf, Georg Kerner, der Bruder von Justinus Kerner, und Georg Forster. Der Weltumsegler Georg Forster besuchte auch einen der wenigen Salons, die es im Jahre 1793 noch gab, den Salon von Fanny Lecoulteux, der Frau eines reichen Bankiers, der ein Schloß in Lucienne bei Marly hatte. Fanny war die Geliebte des Poeten André Chénier, der in ihrem Gartenhaus wohnte und bald guillotiniert wurde. Georg Forster, der durch den schottischen Dichter Christie in Fannys Salon eingeführt wurde, traf dort Chamfort und Bernardin de Saint-Pierre und Mary Wollstonecraft, die für die Emanzipation der Frauen stritt, mit ihrem Buch *Rights of Women*. Damals hatte Mary drei Liebhaber, den Grafen Schlabrendorf und einen Iren und den Dichter William Godwin, den sie später heiratete. Forster traf auch in diesem Salon die Dichterin Helen Williams, die Freundin von Vergniaud, einem führenden Girondisten. Die beiden Engländerinnen hatten in Paris 1791 den »British Revolutionary Club« gegründet.

Viele Stammgäste der literarischen Cafés nahmen ein vorzeitiges Ende, Marat im Bad, Danton und Robespierre unter der Guillotine, nur Napoleon wurde ein Kaiser und starb auf St. Helena, nachdem er dem friedlichen Brauch der Generäle gemäß seine Memoiren verfaßt hatte.

Nun hieß das Palais Royal das Palais der Gleichheit. Nur das *Café de Foy* und das *Café Corazza* überlebten unter Napoleon ihre revolutionäre Jugend. Im *Corazza* saß der hübschen Kassierin gegenüber der Graf Barras. Er hatte für den

Tod von Ludwig XVI. und für den Tod von Robespierre gestimmt; er hatte an der Belagerung von Toulon teilgenommen, wo er den Napoleon Bonaparte kennengelernt hatte. Barras, Mitglied des Direktoriums, erhielt im *Café Corazza* vom Besitzer und andern Spitzeln geheime Berichte und hörte dort den Napoleon Brandreden ans Volk halten. Er schickte den eifrigen jungen Mann gegen die aufständischen Royalisten und verschaffte ihm den Oberbefehl über die Armee in Italien. Zum Dank verdrängte Napoleon den Barras und verbannte ihn in die Provinz.

In dem *Studentencafé Vachette,* im Quartier Latin, fielen 1848 die ersten Schüsse der Revolution. Die aufständischen Führer von 1848 und 1849 tagten im *Café Lamblin.* Vormittags saßen da Gelehrte, Künstler, Dichter, revolutionäre Doktrinäre, verkannte Genies, durchgefallene Studenten, abends unzufriedene pensionierte Offiziere.

Im zweiten Kaiserreich kamen die Cafés auf den großen Boulevards in Mode, das *Café Anglais,* das *Café Tortoni,* das *Café de Paris,* die *Maison dorée* und das *Café Brébant,* Ecke Faubourg Montmartre und Boulevard Poissonière.

Im *Café de Paris,* den ehemaligen Appartements des Fürsten Demidoff, saß man auf roten Samtbänken. Durch die großen Spiegelscheiben musterten die Passanten die Gäste, die Gäste musterten die Passanten. Der Koch kam aus den Diensten der Herzogin de Berry. Eines Tages ging Balzac in die Küche und bat den Koch, für den nächsten Tag ein exquisites Mahl zu rüsten, da er einen russischen Gourmet zu Gast habe. Monsieur Vatel, der Koch, erklärte voller Würde: Das Souper wird exquisit sein, Monsieur de Balzac, weil es alle Tage exquisit ist.

Im *Café de Paris* stritten einmal Balzac und Dumas über die Zubereitung des berühmten *veau à la casserole* im *Café de Paris,* und Alfred de Musset saß daneben, mit zerstreuter Miene, und aß *veau à la casserole.*

Im berühmten *Café Tortoni,* zu Beginn des neunzehnten Jahrhunderts von den Neapolitanern Veloni und Tortoni begründet, gab es für die Duellanten ein eigenes Zimmer, wo der Champagner floß. Unter den Bourbonen und Louis Philippe war das Café fast immer überfüllt. Die Höflinge und die Literaten gingen nach der Oper oder nach dem Theater zu *Tortoni*. Die Herzogin de Berry und der Graf Walewski, Napoleons Bastard, saßen fast täglich dort. Die Gräfin de Beauvau lud eines Abends sämtliche Kaffeehausgäste im mittleren Salon zu einem improvisierten Ball in ihren Palast ein. Die Rothschilds saßen mit Heinrich Heine bei *Tortoni*, neben Victor Hugo oder Lamartine oder Alexandre Dumas, später kamen Baudelaire und seine Freunde und Mallarmé. Tortoni, eines Tages vom Verfolgungswahn ergriffen, glaubte sich von einer imaginären internationalen Verschwörergesellschaft bedroht und hing sich an einer Gardinenstange in seiner Wohnung auf.

Einen berühmten Salon der Romantiker, bei der schönen Madame Récamier, die wie Cid sagen durfte, sie habe fünfhundert Freunde, hat Sainte-Beuve geschildert. Er hieß ihn ein »Asyl der Schöngeister«. Er schrieb: »Tatsächlich war sie eine Zauberin in der Kunst, die Liebe unter der Hand in Freundschaft zu verwandeln.« Sainte-Beuve, der an die Unschuld vielgeprüfter Damen glaubte, schwört auf ihre Unschuld, trotz ihrer fünfhundert Verehrer. Napoleons Bruder Lucien liebte sie. Bernadotte liebte sie (sie hatte mit sechzehn den reichen Bankier Récamier geheiratet). Dem Napoleon gefiel sie. Drei Montmorencys, eben aus der Verbannung heimgekehrt, liebten sie: Der später heilig gesprochene Mathieu; der Herzog von Laval und der Sohn dieses Herzogs. Der Herzog schrieb ihr: »Mein eigener Sohn ist in Sie verliebt. Sie wissen, wie sehr ich selbst es bin. Es ist das Schicksal der Montmorencys: Sie starben nicht alle, aber alle wurden getroffen.« Sainte-Beuve schildert ihr kindliches Lachen, wenn sie die Hand mit dem Taschentuch vor die Lippen hielt, um nicht laut herauszuplatzen. Ballanche liebte sie. Chateaubriand liebte sie. Da war er schon nicht mehr der Außenminister. Sie war ihm zuvor zweimal begegnet, beide Male im Salon der Madame de Staël, im Abstand von fünfzehn oder sechzehn Jahren. 1813 war sie in Rom gewesen, wo Canova sie in Marmor bildete. Der Vizekönig Murat liebte sie in Neapel. Benjamin Constant liebte sie. Auch er wurde eine Säule ihres literarischen und politischen Salons, wo die Gegner Napoleons sich trafen. Sie war so schön, daß die Savoyardenknaben entzückt nach ihr sich umwandten. Als sie es nicht mehr taten, merkte sie, daß ihre Schönheit verblaßte. Seit 1811 verbannt, kehrte sie 1819 nach Paris zurück, sie mußte sich einschränken und zog ans Ende von Paris, in ihre Abbaye-aux-Bois. Ihre letzten zwanzig Jahre war sie rastlos bemüht, Chateaubriands Laune zu bessern und seinen Ruhm zu mehren. Sainte-Beuve rühmte ihre Güte; sie habe jenen Geist, der den Geist der andern spüre und zur Geltung bringe. Das sei die Kunst, einen Salon zu führen. »Verführerisch verstand sie zuzuhören«. Ampère liebte sie. Der Herzog von Noailles liebte sie. Chateaubriand, ein alter, gelähmter Mann ließ sich bis zu seinem Tode im Jahre 1848 jeden Tag um drei Uhr ans Bett der Récamier tragen, die damals schon erblindet war. Sie selber starb 1849, mit zweiundsiebzig Jahren.

Neben den Salons der großen Damen, wie der Prinzessin Mathilde, der Tochter des Königs Jérôme, und der Madame Ancelot, wo Stendhal Stammgast war, und den Salons der Schriftstellerinnen Comtesse d'Agoult (*Daniel Stern*), Luise Colet, Juliette Lamber oder den Salons von Madame Georges Charpentier und der Freundin Heines, der Prinzessin Belgiojoso, führten einige Demimondäne berühmte literarische Salons, wie Madame Loynes oder Nina de Villard de Callias oder Madame Sabatier. Diese hieß »die Präsidentin« und war fünf Jahre lang der Engel und die Madonna von Charles Baudelaire, bis sie für einen einzigen Tag seine Geliebte wurde. Zu ihren Diners kamen Victor Hugo und Sainte-Beuve, Théophile Gautier und Barbey d'Aurevilly; dort lernten sich Flaubert und Baudelaire kennen.

Auch die Dichter empfingen regelmäßig.

Flaubert sah, seit er 1869 seine *Éducation sentimentale*

abgeschlossen hatte, in der Rue Murillo No. 4 jeden Sonntag, wenn er in Paris war, seine Freunde wie Turgenjew und Taine, Goncourt und Alphonse Daudet, Émile Zola und Catulle Mendès, seinen Verleger Georges Charpentier und die »jungen Autoren«, die Maupassant einführte, Céard und Hennique, Huysmans und Mirbeau.

Flaubert stand beim Kamin, wo ein Buddha aus Bronze aufgestellt war. Er rauchte eine der kurzen Pfeifen, die er sich eigens machen ließ und zuweilen einem Freunde schenkte. Er trug seinen kastanienfarbenen Hausrock, der die Mitte hielt »zwischen einem Seemannskittel und einer Mönchskutte«, wie Coppée sagte. Seine Freunde sammelten »schöne Sätze« aus ihrer Lektüre, die sie ihm sonntags zitierten und die er oft schon auswendig wußte. Sie brachten ihm auch Beispiele für seine Sammlung kolossaler Dummheiten.

Edmont de Goncourt kam, wie Maupassant erzählte, fast immer als letzter, groß und schlank, mit seinen langen grauen Haaren und einem fast weißen Schnurrbart. Gewöhnlich zeigte er eine ernsthafte Miene, und sogar im Lachen schien er ernst zu bleiben. Er sah wie ein Herr aus der besten Gesellschaft aus. Stets trug er ein Päckchen Spezialtabak in der Hand.

Emile Zola empfing regelmäßig, insbesondere seine Freunde aus dem *Café Procope* und vom *Boeuf nature*. Sein Salon blickte auf einen Garten; an der Wand hing ein Porträt Zolas von Manet, im nächsten Zimmer eine Landschaft von Monet. Huysmans schilderte den bürgerlichen Luxus von Zolas Haus in Batignolles. Später empfing Zola in seinem Landhaus in Médan.

Die George Sand präsentierte in ihrem Landhaus in Nohant ihr groteskes Marionettentheater ihren Freunden, wie Flaubert und Turgenjew, Alexandre Dumas oder dem Prinzen Napoleon, Heine und Eugène Sue, Mickiewicz und Chopin.

Zu Edmont de Goncourt kam sonntags, seit dem 1. Februar 1885, die ganze literarische Welt, von Bourget bis Zola, Anatole France und Guy de Maupassant, Daudet und Taine. Alphonse Daudet empfing in der Rue Bellechasse, wo die

Lespinasse empfangen hatte, wo später André Gide seine Freunde empfing, der als junger Mensch zu den Empfängen von Stéphane Mallarmé gepilgert war.

Die Dichter hatten auch ihre literarischen Freßgesellschaften, sie hielten die Gabel so gern wie die Feder.

Vom *Dîner Magny* sprechen die Tagebücher der Brüder Goncourt und die Korrespondenz von Flaubert. Gavarni hatte seine Freunde, den Doktor Veyne, einen Arzt der Bohemiens, die Brüder Goncourt, Sainte-Beuve und Chennevière zum Essen eingeladen. Das gefiel allen so gut, daß sie beschlossen, regelmäßig im *Restaurant Magny* zusammen zu speisen. Bald kamen Flaubert, Turgenjew, Taine und Gautier dazu. Man diskutierte von den Austern bis zum Käse und Kaffee über Gott und die Religion. Es glich den Sitzungen der Académie Française.

Die Goncourts vernichteten Voltaire, Renan rettete ihn. Man diskutierte über die Unsterblichkeit der Seele, wie immer, wenn man nicht mehr genau weiß, was man sagt, wie Sainte-Beuve spottete. Er hielt nochmals seine Leichenrede auf Balzac und verriß ihn beim Mahl wie am Grab, auf Balzacs Kosten rühmte er die George Sand. Noch in dreihundert Jahren wird man sie lesen, rief Renan und verglich sie mit Homer. Da schrien einige: Renan nach Chaillot! Ins Tollhaus mit Renan!

Die Goncourts sagten, Homer werde überschätzt. Sie läsen lieber den Benjamin Constant, sein *Adolphe* sei ein Gipfel der französischen Literatur.

Sainte-Beuve rief in einem fort: Der Hund des Odysseus! Der Hund des Odysseus! als sei damit allein Homers Genie bewiesen.

Und Edmont de Goncourt erklärte, man dürfe Gott leugnen und den Papst kritisieren und alles in den Staub ziehn, aber vor jenem blinden Griechen müsse die Kritik schweigen, obgleich es ihn wahrscheinlich gar nicht gegeben habe, er sei vielmehr, wie der deutsche Philologe Wolf bewiesen habe, ein Kollektiv gewesen.

Das *Dîner Magny* führte zum Zwist zwischen Renan und

Edmond de Goncourt, der die Gewohnheit hatte, die Bonmots der andern bei den Mahlzeiten zu notieren. Als Edmond de Goncourt später diese Notizen veröffentlichte, klagte ihn Renan der Indiskretion an.

Flaubert kam mehrmals eigens von seinem Landhaus in Croisset, und die Brüder Goncourt unterbrachen fürs *Diner Magny* sogar eine Badereise. Renan brachte den berühmten Chemiker Berthelot mit, dem die Synthese von Alkohol und von Benzol gelungen ist. Alexandre Dumas und George Sand kamen zum *Diner Magny,* wo Flaubert und die Sand sich kennen lernten, damals begann ihre ausführliche Freundschaft und Korrespondenz.

Einmal beschrieb Edmond de Goncourt anläßlich des Todes von Baudelaire dessen Genußsucht und Verkommenheit. Jules de Goncourt erzählte eine unanständige Geschichte über Baudelaire. Die George Sand, die gerade ihre Freundin Juliette Lamber, vulgo Madame Adam mitgebracht hatte, erklärte, solche Konversation sei ihr zuwider, worauf Flaubert lachend gewürztere Geschichten versprach. Ich verbiete es dir! rief die Sand. Darauf fragte Flaubert die Juliette Lamber, warum in ihren *Récits d'une paysanne,* einem guten Buch übrigens, eine Figur in einem Kapitel einen Arm in der Mähmaschine verloren hatte, aber im nachfolgenden Kapitel etwas mit beiden Armen aufhob.

George Sand und Alexandre Dumas erzählten sogleich von ähnlichen Nachlässigkeiten in ihren Werken. Als aber Flaubert auf einen Irrtum im neuen Buch der Brüder Goncourt hinwies, verstimmte er beide Brüder, die ja nur ein Autor waren.

Nach dem Tod von Sainte-Beuve speiste man bei *Brébant.* Dort aßen die Literaten während der Belagerung von Paris, als gebe es keine Hungersnot. Als man ihnen einen Hammel servierte, rief Hébrard: »Das nächste Mal serviert man den Schäfer!«

»Hammel?« rief ein anderer. »Das ist eine schöne Hundekeule!« Mehrere schienen angeekelt. Jener tröstete sie, es gebe

Camille Desmoulins 1760–1794   *Honoré de Balzac 1799–1850*

Edmond und Jules de Goncourt 1822–1896 und 1830–1870

Emile Zola (1840–1902) liest vor
den Geschworenen seinen Brief

Gustave Flaubert
1821–1880

Paul Verlaine (1844–1896) im Café

schon zum drittenmal Hundefleisch. Nefftzer, der Chefredakteur vom *Temps,* fand die Keule deliziös, leckte sich die Lippen und schwärmte von gebratenen Ratten, ihr Geschmack schwebe zwischen Truthahn und Schwein. Renan wechselte die Farbe, legte die Zeche auf den Tisch und floh.

Die Parnassiens hatten regelmäßig ihr *Dîner de l'homme qui pêche.* Beim *Dîner du boeuf nature* aßen die jungen Freunde von Zola, die 1880 mit ihm die *Soirées de Médan* veröffentlicht hatten, Paul Alexis, Henry Céard, Léon Hennique, Guy de Maupassant, Joris-Karl Huysmans und ihr junger Freund Octave Mirbeau. Zola präsidierte, Paul Cézanne, Paul Bourget, Gustave Flaubert, Edmond de Goncourt waren Ehrengäste.

Bei *Trapp,* nahe der Gare Saint-Lazare, gaben am 16. April 1877 die jungen Naturalisten ihren Meistern Flaubert, Goncourt und Zola ein Essen und hoben die *école naturaliste* aus der Taufe. Das Menu lautete angeblich: *Potage, purée Bovary; Truite saumonnée à la Fille Elisa; poularde truffée à la Saint Antoine; Artichauts au Coeur simple; parfait naturaliste; vins de Coupeau; Liqueur de l'Assomoir.* Gustave Flaubert vermißte noch *anguilles à la Carthaginoise* und *Pigeons à la Salambô.*

Das »Dîner der ausgepfiffenen Autoren« hieß auch *Dîner Flaubert.* Turgenjew hatte es angeregt. Flaubert war mit seinem *Candidat* durchgefallen. Zola mit *Bouton de Rose,* Goncourt mit *Henriette Maréchal,* Alphonse Daudet mit der *Arlesienne,* und Turgenjew gab sein »großes Ehrenwort«, er sei in Rußland ausgepfiffen worden. Sie sprachen sogar über Literatur, einmal stritten sie sechs Stunden lang aufs Heftigste um den Rang von Chateaubriand.

Im *Restaurant La Fourchette* speisten regelmäßig elf reifere Schriftsteller, die sich gegenseitig geschworen hatten, einander in die Académie Française zu bringen. Natürlich gelang es. Ein Monsieur Roger, der nichts geschrieben hatte, ließ wenigstens eine Übersetzung von Goldonis Lustspiel *Der Advokat* drucken, worauf ihm Ludwig XVIII. sagte, »Ihre Sache wurde von einem zu guten ›Advokaten‹ vertreten, um nicht von vornherein gewonnen zu sein.«

Auch Honoré de Balzac gründete eine literarische Eßgemeinschaft mit Schriftstellern und Journalisten, darunter Théophile Gautier. Sie vereinbarten, gewisse schlechte Autoren totzuschweigen, andre verdiente zu rühmen. Sie aßen schlecht im *Cheval rouge* hinter dem Jardin des Plantes. Gozlan erzählte, das Resultat dieser literarischen Kaffeehausverschwörung seien viele Artikel für Balzac, über Balzac, zum Ruhme von Balzac gewesen, der selber nie über einen dieser Mitverschworenen auch nur eine Zeile geschrieben habe.

In diesem geselligen neunzehnten Jahrhundert trafen die Literaten einander überall, sogar am Hof des dritten Napoleon, der selber literarischen Ehrgeiz hatte. Die Dichter kamen in die Tuilerien, nach Compiègne, nach Saint-Cloud, auch ins Bad Biarritz mit dem kaiserlichen Hof, da erschienen Mérimée, ein alter Freund der Kaiserin Eugenie, Octave Feuillet, Alexandre Dumas fils. Pauline von Metternich, die junge ausgelassene Ungarin mit dem häßlichen Gesicht und dem wunderschönen Körper, Frau des österreichischen Botschafters Richard Metternich, gab den Ton an. Paris war für sie ein *Cabaret,* wo sie sich ungeniert amüsieren konnte. Sie tanzte die Nächte durch, rauchte dicke Zigarren bei Hof, dinierte in einem Restaurant in einer Gesellschaft, wo nur Herren waren, ahmte die Toiletten und Manieren der Kokotten nach. Man hieß diese extravaganten Damen die *Cocodetten.* Sie ließ sich mit andern Damen vom Hof zu einem Maskenball bei der berühmten Halbweltdame Cora Pearl einladen. Sie setzte bei Napoleon die Aufführung von Richard Wagners *Tannhäuser* an der Pariser Oper durch.

Einen dieser kaiserlichen Empfänge in Compiègne beschrieb ein Literat, der nie dabei war, Emile Zola, in seinem Roman *Son Excellence Eugène Rougon.*

Der Realismus triumphierte um 1850 auf den Bildern von Courbet. Sein Freund, der Kritiker Champfleury, zog eine Theorie daraus, die er auf den Roman anwandte. Der antiromantische, antiaristokratische, antibürgerliche Dichter sollte Dokumente des Lebens sammeln und darstellen, er sollte »das Volk« zeigen.

Die malenden Realisten saßen in einem Restaurant am linken Ufer, *La Brasserie,* wo auch die Symbolisten und Parnassiens hinkamen. Courbet hatte sein Atelier im selben Haus. Er predigte den Anarchismus von Proudhon; Eigentum ist Diebstahl! rief er so stolz, als sei die Welt damit entlarvt. Courbet sagte, dieser Proudhon gehe soweit, von der Gesellschaft zu verlangen, sie solle auf Gerechtigkeit sich aufbauen und auf Gegenseitigkeit, auf Mutualisme. Nicht der Staat solle regieren, sondern die Vernunft sich selbst. Proudhons sozialistische *Philosophie des Elends* war seine Bibel. Die Gegenschrift *Das Elend der Philosophie,* die Karl Marx 1847, ein Jahr nach Proudhons Buch veröffentlicht hatte, hat Courbet nie gelesen.

Courbet signiert *Courbet, sans idéal et sans religion.* Bei ihm saßen Daumier und Corot, Jules Vallés und Charles Baudelaire und Albert Delvau, der Chronist der Bohème und der Cafés von Paris.

Im *Café Guerbois* und im *Café La Nouvelle Athène* auf der Place Pigalle scharten sich die jungen Impressionisten um Edouard Manet, den Mitbegründer des »Salon des refusés«. Da disputierten Degas und Toulouse Lautrec, van Gogh und Gauguin, Whistler und der junge Zola, Monet und Cézanne.

Im *Café François Premier* und im *Café Voltaire,* wo schon Baudelaire Stammgast gewesen war, residierte Jean Moréas. Paul Verlaine brachte den jungen Arthur Rimbaud ins *Café Voltaire.* An langen Holztischen gab es Festmähler. Oft führte Stéphane Mallarmé den Vorsitz, man sah Gauguin und Rodin. Am 23. März 1891 gaben die impressionistischen Maler und symbolistischen Dichter ihrem Freunde Paul Gauguin im *Café Voltaire* ein Abschiedsdiner, *Mallarmé* führte den Vorsitz. Am 4. April schiffte sich Paul Gauguin nach Tahiti ein.

Paul Verlaine trank seinen Absinth auch im *Café Vachette* am Montparnasse, allein, oder mit Arthur Rimbaud, mit Oscar Wilde. In der *Closerie des Lilas,* zwischen dem Montparnasse

und dem Quartier Latin, krönten im Jahre 1912 die Schriftsteller ihren Kollegen Paul Fort zum König der Poeten. In der
Closerie des Lilas saßen Maeterlinck und Paul Claudel, auch
Apollinaire, Salmon und Moréas, der Mann der Manifeste,
der 1886 im *Figaro* in einem Manifest die Schule der Symbolisten verkündete und sich als Haupt der Symbolisten ausrief.
Im Jahre 1891 verkündete er wieder im *Figaro* die »Römische
Schule«, er war natürlich wieder ihr Chef. »Der Symbolismus
ist tot. Wir brauchen eine neue Poesie.« Er bezeichnete sich und
sein Gefolge aus vier Poeten, darunter Maurras, als die Erben
von Villon, Ronsard, Racine, La Fontaine und Chénier. In der
Closerie des Lilas saß 1910 oder 1911 auch Lenin mit seinen
Freunden.

Nun kamen die literarischen Cafés am Montparnasse in
Mode, das *Café du Dôme,* das *Select,* die *Coupole* und auf dem
Boulevard St. Germain das *Café Flore* und das *Café des Deux
Magots,* das elsässische *Restaurant Chez Lipp,* die *Rhumerie
Martiniquaise* und auf dem Platz Danton das *Café Danton*
hinter der Statue von Danton und auf dem Boule Miche die
Capoulade. Im *Café des Deux Magots* befand sich zuerst ein
Modengeschäft, wie Anatole France in seinen Erinnerungen er-
zählt. Später saßen Picasso, Braque, Eluard und Breton dort,
wie im *Dôme* und in der *Coupole* am Montparnasse und im
Café La Lorraine. Das *Café de Flore* existiert seit 1898, Ecke
des Boulevard St. Germain und Nr. 71 der Rue des Saints-
Pères. Jeden Abend um sechs las da Rémy de Gourmont seine
Zeitungen und schrieb. Im ersten Stock gründeten Charles Maurras und seine Freunde 1899 das *Bulletin der Action Française,*
ein präfaschistisches, nationalistisches, katholisches, antisemi-
tisches Hetzblatt. Auch Barrès und Paul Bourget saßen im
Flore.

Im ersten Weltkrieg tauchten die Dadaisten auf. Hugo Ball
hatte am 5. Februar 1916 in Zürich das *Cabaret Voltaire* eröffnet. Tristan Tzara, Hans Arp, Richard Hülsenbeck, Hugo
Ball, Marcel Janco und andre hatten 1916 in Zürich und Genf
Dada gegründet. 1918 wurden George Grosz und Hans Richter

und Walter Mehring zu Berlin, 1919 Max Ernst in Köln, und Philippe Soupault und Tristan Tzara zu Paris die Dadaisten. Ihre Ahnen waren Arthur Rimbaud und Jules Laforgue, Guillaume Apollinaire und der Futurist und Faschist Marinetti. Tzara lehrte: *Mettez tous les mots dans un chapeau, tirez au sort, voilà le poème Dada.* (Werft alle Wörter in einen Hut, zieht sie nach Willkür heraus, da habt ihr das dadaistische Gedicht!) Hans Arp sagte: »Bevor Dada da war, war Dada da!« Philippe Soupault dichtete:

> »*L'intelligence a un avenir;*
> *Dada n'a aucun avenir,*
> *L'intelligence est une manie;*
> *Dada est Dada.*«

(Die Intelligenz hat eine Zukunft;
Dada hat keine Zukunft.
Die Intelligenz ist eine Manie,
Dada ist Dada.)

Selten wird ein Schriftsteller des Publikums müde, wie vielleicht der junge Rimbaud. Gespräche der Schriftsteller mit dem Publikum, wie mit gebildeten Dilettanten bleiben einseitig. Erst zwischen Schriftstellern kommt es zum Dialog, zum lachenden oder tödlichen Kampf der Geister, zu Kritik und Klatsch, zur Konkurrenz und zum geistigen Konkubinat disparater Poeten. Man entdeckt seine Ideen im Gespräch, das für manche nur ein Selbstgespräch vor Zeugen ist.

Schriftsteller, die nicht die Gesellschaft von Schriftstellern lieben, sind vielleicht schlechte Charaktere, vielleicht schlechte Schriftsteller, wie Menschen, die nicht die Gesellschaft von Menschen lieben, schlechte Menschen sind. Was für einen Wert hat ein Mensch, der ihn nicht für die Gesellschaft hat? Wer die Fehler der Menschen verachtet und sie bessern will, ist ein Moralist. Wer die Menschen verachtet, ist ein Unmensch. Natürlich ist ein Menschenfeind ein verkleideter Feind seiner selbst, vielleicht ein korrumpierter Menschenfreund, ein enttäuschter Liebender. Aber was nutzt mir die Kenntnis der psychologischen Entwicklung eines Mörders, der in diesem Augenblick das Messer gegen mich zückt?

Trafen Sie in den literarischen Cafés des erleuchteten zwanzigsten Jahrhunderts Bravos oder Mörder? fragte mich Casanova.

Da erst merkte ich, daß meine Gäste noch da waren. Ich hatte schon wie zu mir selber gesprochen.

Freilich, erwiderte ich. Unsere Zivilisation hat ihre Lücken und Löcher. Spirituelle und physische Mörder kommen in die literarischen Cafés. Man findet dort alles und alle, künftige Diktatoren und Propheten von gestern, bewaffnete Intellektuelle, giftige Poeten, die Huren und Zuhälter der Literatur, zuweilen sogar Genies, große Dichter und eine Menge unschuldiger Literaten. Man findet gestürzte Könige und Schönheitsköniginnen vom vorigen Jahr. Sah ich nicht Otto von Habsburg im Café des österreichischen Poeten Joseph Roth? Saß nicht Lenin in den literarischen Cafés von Zürich? Spielte nicht Leo Trotzki Schach im *Café Central* in Wien? Saß nicht Adolf Hitler in der *Teestube Carlton* in München, im *Café Heck,* in der *Osteria Bavaria?*

Und Sie zogen einen Nutzen aus Ihren literarischen Cafés? fragte Casanova und lachte mir so schallend ins Gesicht, daß die Leute an entfernten Tischen, ja Passanten und sogar zwei Flics sich umwandten und mitlachten, angesteckt von der elementaren Fröhlichkeit eines literarischen Gespenstes.

Sie sind kein Spieler, wie ich, fuhr Casanova fort, kein Liebhaber wie ich, kein Trinker, Raufer, Abenteurer, kein Vagabund oder Hochstapler wie ich. Sie lieben die Einsamkeit im Café, die trostlose Wüste der literarischen Cafés, wo die Literatur wie eine Fata Morgana erscheint. Sollten Sie nicht lieber zu Hause schreiben? Ich habe Sie beobachtet. Sie sprachen mit sich selber oder mit Ihren erfundenen Figuren. Sie waren so versunken, als würde nicht mal ein kleineres Erdbeben Sie aufwecken, als würde die schickste, jüngste Dame unangesprochen an Ihnen vorübergehn, als würden Sie Ihren ältesten Freunden ins Gesicht starren, ohne sie zu erkennen. Warum sitzen Sie in literarischen Cafés?

Es amüsiert mich, antwortete ich. Ich besuchte in vielen Städten der Welt literarische Salons und Cafés. Manche schienen Museen, manche Laboratorien der Zukunft. Haben sie mir geholfen? Man trifft seinesgleichen, macht Bekanntschaften, schließt Freundschaften, hört neue oder uralte Anekdoten, heitere oder sonderbare Geschichten. Man lernt Menschen kennen. Man sieht einen Ausschnitt der Gesellschaft, Sitten und Bräuche des Landes. Man trifft schöne oder elegante oder kluge Frauen, geistreiche oder gute Männer, neben Dummköpfen, Schurken und langweiligen Leuten. Man hört die Sprache des Landes, wie man sie selten besser hören könnte. Ist das wenig? Zuweilen sehe ich nichts im Café, zuweilen mit einem Blick mehr als andre in einer Stunde. Es ist meine Welt, mein Schreibzimmer, mein Acker.

Schriftsteller, die regelmäßig einander treffen, bilden einen literarischen Salon. Ihr Café wird zum literarischen Club ohne Regeln und Namen. Man tauscht Ideen aus, zuweilen nicht ohne Gefahr. Heine erzählte, ein Schriftsteller sei zu ihm gekommen, um mit ihm »Ideen auszutauschen«; als jener endlich weggegangen war, fühlte sich der arme Heine mit des andern Ideen dumm und leer im Kopf.

Wovon spricht man heute in den literarischen Cafés? Wer gibt den Ton in den Salons an? fragte Baron Grimm.

Der Baron Grimm, erwiderte ich seinem Schatten, würde auch in den Salons und Cafés von heute sein Glück machen. Männer von Talent und Scharlatane haben das gleiche Glück.

Da erklärte unvermittelt Madame Geoffrin: Ich hasse den Tod mehr als alles. Wenn wir das Leben literarischer Gespenster genießen dürfen, danken wir es den Literaten, die uns in ihre Unsterblichkeit mitgeschleift haben. Wie könnten wir sonst Mitte des zwanzigsten Jahrhunderts im Café mit Ihnen plaudern?

Pardon, sagte Casanova. Ich habe mich selber in die Unsterblichkeit hineingeschrieben, als alter Mann, wie ich mich in die Unsterblichkeit hineingeliebt habe, als junger Mann.

Hätte ich euch nicht ebensogut erfinden können? rief ich. Aber es war ein Spaß, mit euch um die Dämmerstunde im November auf der Terrasse des *Café des Deux Magots* zu plaudern, wo ich mit vielen Freunden gesessen bin, die nun in andern Erdteilen leben, oder für immer weggegangen sind, Tote der guten Miene.

In diesem Café saß ich 1935 mit Dutzenden Schriftstellern aus Dutzenden Ländern, als der antifaschistische Schriftstellerkongreß »Zur Verteidigung der Kultur«, inszeniert, finanziert, dirigiert von den Kommunisten, in Paris tagte. Ich ging zu den öffentlichen Sitzungen dieses Kongresses, obgleich ich nicht an ihm teilnahm. Ich war nicht blind genug, um gegen die Diktatur von Hitler, Mussolini, Salazar aufzutreten, die Greuel im Dritten Reich anzuklagen, und gleichzeitig die Augen vor den Greueln der Diktatur in Sowjetrußland zu schließen. Ich brauche kein Bündnis mit Beelzebub, um gegen Satan zu kämpfen. Ich habe keine Geduld mit Tyrannen, die mir die Freiheit fürs nächste Dezennium, fürs nächste Säkulum versprechen. Ich ertrage den Geruch von Massenmördern nicht, die unterm Vorwand der Revolution, um der Befreiung der leidenden Menschen willen, ganze Völkerschaften, ganze Generationen, Millionen von Menschen kaltsinnig opfern.

Ich ertrage die Algebra mit Menschen nicht, jenen idealistischen Menschenhandel und die ungeheuern Hekatomben zum Wohle der Menschheit, konkrete Opfer für eine abstrakte Menschheit. Sie schreiben die lebenden Generationen ab und versprechen, den Zinsfuß für kommende Generationen zu erhöhen. Sie sterben wie wir. Was wissen sie von der Zukunft?

An jenem Kongreß in der Mutualité nahmen so viele meiner Freunde teil, ich habe mit ihnen nicht öffentlich gerechtet und nicht privat, nicht einmal in meinem Herzen. Ich weiß, wie schwierig die Wege der Menschen sind, wie krumm ihre Gedanken, wie verworren ihre Gefühle sind, wie zweideutig sie handeln, wie vieldeutig sie leben. Ich maße mir nicht das Amt eines Richters an. Ich fordere nicht von meinen Freunden, daß sie wie ich denken oder handeln. Ich kenne meine eigenen Schwächen, wie ich meine Tugenden kenne. So lange ich von einem Freunde glauben darf, daß er nicht die Menschheit verrät, daß er nicht sich selber aufgibt, daß er sich nicht verkauft, so lange versuche ich, das Beste von ihm zu glauben, auch wenn ich seine Handlungen mißbilligen muß.

Von allen Menschen, die man kaufen kann, erscheinen mir Schriftsteller am wenigsten käuflich. Viele sind nur darum nicht korrupt, weil keiner sie kaufen will. Für Schriftsteller gibt es viele Käufer. Je berühmter sie sind, um so mehr Käufer, um so mehr Korrupteure finden sie. Aber je besser ein Schriftsteller ist, um so weniger ist er imstande, gegen Geld, Ehren oder Einfluß sich zu verkaufen und die gewünschte Ware zu liefern. Wenn er sich verraten will, verrät ihn sein Talent. Er will Ja sagen, gegen seinen Willen sagt er Nein. Aus Intelligenz wird Dummheit. Aus Kraft wird Schwäche. Die Grammatik verrät ihn. Sein Stil verläßt ihn, er schreibt wie ein blutiger Dilettant.

Von allen Menschen, die in steter Versuchung auf dem Markt stehen, scheinen mir auch die Schriftsteller die besten zu sein, die freundlichsten, die humansten, insbesondere untereinander voller Idealismus und Menschenliebe. Ich kenne keine bessern Kameraden als Schriftsteller.

Klingen diese Sätze paradox? Ich sage die Wahrheit. Ich spreche aus Kenntnis der Sache und der Person, aus vielfältiger Erfahrung. In welcher andern Profession beginnen unaufgefordert, aus reiner Begeisterung, die Mitglieder ihre Konkurrenten öffentlich zu rühmen und das Publikum zu beschwören, die Waren dieser Konkurrenten zu kaufen und zu bewundern? Wo hat es einen Schriftsteller gegeben, der niemals mit einer fast törichten Schwärmerei von Büchern oder Stücken oder Gedichten anderer Autoren gesprochen hätte, die tot oder lebendig sind, ihm bekannt oder unbekannt sind, ihm ähneln oder entgegen sind, die ihm stets eine direkte Konkurrenz machen, die ihn oft überflügeln oder überflüssig machen, die es ihm meistens nicht danken, durch deren Lob er nichts gewinnt, für deren Lob er nur Spott und Tadel jener empfängt, die seine Begeisterung nicht teilen können.

Es gibt keinen Schriftsteller, der nicht wenigstens einmal seinen Verleger überredet, das Manuskript eines jungen unbekannten Kollegen zu drucken. Welcher Industrielle überredet seinen Bankier, einem jungen Mann Kredite zu geben, der in der Branche des Industriellen neue Fabriken gründen will, die jenem Industriellen Konkurrenz machen werden? Was hat der Schriftsteller davon? Die Vorwürfe des Verlegers, der mit dem neuen Autor Mißerfolg hat, und die Angriffe des jungen Autors, der Erfolg hat.

Fast in jeder andern Profession gilt der Mann, der Erfolg haben will, für honett, wenn er seine wahren Absichten verbirgt und seine Worte, Handlungen und Prinzipien nach der Rentabilität seiner Geschäfte oder nach dem Erfolg seines Amtes oder nach der Wirkung seiner Tätigkeit wechselt. Nur vom Autor erwartet das Publikum eine bedingungslose Moral, und es hat recht. Der Autor handelt gemäß dieser idealen Forderung, lebt darnach, spricht darnach, schreibt darnach oder verliert den Selbstrespekt und den Respekt der Welt.

Ein Autor muß sagen, was er denkt. Er muß seine geheimsten Gefühle und Gedanken offenlegen. Sonst taugt er nichts. Er muß stets sein Äußerstes, sein Bestes geben, sonst wird er öffentlich verdammt. Er muß von Buch zu Buch besser werden und fortschreiten, sonst zerreißt man ihn und sein öffentliches Ansehen. Er soll sich nicht ändern und darf sich nicht wiederholen. Er soll immer gleich und immer neu sein. Er soll alle seine Interessen, seine geheimen und öffentlichen Neigungen, seine Leidenschaften, sein privates Leben, seine Geschäfte und Gelüste dem öffentlichen Interesse opfern. Er soll wie der Beste seines Volkes leben, und meist auch wie der Ärmste. Er soll allen Idealen anhangen und keines verraten. Er soll alle Leidenschaften schildern und keiner unterliegen. Er soll das Publikum führen und ihm gehorchen. Er soll ein Prophet und ein Historiker sein, ein Zeitgenosse und ein weltferner Träumer, wie ein Heiliger schreiben, wie ein Märtyrer leben.

Das Publikum fordert es vom Autor, ohne die geringste Gegenseitigkeit, ohne zu glauben, dem Autor auch nur das Geringste zu schulden. Und der Autor fordert es bewußt oder unbewußt gleichfalls von sich selber. Der Autor hat recht. Und das Publikum hat recht.

Es gibt kein erbärmlicheres Schauspiel, als einen Schriftsteller, der lügt oder korrupt wird, sich oder seine Seele verkauft, der weniger leistet, als er leisten könnte, der nicht das Höchste moralisch, geistig, ästhetisch wenigstens erstrebt. Ein Autofabrikant, der gegen sein besseres Urteil die Produkte eines erfolgreicheren Konkurrenten schmäht, gilt als smart. Niemand erwartet von ihm, daß er die Produkte der Konkurrenz öffentlich rühme. Ich kenne kein Beispiel eines Schriftstellers, der nicht wenigstens einmal öffentlich gesagt hätte, die Werke dieses oder jenes Schriftstellers übertreffen sogar meine Werke, oder mindestens sind sie an Wert meinen Werken gleich.

Warum kamen zu diesem internationalen kryptokommunistischen Schriftstellerkongreß nach Paris neben vielen kommunistischen, philokommunistischen, pseudokommunistischen Schriftstellern so viele Schriftsteller, die nicht Kommunisten waren, die wahre Liberale waren, die jede Diktatur verabscheuten? Waren sie so weltfremd, daß sie nicht die kommunistische Regie gewahrten? Dachten sie, Stalin werde eines Tages sein menschenfreundlich Antlitz enthüllen, seine blutigen Mittel zum idealen Zweck bereuen, human, tolerant, liebreich werden, ein Freund der Menschen, ein uneigennütziger Mäzen? Glaubten sie, das soziale Unrecht in der mehr oder minder freien Welt sei so ungeheuerlich, daß jeder, der auch nur eine Revolution verspreche, besser sei als jene, die am verjährten Unrecht festhalten wollten? Meinten sie, die Völker, einmal befreit, einmal erzogen, einmal revolutioniert, würden schon eines Tages die falschen Lehrer und neuen Tyrannen abschütteln und die Menschheit um einen gewaltigen Schritt voranbringen? Dachten sie, es sei besser, Millionen Menschen für die Rettung von Milliarden Menschen zu opfern, als Millionen Menschen zur Rettung des Zinsfußes und der Kapitalgewinne mehrerer Tausend Millionäre zu opfern?

Ich sah so viele Figuren der Literatur damals im *Deux Magots*, Aldous Huxley und André Gide, Heinrich Mann und Robert Musil, André Malraux und Ernst Toller, Louis Aragon und Ilja Ehrenburg und Kolzow und Egon Erwin Kisch, Alfred Döblin und Max Brod, Bert Brecht und Arnold Zweig und Anna Seghers, Johannes R. Becher und Gustav Regler und Alfred Kantorowicz und Abusch. Der erste sowjetrussische Schriftstellerkongreß hatte in Moskau unter Gorki 1934 getagt. Wen hatten sie damals nach Paris delegiert, außer Ehrenburg?

Sieben Jahre lang, von 1933 bis 1940, verbrachte ich mehr als die Hälfte des Jahres in Paris und saß fast jeden Nachmittag oder Abend in oder vor dem *Deux Magots* und traf meine Freunde, wie den österreichischen Romancier Joseph Roth und den Schwarm seiner Freunde und Freundinnen und die Kinder seiner Freundinnen. Da korrigierte Jean Giraudoux streng mein Französisch. Fühlte er sich verantwortlich, weil ich seinen Roman *Die Abenteuer des Jérôme Bardini* ins Deutsche übersetzt hatte? Hier saßen Joseph Roth und ich 1933 mit André Chamson, der mit uns eine Zeitschrift der Freiheit gründen wollte, sie kam nie zustande. Neben uns saß der Maler André Derain, von Jünglingen umringt. Ich saß zwischen André Gide und Heinrich Mann, die einander wenig kannten und viel Verehrung zeigen wollten und einsilbig blieben, und ich saß zwischen Stefan Zweig und Heinrich Mann, die sich viel zu gut kannten und einander gar nicht verehrten; Heinrich Mann hieß in jedem Satz den Stefan Zweig, der Titel haßte, zwei bis dreimal »Herr Doktor«, und Stefan Zweig verstummte und griff nach der Zeitung und begann zu lesen.

Hier saß ich mit Alfred Döblin, der so fröhlich lachte, ein alter Psychiater, der in der Menschheit einen seiner Patienten wieder zu erkennen glaubte, aber jetzt saß er selber im Wartezimmer des Exils, und die Ärzte schienen verrückt. Oder ich saß mit dem Romancier Ernst Weiß, der mit menschenfreundlicher Miene bitter lächelte und mit seinem Magengeschwür prahlte und mit den Frauen, die ihn verraten, und den Kollegen, die ihn plagiiert hatten, und der aus seinen Tagebüchern zitierte, die erst nach seinem Tode publiziert werden sollten, und die er für sein Hauptwerk hielt, die aber nach seinem Tode spurlos verschwunden sind. Und ich saß mit Franz Carl Weiskopf oder mit Egon Erwin Kisch. Und Weiskopf wollte mich nie zum Kommunismus bekehren, sondern sprach mit mir über die Technik des modernen Romans und die Sprachschnitzer unsrer berühmten Kollegen.

Kisch wollte mich immer zum Kommunismus bekehren und zählte alle bürgerlichen Schriftsteller auf, die nach Moskau fuhren, und versuchte mir zu beweisen, daß zwischen der »Diktatur des Verlages Ullstein« in der Weimarer Republik und der Diktatur von Hitler und Göring kein so großer Unterschied sei, er sprach vom braunen Faschismus oder Sozialfaschismus (er meinte die Sozialdemokraten damit) und vom »Ullsteinfaschismus«. Manchmal sprach er bis um drei oder vier Uhr morgens auf mich ein, indes wir von meinem Hotel zu seinem Hotel und wieder zurück durch die nachtdunkeln Straßen von Paris wandelten, die Vögel schon zu zwitschern anhoben und die schwerbeladenen Gemüsewagen und Milchwagen durch die Boulevards zu den Hallen rumpelten.

Als 1935 die ersten Nachrichten der großen Schauprozesse gegen Sinowjew und Kamenew und ihre Kameraden kamen, sah ich am Abend Tränen in den Augen von Kisch und hörte seine verwirrte dunkle Rede. Am andern Morgen aber hatte er sich gefaßt und erklärte: »Stalin hat recht, Stalin hat immer recht.« Als André Gide nach Moskau fuhr, hieß ihn Kisch, stolz wie eine revolutionäre Mutter, den größten lebenden Dichter. Als Gide 1936 von Moskau »retournierte«, hieß er ihn einen koketten Bourgeois.

In Paris saß ich in vielen literarischen Cafés, deren Glanz halb oder ganz verblichen war, wie im *Café Régence,* wo einmal

Alfred de Musset beim Schach saß, als sein Partner mitten in der Partie aus dem Café gelaufen war, weil draußen die Revolution zu schießen begonnen hatte, indes Musset ruhig mit einem neuen Partner eine andere Partie Schach begann. Heine hatte den Musset den Gassenjungen der französischen Literatur geheißen. Musset selber schrieb am Ende seines Lebens, im Tal von Montmorency, im Haus eines Freundes, an einem grauen Morgen auf seinen Nachttisch:

>*J'ai perdu ma force et ma vie,*
  Et mes amis, et ma gaité ...«

(Ich habe meine Kraft und mein Leben verloren
und meine Freunde und meine gute Laune ...)

Ich saß in der *Closerie des Lilas,* wo Strindberg die heißgeliebte Welt und die heißgeliebten Frauen verwünscht hatte, aus schlechter Laune, wegen seiner schlechten Nerven und seiner Leiden an den Krimskrams-Tragödien des Alltags, abgerissener Knöpfe und schnippischer Antworten wegen. Von diesem alten Schweden leben heute noch die jungen und nicht mehr jungen Dramatiker in vielen Ländern, von Thornton Wilder bis Tennessee Williams und Jean Anouilh.

Ich saß im *Café du Dôme,* wo Expressionisten und Dadaisten ihren Kaffee schuldig blieben, und im *Café Select,* wo die älteren Lustbuben der Literaten selber Literatur machten.

Ich saß im *Café La Rotonde,* das 1958 in ein Kino verwandelt wurde. 1912 wurde es eröffnet, an der Ecke des Boulevard Vavin, wo jetzt Rodins Balzac sich in seinen steinernen Schlafrock hüllt. Dort hatten sich einst Trotzki, Lunatscharski und Lenin getroffen; Lenin wohnte nahebei, in der Rue Marie Rose. Trotzki hatte den Maler Vlaminck dort ermahnt, Arbeiter zu malen. Nach dem ersten Weltkrieg saßen dort zuweilen Ilja Ehrenburg und Ernest Hemingway an Nachbartischen. Der Besitzer der *Rotonde* nahm von Modigliani Bilder für die Zeche, und Modigliani verkaufte seinem Freund

Utrillo ein Paar amerikanischer Schuhe, die ihm zu groß waren, für zwanzig Francs, und zog sie gleich im Café aus und ging barfuß nach Hause. In der *Rotonde* saßen Apollinaire und Picasso, Max Jacob und Braque, Derain und Soutine, Foujita und Cocteau, Strawinsky und Kisling, Raymond Radiguet und André Breton, Léon Paul Fargue und Hanns Sachs, der Psychoanalytiker. An allen Wänden hingen die Gemälde der armen Maler, die da Kunden waren.

Ich saß im *Café Coupole* am Montparnasse, wo Ilja Ehrenburg abwechselnd als Feind und als literarischer Agent der Sowjetunion saß, mit seiner eleganten Frau, und je nach seiner politischen Situation wechselnde Literaturfreunde unterhielt. Dort saß ich mit meinen Freunden, den Schriftstellern Josef Breitbach, Joseph Wittlin, Joseph Roth, Josef Riwkin und seiner jungen schönen Frau, der schwedischen Schriftstellerin Ester Riwkin, und seiner reizenden Schwester, der schwedischen Schriftstellerin Eugénie Söderberg, ich habe noch eine naive Neigung für meine Freunde, die Josef heißen, da der Held meines ersten Romans *Josef sucht die Freiheit* eben Josef hieß. Dort bewirtete Joseph Roth den »letzten jiddischen Dichter« Warszawski und den russischen Maler-Dichter Matwejew, dort saß ich mit dem Kunstkritiker Wilhelm Uhde, der die »Primitiven« entdeckt hat.

Im *Café des Deux Magots* am Boulevard St. Germain traf ich die exilierten deutschen Dichter, und im *Café Flore* französische und amerikanische Literaten, lange bevor Sartre, Simone de Beauvoir und Camus dort saßen, aber immer noch heißt dort der älteste Kellner Pascal, und kein Montaigne sitzt unter den Gästen.

Es wimmelt in Paris von literarischen Cafés. Im Handumdrehn wird ein *bistro* zum Tummelplatz der Musen, die wie Midinetten aussehen. Jeder zweite Kellner spricht präzis wie ein Literat. Alle Welt schreibt im Café, Liebesbriefe, Drohbriefe, Alexandriner und Pasquille, Romane und Dramen, Geschäftsbriefe und Sonette. Man liebt in den Cafés, soweit die Polizei es zuläßt; vor der Liebe drücken die Behörden in Paris die Augen zu, und das Volk schaut weg. Man diskutiert und schlägt sich im Café. Im Handumdrehen reißen die Pariser bei Unruhen die eisernen Gitter um die Alleebäume heraus und zerschlagen die Laternen, die Laterne an der Place de Grève illuminiert freilich nicht mehr die Menschheit durch Gehängte. Man ißt und trinkt und schläft ein wenig im *bistro*. Man trifft dort seine Freundin oder seine Freunde, macht Personalpolitik, Literaturpolitik, Kunstpolitik und zuviel Politik.

Es gibt noch Casanovas, aber ihre Memoiren haben nicht mehr jenen Erfolg. Der Geschmack der Leser ist schwieriger als der Geschmack der Mädchen. Es gibt noch Literaturchronisten wie den Baron Grimm, nur lesen die Potentaten und Diktatoren sie weniger, die Premierminister ziehen Kriminalromane vor, und so sieht die Regierung unserer Welt aus, kitschig und blutig, wie von Privatdetektiven mit kurzen Tabakspfeifen im Mund und Indizien im Hirn verfaßt.

Es gibt noch Mäzene, ich habe freilich keinen getroffen. Es gibt noch Pariser literarische Salons, kein Voltaire kommt hin, kein Anatole France. Die Dunkelmänner sind in Mode.

Hier und da schreibt einer noch ein Meisterwerk in Pariser Cafés, selten, wie zu allen Zeiten die Meisterwerke waren. Die alten Enzyklopädisten sind nicht mehr in Mode, es gibt wenig neue. Man lauscht den Physikern und Metaphysikern – beide drohen mit dem Weltuntergang.

Als ich den alten Kellner im *Café Flore* nach der neuesten Mademoiselle de Lespinasse fragte, nach der Julia von 1958 oder 1959, brachte er mir lächelnd einen Café arrosé, den ich gar nicht bestellt hatte, und versicherte, im ganzen Café gebe es kein Fräulein Julia. – Und Monsieur Romeo? – Auch keinen Romeo!

Sind die Musen von Paris nicht mehr verliebt, oder lieben sie so geheimnisvoll wie Juliette de Lespinasse? Neugierig ging ich eigens durch die Parks, die Boulevards und an den Ufern der Seine entlang, ich besuchte Kinos und Cafés. Überall saßen junge und ältere Paare und küßten sich, inmitten der Menge. Auf den Bänken der Tuilerien saßen sie, und keiner sah hin, außer einigen Ausländern vielleicht. Sie küßten sich auf den Seinebrücken, und der Verkehrspolizist hielt an der Straßenkreuzung den Verkehr für sie auf. Die Liebespaare küßten sich in den Kinofauteuils und auf der Filmleinwand. Sie küßten sich in den kleinen Cafés gegenüber der fischäugigen Kassiererin. Sie küßten sich auf den großen Boulevards vor den Schaufenstern der Warenhäuser, vor den Bahnhöfen und an den Autobushaltestellen. Sie versanken im Kuß, als seien sie allein im Wald, am Fluß, in Höhlen oder auf Berggipfeln. Sie küßten sich, selig und zornig, als seien sie mitten auf der Laufbahn der Liebenden vom Himmel zur Hölle.

Der Kellner Pascal verdient seinen guten Namen nicht. Es gibt noch verliebte Musen in Paris, in den literarischen Cafés und überall, wo Liebespaare beisammensitzen und zusammen essen und trinken und küssen und, statt zusammen schlafen zu gehn, zusammen schreiben, feurige Verse und eisige Prosa.

LONDON

Kürzlich ging ich ins *Café Royal*. London lag im Nebel. Durch weite Straßen war er weiß, wie die Verzweiflung alter Poeten, oder schwarz, wie die Qualen der armen Leute. Die Stadt roch penetrant nach Kohle, Benzin und Hammelfett, auch nach verwelktem Empire und der Auspufftugend anglikanischer Kirchenvorstehersgattinnen, ja in Paternoster-Row nach literarischer Zensur.

Im Café war ich der einzige Gast. Ich setzte mich an meinen gewohnten Tisch, mit der Gelassenheit eines Rinderhirten, der am Abend ein Feuer anzündet und, auf einem gestürzten Baumstamm gelagert, still den Glocken seiner Kühe und dem schläfrigen Bellen seiner Hunde lauscht, ehe ihn die Sommernacht in ihren Mantel hüllt.

Sogar im leeren Café fühle ich mich nicht einsam. An allen Tischen sitzen Schatten der vorigen und Spektren der künftigen Gäste. Servil und agil stehn die Kellner herum, randvoll von Ressentiments und stehenden Redensarten.

Ich fragte den Kellner nach der Zeit. Es war acht Uhr abends. Ich war für sieben verabredet. Und es war Freitag? Der 13. Dezember? Das war das *Café Royal?* Es gab kein zweites Lokal desselben Namens?

Keineswegs, erwiderte der Kellner. Wahrscheinlich habe der Nebel meine Freunde aufgehalten. Auch im Lokal sehe man lauter Nebel. Es sei ungewöhnlich.

Der Nebel gehört zu London, wie seine Parks und das Parlament, der Spleen und die Spinsters, die Clubs und die Bobbies, wie Fairness und Freiheit und englischer Tee, der aus Indien, Ceylon oder China kommt; es gibt viele Sorten von englischem Tee, englischer Freiheit, englischer Fairness, der Unterschied ist nicht immer klar für *Continentals*.

Der Nebel Londons ist ein Zauberer. Er verwandelt alles,

wie ein Poet, er macht alles unwirklich und überwirklich. Vielleicht ist der Nebel Londons daran schuld, daß es unter diesen todnüchternen Engländern so viele große Dichter gab.

Mich macht der Nebel krank, klagte der Kellner.

Ich bestellte einen Tee mit Rum.

Gleich, Herr, gleich! sagte der alte Kellner und ging in der Tat ohne Zögern. Den Mangel an Hurtigkeit ersetzte er durch den Anschein eines entschlossenen Ganges. Da hat er also Shakespeare zitiert, wahrscheinlich ohne es zu wissen. Oder war solch ein alter Kellner eines literarischen Cafés selber eine literarische Figur, zitatenfest und zitatenfreudig?

Anon, anon, Sir! sagt der Kellner Franz in Falstaffs Kneipe »Zum wilden Schweinskopf«, *The Boar's Head Tavern,* wenn Prinz Heinz und Poins zum Spaß ihn von zwei Seiten gleichzeitig rufen. Da antwortet er jedem von beiden: Gleich, Herr, gleich! und steht gebannt.

Vielleicht war jener Franz ein Kellner der *Mermaid Tavern,* wo die elisabethanischen Dramatiker, Ben Jonson und William Shakespeare, Beaumont und Fletcher neben den Poeten John Donne und Sir Walter Raleigh saßen. Der arme Walter Raleigh wurde mit sechsundsechzig Jahren im Tower geköpft, worauf seine Frau Elisabeth, der Greuel noch nicht satt, seinen einbalsamierten Kopf in einer Tasche aus rotem Leder bei sich trug.

Vielleicht glich jener Kellner der *Mermaid Tavern* meinem Kellner im *Café Royal.* Die Trachten wechseln, die Typen bleiben. Da sitze ich als einziger Gast in diesem nebulosen Café, das ein Gespenst vergangener Größe ist, das letzte literarische Café Londons aus einer berühmten Reihe. Vielleicht ist auch dieser Kellner ein Relikt. Da kommt er mit dem Tee und einer doppelten Portion Rum. Er lächelt verschmitzt, weil er mehr bringt, als ich bestellt habe.

Sie sind ein Menschenkenner, weise wie mancher alte Kellner, sagte ich lachend. Wie heißen Sie?

Franz! sagte er mit einem Bückling und Kratzfuß. Franz, so wahr ich lebe. Es ist mein Taufname. Meine Mutter war verliebt in mich. Den ganzen Tag hieß es: Wo ist mein Fränzchen! Ich brauche Fränzchen! Bringt mir mein Fränzchen! Wenn sie mich sah, lief sie und faßte mich, drückte, herzte mich, küßte mich hundertmal und erklärte, nichts liebe sie mehr auf der Welt als ihr Fränzchen. Bald ward ich ihr Diener, immer bereit, ihr Kellner und Meister und wurde groß unter ihren liebevollen Händen und Blicken und schließlich der Oberkellner vom *Café Royal*.

Ich sah ihn schärfer an, mit der Miene eines Untersuchungsrichters oder Theaterkritikers. Franz! Haben Sie nicht schon in der *Mermaid Tavern* bedient, in der Breadstreet? Da saßen zwei Schauspieler herum, die Stücke schrieben, der eine, William Shakespeare, spielte im Stück des andern, Ben Jonson, der beinahe gehängt wurde, weil er einen dritten Schauspieler aus Eifersucht im Duell umgebracht hatte. Ben Jonson wurde gebrandmarkt, ins Gefängnis gesteckt und viel später im Poetenwinkel von Westminster Abbey begraben, wo Englands Könige und Literaten auf ihre neue Auflage am Jüngsten Tage warten.

Oder servierten Sie in Ben Jonsons Club »Apollo« in der *Teufelstaverne* in Fleetstreet, für den er selber die Regeln aufgesetzt hat: Keiner dürfe einen Witz übelnehmen, keiner nach einem Schlemmermahl über heilige Dinge ernsthaft diskutieren, keiner einen Anspruch auf einen Ehrensitz erheben, und immer solle ein Feuer brennen, um die Pfeifen daran anzuzünden und die Feuchtigkeit im Clubzimmer zu vertreiben.

Und servierten Sie nicht in der Taverne *Zum wilden Schweinskopf,* wo Sir John Falstaff seinen Kanariensekt mit Zucker versüßte und von seinem Kampf bei Gadshill erzählte: »Ein Stücker hundert überfielen vier von uns ... Die Pest über alle Feiglinge ...« Erinnern Sie sich?

Jawohl, Herr, sagte der Kellner und lächelte mit freundlicher Malice.

Und waren Sie nicht der berühmte Kellner Franz, der im »Athenäum Club« bei der Treppe stand, als Charles Dickens und William Makepeace Thackeray die Hände zur Versöhnung sich reichten? Ein Klatschjournalist, ein Freund des Humoristen Dickens, hatte ein komisches Porträt des Humoristen Thackeray in der Zeitung veröffentlicht, mit Details, die nur ein Mitglied des Clubs wissen konnte. Humoristen, die sich über die Welt lustig machen, lieben es nicht, wenn die Welt sich über sie lustig macht. Thackeray erreichte die Ausstoßung des Journalisten aus dem Club. Nichts, was im Club gesprochen wurde oder geschah, durfte kolportiert werden.

Warum wurde dieser Humorist so streng? In Kalkutta geboren, verlor er mit vier Jahren schon den Vater. Von Frauen verzärtelt, war er in der Schule vereinsamt. Des Studiums in Cambridge nach einem Jahre müde, verspielte Thackeray in Paris mit einundzwanzig Jahren seines Vaters Vermögen, das er eben geerbt hatte. Er wurde Korrespondent für eine englische Zeitung und geriet durch ihren Bankrott in Schulden. Er heiratete und schrieb für das Witzblatt *Punch*. Er lebte getrennt von seinen zwei Töchtern und seiner Frau, seit sie im dritten Wochenbett wahnsinnig wurde (sie überlebte ihn). Er schrieb für Zeitungen Humoresken und Romane und hatte nach *Vanity Fair* den ersten großen Erfolg mit *Henry Esmond,* als er vierzig war. Um seinen Töchtern eine Mitgift geben zu können, machte er wie Dickens Vortragsreisen in Amerika. Er sprach über englische Humoristen im 17. Jahrhundert. Mit zweiundfünfzig starb er. Er hatte lange, graue Haare und das Gesicht einer Bulldogge mit Doppelkinn.

Da Dickens seinen Freund gegen Thackeray verteidigt hatte, führten die beiden Humoristen einen langen Krieg, bevor sie sich versöhnten. Wissen Sie noch, Franz, dieser Dickens? Ein kleiner Mann, mit klaren, blauen, intelligenten Augen, die er komisch vorwölbte, und mit einem breiten Mund. Er hatte ein äußerst bewegliches Gesicht, das er auf höchst sonderbare Art beim Sprechen herumschob, Brauen, Augen, Lippen und alles andere. Um zur Bühne zu gehn, meldete er sich einmal beim Covent Garden Theater für eine Aufnahme, aber er bekam einen Schnupfen und konnte nicht vorsprechen. Er spielte einmal in einer Farce einen Kellner und im selben Stück einen

Anwalt, einen Fußgänger, einen Hypochonder, eine alte Frau und einen tauben Küster. Dickens warf seiner Frau ihre verschämte Sinnlichkeit vor, und sie hatten viele Kinder. Er verließ seine Frau und begann eine Liaison mit einer jungen Schauspielerin, die Ellen hieß. Erinnern Sie sich nicht?

Ohne Zweifel, Herr, versicherte der alte Kellner und wechselte das Standbein. Unsereins vergißt eher die eigene Frau als die Freundinnen der Stammgäste.

Nun, sagte ich, Dickens war schon als kleiner Junge ein Arbeiter in einer Färberei an der Themse, und sein Vater saß damals im Schuldgefängnis, und da mußte der kleine Dickens hineingehn, wenn er seinen Vater sehen wollte, er war ein Sohn der Armut und hat neunzigtausend Pfund hinterlassen und einen Ruhm, der anhält. Und an diesem Tisch saß Oscar Wilde, kein *idealer Gatte,* mit seinen schönen Freunden, selber elegant und jung und so witzig, daß man in ganz London wiederholte, was dieser Liebling von London hier im Kaffeehaus sagte, bis er zum Abscheu von ganz London wurde, weil er sich anders im Bett amüsiert hat, als es die meisten Londoner gewohnt waren oder es wahrhaben wollten. Dafür kam er ins Zuchthaus zu Reading. Daraus machte er eine Ballade und ging ins Exil nach Paris, wo er »über seine Mittel starb«. Die Leute lachten über seine Aphorismen; weil er aber leben wollte, wie er dachte und sprach, verfolgten sie ihn. Er schrieb im *Bildnis des Dorian Gray:* »Nur ein Ding in der Welt ist schlimmer, als wenn die Leute über einen reden, nämlich wenn sie nicht über einen reden.« Er überließ sich dieser »übermäßigen Leidenschaft fürs Vergnügen, die das Geheimnis ausmacht, jung zu bleiben«. Er wollte der größte *Wit* von London sein, zwei Jahrhunderte nach der großen Zeit der *Wits,* wie man die Poeten, geistreichen Autoren und Witzbolde hieß, die Dryden und Pope, Swift und Gay, Steele und Addison, Samuel Johnson und Lawrence Sterne. Oscar Wilde ist nicht jung geblieben und in seinen besten Jahren gestorben, mit sechsundvierzig, wie Friedrich Schiller oder Joseph Roth. Auch Wildes Vater, ein berühmter Ohrenarzt und Chirurg, der zu Dublin mit einer blaustrümpfigen Poetin verheiratet war, hatte einen Prozeß wegen eines Sexualverbrechens.

Oscar Wilde war wie ein Geck gekleidet, mit einem Ring am kleinen Finger der rechten Hand und einer Lilie im Knopfloch, erinnern Sie sich nicht, Franz? Er trug die Haare in der Mitte gescheitelt. Mit achtundzwanzig Jahren ließ er sich in einem schwarzen Samtrock photographieren, mit seidenen Täschchen und Bordüren und einer schwarzsamtenen Weste und engen schwarzen seidenen Hosen und knielangen schwarzen seidenen Strümpfen und mit Schnallenschuhen, den Kopf ein wenig zur Seite geneigt und die Hände auf die Hüfte gestützt. Doch war er kein Sissy. Bei einer Vortragsreise durch die Vereinigten Staaten von Amerika trank er einige Bergleute und Cowboys von den Rocky Mountains unter den Tisch und trug zwei von ihnen auf seinem Rücken in ihr Haus. Erinnern Sie sich nicht, Franz?

So war es, Herr, erklärte gewichtig der Kellner.

Und am Tisch drüben saß D. H. Lawrence, mit seinem roten Bart und den schwindsüchtigen Wangen, der Autor von *Lady Chatterleys Liebhaber* und von besseren Erzählungen. Da saß er mit seiner deutschen Frau Frieda und mit dem bunten Schwarm seiner Freunde, Theosophen, Psychoanalytiker, Schüler von Schopenhauer und Nietzsche und Londoner Bohemiens. Er war der Sohn eines Bergmanns und wurde erst ein Fabrikarbeiter, dann ein Lehrer. Er suchte zeitlebens ein besseres Klima, an der Riviera, in Italien, in Mexiko. Er malte, stellte in London aus und schrieb Gedichte. Er war ein falscher Prophet. Wie Freud und viel unschuldige Mädchen glaubte er an die allgegenwärtige Magie der Sexualität.

Drüben am Tisch speiste er mit seinen Anhängern und predigte, als säße er zwischen zwölf Aposteln, eine neue bessere Liebe, ein neues besseres Leben, ein neues besseres Reich, in Mexiko. Er rief alle zur Gründung einer Kolonie auf und sprach mit solcher Inbrunst, daß die Tränen einiger auf Hammelbraten und Plumpudding fielen und alle in die verheißene Ferne fahren wollten. Am Ende fuhren Lawrence und seine

Frau Frieda und die halbtaube Malerin Dorothy Brett. Peter de Mendelssohn und Hilde Spiel trafen die Brett in Taos, noch nach dem zweiten Weltkrieg. Die Brett hat ein Buch über Lawrence geschrieben. Sein Freund Richard Aldington hat ein Buch über Lawrence geschrieben. Aldous Huxley hat ein Buch über Lawrence geschrieben. Literarische Cafés und Freundschaften enden in Büchern. Haben Sie Mr. David Herbert Lawrence vergessen?

Ich habe ihn lange nicht mehr gesehen, sagte der Kellner.

Nun, erwiderte ich, Lawrence starb 1930! Fünf Jahre später saß ich selber an diesem Tisch, ein exilierter Dichter mit andern exilierten Dichtern. Und dieser fremde Tisch war mein Tisch.

Im Exil wird Fremde zur Heimat, und Heimat wird fremd. Das Exil ist so gefährlich und poetisch wie andre Leidenschaften und Krankheiten, es ist ein Zustand der Schwebe, eine vorläufige Situation, die definitiv wird, ohne daß man es merkt und will. Sie macht die Menschen, die Schicksale, die Verhältnisse und die Anschauungen paradox. Das Exil ist ein Schlüssel zur Welt, der sie zugleich aufschließt und zuschließt, es ist meist ein *visa de sortie sans retour,* das im Handumdrehen für ungültig erklärt wird, gerade wenn man es dringend benutzen müßte.

In jenen Jahren lebten einige aufsässige junge englische Dichter in einem freiwilligen, ja künstlichen Exil in Berlin und Wien, wie John Lehmann, der später *New Writing* und *The London Magazine* herausgab, oder der Romancier Christopher Isherwood, der Autor der *Berlin Stories,* und der Poet Wystan Hugh Auden, der ein Schüler von D. H. Lawrence und ein Schwiegersohn von Thomas Mann war, und der Poet Stephen Spender, der Toller und Rilke und Schiller übersetzt hat. Die meisten bewunderten damals Marx und Freud, die zu den Schriftstellern gehören, die mehr zitiert als gelesen werden, mehr Glauben als Verständnis finden und eben darum folgenreicher sind, als Autoren, die man liest, begreift und vergißt.

Einmal saßen meine Freunde und ich zu Amsterdam im

Café Americain mit Christopher Isherwood, der wie ich ein Pazifist war. Er kam aus Berlin, ich aus Paris, und wir fragten, wohin wir im Krieg oder vor den Tyrannen flüchten sollten, ich schlug Oslo oder Lissabon vor, Isherwood lud Walter Landauer, Joseph Roth, Oedoen von Horvath und mich ein, nach Portugal zu kommen, wo er ein Häuschen am Meer hatte, und dort den Krieg und die Tyrannen zu überdauern.

Das ist unsere Pflicht, sagten wir. Aber nur Isherwood und ich überlebten den Krieg und ein paar Tyrannen. Noch ehe der Krieg kam, war Oedoen von Horvath vom Ast eines Baumes auf den Champs Elysées zu Paris erschlagen worden, Opfer eines Sturms, der keine zwei Minuten gewährt hat, und Joseph Roth war in einem öffentlichen Krankenhaus in Paris gestorben, Opfer eines Sturms, der zwanzig Jahre in seiner Brust gewütet hat.

Walter Landauer aber starb im Konzentrationslager von Bergen-Belsen. Als er noch in Berlin im Verlag Gustav Kiepenheuer arbeitete, da lag bei Berliner Notaren etwa ein Dutzend Testamente schwerreicher Onkel und Tanten zu seinen Gunsten. Er hatte die Allüren eines Erbprinzen, er war scheu und hochmütig. Ohne Geld in der Tasche hatte er Millionen in Aussicht. Er war belesen, gescheit und indolent. Und er saß und wartete. Als Hitler kam, ging Landauer nach Paris und wartete. Auf neue Testamente? Auf neue Onkel und Tanten? Ein Verleger in Amsterdam, der mir die literarische Leitung des ersten deutschen Exil-Verlages, Allert de Lange, übertragen hatte, bot mir auch die geschäftliche Leitung an. Ich hatte abgelehnt, da ich lieber in Paris meine Romane schreiben wollte, und an meiner Stelle Landauer vorgeschlagen, der den Verlag von 1933 bis 1940 führte und auf Hitlers Ende wartete. Als ich ihn in seiner Pension in Amsterdam bald nach Beginn des Krieges von Paris aus anrief, ich hätte ihm ein französisches Visum verschafft, mit Hilfe der Princesse de Grèce, Marie Bonaparte, die ebenso wie ihr Lehrer Sigmund Freud unser Verlagsautor geworden war, freilich müsse Landauer sogleich nach Paris kommen, sogar auf die Gefahr hin, vorübergehend in ein französisches KZ gebracht zu werden, wie es mir soeben für fünf Wochen widerfahren war, aber alles sei besser für uns Anti-Nazis, als den Nazis in die Hände zu fallen, da warf mir Landauer indigniert vor, einen Autor des Verlages seinetwegen molestiert zu haben. Solch einen Fauxpas könne man vielleicht in höchster Gefahr des Lebens begehn, vorerst wolle er aber warten.

Warten? schrie ich durchs Telefon. Worauf? Daß Hitler in Holland einmarschiert? Daß man Sie ins KZ schafft? Dann gibt es für Sie kein Frankreich mehr.

Lieber Kesten, erwiderte mein Freund Landauer aus seinem Pensionszimmer in der Jan Willem Brouwerstraat in Amsterdam. Sie waren immer ein ungeduldiger Mensch. Für Sie passen andere Methoden. Ich habe mein Leben lang zu warten gelernt.

Worauf? fragte ich.

Warten worauf?

Da wurden wir getrennt. Vielleicht brauchte ein General unsere Leitung. Als ich im Sommer 1940, nach der Okkupation Hollands und Frankreichs, in New York meinem Freund Landauer ein Visum für Cuba verschafft hatte, schrieb mir Landauer, er müsse warten, bis auch seine Mutter ein Visum bekomme. Ein reicher Holländer versteckte ihn und elf andere Juden unter Lebensgefahr in seiner Villa mitten in Amsterdam und rettete alle, mit Ausnahme von Landauer, vor der Vergasung durch die Deutschen. Landauer, *einmal* ungeduldig, hatte mit falschen Papieren in die Schweiz zu entkommen versucht und wurde an der belgisch-französischen Grenze von der Gestapo aus einem Autobus herausgeholt und ins KZ von Bergen-Belsen geschafft. Dort bekam er eine Armbinde als »devisenwichtiger Jude«. Man nahm an, er könne dank seiner internationalen Verlagsbeziehungen Devisen in die deutsche Wirtschaft bringen. Er wurde also nicht vergast. Leider starb er aber am Hunger einige Wochen vor seiner eventuellen Befreiung.

Viele Jahre lang sprachen wir in den Cafés von Berlin und

Paris und Amsterdam über die deutsche Literatur, als hätten wir ein Liebesverhältnis mit ihr, und unsere Gespräche zeugten Bücher und Autoren.

Zuweilen saß er stundenlang neben mir und schwieg. Er hatte schüchterne Hände und schwermütige Augen, schon mit dreißig Jahren graumelierte Haare, nur eine Niere noch und nikotinverfleckte Finger, die oft die Zigaretten fallen ließen. Mit dem Spleen eines Engländers und dem Witz des Berliners, war er in sich versunken wie ein Poet und für jeden neuen Autor leicht zu begeistern. Eigensinnig wie ein Maultier und nobel wie ein Grande war er von Natur konservativ, aus Neigung verspielt. Er war schwach und zäh, verzweifelt und freundlich, tüchtig und süchtig. Er lebte und starb als ein Opfer seiner preußischen Prinzipien und Tyrannen. Wir waren uns auf den ersten Blick entgegen und wurden doch Freunde. Er war ein sensibler und eleganter Mensch, dessen schärfster Tadel die Vokabel »peinlich« war, ein Mensch konnte peinlich sein, viele Bücher waren peinlich, Hitler war peinlich. Eine Welt ging ihm auf die Nerven.

Ich erinnere mich an ihn, sagte der Kellner. Wir hatten einige solcher Gäste. Wann kam er zuletzt?

Wir waren nie zusammen in London. Hier saß ich mit Stefan Zweig und Ernst Toller, an diesem Tisch, als beide von Walter Landauer schwärmten und mir meine heitere Skepsis vorhielten. In unserer absolutistischen Epoche müßten Skeptiker umkommen. Man müsse aber unter allen Umständen am Leben bleiben, predigten mir damals Toller und Zweig gemeinsam, und das könne ein Schriftsteller nur, wenn er seinem Publikum gemäß lebe und schreibe. Individualisten wären immer umgekommen, und heute mehr als je. Vor allem sollte ich auf die Ironie verzichten, erläuterte Stefan Zweig. Ein Autor müsse seine Zeit, sein Publikum und seine Helden lieben. Ein Satiriker ende im Irrsinn wie Swift, im Gefängnis wie Cervantes, beinahe auf dem Scheiterhaufen wie Rabelais, im Menschenhaß wie Mark Twain oder im Exil wie Voltaire und Heine. Er selber, Stefan Zweig, habe nie ironisch geschrieben und nur einmal über eine unsympathische Figur, den armen Fouché, und da natürlich ohne Erfolg.

Das Publikum ist unser Held, gestand ich, und versteht keinen Spaß und duldet keine Ironie. Es nimmt sich wichtig und will ernst genommen werden. Und Lessing, der freilich nicht ohne Ironie war, hat sogar vom Historiker gefordert, er solle über seine eigenen Zeiten schreiben. Jeder Autor schreibt für ein Publikum nach seinem Bilde. Jeder schreibt für sich, für ein mit Tausend oder einer Million multipliziertes Ich.

Toller verlangte, der Dichter müsse unter allen Umständen Partei ergreifen oder zu einer Partei gehören, am besten zu seiner eigenen Partei. Und der Dichter müsse humane Ideale haben und seine Leser zur Humanität erziehen.

Wenn Freunde beisammen sitzen, glaubt jeder den andern besser zu kennen, als er sich selber kennt. Man glaubt vorauszuwissen, was der andere sagen wird. Wir waren Zeitgenossen, Schicksalsgefährten, Freunde, deutsche Schriftsteller im Exil und wie aus verschiedenen Epochen, Stilperioden und Clubs. Stefan Zweig sprach vom Erfolg, Toller vom Ideal, ich von der Moral. Ich kenne mein Ende nicht. Aber ich hätte keinem Zauberer geglaubt, der mir damals das Ende meiner beiden lachenden Freunde in einem Zauberspiegel gezeigt hätte: Ernst Toller, wie er mit der Kordel seines Schlafrocks in einem Zimmer des Hotel Mayflower auf der Westseite von New York, gegenüber dem Central Park, auf einen Stuhl stieg, am Fenster, um sich zu erhängen, indes seine Sekretärin zum Lunch in einen Drugstore gegangen war, und Stefan Zweig, der zu Petropolis in Brasilien einige Jahre später aus lauter ungeduldiger Verzweiflung eines enttäuschten Optimisten erst seiner Frau das Glas mit dem Gift reicht und dann sich aufs Bett legt, neben sie, und das Gift trinkt.

Damals in London tranken wir noch einen Tee mit Rum, und es war ein dicker Nebel wie heute, *a yellow fog or a black fog,* und erst lachte ich meinen beiden Freunden ins Gesicht, über ihre utilitaristische Menschenliebe und freiwillige Orthodoxie im Exil, und dann lachten sie beide über meine unentwegte

und gutgläubige Skepsis, und ich lachte mit Zweig über Tollers blanken Idealismus und mit Toller über Zweigs Anbetung des Erfolgs, bis wir schließlich alle drei über uns lachten und immer vergnügter wurden und der dicke Nebel ins Café eindrang, daß wir wie Gespenster im Nebel aussahen, aber wie lachende, riesig vergnügte Gespenster voller Lebensbehaglichkeit, und ich lachte immer ein wenig lauter als meine Freunde, schallend und vergnügt, wie ich es mein Leben lang gehalten habe, und Zweig und Toller lachten auch über mein Gelächter, und wir tranken noch einen Tee mit Rum und genossen die Stunde aufs heiterste. Sogar pessimistische Schriftsteller lachen häufiger als Kinder, Kaufleute und Kellner. Die englischen Bohemiens, die damals im *Café Royal* saßen, sahen uns erst vielleicht schokkiert an, schließlich lachten sie aber mit uns oder über uns. Daran müssen Sie sich erinnern, Franz, ein ganzes lachendes Kaffeehaus im eindringenden Nebel?

Most certainly, Sir, versicherte der Kellner. Als Sie heute im Nebel auftauchten und Ihren Tisch sogleich fanden, da wußte ich, den Gast kennst du, Franz! Die meisten Gäste in einem leeren Café können wie vor lauter Platzangst für keinen Tisch sich entschließen.

Heute, sagte ich zum Kellner, kommt es mir vor, als hätte ich hintereinander fünf Leben gelebt und wäre dreihundert Jahre alt. Das macht die Melancholie. Ich bin den ganzen Tag durch die alte Stadt London gegangen. Man geht sie in einem Jahr nicht aus, mit ihren siebenhundert Quadratmeilen und achteinhalb Millionen Menschen.

Die City, sagte der Kellner, ist nur eine Quadratmeile groß, und niemand wohnt dort, außer Pförtnern und Sonderlingen, kaum fünftausend Menschen.

Heute morgen sah die fahlrote Wintersonne im Nebel halbzerstört aus, sagte ich. Der Himmel war rot, wie von den zahlreichen Bränden von London, vom »Blitz«, den deutschen Luftangriffen im Sommer 1940 oder vom großen Feuer 1666.

1665 hatte schon die Pest fünfundsiebzigtausend Londoner

getötet. Daniel Defoe, der damals kaum fünf Jahre alt war, hat viel später diese Pest plastischer beschrieben, als ein Dutzend Augenzeugen. Den Brand von 1666, der am 2. September begonnen und in fünf Tagen fast die ganze Stadt, einschließlich St. Paul's Cathedral zerstört hat, beschrieben dagegen zwei Augenzeugen, die vierzig Jahre lang Freunde waren, John Evelyn und Samuel Pepys. Sie notierten alles in ihren Tagebüchern, die erst 1818 und 1825, anderthalb Jahrhunderte nach ihrem Tod, veröffentlicht wurden und seitdem zu den berühmten Büchern der englischen Literatur gehören. Da waren zwei langverschollene Autoren erst aus ihren Manuskripten auferstanden, lebendiger als viele unserer Zeitgenossen. Mit ihnen stiegen aus ihren versunkenen Gräbern ihre Frauen und Freundinnen, ihre Hunde und Kaffeehausgefährten, ihre Streiche und Gelüste, das winzige glitzernde Spinnennetz eines Menschenlebens. Diese fast schon begrabenen Tagebücher enthüllten die Sittengeschichte Londons im 17. Jahrhundert, wie einen lebensfeuchten Skandal von heute. Das sind die Wunder, die wir Literaten bewirken, daß wir mit Kunst den Tod um seine Beute prellen, zum Schein und für eine Weile.

Heute war kein Brand in London, erklärte mit einiger Strenge mein Kellner. Ich wüßte es schon; unsere Klienten erzählen alles.

Kein Brand, sagte ich, aber Asche in meinem Herzen. Auf meinem Gang durch London dachte ich an die toten Dichter von England. Da sah ich ein Haus, wo einer von ihnen eine Weile lustig gelebt hat, und dort eine Taverne, wo er mit Freunden getrunken hat, und drüben ein Café, wo die Poeten saßen, wie die Könige im Exil aus Voltaires *Candide* in Venedig. Diese Londoner *Wits* saßen neben den *Rakes,* Poeten neben Wüstlingen, und machten die Freiheit zur Losung oder rühmten alte und neue Autoren, und ihr Herz erfreute sich am Klang des eigenen Lachens oder am Lachen der Mädchen hinter der Bar, und nun sind alle dahin, die Poeten, die Stühle, auf denen sie saßen, die Tische, an denen sie schrieben, die heiteren Mädchen hinter der Bar, bei denen der eine oder andre

Poet gelegen ist, alles ist verbrannt im geschwinden Feuer der Zeit.

Heute mittag regnete es, als ob der Himmel mit mir weinte. Auf Trafalgar Square wehte ein Wind, der meinen Regenschirm umzustülpen drohte und den Nebel für eine Stunde oder zwei wegfegte. Dann kam der Nebel wieder und wickelte alles wie in ein Gespinst, den Himmel und den Big Ben, den Tower und St. Paul's Cathedral, die London Bridge, die Themse und das Parlament und die kahlen Bäume, die wie gespenstische Regimenter auf Halbsold im Hyde Park und Green Park herumstanden, und auf die Trommeln und Flöten eines neuen Imperators oder frischen Frühlings warteten.

Der Nebel verschluckte Passanten und Autobusse. Die Laternen flackerten am finstern Tag winzig wie Hoffnungen im KZ. Es roch nach dem Puder der Perücken englischer Richter, nach dem strömenden Atem der Themse, nach Kohlenstaub und Stockfisch.

Jede Stadt hat ihre Religion, erklärte mir der Kellner, und darnach riecht sie; er hüstelte verlegen, als fürchte er, selber zu den Gerüchen Londons beizutragen.

Einer meiner dubiosen Freunde, sagte ich, der in den Cafés von Europa gespielt und geliebt hat, der Venezianer Casanova, hat erklärt: »Nichts ist in England wie im übrigen Europa. Alles hat seinen besonderen Charakter, Fische, Hornvieh, Pferde, Männer, Frauen und das Wasser der Themse.« Und mein Freund Heine, der über Cafés und in Cafés geschrieben hat, heißt die Engländer ein häusliches Volk. Er schreibt: »Schickt einen Philosophen nach London und stellt ihn an eine Ecke von Cheapside, er wird hier mehr lernen als aus allen Büchern der letzten Leipziger Messe... Aber schickt keinen Poeten nach London!«

In England, sagte der Kellner, gibt es noch Könige und ein ganzes Haus der Lords. Es gibt noch die Prügelstrafe und die Todesstrafe; das heißt: englische Richter prügeln und töten, die Gesetze tun es, das Volk tut's. Wir alle tun es.

Heinrich Heine, sagte ich, der mit Witz geliebt und gehaßt hat, schreibt einmal: »Welch ein widerwärtiges Volk, welch ein unerquickliches Land! Wie steifleinen, wie hausbacken, wie selbstsüchtig, wie eng, wie englisch! Ein Land, welches längst der Ozean verschluckt hätte, wenn er nicht befürchtete, daß es ihm Übelkeiten im Magen verursachen möchte ... Ein Volk, ein graues, gähnendes Ungeheuer, dessen Atem nichts als Stickluft und tödliche Langeweile, und das sich gewiß mit einem kolossalen Schiffstau am Ende selbst aufhängt ...«

Ich werde aber den Engländern nie vergessen, daß sie die Freiheit gefördert haben.

Ich bin ein Ire, sagte der Kellner. Wir Iren bekamen Bauchweh von der englischen Freiheit. *Liberty begins at home* und endet dort für die Engländer.

Ich liebe London, sagte ich, besonders wenn ich auf dem Kontinent bin. Die Engländer sind freundlich, echte Insulaner, überzeugt davon, daß es ein verdienter Vorzug sei, ein Engländer zu sein. Sie haben aus dem täglichen Umgang eine Kunst gemacht. Sie leben wie im Nebel. Sie sprechen wie im Nebel. Und man sagt, sie lieben wie im Nebel. England *is a understatement*. Aber wenn ich das nächste Mal auf die Welt komme und leichtsinnig genug wieder ein Schriftsteller würde, und die Welt gliche in fünfzig Jahren (länger will ich auf meine Wiedergeburt nicht warten!) unserer Welt (was Gott verhüte!), so will ich als englischer Schriftsteller auf die Welt kommen und in Shakespeares Sprache schreiben, da wird man in Hongkong und Australien, in Kanada und Südafrika und sogar in USA verstanden.

In England, sagte der Kellner, herrschen *cant* und Zensur und scharfe Sonntagsgesetze, und alles gegen den gemeinen Mann. Lords können sich auch wochentags amüsieren.

In den freien Ländern, erwiderte ich, darf der Unbequeme verhungern, in den unfreien Ländern wird er zu Tode gefoltert. Die freien Länder haben viele Fehler, unfreie Länder einen universalen: ihre Existenz.

Heißen Sie England ein freies Land? fragte der Kellner empört. Hier verbieten sie sogar am Sonntag, wo Gott in allen Kirchen Sprechstunde hat, die Homosexualität und die Memoiren des Casanova, von denen mir ein Kollege erzählt hat, und ehrliche Theaterstücke.

Eine gewisse englische Tugend, erwiderte ich, ärgert mich sehr, zum Beispiel ihre Schafsgeduld, wenn sie stundenlang im Regen vor Kinokassen stehen, oder ihr Mangel an Nervosität, wenn sie acht Tage vor dem Weltuntergang die Kleider ihrer Königin diskutieren, oder ihre Fairneß, die sie ohne Unterschied gegen Tyrannen und deren Opfer üben. Doch säßen wir ohne England und Frankreich vielleicht noch in den feudalen Zeiten und wüßten nicht, wie die Freiheit schmeckt.

Danke für das Kompliment, sagte der Kellner mit Kratzfuß und Bückling. Aber ich stamme aus Dublin, von irischen Eltern, und bin stolz darauf.

Ich nickte. Wenn ein armer Mann schon nach Gründen für seinen Stolz sucht, warum soll er nicht darauf stolz sein, daß er zu einer Sorte gehört, von der es Millionen gibt? Freilich ward der Nationalstolz eine altmodische Dummheit in einem Jahrzehnt, da Thos. Cook und die American Express Company vielleicht schon insgeheim Gesellschaftsreisen auf den Mond und Mars vorbereiten oder Herrenpartien auf der Venus.

Sie sind also ein Ire, sagte ich, wie Swift, Sheridan und Shaw, wie Wilde, Joyce und Yeats. Iren sind Exportartikel. Vier Millionen emigrierten im neunzehnten Jahrhundert nach Amerika, meistens Arme und Fromme. Die Freigeister zogen London vor. In New York wurden irische Glückspilze sogar Bischöfe oder Millionäre, in London dagegen Satiriker und berühmt. Engländer bezahlen mit Gold gewisse Ausländer, die nach London kommen, um sie auszulachen. Viele Deutsche dagegen möchten sogar die einheimischen Humoristen totschlagen. Zahlreiche Autoren, denen die Engländer amüsant vorkamen, wählten London zum Exil, von Voltaire und Casanova bis Marx und Freud. Einige wurden englische Autoren, der Pole Joseph Conrad, die Amerikaner Henry James und

T. S. Eliot, der Österreicher Robert Neumann und der Ungar Arthur Koestler.

Sind die Engländer amüsant? fragte der Kellner. Als ich ein Jahr im *Café de Paris* am Boulevard de l'Opéra arbeitete, hieß man schweigend beisammen sitzen *une conversation Anglaise*.

Die schweigsamen Engländer lehrten die halbe Welt englisch reden, erwiderte ich. Und manche ihrer großen Autoren sind Wortmillionäre, als hätte jeder für sich die englische Sprache neu erfunden.

Werden diese Autoren gut bezahlt? fragte der Kellner.

Im Gegenteil, erklärte ich. Als Goethe achtzig Jahre alt war, sagte er zu Eckermann: »Man muß alt werden und Geld genug haben, seine Erfahrungen bezahlen zu können. Jedes Bonmot, das ich sage, kostet mich eine Börse voll Gold; eine halbe Million meines Privatvermögens ist durch meine Hände gegangen, um das zu lernen, was ich jetzt weiß, nicht allein das ganze Vermögen meines Vaters, sondern auch mein Gehalt und mein bedeutendes literarisches Einkommen seit mehr als fünfzig Jahren.«

Wer war Goethe? fragte der Kellner.

Literatur, sagte ich, ist die Kunst, Menschen und ihre Interessen darzustellen. Wer offen spricht, muß dafür bezahlen. Soviel lernt ein Autor vom andern.

Auch unsereins lernt von Kollegen, gestand mein Kellner. Ich spreche gern zu Kellnern, am liebsten im Café. Im *Pub* schwätzt das Bier aus einem. Im Club reden sogar Freunde der Mitglieder wie Mitglieder. Zu Hause vergehn einem die Gedanken; und wer wagt ein wahres Wort in seiner eigenen Küche? Auf der Straße machen die Autos auf zahme Fußgänger Jagd. Nur im Café ist unsereins ebenbürtig. In jedem Café, wo ich nicht bediene, bin ich ein Gentleman; ich bekomme die beste Bedienung. Ein Kellner erkennt den andern am Rücken, am Gang, am Gespräch und an der offenen Hand.

Da sehe ich mit Vergnügen, daß Sie ein denkender Kellner sind. Wollen Sie an meinem Tisch sitzen und einen Tee mit Rum trinken?

Gleich, Sir! Mit Dank, Sir! Nur muß ich mir ausbitten, stehend mein Glas Rum zu trinken. Es ist gegen die Regel, am Tisch eines Gastes zu sitzen.

Schon ging er auf seinen professionell platten Füßen. Waren seine Ansichten minder platt? Kellner stehn wie Ärzte oder Anwälte an den brüchigen Stellen des Lebens und werden zynisch angesichts der ewigen Wiederholung. Wehe, wenn ein Autor sich wiederholt! Wir sollen die Menschen von allen Seiten kennen und Länder und Einrichtungen, viele Berufe und Zeiten und was in Büchern steht und nicht dort steht. Je weniger aber das Publikum weiß, um so lieber hört es, was es schon weiß. Also sollen Autoren allwissend und unwissend sein?

Der Kellner brachte einen Tee und zwei Rum. Wünschen Sie zu speisen?

Ich warte auf meine Freunde.

Sind es Schriftsteller? fragte der Kellner. Ich kenne viele und habe nie ein Buch gelesen. Ich habe keine Zeit, erklärte er unbefangen, als schäme er sich nicht über die schlimmste Armut, die Zeit-Armut.

Franz, Sie tun mir leid. Ein Mensch, der nie ein Buch liest, lebt wie im Gefängnis, hinter den Mauern einer künstlich verkleinerten Welt. Er ist ein literarischer Zechpreller.

Jeder schätzt seinen Beruf, versetzte der Kellner. Schon als kleiner Junge wollte ich Kellner in feinen Lokalen werden. Die Manieren wollte ich den Leuten abgucken, die Klugheit abhören. Es war nicht leicht. Soviel gebe ich zu. Aber ich habe Karriere gemacht. Den ganzen Tag bin ich unter müßigen, meist gutgelaunten Menschen. Ich erfülle ihre Wünsche und lächle. Zum Glück lausche ich gern. Die Welt hat kein Geheimnis vor Kellnern.

Noch weniger vor Literaten, erwiderte ich. Wir wissen alles aus Intuition, unsere Erfahrung bestätigt sie nachträglich. Doch hält man Literaten für überflüssig wie Tänzer, Bücher für einen Luxus der Natur, wie Tulpen. Die Zivilisation ist hauptsächlich Literatur. Die Sprache denkt und handelt.

Der Kellner lachte wie über einen Witz. Das war ein Schelm.

Ich könnte viel erzählen, meinte er. Man spricht vor uns wie vor dressierten Hunden. Ein Kellner schweigt.

Ein Literat muß aussagen. Wie ein Zeuge unter Eid ist er zur Wahrheit verurteilt. Verschweigt er, fälscht er. Spricht er die Wahrheit, wird er verfolgt. Lügt er, ist er ein Ungeheuer.

Der Kellner rieb mit seiner Serviette am Tisch, als wollte er meine strengen Worte wegwischen. Wir sind alle Ungeheuer, sagte er. Wir verfolgen und werden verfolgt. Und doch liebt man uns, und wir lieben.

Die erste Bedingung der Liebe ist Strenge, erklärte ich ihm. Ohne Strenge gibt es keine Toleranz. Wer mit allen einverstanden ist, liebt nichts und toleriert nichts. Schon als kleiner Junge wollte ich ein Autor werden, weil ich mir einbildete, man müsse nur alles besser sagen, um es besser zu machen. Worte wurden mein Spielzeug. Ich erfand meine Sprache, eigene Phantasiestädte und Traumepochen und sogar die reale Welt. Meine Träume wurden wirklich. Jede fremde Geschichte, die ein Autor erzählt, wird seine Geschichte. Die Welt wird seine Erfindung.

Die Türe hatte sich geöffnet, Gäste kamen, der Kellner scharwenzelte. Es waren meine Freunde.

Silvia fiel mir um den Hals. Alfred schüttelte mir beide Hände. Beide waren hübsch und groß, Mitte der Dreißig, seit dreizehn Jahren verheiratet und noch ein Liebespaar. Sie schrieb Romane. Er war Professor für Psychologie an der Londoner Universität. Sie wollte frei und offen mit ihm leben. Er sollte ihr Freund und Beichtvater sein. Sie liebten einander häufig genug, am Tisch und im Bett, ihm war es genug. Sie fand zuweilen keinen Grund, einem Freund etwas zu verweigern. Sie tat es nur zum Vergnügen, wie sie ihrem Gatten beichtete. Er gestand nicht, wie sehr er unter den Details solcher Beichten litt. Sie ahnte es, wollte es aber aus seelischer Schlamperei nicht wahrhaben. Ihre Akte konnte er als geschulter Psychologe leicht erklären, seine Reaktionen schwer ertragen.

Er war diskret und erzählte ihr nichts; obendrein hatte er

nichts zu beichten. Bist du mein Freund? fragte sie. Er antwortete: Ich bin dein Mann. Auch sie war diskret, nur nicht vor
Männern, mit denen sie intim war.

Der Nebel ist schuld, erklärte Silvia. Halb London schien
zum *Café Royal* zu fahren. Hast du dich gelangweilt?

Ein gebildeter Mensch langweilt sich nie und selten andre,
zitierte ihr Mann.

Hat dir also der Kellner inzwischen sein Leben erzählt?
Wenn zwei Menschen allein sind, kommt es fast immer dazu.
Ich nehme einen italienischen Wermut. Alfred trinkt Tee mit
Rum. Er hat sicher hundert sonderbare Gelüste. Aber nach dem
Nebel braucht er einen Tee mit Rum und bekommt ihn.

Ich bin seit dreizehn Jahren Silvias persönliches Eigentum,
erklärte mein Freund Alfred. Aber Silvia schont ihre Sachen.

Anon, anon, Sir! sagte der Kellner zu Alfred, als hätte Alfred die Bestellung aufgegeben. Der Kellner war kein Fe-
minist.

Meine Freunde sprachen mit Abscheu vom Wetter und allen
künstlichen Sonnen- und Erdtrabanten, mit Entzücken von
Silvias neuestem Kostüm und Roman, mit Spott von Norbert
Wieners Informationstheorie und mit Leidenschaft vom Arzt,
zu dem Silvia ihren Mann schicken wollte. Seit zwanzig Jahren sei er bei keinem Doktor gewesen. Das sei krankhaft.

Ich bin kerngesund, versicherte Alfred und hustete, hielt
seinen Puls und faßte nach seinem Herzen. Ich bin kein Hypochonder.

Er braucht einen Arzt oder einen Psychoanalytiker. Er geht
auch nicht in die Kirche. Einen schönen Mann habe ich. Er
geht nicht zum Zahnarzt. Er tanzt nicht. Er geht weder ins
Kino noch auf Reisen. Ein Psychologe, sagt er, findet genug
Unterhaltung, Erbauung und Weltstoff in seinem Sprech-
zimmer.

Ich habe eine schöne Frau, sagte er. Sie lächelten einander
verliebt zu. Unterm Tisch drückten sie ihre Hände und
Beine.

Sie gefiel Männern, er auch, aber aus andern Gründen. Er

sprach über Literatur, als schriebe er ihre Romane. Sie parlierte wie ein Assistent am psychologischen Institut. Sie kannten dieselben Bücher, die sie einander im Bett vorlasen. Begann er ein Zitat, vollendete sie es.

Der Kellner brachte den Wermut und Tee mit Rum.

Franz, fragte ich, gehen Sie oft zum Arzt und in die Kirche?

Ich bin ein Heide und war nie krank, erwiderte der Kellner. Wenn ich erkältet bin, nehme ich Kamillentee, auswendig und inwendig. Meine Frau nimmt einen Whisky und betet. Sie stammt aus Dublin.

So lange leben Sie schon ohne Medizin und ohne ein Buch? rief ich empört. Wenn nicht die Weisheit der Ärzte und der gerechte Zorn der Literaten viele geistige und physische Seuchen mit Erfolg ausgerottet hätten, lebten Sie vielleicht nicht oder miserabler! Ein Kellner will unabhängig von der physischen und geistigen Hilfe der Menschen leben? Wo findet ein Mensch einen Gedanken oder Speise, Trank, Kleidung, die nicht durch andere erst von langer Hand bereitet und ihm zugeführt wurden?

Du meinst, fragte Silvia, ohne Sonne und Sintflut, ohne Römer, Griechen und Juden, ohne Religionskriege und Shakespeare, ohne die Araber und Oliver Cromwell, tränken wir heute abend keinen Kaffee und würden zu müde sein, um miteinander zu sprechen und zu lachen? Führt nicht deine Logik zur Selbstvergötterung? So viele Sonnensysteme, damit aller Zauber der Schöpfung auf uns drei in diesem Augenblick herauskäme? Und Gott hat diesen plattfüßigen Kellner geschaffen, damit er serviere, und dich, damit ich dir zulächle? Soll ich dir in der gleichen Manier beweisen, daß ohne die Londoner Cafés im siebzehnten und achtzehnten Jahrhundert England und seine Literatur ganz anders aussähen? Ist solche These nicht noch absurder als unser Leben und wir?

Wie? fragte ich und tat entsetzt. Glaubst du wie gewisse neuere Poeten, der Mensch sei absurd?

Silvia hat gewöhnlich recht, erläuterte ihr Mann. Zumindest behält sie meistens recht. Ob einer Poet, Psychiater oder ein

Patient von Psychiatern wird, hängt oft an einem Faden. Die Neugier, ins Innere von Menschen zu blicken, die kranke Lust, sie als Maschinen anzusehen und zu entdecken, was sie bewegt, haben Poeten und Psychologen, Psychiater und ihre Patienten gemein.

Mein Mann, erwiderte Silvia mit dem Stolz eines Domänenbesitzers, wird in zehn Jahren weltberühmt oder Gegenstand von zwei bis drei Fußnoten in jedem Handbuch der Psychologie sein. Er ist ein idealer Gatte, verliebt und tolerant. Ich erzähle ihm alles, wie du weißt, und er schläft nachts trotzdem so vergnügt wie nur wenige.

Mit meiner Frau, wie nur wenige, erklärte der zerstreute Professor. Aber sähe unsere Literatur anders aus, wenn es in London literarische Kaffeehäuser gäbe?

Es gibt sie, rief Silvia. Kürzlich trank ich einen Kaffee in einer Espressobar nahe dem Britischen Museum. Der Kaffee schmeckte nach Mumien, aber da saßen einige unruhige junge Leute herum, die man im Verdacht haben konnte, daß sie sich Gedanken gegen Honorare machten. Vielleicht waren sie die zornigen jungen Männer von England, die so zahm schreiben, als wollten sie die Republik des Cromwell neu erfinden, aber entsetzt wären, wenn sie einen Stuart träfen, den sie köpfen sollten. Ich billige ihr Entsetzen.

Immerhin sind sie nicht so quietistisch, rief Alfred, wie gewisse ostdeutsche und westdeutsche Autoren, die wie Pensionsempfänger dichten. Sogar ihre Verzweiflung regulieren sie nach Vorschrift. Sie träumen sogar mit Vorsicht, im Hinblick auf eine kommende Diktatur oder einen politischen Programmwechsel.

Das sieht nur von ferne so aus, versicherte ich, eifrig bemüht um die Verteidigung der deutschen Dichter diesseits und jenseits des »eisernen Vorhangs«. Wenn man mit ihnen unter vier Augen spricht, hört man bald, daß sie sich Gedanken machen, sie lassen sie nur nicht drucken. Es sind ehrliche Leute, die sogar ein artistisches Risiko auf sich nehmen und keineswegs vor gewissen gewagten Literaturmoden zurückschrecken, die vor dreißig oder fünfzig Jahren bei ihren Großvätern teilweise unliebsame Aufmerksamkeit geweckt haben. Mutig liest so ein Autor in Ostdeutschland den James Joyce im Bett, obgleich er sich damit seiner eigenen Frau ausliefert, und in Westdeutschland ahmen einige verwegene Autoren sogar abwechselnd den Joyce oder den Hemingway, diesen amerikanischen Sudermann, nach und werden dafür von erbarmungslos vorwärtsstürmenden Literaturkritikern gepriesen, natürlich unter der angeborenen Rücksicht auf Staat, Kirche, Abonnenten, Inseraten und größere Verbände. Diese avantgardistischen Autoren, die Literaturpreise einsammeln wie Diplomaten ihre Orden, ahmen 1958 die Avantgarde von 1908, 1918, 1928 nach. Es gibt recht artige Poeten darunter, strebsame Apokalyptiker ohne alle Selbstironie. Ein Dutzend davon lieferte eine hübsche Staffage für ein literarisches Café; doch gilt es unter deutschen Literaten für berufsschädigend, wenn ein Literat zugibt, er sei ein Literat. Sie fürchten die Vorurteile des Publikums. Aber da kommt Franz! Franz! Das Menü!

Wir wählten und aßen mit Muße und allem Genuß, den die englische Küche erlaubt, ohne an den Schweiß und das Blut zu denken, die in fünf Kontinenten und in vielen Zeitaltern vergossen wurden, um dieses Mahl zu schaffen.

Den Behörden, erklärte Alfred beim Kaffee, waren immer Geist und Genuß suspekt. 1637 wurde der Student Conopius aus Kreta von der Universität Oxford ausgeschlossen, weil er in seinem eigenen Zimmer Kaffee getrunken hatte.

Der arme Bursche, sagte Silvia, wurde ein Bischof von Smyrna!

Ein syrischer Jude namens Jacob gründete 1650 zu Oxford das erste englische Kaffeehaus, erzählte Alfred, und das zweite ein Apotheker, Arthur Tillyard, in seinem Haus gegenüber All Soul's College. Ein Teil seiner Stammgäste bildete *Tillyards Club,* wohin viele angebliche *Wits* kamen und alle andern verspotteten. Diese jungen Leute saßen bald alle in London, im *Café Grecian.* Sie gründeten wieder einen gelehrten Club und empfingen 1662 vom König eine Charter für ihre

»Royal Society«, die »Königliche Gesellschaft für den Fortschritt der Wissenschaft«.

Diese jungen Kaffeehausliteraten, erklärte Silvia, zählte man bald zu den erlauchten Geistern von England: Der Astronom Edmund Halley, nach dem ein Komet heißt, der Naturforscher John Ray, ein Begründer der modernen Biologie, William Petty, der Statistiker, Robert Boyle, nach dem Boyles Gesetz der Gase benannt ist, und der in Europa berühmt war, wie später Newton. Ferner Poeten wie John Dryden und Abraham Cowley. Und der Architekt Christopher Wren, der St. Pauls Cathedral und hundert Kirchen und Paläste gebaut hat. Und John Evelyn, der samt seinen siebenundzwanzig Büchern vergessen wäre, hätte man nicht 1818 in seiner Bibliothek zu Wotton seine privaten Tagebücher aus sechsundfünfzig Jahren gefunden und publiziert! Und Samuel Pepys! Dieser Sohn eines Schneiders wurde mit neununddreißig Jahren Marineminister, kam fünf Jahre später in den Tower, wurde mit einundfünfzig wieder Marineminister und Präsident der Royal Society und fünf Jahre später wieder seines Amtes entsetzt. Er liebte die Weiber und den Wein, Theater und Musik und Bücher und starb mit siebzig Jahren, 1703, und ward vergessen. Er hatte seine Bibliothek dem Magdalen College zu Cambridge vermacht. Erst 1825 hat Lord Braybrook dort die Tagebücher entdeckt, die Pepys zwischen seinem siebenundzwanzigsten und siebenunddreißigsten Jahre heimlich in einer 1620 von Thomas Skelton erfundenen Kurzschrift geschrieben hatte. Nachdem Reverend John Smith sie entziffert, hat Lord Braybrook sie »mit der Ausnahme von wenigen Stellen« publiziert, »die nicht gedruckt werden können. Sie wurden nicht aus unnötiger Prüderie ausgelassen«. Weshalb sonst also? So empfindsam war man damals gegenüber literarischen Texten und ist es heute noch, im wildesten Jahrhundert der Menschheitsgeschichte. Man rottet Menschen millionenfach aus und fürchtet einige offene sexuelle Stellen.

Silvia zündete sich eine Zigarette an. Sie war die einzige unter uns, die rauchte. Thomas Sprat hat die Geschichte der

Royal Society fünf Jahre nach ihrer Gründung geschrieben. Er berichtet von einem Komitee zur »Verbesserung« der englischen Sprache. Die Mitglieder der Royal Society wollten Abschweifungen und Schwulst verbannen, bündig sprechen, nackt und natürlich, klar und spontan, leicht und so direkt wie mathematische Formeln sind. Sie wollten lieber wie Bauern oder Handwerker und Kaufleute als nach Art der Literaten und Gelehrten sprechen. Jede Vokabel sollte für ein Ding stehen. Robert Boyle schrieb einem Freund nach Paris, daß sie nur Kenntnisse schätzten, die zu praktischen Resultaten führten. Übers Christentum wollten sie nicht diskutieren. Und vor dem Thomas Hobbes, dem Autor des *Leviathan*, einem Materialisten, Utilitarier und Atheisten, scheuten sie zurück. Er wurde einundneunzig Jahre alt und durfte bei Hof zu des Königs Gesellschaft, aber nicht zur »Königlichen Gesellschaft« gehören. Defoe schrieb:

> *But English gratitude is always such*
> *To hate the hand which does oblige too much.*

(Englische Dankbarkeit stets dazu drängt,
Die Hand zu hassen, die zu reich beschenkt.)

Dichter, erläuterte Alfred, wurden in der Royal Society bald unpopulär. Newton, ihr Präsident von 1703–1727, hieß die Poesie »eine Art geistreichen Unsinn«.

Große Männer sagen zuweilen große Dummheiten, versicherte Silvia. Man wünschte, manche Genies wären weniger schwatzhaft.

Meine Frau hat recht, gestand mir Alfred. In London entstand das erste Café 1652. Edwards, ein Händler mit türkischen Waren, der in seinem Haus Freunde und Kunden mit Kaffee bewirtete, und dem der Andrang zu groß wurde, hatte seinem griechischen Diener Pasqua Rosé in St. Michael's Alley, in Cornhill, ein Zimmer eingerichtet, wo der Diener den Passanten gegen eine Gebühr Kaffee ausschenkte. Auf sein Ladenschild ließ der Grieche seinen Kopf malen. Die Bierwirte in der Nachbarschaft denunzierten ihn als lästigen Ausländer. Ein Freund von Edwards, der Alderman Hodges, machte darauf seinen Kutscher »Kit« Bowman zum Partner des Griechen. Da die beiden sich nicht vertrugen, gründete Kit Bowman sein eigenes Kaffeehaus, mit einem Kaffeetopf als Ladenschild. Auch der syrische Jude Jacob und ein Buchhändler in Fleet Street und der Barbier James Farr eröffneten Kaffeehäuser in London. Die Literaten saßen überall.

Die Kaffeehäuser schufen eine neue Gesellschaft, behauptete Silvia. Nachdem Englands Bürger einander aus Religion und ähnlichen Idealen umgebracht hatten, zum Wohlgefallen ihrer Priester und Götter, fühlten und dachten sie wie zum erstenmal, lebten wie neu und liebten nach der Mode. Die Londoner wurden gesellig. In den Religionskämpfen der Bürgerkriege hatten sie ihr Recht mit Argumenten und Kanonen bekräftigt. Als sie auf die Andersgläubigen nicht mehr schossen, blieben ihnen wenigstens die Argumente. Statt nun ihr Geld auf Kosten ihrer Gesundheit in den Tavernen auszugeben, diskutierten sie in den Kaffeehäusern bei einer Tasse türkischem Kaffee, der obendrein als Medizin gegen viele Krankheiten galt. Und alles für einen Penny!

Die Cafés wurden Clubs, erläuterte Alfred, oder gelehrte Gesellschaften, Presseagenturen, Lesestuben, Börsen, politische Parteibüros, Versicherungsbüros für Reeder, Kapitäne, Importeure, Redaktionsstuben für Schriftsteller und Journalisten, Empfangsräume für Ärzte und Scharlatane, für Theaterdirektoren oder Kaufleute. Und alles für einen Penny! Freunden oder Geschäftsleuten gab ein Gentleman nicht mehr seine Adresse, sondern nannte das Kaffeehaus, wo er zu bestimmten Stunden regelmäßig hinkam.

Die Puritaner saßen in diesem Café, die Royalisten in jenem, da die *Whigs,* dort die *Tories.* Man spielte Karten. Man kritisierte Regierungen oder Bücher, Maler und Mädchen, gute oder schlechte Sitten. Man schloß Freundschaften, haßte und liebte, nacheinander oder zur selben Zeit, klaschte über Freunde und Feinde. Hier lernten sich Leute kennen, die sonst nie zusammengekommen wären. Smarte Leute sprachen smart. Aus den Cafés *Lloyds* und *The Baltic* wurden große Versicherungsgesellschaften. Stock Exchange und The Bankers Clearing House entstanden aus Kaffeehäusern. Damals wurde London eine moderne Stadt.

Wie sah London aus? fragte ich.

Wie sieht London heute aus? entgegnete Alfred. Schon Zeitgenossen können sich über Fakten nicht einigen. Wie sollen Spätere den verschollenen Zustand historischer Zeiten und Stätten gerecht beurteilen?

Im Grunde, sagte ich, macht uns die Psychologie zu Antihistorikern. Geschichte ist eine notwendige Fiktion. Wir brauchen eine Vorstellung der Vergangenheit. Ohne Tradition sind wir inexistent. Die Geschichtsschreibung wird von Tyrannen finanziert und von verkleideten Romanciers geschrieben.

Alfred schüttelte den Kopf. Wir wissen wenig von den Lebenden, fast nichts von den Toten. Ist Amerika ein Paradies? Ist Sowjetrußland ein Zuchthaus? Wie urteilen Neger, Juden, Tataren, Amerikaner oder Russen darüber? Macaulay, ein »Buch in Beinkleidern«, von dem Melbourne gesagt hat, er wäre gern nur einer Sache so sicher, wie Tom Macaulay aller Dinge zu sein glaubt, hat in seiner Geschichte Englands das siebzehnte Jahrhundert zugunsten seines eigenen Jahrhunderts angeschwärzt.

Hättest du damals gelebt, lieber Freund, erklärte mir Silvia, so hättest du, wie die meisten jener Zeitgenossen, die puritanischen Sitten des Commonwealth gründlich satt bekommen. Die Restauration machte London wieder fröhlich. Du wärst ein Mann nach der Mode gewesen und hättest einen Teil deines Vermögens auf dem Leib getragen. Dein Anzug hätte nach unserem Gelde fünf- oder sechstausend Mark gekostet, nicht zu reden von deinen silbernen Sporen, deinen Brüsseler Spitzen, deinen seidenen Strümpfen und dem Stock mit Goldknauf. Ab 1664 hättest du wie alle Londoner Beaux statt deiner eigenen langen Ringellocken eine Perücke getragen, die dich drei Pfund gekostet hätte, und einen hübschen Muff vielleicht. Samuel Pepys, ein großer Beau, trug dennoch den Muff seiner Frau vom vorigen Jahr, als er ihr einen neuen Muff kaufte. Vielleicht wärst auch du vor Cromwell ins Exil geflohen, wie du später vor Hitler ins Exil gegangen bist. Vielleicht wärst du auch damals nach Paris gegangen und wärst 1660 mit den exilierten Höflingen aus dem Exil zurückgekommen, bezaubert vom Glanz des Sonnenkönigs und der Literatur Frankreichs. Unter Karl II. gab der englische Hof zum letztenmal den Ton der Literatur an. Aber schon kamen die ersten Berufsschriftsteller und Journalisten herauf. Die Bürger wurden die neuen Kunstrichter. Sicher wärest auch du ein Aufklärer gewesen und hättest die Satiren der französischen Rationalisten bewundert, die Dramen von Corneille, den *Roman comique* des Paul Scarron und die italienischen Opern und Burlesken.

Damals war London die volkreichste Stadt Europas, mit einer halben Million, siebzehnmal so groß wie die zweitgrößte englische Stadt, Bristol oder Norwich oder jenes Birmingham, wo du kein Buch hättest kaufen können, außer an Markttagen, wenn Michael Johnson, der Vater von Samuel Johnson, von Lichfield herüberkam und für einige Stunden seine Bücherbude aufmachte.

Auf der Themse sahst du staunend von der London Bridge bis zum Tower einen »Wald von Masten«, etwa siebzigtausend Tonnen, ein Drittel der ganzen englischen Flotte. Die City, die damals ganz London war, mit ihren Häusern aus Holz und Stuck, davon 1666 dreitausend samt neunundachtzig Kirchen verbrannt sind, hättest du stets neu bewundert, mit ihrem Lärm und Glanz und der Fülle von Menschen und Palästen. Auf St. James Square, einem Schuttplatz mit toten Hunden und Katzen und Kehrichtschuppen, wärest du neugierig unter den Fenstern der vergoldeten Salons gestanden, wo die Norfolks und Ormonds, die Kents und Pembrokes Bankette und Bälle gaben, und hättest wie alle Fremden über das abscheuliche Pflaster in London geflucht. Die Gossen wurden im Regen schwarze Sturzbäche, die von Snow Hill und Ludgate Hill bis Fleet Ditch welkes Gemüse und Tierkot, den Abfall der Gemüsehändler und Metzger trugen. Wenn die Kutschen und Karren den Schlamm meterhoch aufspritzten, wärest du wie alle Fußgänger lieber an den Hausmauern als am Rinnstein entlanggegangen. Die Furchtsamen wichen aber vor den Bullen aus. Trafen zwei Bullen zusammen, schlugen sie sich die Hüte ins Gesicht, bis der Schwächere in die Gosse stürzte. Zwischen streitlustigen Gentlemen kam es zum Duell. Samuel Johnson berichtete eine Unterhaltung mit seiner Mutter über *giving and taking the wall* (die Seite an den Häusern freigeben oder einnehmen). Da die Häuser nicht numeriert waren, denn die Kutscher, Sänftenträger oder Laufburschen konnten Ziffern so wenig wie Buchstaben lesen, sahst du von Charing Cross bis White Chapel gemalte Hausschilder in schier endloser Folge, Sarazenenköpfe, Königseichen, blaue Bären, goldene Lämmer, Kaffeetöpfe. Abends leerten dir die Mägde Kehrichteimer und Nachttöpfe auf den Kopf aus. In mondlosen Nächten stürztest du in den finstern Straßen vom Pferd oder Fußsteig und brachst einen Arm, ein Bein, gar das Genick. Ungestört bestahl dich ein Dieb, ergriff ein Räuber deine Börse. Raufbolde und Banden junger Wüstlinge bummelten nachts und schlugen dir die Fenster ein, stürzten deine Kutsche um, verprügelten dich und andre harmlose Bürger oder belästigten deine hübsche Frau. Es gab Dynastien solcher Strolche, die *Hectors,* die *Mohawks,* die *Muns.* Und die tausend Mann der Bürgerwache, fragst du, wo waren sie? Bei ihren Weibern vielleicht? Oder in einer Taverne? Edward Heming nahm 1685 ein Patent auf die Straßenbeleuchtung von London und stellte in mondlosen Nächten gegen mäßiges Entgelt vor jedes zehnte Haus eine armselige Laterne von sechs bis zwölf Uhr und wurde von vielen dafür wütend angegriffen, aber von dir und deinen Freunden als der größte Wohltäter der Menschheit gepriesen.

Du liebst die Kaffeehäuser? In Whitehall hielt Karl II. offenes Haus; da gab es eine Flüstergalerie, wo ein Lächeln des Königs oder die Mienen der Minister, die aus seinem Kabinett kamen, Gerüchte schufen, die in wenigen Stunden die Runde durch die Cafés von St. James bis zum Tower machten; denn die Cafés waren eine politische Institution, da es damals kaum Zeitungen und keine öffentlichen Versammlungen, keine Reden und Resolutionen gab und das Parlament seit Jahren keine Sitzung gehabt hatte, so wenig wie der Stadtrat. Karl II., der schon 1660 die freie Sprache aufsässiger Müßiggänger in den Londoner Cafés beklagt hatte, verbot die Cafés 1675 und mußte sein Verbot wieder aufheben.

Nur im Café sprach die öffentliche Meinung. Auch du hättest dort gesprochen. Du hättest dem Mädchen hinter der Bar einen Penny gegeben; dafür durfte jeder im Café sich aufhalten. Bald bekamst du die würdigen älteren Bardamen satt und kokettiertest mit den immer hübscheren und jüngeren Mädchen hinter der Bar. Täglich wärst du ins Café gegangen, um Neuigkeiten zu hören und zu diskutieren. In jedem Café gab es bald einen oder zwei aufreizende Redner, die eine Art vierten Stand bildeten. Die Ausländer rühmten London wegen seiner Cafés.

In den Cafés nahe St. James lachtest du über die Stutzer, die *Beaux*. Sie sprachen wie der Lord Foppington in den Komödien von Vanbrugh und Sheridan. Hast du dem Lord Foppington zugehört? »Mein Leben zum Beispiel, mein Leben, Madam, ist ein steter Strom des Vergnügens ... Gegen zehn Uhr morgens stehe ich auf, Madam! Nicht früher; denn das würde meinem Teint schaden; ich sage nicht, daß ich ein Beau bin, aber man muß gut aussehen, sonst sähen sich die Damen in der Theaterloge gezwungen, auf die Bühne zu blicken. Gegen zehn Uhr morgens, sage ich, stehe ich auf. Scheint es ein schöner Tag zu sein, so beschließe ich, mich im Park zu ergehen und mir die hübschen Mädchen anzusehen. So hüpfe ich in meine Kleider und bin gegen ein Uhr schon fix und fertig angezogen. Bei schlechtem Wetter gehe ich ins Kaffeehaus ... vom Café gehe ich zu *Lacket's,* und da bedient man Sie so deliziös, daß sie Ihnen bei meinem Leben ein Gericht vorsetzen, nicht mehr als in eine Untertasse geht, und fünfzig Schillinge dafür berechnen ... Später gehe ich ins Theater, wo ich mich bis neun Uhr abends damit unterhalte, das Publikum zu betrachten, und gewöhnlich führe ich noch einige Bekannte für eine Stunde aus. So sind zwölf meiner vierundzwanzig Stunden hübsch ausgefüllt. Von den anderen zwölf Stunden, Madam, bringe ich vier Stunden lang Toaste aus, bis ich betrunken bin, und schlafe in den acht letzten Stunden mich wieder nüchtern. So ist mein Leben, wie Sie sehen, ein ewig runder Seufzer der Entzückungen. Für meine Liebeshändel stehle ich mir die Zeit von meinen andern Amusements, je nach der Dringlichkeit der Sache; denn mit feinen Damen hat man selten Gelegenheit, länger als eine halbe Stunde zu tändeln. Leute dieses Ranges unterliegen so sehr dem Zwang der Etikette, daß man sie nur im Fluge treffen kann. So wird der Kreislauf meiner andern Pläsiers nicht eben sehr durch meine Amours unterbrochen ...«

Solch ein Café der Beaux roch wie eine Parfümerie, erklärte Silvia. Zu *Mans Café* in Scotland Yard gingst du wie in eine hohe Schule der Manieren. Der Rock mit goldenen Spitzen und die blonde oder schwarze Perücke waren unerläßlich. Man trug Handschuhe mit Fransen und Hosen mit Troddeln, alle aus Paris bezogen. *Mans Café* oder *Royal Café* befand sich am Ende einer dunkeln Passage. Die Diener und Fackelträger der Kavaliere standen längs der Treppen und Wände als Wachen gegen unerwünschte Gäste. In *Mans Café,* schrieb Edward Ward, gingen die Stutzer mit den Hüten in den Händen auf und ab, um ihre Perücken nicht in Unordnung zu bringen ... Sie frisierten ihre Perücken und machten ihre Bücklinge nach der letzten Mode und sprachen im Flüsterton über lauter Nichtigkeiten, wie die neusten Menuette, oder sie schnupften und boten einander ihre Dosen an. Ihr Schneider war ihr Gott.

Der Eingang zu einem andern Café, das Ward beschreibt, war dunkel ... »über einige Treppen kamen wir in einen großen altväterisch möblierten Raum. Eine Menge Leute gingen auf und ab ... einige kamen soeben, andre gingen, andre schrieben, einige sprachen, jene tranken Kaffee, diese rauchten, und andre diskutierten. Der ganze Platz stank nach Tabak wie eine

Bootskajüte. Auf einem langen Tisch lag am einen Ende eine Bibel, nahe dem Armsessel. Daneben stand auf einer Anrichte Geschirr, neben Töpfen und Tonpfeifen. Auf dem Herde brannte ein kleines Feuer, auf dem der Kaffeetopf stand. In der Nähe waren Tassen und Flaschen, an der Wand hing die Reklame eines Schönheitsmittels, ein Parlamentsbefehl gegen den Trunk oder gegen die Unsitte des Fluchens. Ferner waren Arzneien und Wundermittel von Doktoren und Scharlatanen ausgestellt ...«

So ein Café war eine halbe Arche Noah. Jede Spezies war vertreten, Vögel, Bestien und Menschen. Nur das schöne Geschlecht fehlte. Ein stadtbekannter Witzbold saß neben einem nonkonformistischen Geistlichen, ein hoher Richter zwischen zwei Matrosen, ein würdiger Bürger neben einem Anwalt ohne Klienten. Der Earl mit Ordenssternen gab seinem Nachbar im abgetragenen Röckchen höflich Antwort. England war damals voll von Exzentriks.

Einer las die *Gazette* der Regierung seinen analphabetischen Nachbarn vor. Dort empfing ein Arzt oder ein Scharlatan seine Klienten im Café, oder Chirurgen und Apotheker besprachen ihre Fälle. Die langhaarigen Puritaner gingen ins Café, um nüchtern zu bleiben. Nie hörte man sie fluchen. Die Jesuiten saßen in *Papisten-Cafés*. Auch Samuel Pepys ging ins Café, weil ihn sein Arzt vor den Folgen des Trunks gewarnt hatte, freilich ging er auch, um die öffentliche Meinung im Interesse der Regierung auszuforschen oder zu beeinflussen. Man trank einen sehr starken Kaffee ohne Zucker und Milch.

Im Anfang gab es nur einen langen Tisch, später verschiedene Tische für die verschiedenen Berufe oder Themen, für Literaten oder Politiker. Die Cafés waren Gleichmacher – *levellers*. Hier herrschte wahre Demokratie. Diebe lockten ihre Opfer in nahe Kneipen, gaben ihnen zu trinken und nahmen ihr Geld. Später wiesen ein oder zwei Portiers vor den feineren Cafés bei St. James die unliebsamen Gäste ab. Manchmal kauften die Klienten ein Kaffeehaus, um unter sich zu bleiben und machten den Cafétier zu ihrem Angestellten. So entstanden viele Clubs.

Die Frauen, die nicht zugelassen waren, protestierten in einem Pamphlet *Der Frauen Petition gegen den Kaffee,* weil der Kaffee ihre Gatten angeblich impotent mache. Schlimmere Feinde der Kaffeehäuser waren aber die Pest von 1665 und der Brand von 1666. Manche Mutige besuchten auch im Pestjahr ihr Stammcafé. Ängstlich saßen sie in einer Ecke. Kamen Freunde, fragte man einander erst vorsichtig nach der Gesundheit zu Hause, ehe man sich zusammensetzte.

Viele Menschen fürchten sich mehr vor geistiger als physischer Ansteckung, erklärte Alfred. Aber als man den Kaffee und das Kaffeehaus unchristlich hieß, weil sie aus Arabien stammten, da widersprach sogar der Papst Clemens diesem unfrommen Aberglauben.

Die Londoner, behauptete Silvia, trafen endlich sich selber im Café, zwischen all den amüsanten Charakteren, den Quackdoktoren und Literaturkritikern und Straßenräubern, zwischen *Wits* und *Rakes.* Mit Wonne entdeckten sie sich und mischten sich, um sich später wieder zu separieren. Die Literaten zogen *Wills* oder *Buttons* oder *Toms Café* vor. Gelehrte und Juristen saßen nahe Temple Bar bei *Nando* oder im *Grecian.* Kaufleute verkehrten in *Lloyds Café,* im *Garraway* und bei *Jonathan,* und alle für einen Penny.

Wurden nicht auch in den Cafés, fragte ich, Englands Freiheiten erkämpft, die Freiheit des Individuums, die Freiheit der Presse?

Freiheit der Presse? rief Silvia. Ein Tyrann hat die Presse erfunden, der glatzköpfige Gajus Julius Caesar, mit seinen *acta diurna.* Das hängt ihr ewig nach. Die Presse war seitdem allzu oft das Instrument der Tyrannen.

Oder ihr Opfer, entgegnete Alfred – wie zu allen Zeiten. Ein Verleger eines Pamphlets wurde unter Karl II. gehängt. Ein Autor eines Pamphlets mußte 1702 drei Tage lang am Pranger stehn.

Er hieß Daniel Defoe! erläuterte Silvia. Er hat später den

Robinson Crusoe geschrieben. Er war ein Vater des englischen Romans. An den Pranger mit ihm! Er war ein Gründer des politischen Journalismus, der englischen Zeitschriften, ein Erfinder des periodischen Zeitschriftessays, des modernen Leitartikels, des »persönlichen Interviews«, der *gossip column*. An den Pranger mit ihm! Er war einer der neuen Bürger von England, einer der ersten professionellen Schriftsteller Englands. An den Pranger mit ihm!

Ein Mann von fast sechzig Jahren schuf »unversehens« einen klassischen Typ wie Odysseus oder Don Quixote, Faust, Falstaff oder Casanova. *Robinson Crusoe,* überall gelesen und nachgeahmt, hat den Rousseau begeistert, der den *Robinson Crusoe* den Kindern und den Romantikern empfahl, den revolutionären Gesellschaftskritikern à la Robinson und den edlen Wilden à la Freitag.

Zwei der ungeeignetsten Bücher Englands im achtzehnten Jahrhundert, Defoes *Robinson Crusoe* von 1719 und Swifts *Gullivers Reisen* von 1726 wurden Kinderbücher in verstümmelter Fassung, und Millionen Erwachsene kannten nur das Kinderbuch und nie das Original. So rächt sich die Menschheit an ihren Satirikern. Sie macht aus Satiren Kinderbücher.

Dieser lebensgierige Daniel Defoe, sagte Alfred, war ein moralisierender Alleswisser, eine so seltsame Kaffeehausfigur, wie sie William Hogarth je gezeichnet hat. Er war in London geboren, vielleicht am 30. September 1660 (am 30. September landete Robinson Crusoe auf seiner Insel). Er war der Sohn eines Nonkonformisten namens James Foe, der erst ein Kerzenzieher, dann ein Schlächter war und seinen Sohn in Mortons Academy in Stoke Newington zu einem baptistischen Geistlichen zu erziehen versuchte.

Zeitlebens behielt Daniel Defoe die Manier und die Diktion der Nonkonformisten, sagte Silvia. Aber Defoes Feinde erklärten: Dieser Mann ist kein Gelehrter. Als Sohn eines Nonkonformisten durfte er nicht in die öffentlichen Schulen und auf die Universität gehen. Obgleich er oft genug ein gekaufter

Konformist war, trennte ihn seine Herkunft von allen, die durch Geburt Konformisten waren. Er war ein Republikaner; er dichtete:

>*Fate has but small distinction set*
Betwixt the counter and the coronet.<

(Das Schicksal hat keinen großen Unterschied gemacht zwischen dem Ladentisch und der Adelskrone.)

Defoe reiste wohl zwischen 1680 und 1683 in Spanien und Portugal, erzählte Alfred, in Italien und Frankreich und Holland, immer fasziniert von fremden Ländern und Sprachen. Mit vierundzwanzig Jahren heiratete er eine Mitgift von 3700 Pfund und wurde ein Strumpfhändler. Das Mädchen hieß Mary Tuffley; sie gebar ihm acht Kinder, darunter zwei Söhne, Daniel und Benjamin; Defoe hatte auch einen unehelichen Sohn. 1685 nahm er an der erfolglosen Rebellion von Monmouth teil, doch entging er dem Blutgericht. 1689 ritt Defoe, jetzt ein Gildemitglied von London, in einem Festzug Londoner Bürger zum Empfang des Königs William und der Königin Mary. 1691 publizierte er schon satirische Verse. Abgelenkt durch die Politik und seine Passion für ein glänzendes Leben, ging er mit siebentausend Pfund Schulden in Bankrott. Er floh vor seinen Gläubigern, zweiunddreißig Jahre alt. Seine Feinde hießen ihn fortan den Bankrotteur.

Er hat sich verglichen, rief Silvia, er hat seine Gläubiger fast voll befriedigt. Und zwei Jahre nach diesem Zusammenbruch begann er eine Ziegelfabrik in Tilbury, die prosperierte. Später hatte er auch eine Bisamkatzenfarm. Er handelte mit Tabak und Schnupftabak und Wein und Bier und Likören, ganze Schiffe voll. »Geschäft ist Geschäft«, schrieb Defoe, zu Charles Lambs Entsetzen.

Er hat immer anfangs prosperiert, entgegnete Silvias Gatte.

Damals begann er zu schreiben, versicherte Silvia. Er wurde der einflußreichste Pamphletist seines Jahrhunderts.

Er oder ein anderer, entgegnete Alfred. Ich mißtraue allen

Superlativen. Er hatte mit Pamphleten Erfolg. Erst einer der Rebellen von Monmouth, dann ein Revolutionär in der Armee Wilhelms von Oranien, wollte Defoe schließlich der Sprecher der *Whigs* werden; der König empfing ihn einige Male, konsultierte ihn vielleicht.

Defoe schrieb dreihundertfünfundsiebzig, andre sagen, noch einige hundert mehr Broschüren, Pamphlete und Bücher, erzählte Silvia. Er war ein Abenteurer in der Tracht eines Strumpfhändlers oder Ziegelfabrikanten, später eines *Commissioners of the Glass Duty*, oder eines Journalisten und Romanciers. Für alles hatte er eine Maske und trug fünfzig Masken unter der Maske des Biedermanns.

Er war ein Zyniker mit dem Wortschatz eines Puritaners, erwiderte Alfred, und ein zweideutiger Konformist.

Nein, rief Silvia, er schrieb am liebsten für die Dissenters.

Pah, machte Alfred, er schrieb für Geld und machte Geld. Er schrieb fürs Vaterland und verkaufte es. Er schrieb fürs Brot und für Freund und Feind gleichzeitig. Dieser erste Berufsschriftsteller war Schriftsteller, wie er Kaufmann, Spion, Politiker war, immer für seine Interessen. Charles Lamb glaubte. Defoes Empfehlungen in *Der vollkommene englische Handelsmann* konnten nur satirisch sein, so sehr empörten sie ihn.

Er schrieb fürs Volk und stand am Pranger dafür, rief Silvia. Er wollte seine Zeitgenossen politisch, moralisch, ökonomisch, sozial bessern und fördern! Er arbeitete mit Erfolg an der Einigung von Schottland und England.

Aber sein Biograph William Minto urteilte, Defoe sei »ein großer, ein wahrhaft großer Lügner, vielleicht der größte Lügner in der englischen Literatur.« Ein Unehrlicher predigte Ehrlichkeit. Ein Lügner gab vor, nur die Wahrheit zu schreiben. Die Regierung bezahlte ihn heimlich dafür, daß er öffentlich für die Opposition schrieb. Im Sold des Königs William schrieb er 1697 ein Pamphlet für ein stehendes Heer, das erste Instrument der Tyrannei.

Aber er schrieb auch ein Pamphlet zur Reform der Sitten *A Poor Man's Plea*. Er schrieb Pamphlete, um die Kontinen-

talpolitik des Königs William zu unterstützen und die Wahlkorruption zu denunzieren.

1698 schrieb er einen *Essay über Projekte*. Da empfahl er
alles, was neu und dem Volke günstig war, die »Bank von
England«, Versicherungsgesellschaften, ein nationales Straßen-
netz, eine Einkommensteuer, eine bessere Konkursordnung,
ein Amt für Pensionen, ein Asyl für schwachsinnige Kinder,
finanziert aus einer Autorensteuer, ein Register aller Seeleute, menschlichere Behandlung der Verrückten, eine Akademie zur Regelung der englischen Sprache, nach dem Muster
der *Académie Française*, eine Militärakademie und Akademien
für Frauen.

Warum, fragte Defoe, mit der Vernunft und Sprache des
Durchschnittsmenschen, sollte man nicht Frauen dieselbe Erziehung geben wie Männern? Um wie viel schlimmer wäre
eine intelligente Frau als eine blöde? »Plagt sie uns mit ihrem
Stolz und ihrer Impertinenz? Warum ließ man sie nichts lernen, damit sie mehr Vernunft hätte?« Eine Frau zu lieben,
sollte eine Art humanistischer Erziehung sein, vorausgesetzt
sie hätte zuvor eine solche Erziehung erhalten.

Defoe schrieb: Ich habe oft gedacht, das sei eine der bar-
barischsten Sitten in der Welt, daß wir uns für ein christliches
und zivilisiertes Land halten und den Frauen die Vorteile der
Bildung vorenthalten. Wir werfen dem weiblichen Geschlecht
jeden Tag Tollheit und Frechheit vor, indes ich sicher bin,
hätten sie nur die gleichen Vorteile der Erziehung wie wir, so
würden sie viel weniger Fehler haben als wir.

Eine Frau mit Vernunft und Manieren ist der feinste und
delikateste Teil von Gottes Schöpfung; der Ruhm ihres Schöp-
fers und der große Beweis seiner besondern Rücksichtnahme
auf den Mann, Sein Lieblingsgeschöpf, dem Er das beste Geschenk machte, das Gott schenken oder der Mensch empfangen
kann – ... Ihre Gesellschaft erzieht zu feineren Vergnügungen;
ihre Person ist englisch und ihre Unterhaltung himmlisch; sie
ist ganz Sanftmut und Süße, Frieden, Liebe, Witz und Entzücken ... Andererseits nimm an, sie sei das nämliche Weib, aber

raube ihr die Vorteile der Erziehung, und so wird es aussehn:

Wenn sie ein gutes Temperament hat, wird der Mangel an Erziehung sie sanft und leicht machen. Ihr Geist, unkultiviert, macht sie frech und geschwätzig. Ihre Kenntnisse, ermangelnd des Urteils und der Erfahrung, machen sie phantastisch und launisch. Hat sie ein schlechtes Temperament, macht die Unbildung sie schlimmer, und sie wird hochmütig, frech und laut. Ist sie leidenschaftlich, so macht sie der Mangel an Erziehung zänkisch und eine Keiferin, das heißt so ziemlich zur Verrückten. Ist sie stolz, so wird der Mangel an Takt (der gleichfalls Erziehung ist) sie eingebildet machen, phantastisch und lächerlich. Und dann wird sie wild und lärmend werden, laut, unverschämt und Satan selber ...

Ich kann mir nicht vorstellen, daß Gott der Allmächtige sie so delikat gemacht hat, zu so glorreichen Kreaturen, und sie mit so viel Reizen ausgestattet hat, so angenehm und köstlich für die Menschheit, mit Seelen fähig derselben Leistungen wie der Männer Seelen, und alles das nur, damit sie unsere Haushälterinnen wären, Köchinnen und Sklavinnen. Nicht daß ich im mindesten ein Weiberregiment rühmte; aber kurz gesagt, ich wollte, Männer sollten Frauen zu Gefährten nehmen und sie erziehen, daß sie sich dafür eigneten.

Um es zusammenzufassen, sagte Silvia: Defoe war käuflich – und unbestechlich.

Nun gut, gab Alfred zu, in einem ausschweifend optimistischen Jahrhundert war Defoe ein ausschweifender Optimist. Bislang ein Nonkonformist, schrieb Defoe mit achtunddreißig Jahren ein opportunistisches Pamphlet, worin er einen »gelegentlichen Konformismus« empfahl.

Es war ein ironisches Pamphlet, rief Silvia. Und seinen ersten literarischen Erfolg hatte er mit einundvierzig Jahren durch seine Satire in Versen *Der echtbürtige Engländer*. Es war die gereimte Antwort auf die Satire des Journalisten John Tutchin, der erklärte, es sei für einen echtbürtigen Engländer unerträglich, von einem holländischen König regiert zu werden. Defoe schrieb: »Ein echtbürtiger Engländer ist ein Widerspruch ... Wir waren die Senkgrube, wo Europa seinen ganzen Ausschuß und die Ausgestoßenen seiner Nachkommenschaft entleerte. Ein türkisches Pferd hat einen älteren Stammbaum, um seine wohlgeborene Familie zu beweisen.«

Defoe war vielleicht bezahlt, aber er schrieb gegen die Erzfeinde: Chauvinismus und Rassenvorurteil. Achtzigtausend Exemplare verkaufte man auf den Straßen von London. Defoe sprach zum neuen Mittelstand, der eine platte, direkte Sprache und die Tugend liebte.

Eine platte, direkte Tugend, erläuterte Alfred.

Bah, sagte Silvia, Tugend ist Tugend. Es war eine der wirkungsvollsten englischen Satiren in Versen. Der Tod von Wilhelm III. war ein harter Schlag für Defoe.

Sicherlich, erklärte Alfred, aber unverdrossen feierte Defoe die Krönung der Königin Anne in schamlos schlechten Versen.

Du hast ganz recht, erwiderte Silvia, aber im gleichen Jahr hat dieser reife Mann von zweiundvierzig Jahren, empört, weil die Königin Anne die Hochkirche bevorzugte und sich nicht mehr an das Toleranz-Edikt kehrte, seine blutig ironische Satire gegen die Tories, die Stützen der Hochkirche, geschrieben, *Das kürzeste Verfahren gegen die Andersdenkenden* (*The Shortest Way with the Dissenters*).

Damit ergriff er von neuem die Partei der Toleranz, nachdem er kurz zuvor die Dissenters, seine eigenen Glaubensgefährten, wegen ihres gelegentlichen Konformismus mit den Riten der Hochkirche, angegriffen hatte, weil sie hier und da zur Kommunion gingen, um ihre Ämter und Stellungen behalten zu können. Defoes Motto lautete: Wenn der Herr Gott ist, so folge ihm, aber ist es Baal, so folge ihm. Unter der Hand geriet das neue Pamphlet dem Defoe zu einer blutigen, gefährlichen, zweideutigen und beide Parteien erschreckenden Schrift voll leidenschaftlicher Ironie. Defoe führte Argumente bis zum Absurden, um sie lächerlich zu machen: »Nein, Gentlemen, die Zeit der Barmherzigkeit ist vorüber, euer Tag der

Gnade ist vergangen; ihr hättet zuvor Gnade üben sollen und Mäßigung und Mitleid.

Wir haben nichts von solcher Lektion in den letzten vierzehn Jahren vernommen. Wir sind gestoßen und getreten worden mit eurem Toleranzedikt; ihr habt uns erzählt, daß ihr die gesetzlich bestätigte Kirche seid, so gut wie die andern; und habt eure singenden Synagogen eingerichtet vor unsern Kirchentüren, und die Kirche und ihre Mitglieder wurden mit Vorwürfen überschüttet, mit Eidschwüren, Vereinigungen, Beschwörungen, und was immer ...

Ihr habt einen König geschlachtet, einen andern König abgesetzt und einen Spottkönig aus dem dritten gemacht, und doch konntet ihr die Frechheit haben und erwarten, daß der vierte euch anstellt und vertraut. Eure Behandlung eures holländischen Monarchen, den ihr zu einem bloßen Prügelkönig reduziert habt, ist arg genug, um allen andern Königen eine Vorstellung von euren Prinzipien zu geben und sie hinreichend davor zu warnen, in eure Klauen zu fallen; und Gott sei Dank ist die Königin nicht in euren Händen und wird es euch schon besorgen ...

Die Dissenters haben behauptet, sie seien zahlreich und ein großer Teil der Nation. Erstens sind sie nicht so zahlreich wie die Protestanten in Frankreich, und doch hat der französische König die Nation wirkungsvoll von ihnen mit einem Schlage befreit, und wir finden nicht, daß sie ihm zu Hause fehlen ...

Zweitens, je zahlreicher sie sind, um so gefährlicher sind sie, und darum ist es um so notwendiger, sie zu unterdrücken ...

Drittens, wenn wir sie nur zulassen, weil wir sie nicht unterdrücken können, so müßte man erst versuchen, ob wir sie unterdrücken können oder nicht; und ich bin der Meinung, daß es ganz leicht geschehn kann und ich Mittel und Wege aufzeigen könnte, wenn es ziemlich wäre; aber ich zweifle nicht, daß die Regierung wirkungsvolle Mittel finden werde, um diese Pest aus dem Antlitz des Landes zu entfernen ...

Wenn der Galgen anstelle der Geldstrafe und anderer

Strafen träte, als Lohn dafür, daß man zu ihren Konventikeln geht, um zu predigen oder zu lauschen, so würde es nicht mehr so viele Leidende geben. Die Zeit des Märtyrertums ist vorbei; jene die zur Kirche gehn, nur um zu Sheriffs oder Bürgermeistern gewählt zu werden, werden lieber in vierzig Kirchen gehn, als aufgehängt zu werden.

Wenn ein strenges Gesetz erlassen und genau durchgeführt würde, wer immer in einem Konventikel gefunden würde, solle aus England verbannt werden und den Prediger solle man hängen, so würden wir bald das Ende der ganzen Geschichte erleben.

Ach, die Kirche von England! Mit dem Papsttum auf der einen Seite und Schismatikern auf der andern, wie wurde sie zwischen zwei Dieben gekreuzigt!

Jetzt laßt uns die Diebe kreuzigen ...«

Ironie? fragte Alfred.

Was denn? rief Silvia empört. Defoe zeigte den absurden Gewissenszwang der Staatskirche, die abscheuliche Verfolgung aller, die anders und selbständig dachten. Er parodierte die blutrünstigen Privatgespräche der Tories, indem er sie wörtlich zitierte.

Ist es wahr? fragte ich. So gibt es keine schärfere Satire auf Menschen, als ihr wahres Bild zu zeigen und ihre Aussprüche wörtlich zu zitieren?

Eine zweideutige Ironie! sagte Alfred.

Die Ironie trifft zuweilen den satirischen Autor härter als seine Opfer, erklärte ich.

Weil sie den Satiriker als Menschenfeind bloßstellt? fragte Alfred.

Der Satiriker ein Menschenfeind? fragte ich entrüstet. Er ist ein Freund der Menschheit. Schon Kinder betrachten die Eltern oder Lehrer als Feinde. Nein! Die Kinder wollen nicht gebessert werden. Sie sind mit sich zufrieden. Sie wollen mehr und größer, aber nicht anders werden. Sie halten sich für vollkommen. Die meisten Menschen sind große Kinder. Nur ihr Körper ist erwachsen. Verstand und Gemüt blieben klein.

Da wären wir schön unglücklich, erwiderte Silvia. Ihr Psychologen habt recht, wie alle Wissenschaftler recht haben, wenigstens solange ihre neuesten Theorien grün sind. Denn auch Theorien welken schnell. Und doch leben wir anders und sind anders, als ihr es euch vorstellt, auf Grund eurer Theorien. Wir träumen sogar anders, als wir es auf der Couch des Psychoanalytikers erzählen.

Und ein Psychologe wüßte das nicht längst? fragte ihr Mann lächelnd.

Ihr Psychologen wißt heute, erwiderte sie lachend, was wir Romanciers längst gewußt haben, wie auch Defoe alles wußte. Defoe verhöhnte die Intoleranten, indem er sie übertrumpfte. Tories und Dissenters waren gleichermaßen empört. Am 1. Dezember 1702 war das Pamphlet erschienen, am 3. Januar 1703 erließ der Earl von Nottingham, einer der Minister, einen Haftbefehl, und am 10. Januar brachte die *Gazette* eine öffentliche Auslobung von fünfzig Pfund für jede Mitteilung, die zur Verhaftung von Defoe führte. Im Haftbefehl hieß es: »Er ist ein mittelgroßer, magrer Mann, etwa fünfzig Jahre alt, von braunem Teint und mit dunkelbraunem Haar, der aber eine Perücke trägt; er hat eine Hakennase, ein scharfes Kinn, graue Augen und eine große Warze nahe dem Mund.«

Vier Tage später wurde die Beschlagnahme des Manuskripts und aller Exemplare beim Drucker Croome angeordnet. Am 24. Februar wurde vor Gericht das Pamphlet für aufrührerisch erklärt, und es wurde befohlen, daß es öffentlich vom Henker verbrannt würde. Am 20. Mai wurde Defoe im Haus eines französischen Webers in Spitalfields verhaftet und ins Gefängnis von Newgate gebracht. (Man hat noch die Forderung des Denunzianten für die Belohnung von fünfzig Pfund.)

Defoe hatte sich vierundeinenhalben Monat versteckt gehalten. John Tutchin beschrieb, wie Defoe in Hackney Fields einen Mann traf, der ihn erkannte. Defoe zog sein Schwert, zwang den Mann auf die Knie und ließ ihn schwören, »daß er bei einer neuen Begegnung die Augen schließen würde, bis er eine halbe Meile von ihm entfernt wäre«.

Defoe schrieb von seinem Versteck Briefe an seinen Freund William Paterson, einen der Gründer der Bank von England, damit er sich bei dem gemäßigten Tory Robert Harley für ihn verwende. Defoe schrieb von seinem »Körper, ungeeignet, die Entbehrungen des Gefängnisses zu ertragen und von seinem Geist, ungeduldig ob der Haft« ... er beschrieb die Hilferufe einer zahlreichen ruinierten Familie und die Aussicht einer langen Verbannung von seiner Heimat. Defoes Frau ging zum Earl of Nottingham und bat um Hilfe für ihren Mann, aber Nottingham versuchte nur, die Frau zu bestechen, daß sie ihren Mann verrate.

Der Pranger »war manchmal so fatal wie der Galgen und viel schrecklicher. Mit dem Kopf und den Händen festgebunden, wurde man das hilflose Opfer des zornigen Pöbels und wurde zuweilen von ihm umgebracht.« Defoe schrieb an Paterson: »Gefängnis, Pranger und dergleichen, mit denen ich so viel bedroht wurde, haben mich davon überzeugt, daß ich keinen passiven Mut habe, und ich werde in Zukunft nie mich gekränkt fühlen, wenn man mich einen Feigling heißt.«

Defoe mußte wahrhaft rachsüchtige Feinde haben. Defoe sollte die ruinöse Summe von 200 Mark zahlen, dreimal am Pranger stehn, im Gefängnis von Newgate so lange bleiben, als es der Königin gefiel, und darnach Bürgschaft leisten für sein gutes Benehmen, weitere sieben Jahre lang.

Defoe kämpfte im Gefängnis um sein Leben, um seine Befreiung, um Schutz gegen die Gefahren des Prangers. Er bekannte sich schuldig. Er wurde mit besonderer Strenge verurteilt.

Indes er im Gefängnis war, publizierte Defoe eine Satire auf sich selber in tausend Versen. Am 29. Juli, dem ersten Tag seines Prangers, erschienen zwei seiner Schriften, *Der kürzeste Weg zu Frieden und Einigkeit* und *Eine Hymne auf den Pranger*. Man verkaufte Exemplare davon in allen Straßen rund um den Pranger und direkt darunter. Defoe pries die »hieroglyphische Staatsmaschine«, die so grausam gegen alle tugendhaften Männer war, die am Pranger standen, und er schlägt einen Katalog jener vor, die vielmehr am Pranger stehen sollten.

> *Tell them the Men that placed him here*
> *Are scandals to the times,*
> *Are at a loss to find his guilt,*
> *And can't commit his crimes.*

> (Sag ihnen, die ihn hingestellt,
> Die sind der Zeiten Schmach!
> Es ist umsonst; man weist ihm nicht
> Schuld und Verbrechen nach.)

Er mußte drei Tage lang am Pranger stehn, am 29., 30., 31. Juli 1703. Die Ohren wurden ihm freilich nicht abgeschnitten. Die alte Bestimmung des Prangers galt nicht mehr. Alexander Pope schrieb in seiner *Dunciad* zu Unrecht: *Earless on high stands unabashed Defoe.*

Statt Dreck und Steine auf ihn zu schleudern, warf man ihm Blumen zu, man jubelte ihm zu, als wäre er ein Cicero, und kein Catilina. Am zweiten und dritten Tag wurden die Demonstrationen des Volkes für ihn immer enthusiastischer, mit Girlanden, Toasts und dem Beifall für einen Helden. Es war ein kurzer persönlicher Triumph Defoes.

Im November 1703 wurde Defoe befreit. In Newgate hatte er begonnen, seine »Wahre Sammlung der Schriften des Autors des echtbürtigen Engländers« zu sammeln. In Newgate hatte er die Vorbilder und Szenen mancher seiner späteren Romane gefunden.

Defoe hatte sich erst an Nottingham um Hilfe gewandt, darnach an Robert Harley, der auch Godolphin für Defoe gewann, und durch ihn die Gnade der Königin Anne. Harley schickte jemand zu Defoe nach Newgate und fragte: *Pray ask that gentleman what I can do for him.* (Bitte, frage diesen Gentleman, was ich für ihn tun kann.) Defoe antwortete: *Lord that I might receive my sight* (Herr, daß ich mein Augenlicht erhalte!). Die Königin kam für die Geldstrafe Defoes und die

Kosten seiner Befreiung auf und sandte ein ansehnliches Geschenk der Familie. Defoe schätzte den Verlust seiner Ziegelfabrik auf 4000 Pfund. Von nun an mußte er hauptsächlich von seiner Feder leben.

Der Pranger, versicherte Silvia, machte den Realisten Defoe bitter. Man muß kein Psychologe sein, um das zu begreifen.

Wir Psychologen, erklärte Alfred, begreifen alles und das Gegenteil und beweisen es so oder so.

Foe hieß sich seitdem, sagte Silvia, nur Defoe, oder De Foe, als würde der Pranger jeden Unschuldigen adeln.

Er hat sich das Adelspräfix schon 1695 beigelegt, versicherte Alfred. Er war ein Mitglied der »Athener« und stolz darauf. 1691 publizierte er seine *Ode auf die Gesellschaft der Athener.* Damals war er in der City eine bekannte Figur.

John Dunton, ein Schulfreund Defoes, war der Gründer der *Athenian Society,* eines literarischen Clubs, der ab 1690 die *Athenian Gazette,* später den *Athenian Mercury* herausgab. Einer der Herausgeber war Sam Wesley.

Dort sollten allwöchentlich kuriose Fragen beantwortet werden, welche von geistreichen Leuten gestellt wurden. William Temple war ein Leser, Swift ein gelegentlicher Mitarbeiter.

Einige der Fragen lauteten: Ob die Qualen der Verdammten auch den Heiligen im Himmel sichtbar seien, und *vice versa,* die Seligkeit den Höllenbewohnern? Und ob auch Neger am Jüngsten Tag auferstehen würden? Und ob es gesetzlich gestattet sei, daß ein Mann seine Frau prügle? Und was platonische Liebe sei?

Dieser Defoe, sagte Silvia, erlebte seinen finanziellen Zusammenbruch, als er in Newgate war, den Bankrott seiner Ziegelfabrik, die Versteigerung seiner Kutsche und seiner Bibliothek, aber er selber brach in Newgate nicht zusammen. Im Gefängnis schrieb er verschiedene kurze Pamphlete und bereitete seine Zeitung *The Review* vor, die 1704, im Jahr der Schlacht von Blenheim, herauskam, erst zweimal, dann dreimal wöchentlich.

Er schrieb die Zeitung fast allein. Er schrieb klar und mit Mäßigung. Sie erschien von 1704 bis 1713 und brachte Meinungen und Nachrichten über Politik und Wirtschaft. Berühmt war die vierte Seite der *Review, Mercure Scandale, or Advice from the Scandalous Club, being a Weekly History of Nonsense, Impertinence, Vice and Debauchery.* (Der Skandalmerkur, oder Ratschlag vom Skandalclub, das ist eine wöchentliche Geschichte des Unsinns, der Frechheit, des Lasters und der Ausschweifung.)

Das waren humoristische und polemische Diskussionen über die öffentliche Moral, Klatsch, Anekdoten, Personalnotizen, Skandale und Rügen.

Steele und Addison ahmten später diese moralische Rubrik in ihren berühmten Zeitschriften *The Tatler* und *The Spectator* nach. Defoe war ein sehr unterhaltender Schriftsteller, nur war alles bei ihm durch seine puritanische Herkunft und Ideale gewürzt oder gemildert.

Defoe verband weise die Betrachtung von Wirtschaft und Politik. Der Handel war sein Steckenpferd. Seine Argumente und seine psychologische Darlegung waren brillant. Eine seiner Lieblingsideen war, England solle, in der Nachfolge Spaniens, Westindien ausnutzen. Er schrieb Artikel über den Handel in Afrika. Er empfahl die Aufnahme politischer oder religiöser Emigranten vom Kontinent in England, da sie von Nutzen sein würden, und verteidigte die amerikanischen Kolonien Englands. *If they die, we decay; if we decay, they die; if we cannot support them, they fall; if they fall, we must in proportion sink* ... (Wenn sie sterben, verrotten wir; wenn wir verrotten, sterben sie; wenn wir sie nicht erhalten können, fallen sie; wenn sie fallen, müssen wir dementsprechend untergehen ...)

Defoe hatte die Züge eines Abenteurers, er war ein Autor im Kostüm eines Handelsmannes, mit der Wortgewalt eines Schriftstellers von Genie. Er war reiselustig. In zwei Reisen legte er als Harleys Agent mehr als tausend Meilen in Großbritannien zurück. Im Februar 1709 küßte er wiederum die

Hand der Königin, als Godolphins Agent. Er hatte schon zuvor in weniger als einem halben Jahr den Unterschied zwischen dem Kabinett eines Königs und dem Misthaufen vom Newgate Gefängnis geschmeckt.

Defoe schrieb: »Alles ist nur ein Theater, von außen, und abscheuliche Heuchelei einer jeden Partei, in jedem Zeitalter, unter jeder Regierung, bei jedem Regierungswechsel; wenn sie *draußen* sind, wollen sie *herein,* ans Ruder kommen, und sind sie *drin,* alles tun, um nicht *heraus* zu kommen.«

Er schrieb: »Der Streit ist in eure Küchen eingedrungen, in eure Wohnzimmer, eure Läden, in eure Ämter, ja sogar in eure eigenen Betten.«

1712 publizierte Defoe mehrere Pamphlete über die eventuellen Nachfolger der Königin Anne auf dem Thron. Er war voll scharfer Ironie. Die Whigs, leidenschaftliche Anhänger des Hauses Hannover, stürmten die Druckerei, beschafften sich den Beweis, daß Defoe der Autor war, lockten ihn durch List aus seinem Haus in Stoke Newington, ließen ihn verhaften und brachten ihn vor Gericht, unter der Anklage, »verräterische Beleidigungen des Hauses Hannover« publiziert zu haben. Der Richter verurteilte ihn zum Queen's Bench-Gefängnis. Doch wurde er nach einer Woche entlassen, von der Königin Anne begnadigt.

Zwei Jahre später mußte er sich unter einer Whigregierung vor dem Gericht des Königs verantworten gegen die Anklage, er habe dem Earl von Anglesey, einem Tory-Peer, verleumderisch den Vorwurf gemacht, ein Anhänger Jakobs zu sein. Damals hatte Defoe keinen Freund mehr. Godolphin war tot. Bolingbroke und Harley waren als Hochverräter angeklagt. 1718 schrieb Defoe an den neuen Secretary of State, Lord Stanhope:

»Ich bin, Sir, zu diesem Zwecke unter Papisten postiert, unter Jakobiten und entflammten Erztories – eine Rasse, die ich, wie ich gestehn muß, im Grunde meiner Seele verabscheue; ich bin gezwungen, verräterische Ausdrücke anzuhören und unverschämte Worte gegen die Person Seiner Majestät und seine Regierung und seine treuesten Diener, und muß dazu lächeln, als würde ich es billigen; ich bin gezwungen, all die skandalösen und in der Tat abscheulichen Papiere zu empfangen und bei mir aufzubewahren, als würde ich sie sammeln, um ihren Inhalt in die Zeitung zu bringen; obendrein muß ich Dinge unbemerkt geschehen lassen, die schon ein wenig empörend sind, damit ich mich selber nicht dem Verdacht aussetze. So bücke ich mich im Haus von Rimmon, und ich muß mich in aller Demut dem Schutz Ihrer Gnaden empfehlen, oder ich werde zugrunde gehen, um so geschwinder, je getreuer ich den Befehlen gehorche, die ich empfangen habe.«

Defoe schrieb, im Solde der Regierung, in den oppositionellen Blättern *Weekly Journal*, das Mist gehörte, und in Dormers *Newsletter*, und im *Mercurius Politicus*. Defoe schrieb an seine Auftraggeber: »Diese Zeitungen werden stets so geführt werden (vorbehalten die Irrtümer), daß sie als Zeitungen der Tories gelten, und doch so geschwächt und gemildert wären, daß sie keinen Schaden, noch der Regierung Abbruch tun können.«

Defoe half den Regierungen, vielleicht glaubte er, auch dem Volk und der guten Sache dadurch zu helfen. Er hatte immer großen Einfluß, schon mit seinen Pamphleten und insbesondere mit seiner Zeitung *The Review*. Sie unterstützte die maßvolle Politik Harleys und Godolphins zu Hause und den Krieg gegen Frankreich.

Harley zahlte für sie, erläuterte Alfred.

Als Ludwig XIV., der Protektor der exilierten Stuarts, seinen Enkel als Nachfolger auf Spaniens Thron anerkannte und England bedrohte, brachten fünf Gentlemen aus Kent eine konstitutionelle Petition zum Schutz Englands nach Westminster und wurden festgenommen. Vierzehn Tage später erschien eine andre Deputation im Unterhaus. Ihr Führer, bewacht von sechzehn Gentlemen von Distinktion, war Daniel Defoe. Er legte einen Protest vor den *Speaker* des Hauses, Robert Harley: *Legion's Memorial to the House of Commons*. Es ist eines der frechsten Pamphlete Defoes. Er erklärte den Abgeordneten: »Ihr steht nicht über den Ressentiments des Volkes ... denn die

Engländer sind ebensowenig Sklaven des Parlaments wie des Königs. Unser Name ist ›Legion‹, und wir sind viele ...« So lernte Robert Harley den Daniel Defoe kennen. 1704 erreichte Harley die Befreiung Defoes. Seitdem war Defoe »Harley's man«, die Augen und Ohren, die Kreatur Harleys.

Defoe erklärte öffentlich, man habe ihn geknebelt. Sieben Jahre lang dürfe er nicht mehr polemisieren. Es stimmte. Nur wurde er der politische Geheimagent Harleys und seiner Nachfolger, ein bezahlter Spitzel, ein Pamphletist im geheimen Sold der Regierung, für die er durch England reiste. Harley verkehrte offen mit Swift und nur heimlich mit Defoe, auf dem der Makel des Prangers lag. Bei einem Menschen, der einen Maskenscherz aus der Politik macht, bei solch einem literarischen Chamäleon weiß man am Ende nicht mehr, was er wollte, wofür er focht, ob fürs Gute aus schlechten Gründen oder fürs Schlechte aus guten Gründen. Man weiß nur, das ist ein politischer Intrigant. Man weiß, wieviel er kostet. Aus allem machte er eine Maske, alles war Verstellung, alles Schein. Seine Schulden benutzte er zur Tarnung. Man schickte ihn auf eine geheime Mission? Erst trocknete er vor der Abreise einige echte oder imaginäre Tränen über sein herbes Geschick. Welches Geschick? Immer mußte er vor seinen Gläubigern fliehen! Man bedrohte ihn? So stellte er sich krank. Er stellte sich sterbend, nur um seine Feinde zu rühren. All diese Praktiken der Heuchelei, der Verstellung, des Intrigenspiels lieh er später den Helden seiner gefälschten Memoiren oder diesen falschen Autobiographien von Piraten, Höflingen oder Räubern.

Er war auch nicht auf seine Gönner angewiesen. Harley stürzte? Der neue Minister Godolphin, der den englischen Beamten zuerst ihre Stabilität gab, sandte den Defoe auf eine neue geheime Mission nach Edinburgh. Minister stürzen. Spitzel leben ewig. 1710 stürzt Godolphin, und Harley regiert wieder, und Defoe ist sein Mann.

Wie wagst du es, fragte Silvia, den Defoe einen Spitzel zu heißen? Natürlich war er ein Spitzel, aber er war viel mehr.

Die Schande der Spitzel macht sozusagen ihre ganze Ehre aus. Aber die kleinen Schurkereien eines großen Mannes ...

Sind um so schlimmer, rief ihr Gatte ungeduldig. Wie oft habe ich es dir gepredigt! Später starb Königin Anne. Unter George I. wurden Harley und Bolingbroke in absentia verurteilt, von der neuen Whig Regierung. Aber Defoe schreibt ein anonymes Pamphlet zur Verteidigung Harleys. Aber Defoe schließt seinen Frieden auch mit dieser Regierung und rettet sich vor den Folgen eines Beleidigungsprozesses durch ein geheimes Abkommen, wonach er der feindlichen Tory-Presse »die Schärfe nehmen« solle. Er schreibt zu seiner Verteidigung gegen seine Feinde auf allen Seiten seinen »Appell an Ehre und Gerechtigkeit«.

Defoe schrieb für einen Tory namens Mist in dessen Wochenblatt *Weekly Journal*. Aber Defoe vergaß, seinem Redakteur Mist zu erzählen, daß die Whig Regierung insgeheim Defoe dafür bezahlte, den radikalen Ton des Tory-Blattes zu mäßigen. Kannst du dir das vorstellen? Da sitzen also die Freunde Mist und Defoe im Kaffeehaus, und Defoe sagt dem Mist, lieber Freund, Sie sind zu scharf, man kann es feiner sagen, scheinbar milder, und Mist erwidert, lieber Freund, aber werden uns die Leser verstehn? Und Defoe antwortet, mich versteht man, mich kennt man, ich bin ein Ehrenmann, ich sage meine Meinung offen heraus, ich stand drei Tage am Pranger für meine Meinung. Und Mist erwidert, Sie sind ein Märtyrer Ihrer Meinung, man weiß es, teurer Daniel. Schreiben sie, wie Sie es für weise halten. Und in der Tasche hat Defoe das Geld der Regierung! Aber Mist hat den populärsten Pamphletisten Englands in seinem Blatt. Und war vielleicht nicht mal ganz naiv?

Defoe war ein Patriot, erklärte Silvia, und wie er glaubte, ein guter Patriot. Er stand immer auf seiten der Toleranz und aller humanen Reformen. Selber korrupt, kämpfte er gegen alle Korruption, für inneren Frieden, für die Einheit von Schottland und England.

Wie, sagte ich, Patrioten glauben allerorten, zu allen Zeiten, der Patriotismus bedürfe keiner Moral. Sie glauben, die Politik dürfe unmoralisch sein. Ein Bürger darf nicht stehlen, und ein Staat darf es? Staaten dürfen morden, fälschen, lügen, rauben, Verbrechen häufen, ganze Kontinente ausplündern, und der Staatsbürger, privat ein Moralist, darf und soll diese massenhafte Unmoral glorifizieren? Defoe wollte mit seiner Feder herrschen.

Für einen guten Preis, sagte Alfred. Ein Kollege sprach von Defoes kleiner Kunst, in der er wirklich ein Meister sei, nämlich eine Geschichte zu fälschen und sie als wahr zu verkaufen. Prompt erschien im nächsten Jahr *The Life and strange surprising Adventures of Robinson Crusoe of York, Mariner.* Defoe selber sagte, sein Robinson sei keine *story,* sondern *history,* kein Histörchen, sondern Historie. Er selber sei nur der Herausgeber und glaube, das Ding sei ein wahrer Tatsachenbericht, und es sei auch nicht ein Anschein von Erdichtung darin.

Was immer, sagte Silvia, er hatte sogleich großen Erfolg mit diesem – etwa – 292. seiner Werke. Nun begann er mit sechzig Jahren seine wahre literarische Karriere. In unglaublicher Eile veröffentlichte er zwischen sechzig und siebzig Jahren an die fünfzig Schriften, darunter Meisterwerke, wie *Moll Flanders, Roxana,* das *Tagebuch aus dem Pestjahr, Oberst Jacque, Memoirs of a Cavalier, Captain Singleton, Eine Rundreise durch die ganze Insel von Großbritannien.*

Ein Vielschreiber, ein Allesschreiber, erläuterte ruhig Alfred. Er schrieb ... was schrieb er nicht? Ein Dutzend erfundener Memoiren, darunter den ersten historischen Roman in England, die *Memoiren eines Kavaliers.* Er schrieb die Biographien von gekrönten und gehängten Schurken, von Peter dem Großen und vom König der Piraten. Er schrieb Bücher über den Dummen und über den Übernatürlichen Philosophen oder die Mysterien der Magie. Er druckte eine Übersetzung in Versen von einem Buch des Du Fresnoy über die Malerei. Er schrieb über den religiösen Flirt, über die Frechheit der Diener in England, über eine Reise durch England, über eine Reise durch die Welt, nochmals über Diener, über den Handelsmann, einen Essay über Literatur, ein System der Magie, das *Protestantische Kloster*; die Geschichte der Entdeckungen; die geistliche Tyrannei; über das eheliche Laster, oder Brauch und Mißbrauch des Ehebetts; und einen *Familieninstruktor*. Er enthüllte die »Geheimnisse der unsichtbaren Welt«. Er verfaßte einen Plan des englischen Handels, einen Plan zur Abschaffung der Straßenräuber in London, einen demütigen Vorschlag für die Vermehrung des Handels, ein Vorwort zu einem Gedicht über Sklaverei, Pamphlete über die Politik, über die Kirche, über die Wirtschaft, über gutes Benehmen, über den schnellsten Weg zum Erfolg, über Gespenster und über die »Politische Geschichte des Teufels«. Das war noch lange nicht alles.

Mit achtundsechzig Jahren veröffentlichte er, wie schon dreißig Jahre zuvor, ein ganzes Buch voller Projekte: *Augusta Triumphans oder der Plan, London zur ersten Stadt auf Erden zu machen:*

Erstens, durch Gründung einer Universität, wo Gentlemen eine akademische Erziehung unter der Aufsicht ihrer Freunde haben können. Zweitens, durch ein Waisenhaus für Findelkinder. Drittens, durch ein wissenschaftliches Institut in Christ's Hospital. Viertens, durch die Aufhebung sogenannter Irrenhäuser, wo viele Gattinnen zu Unrecht eingesperrt sind, während ihre Gatten Mätressen aushalten etc. und viele Witwen eingesperrt sind, wodurch man sie besser um ihre Renten prellt. Fünftens, um unsere Jugend zu retten, indem man die Straßen von schamlosen Huren säubert, Spieltische abschafft und die Sonntagssünder unterdrückt. Sechstens, um unsere unteren Klassen vor dem Ruin zu retten, indem man den unmäßigen Verbrauch von Schnaps einschränkt. Mit offener Darstellung manch andrer üblicher Mißbräuche ... Abschließend mit einer wirkungsvollen Methode, dem Straßenraub vorzubeugen, und einem Brief an Oberst Robinson, über die Waisen-Steuer.

Einige seiner Projekte wurden mit der Zeit verwirklicht: Die Universität in London; das Findelhaus; die Verminderung der Verbrechen in Londons Straßen, welche einige Jahrzehnte später Henry Fielding herbeiführte, als er ein hoher Richter war.

Freilich ergriff Defoe in seinem Pamphlet *Poor Man's Plea* die Partei des armen Mannes gegen den Reichen, die Partei des Volks gegen die schlechten Beamten, »die kleinen Fliegen fängt man, die großen zerreißen das Netz«. Defoe greift die leichtfertigen Richter an. Der Lord-Mayor von London ließ die armen Bettler herumprügeln, ein paar schändliche Huren wurden in die Besserungsanstalt geschickt, einige Bierwirte und Weinwirte wurden bestraft, weil sie sonntags Alkohol ausschenkten; »aber das trifft alles uns, die Leute vom Mob, die armen Plebejer, als ob es alle Laster nur bei uns gäbe; denn wir sehen nicht, daß man reiche Trunkenbolde vor den Lord-Mayor schleift, noch wird ein fluchender obszöner Kaufmann bestraft oder an den Pranger gestellt.« Ja, sechs Jahre später griff Defoe in der dünnsten Verhüllung (in seiner Verssatire *Die Reform der Sitten*) bestimmte Richter, Geistliche und Beamte an, die ihm lasterhaft und korrupt schienen.

In seinen letzten Jahren wohnte Defoe in einem hübschen Haus in Stoke Newington, mit drei »lieblichen« Töchtern und zwei ungeratenen Söhnen. 1724 hat ihn sein alter Kollege Mist mit der Waffe angegriffen. Mist wurde entwaffnet, verwundet, eingesperrt. Wahrscheinlich hatte Mist erfahren, daß Defoe ein Regierungsagent war und es auch andern mitgeteilt. Defoes Name erschien eben damals nicht mehr in den Journalen. Er begann unter einem Pseudonym »Andrew Moreton« zu publizieren. Mist entwischte nach Frankreich. Er mag auf Rache an Defoe gesonnen haben. Jedenfalls verbarg sich Defoe mit siebzig Jahren nahe Greenwich vor Feinden, die sein betrogener Kollege Mist gegen ihn vielleicht aufgehetzt hatte, oder vor neuen und alten Gläubigern, oder aus Verfolgungswahn. Er fürchtete vielleicht, als wahrer Jakobit angeklagt zu werden, da jene tot waren, die ihn dafür bezahlt hatten, den Jakobiten nur zu spielen. Einsam starb er in einem Londoner Mietshaus, in Rapemaker Street, mit einundsiebzig Jahren, am

26. April 1731, *of a lethargy.* Sein letztes Buch über den *Voll-kommenen englischen Gentleman* blieb unvollendet. »Ich hatte vielleicht«, schrieb Defoe, »mehr Wechselfälle, Zufälle und Unfälle in meinem kurzen Leben, als irgendein anderer, min-destens als die meisten lebenden Menschen; und doch hat mich nie ein schwerer Unfall oder ein Unglück getroffen, ohne daß ich im Schlaf oder im Wachen eine Vorankündigung gehabt hätte, und hätte ich diesen Stimmen nur gelauscht, so hätte ich, wie ich glaube, das Unheil vermieden.«

Defoe hörte »Stimmen«. In Gefahr, von neuem in den Ker-ker zu kommen und ruiniert zu werden, hörte er den Geister-rat: »Schreibe dem Richter!«

»Da ist solch ein Trommeln in der Seele«, schreibt Defoe in seiner *Geschichte und Realität der Geister,* »das einen Alarm schlagen kann, wenn es will, und so laut, daß kein anderer Lärm es übertäuben, keine Macht es zum Schweigen bringen, kein Pläsier es mildern, keine Bestechung es korrumpieren kann.«

Defoe hatte schon vorher in Versen sein wechselvoll Ge-schick besungen:

> *»No man has tasted differing fortunes more*
> *And thirteen times I have been rich and poor.«*

(Wer schmeckte wechselvoll Geschick, mir gleich?
Und dreizehn Male war ich arm und reich.)

Er war vieles in seinem Leben, vieles zugleich, erklärte Sil-via, ein Großhändler, ein Reisender, ein Fabrikant, der hun-dert Handwerker beschäftigte, Direktor in einem Steueramt, ein *Royal Commissioner of the Glass Duty,* ein Verwalter einer königlichen Lotterie wie Casanova, ein Journalist, ein Pamphletist, ein Romancier, ein geheimer Informer, ein po-litischer Geheimagent, Zeitungsverleger, Zeitungsschreiber, Versemacher, Herausgeber, ein literarischer Fälscher, ein lite-rarischer Initiator, ein Projekteschmied, ein Spekulant, ein

Gefängnisinsasse, ein Märtyrer, ein Lump und ein moralisches Genie.

Zuviel, zuviel auf einmal, rief ihr Mann. Man kann nicht ein Moralist und ein Lump sein.

Vielleicht, sagte ich, gehörte Defoe zu jenen beschränkten Köpfen, die überzeugt davon sind, nur das sei richtig, was sie tun und was sie denken. Diese Überzeugung wird bei manchen zu einer quasi religiösen falschen Überzeugung, der Grundlage ihrer Erfolge. Defoe schrieb einmal, eine Geschichte zu erfinden, sei sicherlich ein höchst skandalöses Verbrechen, eine Art Lüge, die ein großes Loch ins Herz reiße, dessen sich dann gradweis die Gewohnheit des Lügens bemächtige. Und diese Art Lüge, diese Erfindung von Geschichten, das war sein Genie. So maskierte und verstellte er sich sogar als Autor, ein literarischer Geheimagent des modernen Romans. Er sprach ja von *honest cheats,* den »ehrlichen Betrügereien«, durch die man das Publikum zum Guten bekehren müsse. *Robinson Crusoe* ist eine von Defoes »ehrlichen Betrügereien«.

Er war ein säkularisierter Puritaner, erklärte Alfred. Er war gläubig und abergläubisch und hörte »Stimmen«. Er legte nicht so viel Gewicht auf den Glauben, sondern auf unermüdlichen Fleiß und fortwährende Tätigkeit, stete Tätigkeit fürs Gute. Man weiß nie, wie weit ein Autor sich aller Folgen seiner Werke bewußt ist, wie weit ein Autor weiß, was er wirklich tut. Robinson Crusoe ist, vielleicht ohne Defoes Absicht, zu einem vielfachen Symbol geworden, z. B. zum Symbol des *economic man,* des Mannes der Wirtschaft. Der Mann, der beim Fluß Orinoko nahe der Insel Trinidad und Venezuela auf seiner einsamen Insel alle Prozesse der Wirtschaft wie neu wiederholt, ist der Typus des englischen Pioniers und Kolonialgründers, der aus der überfüllten Heimat in die weiten offenen Räume zieht, im tropischen Urwald eine kleine Stadt gründet, die Heiden bekehrt und durch Reichtum und Sklaven belohnt wird. Auch der gute Robinson endet als Sklavenhändler, Plantagenbesitzer, reicher Kaufmann und Kolonisator, weit über seinem ursprünglichen Stand. Dieser Robinson, der typische John Bull, ist übrigens der Sohn eines Deutschen, der aus Bremen nach York einwandert.

Steele, sagte Silvia, hat 1714 in seinem *Englishman* über die Abenteuer des berühmten Matrosen Alexander Selkirk berichtet, der vier Jahre und vier Monate allein auf der öden Insel Juan Fernandez zugebracht hat.

Um seinen Robinson ganz echt erscheinen zu lassen, hat Defoe seinem Robinson das Datum 1704 verliehen, da Selkirks Abenteuer 1704 begannen und Selkirk 1709 heimgekehrt war.

Robinson Crusoe ward einer der Mythen des modernen Menschen, seiner materiellen Triumphe und Welteroberung, seiner rationalen Willenskraft und seiner geistigen und sozialen Einsamkeit. Er symbolisiert den Kampf des Menschen gegen die Natur. Der einzelne steht gegen das Universum. Das Buch ist ein Hymnus auf den Individualismus. Defoe hielt das Leben für einen universalen Akt der Einsamkeit. Man liebt, man haßt, man bekehrt, man genießt, man lebt und stirbt immer als einzelner, immer einsam. Minto glaubte, Defoe sei bei der Niederschrift des *Robinson Crusoe* von der Vorstellung gequält worden, er selber könnte deportiert werden.

Defoe versicherte, er gebe die echte Autobiographie des Robinson Crusoe heraus. Später hieß Defoe das Buch seine eigene okkulte Autobiographie. Aber er identifizierte sich mit all seinen Helden. Auch er überwand wie Robinson allein die größten Hindernisse zum späten Erfolg. Die Geschäfte dieser Welt erschienen diesem Puritaner wie eine Ablenkung von seiner eigentlichen geistigen oder geistlichen Bestimmung, nämlich der Erforschung des eigenen Gewissens für die künftige Erlösung oder Verdammnis.

Defoe moralisierte im Übermaß in seinen unmoralischen Romanen, sagte ich. Er setzte alles daran, echt zu wirken und wie ein guter Mensch zu erscheinen, und war ein trügerischer Realist und ein unzulänglicher Moralist.

Alfred sagte: Defoe war ein exakter Reporter seines Jahrhunderts und der Spiegel seines Volks.

Das ist nicht wahr, rief Silvia. Im selben Jahrhundert gab es so edle und gute Menschen wie Swift. Darum verleumdet man den Swift heute noch. Die Leute haben es nämlich gar nicht gern, wenn ihre Sprecher gar zu gut, zu edel und moralisch sind. Das Volk will keine Propheten und Moralisten, sondern Repräsentanten, die ihm ähneln, und lieber sollten sie zu schlecht als zu gut sein. Ihre Sprecher sollen aus demselben Stoff gemacht sein wie sie, und wenn es Könige sind, sollen sie sittenlos und vulgär sein. Die echten Moralisten erscheinen fremd und geheimnisvoll. Das Volk mißtraut ihnen. Es hält sie für Verstellte, Maskierte, Unaufrichtige, für moralische Schwindler.

Geheimnisvoll, erwiderte Alfred, war Defoe. Man las ihn überall. Man sah ihn nirgends. Seine halbe, zweideutige Moral konnte man immer aus seinen Büchern herauslesen, wenn man nur wollte. Sein Robinson Crusoe verkauft den Mohrenknaben Xury, seinen jungen Lebensretter, für sechzig Silbermünzen an einen portugiesischen Kapitän, und Robinson tröstet sein flaues Gewissen mit flauen Gründen. Seinen Freitag, den er aus einem Kannibalen zum Christen macht, behandelt Robinson weder als Christ noch als Freund, sondern (als wäre Robinson der Kannibale) mit dem falschen Wohlwollen eines echten Sklavenbesitzers.

Defoes Helden sind erfolgreiche Sünder, Verbrecher, die man nicht erwischt, erfolgreiche Huren oder Taschendiebe, Piraten oder Matrosen. Wie er sich selber verkennt und verschönert, so äußern seine Figuren ethische Betrachtungen und moralische Empfindungen, die im genauen Gegensatz zu ihren Handlungen stehn. Ein satirischer Schriftsteller hätte ebenso verfahren können.

Ich erinnere mich, sagte ich, daß ich in meiner Jugend ähnliche Widersprüche für absichtliche Ironie der Autoren hielt, ja sogar den lieben Gott für einen ironischen Autor gehalten habe, angesichts der Menschen und ihrer Welt.

Defoe, erläuterte Alfred, mischte die Redensarten puritanischer Bürger mit den robusten sexuellen und materiellen Interessen von Huren und Piraten. Sein Werk stimmt oft faktisch nicht. Es gibt zahlreiche Irrtümer, Anachronismen und psychologische Ungereimtheiten im *Robinson Crusoe*. Defoe bedeckte seinen Robinson Crusoe mitten in der tropischen Hitze mit einem Ziegenfell. Robinson sah die Augen der alten Ziege in einer lichtlosen Höhle funkeln. Defoe stopfte Crusoes Taschen mit Biskuits voll, nachdem Crusoe schon seine Kleider abgelegt hatte, um zu schwimmen. Auch in *Roxana* erzählte Defoe, sie sei 1683 zehn Jahre alt gewesen, habe aber nach einer großen Zahl von Abenteuern als erwachsene Frau die Aufmerksamkeit von Karl II. geweckt, der schon 1685 gestorben war.

Mich hat Robinsons sexuelle Neutralität erstaunt, gestand ich. An seinem sechsundzwanzigsten Geburtstag kam Robinson auf sein Eiland und hatte in achtundzwanzig Jahren, zwei Monaten und neunzehn Tagen auf der Insel nicht eine sexuelle Anfechtung, zumindest nichts darüber zu sagen. Nach fünfzehn eremitischen Jahren auf der Insel sah er zum ersten Male schaudernd menschliche Fußspuren am Meeresstrand, nach zweiundzwanzig Jahren sah er die ersten Menschen auf seiner Insel, es waren Kannibalen, und nach fünfundzwanzig isolierten Jahren sieht er wieder tanzende Wilde auf seiner Insel, und denkt, er könnte vielleicht – nicht eine Frau! – einen Sklaven bekommen, den ihm Providence mit großem P, die göttliche Vorsehung, liefern könnte (»Nun kam es mir so dringlich, ja unwiderstehlich in den Sinn, daß jetzt meine Zeit gekommen war, mir einen Sklaven zu finden, und vielleicht einen Gefährten und Gehilfen; und daß ganz klar die göttliche Vorsicht mich anrief, das Leben dieser armen Kreatur zu retten ...«) Swift dagegen schildert gewisse sexuelle Beobachtungen und Empfindungen seines Gulliver. Mit seinem Freund und Sklaven Freitag lebt Robinson nur drei Jahre auf der Insel.

Ist der Pietismus Defoes nur eine Maske? fragte Alfred. Ist nicht das Hauptmotiv Defoes und seiner Helden das selbstische

Interesse? Es sind lauter Glückssucher, Erfolgsjäger, Opportunisten, Menschen wie Silvia und ich.

Bei aller Maskerade, versicherte Silvia, war Defoe nackt in lauter Naivität. Defoe schreibt spontan, wie er denkt und fühlt. Er macht kein Hehl aus dem Widerstreit in seiner Brust und den Widersprüchen seiner schamlosen, schamlos konventionellen Helden und Heldinnen. So ist er. So ist das Volk. Solchen will er gefallen. Er ist voll naiver Daseinsfreude, überschwemmt von eigenen und fremden Lebenserfahrungen. Er predigt das Leben des Mittelstandes, das mittelmäßige Leben und beschreibt die Abenteuer des Extravaganten und Exzentrischen.

Er ist ein Arrivist, schwor Alfred, der nicht mal den Macchiavelli studiert hat. Ein kalter Kaufmann, den nur finanzielle Spekulationen erhitzen! Ein Geldjäger, so gemütvoll bestialisch wie nur Menschen sind! Er lebt im bohrenden Gefühl, ein Opfer zu sein, ein Opfer der Gesellschaft, des Schicksals und des Lebens.

Er ist ein gewaltiger Erzähler, rief Silvia, und voller Wissensdurst, *always upon the inquiry, asking questions of things done in public, as well in private.*

Ja, gab Alfred zu, aber kein Künstler. Er schrieb: »Ich denke selber, daß ich ein wenig ferne bin von den Fesseln der Kadenz und den Vollkommenheiten des Stils, und begnüge mich, bei meinen Versuchen deutlich, leicht, frei und sehr klar zu schreiben, *homely plain writing.*«

Er schuf unvergeßliche Charaktere, versicherte Silvia, unvergeßliche Episoden, unvergeßliche Details. Er schrieb mit der Stimme und dem Wortüberfluß eines Mannes, der spricht. Und er war voll praktischer Klugheit. Seine Kenntnis zahlloser Geschäfte und Berufe ist erstaunlich. Da übertrifft er sogar den Shakespeare. Wenige konnten so echt im Ton von andern sprechen, kannten so genau die Empfindungen anderer.

Insbesondere der Huren und Diebe, gab Alfred zu, auch der Schurken und Piraten, in ihren angeblichen Memoiren, die er selber verfaßt und in ihrem Namen herausgebracht hat, lauter uneingestandene Romane im Ich-Ton oder »wahre Chroniken«. Seine Werke sind eine Kollektion literarischer Fälschungen. Seine Geschichten wollte er lieber wahrscheinlich als wahr haben. Dieser Pamphletist gab vor, die Wahrheit zu schreiben, wenn er erfand. Er verkleidete seine Erfindungen, als wären Fakten wahrer als die Poesie. Dieser Journalist von Genie war ein maßloser Schriftsteller. Er war ganz ordinär und ein Original. Er war ein Autor aufregender Abenteurergeschichten ohne Handlung, ohne *Plot,* ohne Psychologie. Er brachte die Stoffe der Volksliteratur in die höhere Literatur, sozusagen ohne es zu wollen.

Daran glaube ich nicht, sagte ich.

Woran? fragte Alfred erstaunt.

An die unbewußten Genies.

Ich sage im Gegenteil, versetzte Alfred, daß es kein bewußtes Genie gibt. Defoe hat den falschen Realismus scheinbar exakter Details. Er häuft zahllose überflüssige banale Einzelheiten, die durch ihre bedeutungslose Masse so lebensähnlich scheinen, daß man folgert, alles müsse lebenswahr sein, sonst griffe ein Autor nicht zu solch öden und langweiligen Mitteln. Die leere Fülle seiner Details spiegelt die leere Fülle des Lebens vor. Er hat den trockenen Ton der Augenzeugen. Er prätendiert die falsche Sicherheit von Journalisten, die an Ort und Stelle nichts oder alles verkehrt gesehen haben. Er lügt wie gedruckt. Er schreibt Romane im Stil von Tageszeitungen. Hört nur den Titel der *Moll Flanders*: »Die Geschicke und Mißgeschicke der berühmten Moll Flanders, die in Newgate geboren wurde und während eines ewig wechselvollen Lebens, in dreißig Jahren, abgesehen von ihrer Kindheit, für zwölf Jahre eine Hure war, fünf Mal verheiratet (darunter einmal mit ihrem Bruder), zwölf Jahre lang eine Diebin war, acht Jahre lang eine deportierte Verbrecherin in Virginia, am Ende reich wurde, ehrsam lebte und reuig starb. Geschrieben nach ihren eigenen Aufzeichnungen.«

Silvia lachte. Am Ende, sagte sie, geben seine phantasievollen Lügen dennoch den wahren Extrakt seines Jahrhunderts.

Tun sie es? fragte Alfred. Seine Romane aus dem 17. Jahrhundert sind voller Details aus dem 18. Jahrhundert. Zwischen den zynischen Redensarten der Schurken und Huren, die er ausführlich entkleidet, bringt er lange Moralpredigten, bis er wieder die Erfolge seiner lasterhaften Figuren beschreibt. Alle finden ihr unverdient glückliches Ende.

Aber zuletzt, entgegnete Silvia, ist sein unvergleichlicher epischer Realismus seine Stärke, es ist die Illusion des Authentischen. G. K. Chesterton hieß Defoes größten Triumph, daß er unser Interesse für einen Menschen hält, der zweiundzwanzig Jahre allein auf einer Insel mit einem Hund und zwei Gewehren lebt, die er nie gegen einen Feind zu gebrauchen hat. Die Bereitschaft ist alles. Defoes Stil überliefert, gemäß der Forderung Lockes, »Kenntnis von Dingen«, in einer simplen, unmittelbaren, atemlosen Sprache und pausenlosen Erzählung. Seine Details sind unvergeßlich kraß. Im Pestbuch erzählt er von einem schlafenden Dudelsackpfeifer, den man für einen Leichnam hielt und in den Totenkarren warf, wo er wieder zu Bewußtsein kam und seine Pfeife spielte, um die Aufmerksamkeit zu erregen.

Defoe erzählt, wie die Kunden in den Läden ihr Geld in den Essigtöpfen wuschen, und berichtet von dem wilden Solomon Eagle, der nackt durch die Straßen ging, mit einem glühenden Kohlenbecken auf dem Kopf, und zur Reue aufrief. »Ich erinnere mich daran«, schrieb Defoe, »und indes ich diese Geschichte schreibe, glaube ich den genauen Klang zu vernehmen«. Defoe erzählt: »Indem ich durch Tokenhouse Yard in Lothbury ging, öffnete sich plötzlich ein Fenster just über meinem Kopf, und eine Frau stieß drei schreckliche Schreie aus und rief dann ›O Tod, Tod, Tod!‹ in einem ganz unnachahmlichen Ton, der mich mit Entsetzen schlug und mir das Blut schier stocken machte. Da war niemand in der ganzen Straße zu sehn, noch öffnete sich irgendein anderes Fenster; denn die Leute zeigten jetzt keinerlei Neugier in keinem Fall, noch konnte einer dem andern helfen, so ging ich also fürbaß in die Bell Alley.«

Er schildert die Spuren eines Kannibalenmahls im *Robinson*: »Als ich hinkam, gefror mir das Blut in den Adern; mein Herz schien vor dem grausigen Schauspiel zu stocken; es war in der Tat ein schrecklicher Anblick, für mich wenigstens, indes Freitag unbewegt schien. Der Platz war mit Menschenknochen bedeckt, der Boden von Menschenblut gefärbt, große Brocken Fleisch lagen noch herum, halbverzehrt, zerstückelt und versengt; kurz, lauter Spuren dieser Siegesfeier, die sie hier abgehalten hatten, nach dem Triumph über ihre Feinde. Ich sah drei Schädel, fünf Hände und die Knochen von drei oder vier Beinen oder Füßen und eine Menge anderer Körperteile, und Freitag gab mir durch Zeichen zu verstehn, daß die Kannibalen vier Gefangene mitgebracht hatten, um sie zu verspeisen, und drei davon verzehrt waren, und er, wobei er auf sich selber deutete, der vierte war ... Und ich begann wirklich, diese Kreatur zu lieben, und er seinerseits, glaube ich, liebte mich mehr, als er irgendwas zuvor hatte lieben können ...«

Von den drei Bänden des *Robinson Crusoe* ist der erste Teil eines der meistgelesenen Bücher der Welt; der zweite Band, obgleich er mit dem ersten Band oft zusammengedruckt ist, wird von einem Leser unter zwanzigtausend Lesern des ersten Bandes gelesen; der dritte Band wird von einem auf eine Million Leser des ersten Bandes gelesen und wird nie neugedruckt.

In der Einleitung zum dritten Band sagt Defoe, Robinson sei seine okkulte Autobiographie, er berichtet seine eigenen überraschenden Abenteuer, er habe selber alle Arten von Gewaltsamkeit und Unterdrückung erlitten, ungerechte Vorwürfe und Verachtung der Menschen, er habe unzählige Aufstiege und Abstürze des Schicksals erlebt, und hätte er all das beschrieben, so hätte es einem Angriff gegen die Zeitgenossen geglichen, den sie voller Ressentiments oder gar nicht gelesen hätten.

Alfred erzählte: Die berühmten Literaten der augusteischen Epoche, Pope und Swift, verachteten Defoe als einen literarischen Außenseiter, der für Fischweiber und Dienstmädchen schrieb. Ihn kümmerte das wenig. Dean Swift sagte von Defoe: *An illiterate fellow whose name I forget,* ein Analphabet, dessen Namen ich vergesse ... Aber er ließ sich von Defoe beeinflussen, vom *Robinson Crusoe* und von einer Reise zum Mond, einem satirischen Pamphlet Defoes. Gelegentlich schrieb Defoe ein ganzes Pamphlet gegen Swift.

Defoe war mehr ein Literaturhändler als ein Literat, gab Silvia zu. Als Pope die kleinen Skribenten in Grub Street, die großen *Duns* oder Dummköpfe in seiner Dunciad angriff, da schrieb Defoe einen Brief, signiert »Anti-Pope«, an *Applebee's Journal* 1725: »Schreiben nämlich, Mr. Applebee, wurde ein sehr beachtlicher Zweig des englischen Handels ... Die Buchhändler sind die Fabrikanten oder Chefs. Die verschiedenen Schriftsteller, Autoren, Kopisten, Unterschriftsteller und alle andern Handwerker mit Feder und Tinte sind die Arbeiter, die bei diesen Fabrikherren angestellt sind.«

Der Roman galt damals schon als subliterarisch. Defoe, der erste moderne englische Romancier, schien also eine subliterarische Figur. Unabhängig von Mäzenen und Patronen wandte er sich an ein neues breites Publikum und spottete der kritischen Maßstäbe der Literaten. Er schrieb für ein oder zwei neue Klassen: für den Mittelstand und das »Volk«.

Defoe wollte ein nützlicher Schriftsteller sein. Er sagte: »Der Charakter eines guten Schriftstellers, wo immer man ihn auch finde, zeigt sich darin, daß er schreibt, um zur selben Zeit zu gefallen und zu nützen.«

Übrigens zeigte Defoe so konstant Armut und Unglück als Folge sozialer Umstände, daß man ihn als einen Propheten der sozialkritischen Literatur rühmte. Es war aber der Reformgeist des Protestanten, der sprach. Defoe war voller Empörung gegen alles Unrecht und ein früher Kritiker sozialer Übel. Er schrieb gegen die Wahlkorruption; die Mißhandlungen, die Verrückte und Schuldner erleiden mußten; die Vernachlässigung der Waisen und die Ausbeutung unerwünschter Kinder durch Engelmacherinnen, und zumindest die ärgsten Auswüchse des Sklavenhandels.

William Shakespeare 1564–1616   *Benjamin Jonson 1573–1637*

Oliver Goldsmith (1728–1774), Boswell (1740–1795) und
Samuel Johnson (1709–1784), in einer Londoner Taverne

Alexander Pope (1688–1744) mit John Arbuthnot (rechts, 1667–1735)
um 1718 in Button's Kaffeehaus

Lady Mary W. Montagu 1689–1762　　*Horatio Walpole 1717–1797*

William Shakespeare 1564–1616   *Benjamin Jonson 1573–1637*

Oliver Goldsmith (1728–1774), Boswell (1740–1795) und
Samuel Johnson (1709–1784), in einer Londoner Taverne

*Alexander Pope (1688–1744) mit John Arbuthnot (rechts, 1667–1735)
um 1718 in Button's Kaffeehaus*

Lady Mary W. Montagu 1689–1762   *Horatio Walpole 1717–1797*

William Shakespeare 1564–1616 *Benjamin Jonson 1573–1637*

*Oliver Goldsmith (1728–1774), Boswell (1740–1795) und
Samuel Johnson (1709–1784), in einer Londoner Taverne*

*Alexander Pope (1688–1744) mit John Arbuthnot (rechts, 1667–1735)
um 1718 in Button's Kaffeehaus*

Lady Mary W. Montagu 1689–1762

Horatio Walpole 1717–1797

Swift machte sich über Defoes Praxis und Theorie ebenso wie über die Sprachideale Lockes und der Royal Society lustig. Sein Gulliver besucht in Balnibarbi die große Akademie zu Lagado, den Tummelplatz von lauter Projektenschmieden. Einer dieser gelehrten Projektenmacher will die Worte abschaffen, da die stete Anstrengung des Redens die Lungen abnutze. Statt mit Worten sollten die Gelehrten mit den Dingen selbst sprechen, wofür die Worte stehn. Wenn zwei Gelehrte sich begegnen, gehn beide gebückt unter der Last eines Sackes voll der Dinge, die ihnen statt der Worte dienen, welche diese Dinge bezeichnen. Sie legen die Säcke hin, ziehen die Dinge heraus und beginnen stumm mit den Dingen zu manipulieren, will sagen, damit zu sprechen. Nach einer oder zwei Stunden solch eines anschaulich stummen Ding-Dialogs packt jeder seine Gegenstände wieder ruhig in seinen Sack, liebevoll helfen sie einander, die schweren Säcke wieder auf den Rücken zu heben und gehn stumm auseinander.

Der arme Defoe, erwiderte ich. Wie hat er nun wirklich gelebt? War er eitel? Im Alter schrieb er: *Never, Ladies, marry a Fool!* Nie, meine Damen, heiraten Sie einen Narren! Er war kein Narr! War er glücklich? Mit sich zufrieden? Was hielt er von sich? Dachte er zuweilen, er sei ein Patriot? Ein Puritaner? Ein guter Mensch? Ein großer Dichter? Ein Moralist? Wußte er, daß er ein Zyniker war? Wußte er, daß er ein Geheimagent, ein Spitzel, ein Lügner war?

Du übertreibst? fragte Silvia.

Welchen Sinn hat es, rief ich aus, ein Moralist zu sein, zu entbehren, zu verzichten, Opfer zu bringen, sich zu zügeln und zu zähmen, kurz ein guter Mensch zu sein, wenn der Böse besser lebt und zufriedener mit sich ist und mehr geliebt wird? Wonach soll man die Dichter beurteilen? Nach dem Glanz und der Glätte ihrer Verse? Nach ihren unvergeßlichen Figuren und Szenen? Nach ihren moralischen Tendenzen? Nach ihren guten Handlungen und Sitten? Erkennt man nicht den Bösen in seinen guten Versen? Kann man sich am Bösen freuen? Darf man den *Robinson Crusoe* den Kindern, ja den

Erwachsenen empfehlen, wenn der Autor solch ein Lump war? Oder willst du den Defoe verteidigen? Hat der Leser keine moralische Forderung an den Autor? Welche Ansprüche hat dagegen der Autor an seine Leser? Muß auch der Leser ein Moralist sein?

Wenn du schon so viele Fragen stellst, sagte Alfred, so frage neben der literarischen Schuld auch nach den literarischen Schulden Defoes. Wieviel verdankte Defoe dem Lesage, dessen *Gil Blas* lange vor dem *Robinson* zu erscheinen begann?

Und wieviel danken die Londoner erst den Cafés? fragte Silvia. Dort wurden sie so beredt, wie einst die Athener auf der Agora, die Römer auf ihren Foren und bei ihren Gastmählern, oder die Pariser in ihren Salons.

Dank der Anmut der Pariserinnen, rief Alfred. Zwar hat Voltaire diese »bureaux d'esprit« ausgelacht, »diese Gesellschaften, wo immer eine Frau herrscht, die zur Abendröte ihrer Schönheit die Morgenröte ihres Geistes leuchten läßt.« In den Londoner Cafés gab es keine Frauen, doch wurden die Dichter dort witziger, und die Londoner wurden gesittet und Gentlemen und Snobs. Ihre Zeitschriften wurden geistreich, ihre Manieren elegant, ihre Politik bekam die Farbe der Moral. Human zu sein, erschien den Besten des Zeitalters als ein Ideal, auch einem Swift, der sich als Menschenfeind verkleidet hat.

Man ging aus Neugier und Klatschsucht ins Café, aber auch aus Wissensdurst und um die Menschen kennenzulernen. Statt mit dem Degen stach man mit Bonmots. Das halbe Volk stand mit der andern Hälfte in steter Kontroverse. Um zu streiten, ging man ins Café. Die ersten Klienten wurden Wits und Rakes. Literaten und Lumpen bildeten gelehrte Clubs im Café, den »Gelehrten Club« im *Grecian,* die »Rota« bei *Miles.* Im Wind der Freiheit schwebten Utopisten und Exzentriker wie zwischen Wolken.

James Harrington reiste durch Europa. In Venedig bewunderte er die Verfassung. Er beschrieb seine ideale *Republik von Ozeanien.* Er widmete sie 1656 dem Oliver Cromwell; der

Diktator starb, das Buch wurde verboten. Noch unter der Herrschaft der Puritaner gründete Harrington im *Türkenkopf* bei Miles seinen »Kaffee-Club«; nach seinem Plan, die Parlamentarier alljährlich abwechseln, »rotieren« zu lassen, hieß der Club auch »Rota«. Ein Amateur-Parlament, eine offene Gesellschaft ingeniöser Gentlemen, saß jeden Abend um einen großen ovalen Tisch, wo Miles selber den Kaffee servierte. Da kamen Politiker, Parlamentarier, Earls oder Virtuosi, wie Samuel Pepys oder ein andrer großer Anekdotenerzähler, Sir Henry Blount, der »Vater der englischen Cafés«; das war ein Puritaner, der ein Royalist war, den Alkohol verabscheute und nach Reformen dürstete.

Sie diskutierten voller Erbitterung, wie man die Zeiten wieder zu goldenen machen, und voller Optimismus, wie man das Parlament und das Jahrhundert reformieren könnte. Sie verbreiteten sich über die eigene Literatur und die Moral der andern. Die Sitten waren leicht, die Regeln streng. Man war gewichtig, feurig, naiv und smart. Es gab eine Wahlurne, man konnte mitten im Streit auf Antrag abstimmen, um mit Stimmenmehrheit zu beschließen, daß der liebe Gott ein Vernunftwesen sei, und Hobbes ein Zyniker, daß man Könige köpfen dürfe, und andre Bagatellen. Der wilde Reformer Prynne griff Bischöfe, Bühne und Sport an. Am Pranger schnitt man ihm die Ohren ab. Man verurteilte ihn für Lebenszeit zum Kerker. Man brannte ihm auf die Wange die Buchstaben SL ein, *seditious libeller*, aufrührerischer Verleumder. Er übersetzte es mit *stigmata laudis,* Male des Ruhms. Der Badeort Bath sandte ihn unter der Restauration als Abgeordneten ins Unterhaus. Seine Reformen trug er im Café vor.

Es gab vor der »Rota« vier berühmte Clubs, berichtete Silvia. »La Court de Bone Compagnie« unter Henry IV.; Sir Walter Raleighs »Friday- oder Bread Street Club«; Shakespeares »Mermaid Tavern«; Ben Jonsons »Club in der Teufelstaverne« in Fleet Street.

Im »Gelehrten Club« des *Café Grecian* saßen Christopher Wren, Robert Boyle, Isaac Newton und andre Mitglieder der

Royal Society. Im *Grecian* saßen die jungen und alten Juristen von Temple Bar. Später waren Oliver Goldsmith und Richard Steele Stammgäste. Die Literaten gingen auch zu *Tom's*; ihr berühmtestes Café war aber die *Rote Kuh* von William Urwin, es hieß *Will's* oder *Wit's*.

Am selben Tisch verglichen Bischöfe und Straßenräuber die himmlische mit der irdischen Gerechtigkeit. Ordensgeschmückte Earls stritten mit Indexmachern in zerschlissenen Röckchen über den Vorrang der modernen oder der antiken Schriftsteller. Lehrlinge, die einen Penny opfern konnten, lauschten Parlamentariern, die mit Virtuosen über die Systeme des Ptolemäus und des Copernicus diskutierten. Wits und Rakes förderten den Fortschritt von Regierungen und Religionen.

The Rake's Progress? fragte Silvia und lachte dermaßen über ihren eigenen Witz, daß ein Knopf ihrer Bluse aufsprang.

Ihr Gatte errötete. Silvia und ich tauschten einen Blick und lächelten über ihn.

Alfred erzählte: In einer Diskussion über die drei besten Neuerscheinungen bewies Sir William Petty, der Mann von der Straße habe kein literarisches Urteil; er verstehe sich auf Trinken und Essen, Sport und Tanz; da schnitten die Dümmsten am besten ab. Welcher bessere Herr tanze besser als sein Tanzlehrer, fiedle besser als der erstbeste Fiedler?

Will's und *Grecian* waren für ihre Satiren und Sonderlinge berühmt. Die Literaten polemisierten gruppenweis, Café gegen Café. In Gruppen schrieben sie ihre Satiren. Aus demselben satirischen Café-Club kamen Meisterwerke wie Popes *Lockenraub* und *Gullivers Reisen* von Swift. Das *Café Grecian* verfaßte eine Satire auf John Dryden, den ungekrönten König von *Will's*, und *Will's* erwiderte mit einer Gegensatire.

Seit 1681 tagten in zwei verschiedenen Räumen, an drei separaten Tischen der »Grave Club«, der würdeschwere Club der Politiker, und – nach einem Einfall des Spielers Captain Swan – der »Rabble Club«, mit dem großen Pöbel, und der »Witty Club«, der witzige Club mit John Dryden, dem Hofdichter, mit Jonathan Swift, dem irischen Dechanten, mit Wycherley und Congreve, die Komödien schrieben und wie in einer ihrer Komödien lebten, mit Steele und Addison, den Humoristen, die ihre Moral in Fortsetzungen lieferten, in ihren figurenreichen Essays. Dreißig Jahre lang bestimmte *Will's* den literarischen Geschmack von England. Im Café fanden die Literaten ihre Inspiration, ihr Thema, ihr Publikum; sogar Staatsgeschäfte wurden zuweilen dort abgehandelt.

John Dryden saß ein halbes Leben lang bei *Will's*. Er war umgeben von seinen Bewunderern, leibhaftigen blühenden Schatten, lauter Kopisten und Kopien von Dryden. Alle standen wie Wachen bereit, nach dem boshaften Wort von Shaftesbury, um die Waffen gegen jeden Kritiker von Dryden zu ergreifen. Um seinen Stuhl war ein Gedränge. Es war ein Privileg, ihn zu grüßen, und ein Gewinn, sein Urteil über die neueste Tragödie von Racine oder Bossuets Abhandlung der epischen Poesie zu vernehmen. Eine Prise aus seiner Schnupftabaksdose war ein Ruhmestitel. Dryden hieß »das Orakel«. Congreve, Addison, Vanbrugh galten als seine Schüler.

Dieser Diktator der Literatur war ein Sklave der Zeit. Dieser Satiriker verspottete alle, nur sich selber nicht. Er ging mit jeder neuen Regierung konform, er »stellte sich zur Verfügung«, bis er es satt bekam. Defoe schrieb im *Consolidator* über Dryden: »... er hat sein außerordentliches Genie appliziert ... um jeden Tag seine Prinzipien zu wechseln, seine Religion zu wechseln, seinen Rock zu wechseln, seinen Meister zu wechseln und doch seine Natur nie zu wechseln ...«

Dr. Samuel Johnson schrieb in seinem *Leben von Dryden*: »Der Vorwurf der politischen Unbeständigkeit bei dieser Gelegenheit traf so viele, daß er ihm weder Haß noch Schande eintrug; wenn Dryden seine Ansichten wechselte, so wechselte er sie gemeinsam mit der ganzen Nation.«

So wohlfeil läßt sich ein großer Mann entschuldigen? rief Silvia. Die Dummheiten der Masse sind keine Ausrede für einen Mann von Geist. 1659 feierte Dryden den Königsmörder Cromwell, 1660 den neuen König Karl II. Unter Cromwell war er der Sekretär des Kämmerers von Cromwell; unterm

König dessen Hofpoet, Hofhistoriograph und der Nutznießer eines Amtes beim Zoll. Mit einunddreißig Jahren heiratete er die törichte Tochter eines Earls; er machte sie, sie machte ihn unglücklich. Erst schrieb Dryden Hymnen auf die anglikanische Kirche. Unter James II., dem katholischen König, ging Dryden offen zur Messe und schrieb einen langen Hymnus auf die katholische Kirche, ja schmähte Anglikaner und Dissenters mit beißendem Witz. Dieser große Satiriker traf immer ins Schwarze, immer den jeweils Unterlegenen, den *underdog*. Erst als Wilhelm von Oranien König wurde und alle Beamten den Eid gemäß der reformierten Religion schwören mußten, verlor Dryden sein Amt beim Zoll und seine Stelle als Historiograph. Sein alter Feind Shadwell wurde der *poeta laureatus*. Fast sechzig Jahre alt, ging Dryden endlich in die Opposition.

Schon mit dreißig Jahren war »Herr Dryden der Poet« berühmt, erzählte Alfred. Erst mit fünfzig wurde er ein Meister der Satire. Mit sentenziösen Epigrammen verspottete er Literaten, Kirchen und Parteien. Nie war er ein Neuerer. Immer ging er mit dem großen Haufen. Nur sagte er alles besser. Seine Verse waren eitel Musik und Grazie.

> *All, all of a piece throughout;*
> *Thy chase had a beast in view;*
> *Thy wars brought nothing about;*
> *Thy lovers were all untrue.*
> *This well an old age is out,*
> *And time to begin a new.*

> (Ist alles ein Stück durchaus;
> Du jagtest nach einem Tier;
> Aus Kriegen kam nichts heraus;
> Kein Liebster hielt Treue dir.
> Zum Glück ist die alte Zeit aus,
> Und Zeit für die Neuzeit hier.)

Achtzehn Jahre lang schrieb Dryden Theaterstücke fürs Geld, und fürs Vergnügen Vorworte und Prologe sowie den

Essay über die dramatische Poesie. Dr. Samuel Johnson hieß ihn den Vater der englischen Literaturkritik. Nach seinem Sturz schrieb Dryden wieder Stücke fürs Geld, und Vorworte fürs Vergnügen. Auch übersetzte er die lateinischen und griechischen Klassiker. Er und sein Publikum liebten die korrekte Grazie dieser Autoren. Seine Übersetzung des Vergil soll ihm 1200 £ eingebracht haben. Drydens Sprache hatte vom Vergil den festlichen Glanz und von der Volkssprache die naive Natur.

Nicht lang vor seinem Tod schrieb er einer Kusine: »Ich placke mich immer noch, immer ein Poet, und nie ein guter. Ich verbringe meine Zeit zuweilen mit Ovid, zuweilen mit unserm alten englischen Poeten Chaucer; übersetze solche Geschichten, die meiner Laune am besten behagen, und will daneben einige eigene Gedichte bringen ...«

Samuel Johnson berichtete: »Von den zwei Leuten, die ich fand, denen er persönlich bekannt war, erzählte mir der eine, daß man im Lokal, das er frequentierte, in *Will's Café,* bei jedem literarischen Streit an sein Urteil appellierte, und der andre berichtete, daß sein Lehnstuhl, der im Winter seinen fixen Platz beim Feuer hatte, im Sommer auf dem Balkon stand, und daß er diese zwei Plätze seinen Sommersitz und seinen Wintersitz nannte.«

Samuel Pepys ging zu *Will's,* um den Poeten Dryden und alle Wits von London zu sehn. Alexander Pope ging schon mit zwölf Jahren zu *Will's,* um Dryden zu hören.

Dryden empfing alle Welt bei *Will's.* Die Schauspieler und Tom Killigrew, der Direktor, besprachen mit Dryden dessen neueste Stücke. Im *Indischen Kaiser* trat Nell Gwyn zuerst auf; sie war eine Orangenverkäuferin und wurde sechs Jahre später eine der Mätressen des »Lustigen Königs« Karl II. Tom Killigrew hat als erster den frechen Einfall gehabt, Frauen von Frauen spielen zu lassen.

Samuel Pepys sah Nell in der Theatergarderobe, sie war *all unready.* Halbnackt erschien sie ihm so aufregend hübsch, daß er durchs halbe Theater rannte, hin und her, und von der

Bühne bis in den Zuschauerraum, ehe sein Herz weniger heftig schlug. Als Karl II. starb, war sein letztes Wort: »Laßt die arme Nelly nicht darben!«

Der Hofdichter Dryden, Sohn eines puritanischen Baronets, der Schwiegersohn eines Earls, war viele Jahre gut Freund mit den adligen Dichtern bei Hof, dem *mob of gentlemen who wrote with ease,* wie Pope sagte, dem Pöbel der Kavaliere, die mit Grazie schrieben. Diese jungen Hofliteraten liebten und tranken den ganzen Tag, machten obszöne Verse und Witze, gingen vom Hof ins Café, vom Café zum Hof. Das war der *merry gang,* die lustige Bande, der Herzog von Buckingham, der Herzog von Buckinghamshire, der Earl von Dorset, Sir Charles Sedley, Sir George Etheredge, William Wycherley und John Wilmot, der Earl von Rochester. Alle schrieben Komödien. Alle machten Verse. Alle buhlten mit den Musen und den Grazien am Hof. Ihre Degen und ihr Witz waren geschliffen. In die eigene Konversation verliebt, waren sie glänzende Sprecher. Sie hatten alles mitgemacht: Bürgerkriege, Religionskämpfe, die Diktatur, das Exil, die Pest, das große Feuer von London und waren in der Restauration eine ausgelassene Nachkriegsgeneration.

Ihr Philosoph war der alte Thomas Hobbes, der materialistische Autor des *Leviathan,* mit seinem Kampf gegen das »Reich der Dunkelheit«, gegen »Pfaffen und Aberglauben«. Ihr Ideal war der vollkommene Kavalier. Sie trugen den Geist nach der Mode. Sie trugen sich nach der Mode. Sie gebärdeten sich nach der Mode. Sie liebten nach der Mode. Sie wollten ästhetische Helden sein, witzige Wüstlinge. Ihr Reich war die Utopia des Galantuomo, wo das Vergnügen Pflicht ist. Die frechsten Manieren galten als die feinsten. Nur mußte die Frechheit stilisiert sein. Es war die goldne Zeit der Satire. Die Puritaner parodierten die Wüstlinge und diese die Puritaner. Wenn die Hofliteraten ihr eigenes Leben beschrieben, in ihren frivolen Sittenkomödien, erschien das unverstellte Abbild wie die grausamste Parodie; denn sie lebten bereits die Parodie. Die alte Gesellschaft starb in Gelächter über sich selber.

Burleske, Badinage, Ridicule wurden damals englische Fremd-worte. Satiren und Komödien waren charakteristisch für die Zeit der Restauration, ebenso Zynismus und barbarisches Blutvergießen um einer theologischen Nuance willen. Die Zeit nahm sich selber nicht mehr ernst. Nach der eisernen Diktatur Cromwells genoß man Ausschweifungen im Dutzend. Unsittlichkeit galt für amüsant.

Der Earl von Rochester schrieb sogar eine *Satire auf die Menschheit*. Er war ein intellektueller Abenteurer wie Marlowe, Blake und Byron oder D. H. Lawrence. Voltaire, der ihn in London traf, hieß ihn einen genialen Menschen und großen Poeten. Wie Swift und Rousseau protestierte Rochester gegen die kommende Orthodoxie der Aufklärer. Er griff die Zivilisationsliteraten wie Voltaire und Diderot, Addison und Johnson an, noch ehe sie zur Herrschaft gelangt waren. Die Zivilisation erschien ihm wie ein Gefängnis. Auf dem Sterbebett ward er mit Hilfe des Bischofs Burnett beinahe ein Christ – und widerrief es. Im Leben ging er mit wissenschaftlichem Eifer ans Studium des kompletten Vergnügens, ein Fanatiker des Pläsiers. Einmal ließ der künftige Christ durch gemietete Totschläger den Dryden auf seinem Heimweg in die Gerrard Street blutig schlagen, aus Irrtum obendrein; er hielt den Dryden für den Autor des *Essay über die Satire*, den Mulgrave geschrieben hat. Dabei war Rochester ein Mäzen mancher Poeten gewesen, auch von Dryden.

Auch der Herzog von Buckingham griff den Dryden bei *Will's* tätlich an, weil Dryden ihn einen »Scharlatan und Possenreißer« geheißen hatte. In Buckinghams Komödie *Die Theaterprobe* behauptete gar eine der Figuren, Dryden habe ihr gestanden, er ginge in die Cafés der Wits, um die Kunst des Plagiats zu üben.

Auch Matthew Prior und der Earl von Halifax hießen Dryden in einer Parodie einen Plagiator. »Ich hörte viel vom Café der Witzbolde sprechen ... wo Priester ihren Kaffee schlürfen, Stutzer und Poeten ihren Tee. Hier frieren Zerlumpte, dort sitzen fesche Kavaliere ... Aber über allen thront der poetische Richter vom Heiligen Geist, der in der Dunkelheit seines Ruhmes sitzt; wie der Mond, der alles Licht geliehen hat, mit dem er diese irdischen Gegenden erleuchtet, so scheint auch jener und spiegelt von ferne die Strahlen wider, die er von einer besseren Leuchte geliehen hat, nach den Regeln eines Corneille und Rapin, bewundert von der ganzen schreibenden Herde unten, indes er unerschütterliche Wahrheiten verkündet. Es beweist Abtrünnigkeit ... und wird zum Ärgernis, an ihm zu zweifeln oder eurer eigenen Vernunft zu trauen.«

Lange nach Drydens Tod schrieb Sir Richard Steele in seiner Zeitschrift *The Tatler,* daß *Will's* seinen Charakter verloren habe. Zu Drydens Lebzeiten hielten die Gäste Lieder, Epigramme und Satiren in den Händen, jetzt nur Spielkarten. Es säßen auch noch einige Kleingeister da, *the lesser wits,* »die kurz nach der Restauration ein Epigramm unter einigem Applaus geschrieben hatten und seither von diesem Beifall und Ruhm gezehrt haben und vierzig Jahre lang ständige Besucher dieses Cafés geblieben sind.«

Dr. Samuel Johnson, sagte Silvia, hat *Das Leben von Savage* geschrieben; Richard Savage war ein Stammgast bei *Will's* und *Button's,* ein unglücklicher Bohemien, wie Villon und Marlowe, Christian Günther und Paul Verlaine. Er war einer der literarischen Tagelöhner von Grub Street, die fürs trockene Brot schrieben. Es gab mehr Literaten als Leser. Pope beschrieb in seiner *Dunciad* Grub Street, diese »Höhlen voll Armut und Poesie«. Der Buchhändler Edmund Curll ließ seine Übersetzer, Indexmacher, Pamphletschreiber in Schichten schlafen, drei nacheinander im selben Bett, jeder acht Stunden lang.

In seiner Autobiographie *Der Bastard* erzählte Savage, er sei der natürliche Sohn von Lord Rivers und der Gräfin Macclesfield, die ihn bei einer Amme ausgesetzt, welche ihn wiederum zu einem Schuster in die Lehre gegeben habe. Die Königin Charlotte unterstützte ihn. Der Dichter Alexander Pope zahlte ihm in aller Stille eine Rente. Dr. Johnson schrieb:

»Seine Armut war so groß, daß nur wenige sie mit gleicher
Geduld hätten ertragen können ... Er lebte gewöhnlich vom
Zufall, aß nur, wenn er von Bekannten zu Tisch geladen war,
was ihm aber wegen seiner schäbigen Kleider oftmals verwehrt war, außer der Gastgeber hielt sich für hinreichend bezahlt durch den Glanz und Reichtum der Konversation von Savage ... Auch sein Logis dankte er nur dem Zufall. Er schlief
oft in jenen Elendsquartieren, die bereitwillig nachts alle zu-
fälligen Vagabunden aufnehmen, zuweilen in Kellerräumen,
im Tumult und Schmutz der Armseligsten und Liederlichsten
unterm Pöbel. Wenn er manchmal sogar die paar Pfennige
fürs Obdachlosenasyl nicht aufbrachte, so wandelte er bis zur
Erschöpfung durch die Straßen und legte sich im Sommer auf
eine Holztreppe oder im Winter mit seinen Elendsgefährten
auf die Asche in einem Treibhaus. Savage fastete so lange,
daß er den Geruch von Fleisch nicht mehr ertrug. Ein Freund
hinterlegte Kleider für ihn anonym in einem Café. Savage
mied das Café, bis das verhaßte Almosen entfernt wurde. Das
war Savage, der die Freiheit besang:

> »*From Liberty each noble science sprung,*
> *A Bacon brighten'd and a Spencer sung,*
> *A Clarke and Locke new tracts of truth explore,*
> *And Newton reaches heights unknown before.*«

> (Durch Freiheit jede Wissenschaft entsprang,
> ein Bacon glänzte, und ein Spencer sang,
> Locke wie Clarke der Wahrheit Bahn erspürt,
> Newton zu unbekannten Gipfeln führt.)

Aber die Gönner von Richard Savage starben oder zürnten
ihm wegen seiner unbezwinglichen Trunksucht und seines un-
dankbaren wüsten Lebens; Mäzene erwarten nüchterne und
dankbare Arme mit sauberen Vorhemden; die Schuhe dürfen
Löcher haben, doch müssen sie blank geputzt sein. Niemand
kümmerte sich um ihn, außer dem buckligen Dichter Pope, der
»sich mehr mühte, Savage nicht zu kränken, als ob sein Brot

von Savage käme, und nicht umgekehrt.« Eine Kaffeehauswirtin ließ den Savage beim Abendessen verhaften, da er ihr acht Pfund schuldete.

Als Pope eines Tages, um Savage endlich zu erziehen, ihm schrieb, er würde ihm nicht mehr helfen, wenn Savage ihn nicht ausdrücklich darum bäte, da glaubte der arme Savage, daß sein letzter Freund auf Erden ihn nun auch beschämen wollte. Er sah sich verlassen. Einige Tage später starb er in Verzweiflung im Schuldgefängnis zu Newgate, sechsundvierzig Jahre alt.

Pope hatte angenommen, Savage habe sein Vertrauen mißbraucht. Vielleicht hatte es Savage getan. Bald wurde Pope unruhig und schrieb dem Aufseher von Newgate und fragte nach der Höhe der Schulden von Savage, um ihn auszulösen. Dieser Brief langte nach dem Tode von Savage an.

Auch gegen Savage mietete ein Literat, den Savage in einem Pamphlet angegriffen hatte, einige Totschläger, die ihn im Café suchten. Savage entkam mit genauer Not. In *Robin's Café* wurde bei einer Schlägerei ein Gast tödlich verwundet. Savage wurde zum Tod verurteilt und vom König begnadigt.

Auch Jonathan Swift kam zu *Will's,* erzählte Silvia. Sein Studiengefährte William Congreve, mit 23 Jahren berühmt und später ein intimer Freund der Herzogin von Marlborough, auch von Swift und Pope und Steele, führte eines Tages Swift zu *Will's.* Dryden, ein Vetter Swifts, las Oden des jungen Mannes und sagte: »Vetter Swift, Sie werden nie ein Poet sein.«

Swift schrieb später in seinen *Hinweisen zu einem Essay über Konversation:*

»Die schlechteste Unterhaltung, die ich meiner Erinnerung nach je im Leben gehört habe, wurde in *Will's Café* geführt, wo die *Wits,* wie man sie hieß, vormals zusammenkamen; das heißt fünf oder sechs von ihnen, die Stücke, oder zumindest Prologe geschrieben oder an irgendeiner Prosasammlung teilgenommen hatten, kamen dorthin und unterhielten einander mit ihren unbedeutenden Werken auf eine so bedeutsame

Weise, als wären das die edelsten Anstrengungen der menschlichen Natur, oder als hingen die Schicksale von Königreichen davon ab; und gewöhnlich saß und stand um sie herum eine demütige Zuhörerschaft von jungen Studenten aus den Gerichtshöfen und den Universitäten, die bei gehörigem Abstand ihren Orakeln lauschten und voll großer Verachtung für ihr Jus und ihre Philosophie heimgingen, ihre Köpfe voll von einem Unsinn, den sie aber für Lebensart, Literaturkritik und schöne Literatur hielten.«

Da hast du deinen Swift, sagte Silvia und stieß mich mit dem Ellbogen an. Glaubst du immer noch, daß er der größte Autor seines Jahrhunderts war? Und ist er nicht dein Feind? Ein Menschenfeind! Ein Pessimist! Ein undeutlicher Satiriker, der nie genau gesagt hat, was er eigentlich will? Vielleicht erstrebt er die tugendhafte Langeweile seiner Gäule, der *Houyhnhnms,* dieser vierfüßigen Sonntagsschüler im Stall, die nicht mal stinken wie die *Yahoos*? Die Menschen stinken, sagt Swift. Ja, sage ich, aber sie leben, und mir riechen sie besser als alle Blumen der Erde. Die Menschen sind niederträchtig? Sie führen den endlosen Krieg gegen ihre Gattung? Sie könnten so gut sein, sie könnten so herrliche Taten vollbringen? Sie könnten so glücklich leben und verderben es immer, brutal und dumm? Sie sind nicht denkende Wesen, nicht einmal der Vernunft fähige Wesen? Ach, mich entzücken sie, und wenn hundert Satiriker recht haben! Sie begeistern mich, und wenn sie sich niedriger zeigen als das gemeinste Tier. Ich liebe die Menschen! Siehst du! Ich liebe sie alle, sogar dich, mein Freund.

Das mag drei Gründe haben, erwiderte ich und lächelte geschmeichelt. Du liebst die Menschen, weil du dich selber liebst. Oder du liebst nur eine falsche Vorstellung vom Menschen. Oder du glaubst, alle Menschen zu lieben, weil du einen liebst.

Du meinst Alfred? fragte Silvia und machte ein so neugieriges Gesicht, als hätte ich ihr wirklich etwas Neues zu sagen.

Alfred ließ mir nicht Zeit zu antworten. Er sagte: Der

große Dr. Samuel Johnson erklärte, Arbuthnot sei das größte Universalgenie zur Zeit der Königin Anne gewesen.

Dieser Schatten von Swift, fragte ich, dieses schwache Echo? Ein Doktor der Medizin?

Und Dean Swift? Ist ein Vorsteher eines Kirchensprengels in Dublin um so viel besser als der Leibarzt einer Königin von England?

Arbuthnot war ein armer Schotte, sagte Alfred. Mit achtunddreißig Jahren ward er – 1705 – Annes Leibarzt. Sechsundvierzig Jahre war er alt, da traf er den Dean Swift. Das machte ihn zu einem Autor. Er schrieb Pamphlete, die man Swift zugeschrieben hätte, wenn Swift sie nicht im *Tagebuch für Stella* abgeleugnet hätte. Swift hielt ihn für den witzigsten seiner Freunde. Arbuthnot war sanft und sorglos und ließ seine Kinder aus seinen Manuskripten Drachen machen.

Arbuthnot erfand die Figur des *John Bull,* in einer Geschichte mit dem Titel *Das Gesetz ist eine grundlose Grube,* die später *Die Geschichte von John Bull* hieß. Das Kapitel, worin empfohlen wird, alle blauäugigen Kinder dem Laster zu widmen, schreibt man Swift zu. Die meisten Schriften ließ Dr. Arbuthnot aber einfach liegen. Was er publizierte, erschien anonym. Sechzehn Jahre nach seinem Tode sammelte man in zwei Bänden seine *Vermischten Schriften.* Sein Sohn protestierte. Wer weiß, was wirklich von Arbuthnot, und was von Swift oder andern Freunden stammt. Viele lustige Ärzte wie Dr. Arbuthnot saßen in den Cafés der Wits und schrieben mit ihnen um die Wette. Schreiben steckt an. Pope richtete seine beste poetische Epistel an Dr. Arbuthnot. Swift sagte, der Doktor sei so human wie witzig.

Die Geschichte des John Bull verspottete (um den Frieden zu stärken) den gestürzten Feldherrn, den Herzog von Marlborough, gegen den auch Swift in Nr. 17 des *Examiner* seine Satire publiziert hatte, *The Rewards of Marlborough, der Lohn von Marlborough.*

Ein anderer Arzt, erzählte Silvia, Bernard de Mandeville,

von holländischer Herkunft, gleichfalls ein skurriler Kaffee-haushumorist, bewies in seiner *Fabel von den Bienen,* oder *Private Laster, öffentliche Vorurteile,* daß private Laster nur Geld und Arbeit unter die Leute brächten. Erst als die Bienen tugendhaft wurden, ging sein Bienenstaat zugrunde, der prosperiert hatte, als die Bienen noch lasterhaft waren.

Kennst du die Geschichte vom »Scriblerus Club«? fragte Alfred. Dieselben Wits gingen von Café zu Café, von Club zu Club. Swift ging in ein halbes Dutzend Clubs und Cafés, von *Will's* zu *Button's,* schräg gegenüber, wo Pope und Dr. Arbuthnot saßen, und Addison und Steele, Richard Savage und der Arzt Dr. Samuel Garth, der auch ein Dichter war, und der Maler Sir Godfrey Kneller aus Lübeck. Bei *Button's* wurden Swift und Arbuthnot Freunde. Walter Scott hat diese Geschichte von Dr. Wall aus Worcester, dem Dr. Arbuthnot selber sie erzählt hat:

Als Dr. Arbuthnot eben einen Brief beendet und vergebens nach einer Büchse mit Streusand sich umgeblickt hatte, reichte er den Brief seinem Nachbarn, diesem sonderbaren kleinen Mann, den keiner kannte. Da, streuen Sie Sand drauf! Swift nahm den Brief und sagte, ich habe keinen Sand, aber ich kann Ihnen mit ein wenig Blasengries aushelfen. Er sagte es so demonstrativ, daß der Dr. Arbuthnot ihm den Brief entriß.

Manchmal setzte sich auch Jemmy Maclaine zu ihnen, ein Krämer von Welbeck Street, der nach dem Tod seiner Frau zum Straßenräuber wurde, ein großer, prahlerisch schöner Mann, der den hübschen Mädchen nachguckte und mit Buttons Tochter an der Bar flirtete. Als ein Herr Donaldson, der zu viel von Maclaine wußte, den Vater im Interesse der Tochter warnte, kam Maclaine am nächsten oder übernächsten Tag in *Buttons Café* gradwegs zu Donaldson und sagte laut: Herr Donaldson, kommen Sie mal nebenan, da muß ich Sie unter vier Augen sprechen. Das gerade wollte Donaldson nicht und erwiderte keck: Sagen Sie nur alles jetzt und hier! – Sehr wohl, sagte der Räuber anzüglich, wir treffen uns noch. Und erwartete ihn hinterm Gebüsch auf einer einsamen Straße nach Richmond, auf seinem Gaul. Donaldson sah ihn und fürchtete mit Recht um sein Leben, aber zum Glück kam eine Kutsche, und Maclaine ging dieser Beute zuerst nach. Donaldson rannte um sein Leben bis Richmond. Einige Tage später ward Maclaine gefangen und bald zu Tyburn gehängt.

Swift besuchte auch regelmäßig in Pall Mall das *Smyrna Coffeehouse* und *St. James Café*. Anfangs pflegte er seinen Hut auf den Tisch zu legen und schweigend durchs Kaffeehaus etwa eine halbe Stunde lang spazierenzugehen, seinen Gedanken hingegeben, ohne den Gesprächen der andern zu lauschen oder sie zu gewahren, bis er seinen Penny dem Fräulein an der Bar entrichtete und schweigend sich entfernte. Man hieß ihn den tollen Pfaffen.

Eines Abends unterbrach er, in Gegenwart von Addison und andern, sein kurioses Schweigen und fragte einen frisch eingetroffenen Landjunker in Reitstiefeln: Bittschön, Herr, hatten Sie mal gutes Wetter in der Welt? Der Landjunker starrte ihn verblüfft an und erwiderte schließlich: Aber ja, guter Mann, ich erinnere mich gottlob in meinem Leben an einen Haufen von Schönwetter.

Mehr als ich sagen kann, erwiderte Swift. Mir kommt kein Wetter in den Sinn, das nicht zu heiß oder zu kalt war, zu feucht oder zu trocken, aber wie immer auch Gott der Allmächtige es anstellt, am Ende des Jahres ist alles vortrefflich geraten.

Swift gehörte auch zum »Oktober Club«, der nach dem Oktoberbier seinen Namen führte und in der *Bell Tavern* in King Street zusammenkam, lauter Tories. 1771 schrieb Swift seiner Stella: »Wir werden hier mit einem ›Oktober Club‹ geplagt, das ist eine Schar von etwa hundert Abgeordneten aus ganz England, die zu Hause Oktoberbier trinken und jeden Abend in einer Taverne nahe dem Parlament zusammenkommen, um ihre politischen Geschäfte zu bereden und extreme Pläne gegen die Whigs auszudenken.«

Für einen andern Club – »Brothers Club« – entwarf Swift

Daniel Defoe 1660–1731   Jonathan Swift 1667–1745

In Garraway's Kaffeehaus im späten 18. Jahrhundert

Lloyd's Kaffeehaus in der Lombard-Street im späten 18. Jahrhundert

Lloyd's Kaffeehaus im 19. Jahrhundert. Gründungsstätte der »Lloyd News« (seit 1696) und der gleichnamigen Versicherung

die Regeln, »zur Förderung der Konversation, der Freundschaft und einer zweckfremden Bildung ...« »Wir nehmen nur Männer von Witz herein«, sagte Swift, »nur interessante Menschen; und wenn wir fortfahren, wie wir beginnen, so wird kein andrer Club in London der Rede wert sein.«

Der Präsident war Dr. Arbuthnot, er gab im *Café Ozindas* in St. James ein Abendessen, das in der Küche der Königin zubereitet wurde und das Swift geschildert hat. Im Auftrag dieses Clubs besuchte Swift »einen armen Poeten, einen Herrn Diaper, der sehr krank war, in seiner schmutzigen Bude. Ich gab ihm zwanzig Guineas von Lord Bolingbroke und bestimmte die andern sechzig für zwei andre Autoren und die restlichen hundert Pfund für den armen Harrison und will sie ihm morgen früh bringen. Ich schickte hin, um zu hören, wie es ihm gehe, und er ist schrecklich krank; und ich war sehr betrübt über ihn; denn er ist mein Geschöpf, ich verschaffte ihm einen sehr ehrenvollen Posten, ganz seiner würdig. Ich aß in der Stadt. Ich mache mir große Sorgen um den armen Menschen. Seine Mutter und Schwester pflegen ihn, und er wünscht nichts ... Ich holte Parnell diesen Morgen ab, und wir gingen zu Fuß, um den armen Harrison zu sehen. Ich hatte die hundert Pfund in meiner Tasche. Ich erzählte Parnell, daß ich mich fürchtete, an die Tür zu klopfen; ich hatte ein schlimmes Vorgefühl. Ich klopfte an, und sein Diener, ganz in Tränen, erzählte, sein Herr sei eine Stunde zuvor gestorben. Denk dir, welcher Kummer das für mich ist! Ich ging zu seiner Mutter und habe alles für sein Begräbnis angeordnet, mit so geringen Kosten wie möglich, morgen um zehn Uhr abends. Der Lordschatzmeister war sehr betrübt, als ich es ihm erzählte. Ich konnte weder mit ihm noch mit sonst jemand speisen und aß nur einen Bissen Fleisch abends. Kein Verlust hat mich je so betrübt! Der arme Mensch!«

Ist das ein Menschenfeind, fragte Silvia, dieser Swift, den eines Freundes Tod so rührt?

Ein Gelegenheitsdichter, erklärte Alfred ohne zu zögern, wie sein Freund, der Dr. Arbuthnot. Die beiden hatten den

»Scriblerus Club« im Jahre 1713 gegründet, mit Alexander Pope und dem irischen Poeten Thomas Parnell und John Gay und dem Bischof Atterbury, unterm Beifall von Robert Harley und Congreve und Addison, um, wie Pope sagte, »alle falschen Geschmäcker auf jedem Gebiet der Bildung zu verspotten«. 1714 regte Alexander Pope eine gemeinsame Satire auf alle Pedanten an, in der Form von Memoiren eines fiktiven Pedanten namens Martinus Scriblerus. Der plötzliche Sturz der Tories nach dem Tod der Königin Anne zerstreute die Mitglieder des »Scriblerus Club«. Swift kehrte nach Irland zurück.

Aus diesem Club gingen Swifts *Gullivers Travels* und Popes berühmte Satire *Die Dunciade* und die *Memoiren vom absonderlichen Leben, von den Werken und Entdeckungen des Martinus Scriblerus* hervor, an denen Dr. Arbuthnot, Swift und Pope mitarbeiteten. Diese burleske Biographie, etwa 1714 geschrieben und 1741 veröffentlicht, war eine umfassende Satire auf die modernen Theorien der Erziehung, Philosophie und Wissenschaften, voll gelehrtem Spott über die Gelehrten, im Stile von Rabelais und Swift und Lawrence Sterne.

Dieser Literatenclub tagte natürlich im Kaffeehaus oder alle Samstag abend im St. James Palast, wo der Leibarzt der Königin Anne, Dr. Arbuthnot wohnte. Da und dort planten sie ihre burleske Biographie. Es waren lauter Literaten und intime Freunde, die ihre literarischen Pläne und Plots diskutierten und ihre Feldzüge gegen ihre literarischen Feinde entwarfen.

Harley, Earl von Oxford, der Chef von Defoe und der Freund von Swift, hatte jenen Pedanten Dr. Martinus getauft, »weil *martin* eine Art Schwalbe ist, und so ist Swift.« Dr. Arbuthnot beschrieb die Erziehung des jungen Scribblerus nach den phantastischen Maximen von Martins Vater. Sterne imitierte ihn später.

Das deutsche Publikum, sagte ich, verachtet Kaffeehausliteraten. In Deutschland heißt ein Literat den andern voller Verachtung einen Literaten. Aber Defoes Robinson und Swifts

Gulliver und die Dunces von Pope und der Dr. Bickerstaff von Richard Steele und der Tristram Shandy von Lawrence Sterne – aus Cafés kamen diese überlebensgroßen Figuren heraus und gehn seitdem in aller Welt spazieren. Herr Shandy mit dem Kapitän Gulliver und Robinson mit Bickerstaff, lauter Überlebendige, Herolde der Menschheit, und doch nur Kaffeehausfiguren von Kaffeehausliteraten.

Petrarca sagte zwar, *le città son nemiche, amici i boschi!* Die Städte sind Feinde, Freunde sind die Wälder. Aber waren nicht die meisten Dichter Großstadtdichter, im alten Athen Euripides und Aristophanes, Sophokles und Menander, Sokrates und Platon, und im alten Rom Vergil und Horaz und Ovid, Plautus und Plutarch und Tibull und Catull? Wohnten nicht alle großen französischen Dichter in Paris, alle englischen großen Dichter in London und die spanischen in Madrid, wie Cervantes, wie Molière und Shakespeare? Und die Italiener und Russen? Nur in Deutschland gab es Dichter auf dem Dorf, wie Goethe und Schiller, Herder und Wieland im »Dorfe« Weimar, und Jean Paul. Aber Lessing lebte in Breslau und Berlin und Heine in Paris. Und die Romantiker, gerade sie mit ihrer Waldeinsamkeit, lebten in Berlin und Wien und Dresden. Und die österreichischen Dichter lebten fast alle in Wien, lauter Kaffeehausliteraten. Die großen Ideen und Institutionen stammen aus den Städten. Sogar die großen Propheten und Visionäre der Wüsten und Ozeane waren Großstädter, die am Meeresstrand und in der Wüste oder auf Bergen spazierengingen. Alle diese Denkmäler des Geistes, alle Schrifttümer und großen Ideen, diese Götter und Religionen, Kosmologien und Moralsysteme sind die Resultate müßiger Kaffeehausliteraten der Antike, aus Babylon und Alexandrien, aus Jerusalem und Peking, die ihre Spiegelbilder in die Urzeiten transferierten. Auf dem Parnaß, auf dem Olymp saßen Kaffeehausliteraten in Göttermasken.

Auch Swift war ein Hymniker des Kaffees und der Kaffeehäuser, behauptete Silvia. Er schrieb so oft an seine beiden ›unsterblichen Geliebten‹, Stella und Vanessa, vom Kaffee, daß mancher Philologe versucht war, jedes Mal, wenn Swift Kaffee schrieb, dafür das Wort Beischlaf zu setzen.

Swift schrieb verschlüsselt, lebte verschlüsselt, liebte verschlüsselt. Er war ein Maskenspieler, ein Autor, der aus Ironie ein anderer Autor zu sein prätendierte, er spricht durch prätendierte Personen in prätendierten Situationen. Pope schreibt in *The Dunciad:*

> *»O Thou! whatever title please thine ear,*
> *Dean, Drapier, Bickerstaff or Gulliver!«*

> (O du! Welch Titel auch gefällt dir mehr,
> Dechant, Tuchmacher, Bickerstaff oder Gulliver.)

Benutzte Swift diese Masken aus literarischen oder psychologischen Gründen, wie Stendhal mit seinen 171 Pseudonymen (und 32 verschiedenen Testamenten), oder hatte er politische und polizeiliche Gründe, seine Satiren nicht als Jonathan Swift zu publizieren? In seiner *Geschichte der letzten vier Jahre der Königin* schrieb Swift, jeder Gelehrte würde sich gegen ein Gesetz wenden, das einen Autor zwingen wollte, seine Werke im Druck mit seinem wahren Namen zu zeichnen, da »alle Personen von wahrem Talent oder von Bildung eine unüberwindliche Bescheidenheit hegen und Zweifel an sich selber in bezug auf ihre ersten Gedanken haben, die sie in die Welt senden«.

Swift liebte Possen und Wortspiele und handgreifliche Scherze. Er schrieb an den Pfarrer Tisdall, Stellas Bewerber, er sollte Stella nach alter Hofsitte mit einem *bite* prellen, ihr nämlich mit vollkommen ernster Miene eine glatte Lüge erzählen.

Seine Possen wurden immer schärfer und wilder mit den steigenden Jahren. In dem »elenden und schmutzigen Hundeloch und Kerker, im *coal-pit«* Dublin, wo er sich im Exil und ganz einsam fühlte, versammelte er doch eine ganze Reihe von Freunden um sich, ja er hielt Hof in seiner Dekanswohnung, er sah den Klerus und die Professoren vom Trinity

College bei sich. Stella und Mrs. Dingley halfen ihm, seine Gäste zu empfangen. Nach Stellas Tod wurden seine Humore immer wilder. Er weigerte sich, eine Brille zu tragen, also las er nicht mehr. Er ritt in Begleitung zweier Diener, da er wegen seiner Schwindelanfälle sich fürchtete. Wenn das Wetter zu schlecht war, ging er die Treppen in seinem Haus auf und ab, um nicht einzurosten.

Als Dean von St. Patrick schützte er die Rechte seiner Untergebenen und die eigenen Rechte gegen seine Vorgesetzten. Er sagte einem frechen Bischof, dieser spreche zu einem geistlichen Herrn, nicht zu einem Lakaien (*to a clergyman and not to a footman*). In seiner Satire beschrieb er Satan als einen irischen Bischof. Er behauptete, England würde die trefflichsten Bischöfe ernennen, aber unseligerweise würden alle neuen Bischöfe auf der Heide von Hunslow von Räubern erschlagen, die der Gewänder und Urkunden sich bemächtigten und sich auf die Bischofssitze setzten.

Er war ein Despot, sogar in seinen Wohltaten. Sie waren ausschweifend, fast grenzenlos. Trotz seinem Geiz gab er leichter fünf Pfund einem Bedürftigen, als ein Millionär fünf Schillinge geben mochte. Swift kümmerte sich um alle Armen in seinem Kirchensprengel aufs sorglichste. Er versuchte, die Unterstützungen der Armen zu organisieren, indem er den verdienten Armen eine Armbinde gab. Die ersten fünfhundert Pfund, die er besaß, verwandelte er in einen Fundus für Anleihen an Händler und Handwerker, die ihm in Wochenraten die Anleihe zurückzahlen mußten. Damit soll er zweihundert Familien zu einem guten Auskommen verholfen haben. Er besaß, wie Delany erzählt, ein ganzes »Serail« alter armer Weiber in Dublin, die er unterstützte. Er begrüßte sie höflich, erkundigte sich nach ihrem Ergehen, gab ihnen kleine Geschenke und seltsame Namen, wie Pullagowna, Stumpa-Nympha, etc. Er unterstützte seine eigene verwitwete Schwester und gab Mrs. Dingley eine Jahresrente von 52 Pfund Sterling und machte ihr weis, das Geld käme von einer Stiftung, die er verwalte.

Ebenso generös war er gegen Mrs. Ridgway, die Tochter seiner alten Haushälterin, der Mrs. Brent; er gab ihr eine jährliche Rente von 20 Pfund und garantierte diese Rente.

Swifts vornehmste Freunde in Dublin waren Delany und Sheridan und Carteret; abwechselnd half Swift seinen Freunden oder benutzte sie, um andern zu helfen. Häufig zog Swift in die Landhäuser seiner Freunde, um sich einige Zeit, zuweilen monatelang, von Dublin zu erholen; dabei tyrannisierte er seine Freunde, gab ihnen glänzenden wenn auch oft unerbetenen Rat und erwies sich als leidenschaftlicher Landschaftsgärtner.

Seine Korrespondenz ist voller Bemühungen, andern zu helfen, Freunden und Fremden. So half er einem jungen Geistlichen, Pilkington, und seiner Frau, einer »Dichterin«. Als das Paar sich scheiden ließ, geriet die Frau in Armut und brachte auf Subskription ihre *Memoiren* heraus, wo sie viele wahre und viele dubiose Anekdoten über Swifts Haushalt erzählt.

Er half einer andern Schriftstellerin, Mrs. Barber, der Frau eines Wollhändlers, und empfahl sie seinen Freunden. Er verschenkte die Einnahmen seiner Schriften an die Drucker, die Gefahr mit der Veröffentlichung liefen, oder an Bedürftige, wie Mrs. Barber.

In spätern Jahren dinierte er gewöhnlich allein oder in Gesellschaft seiner alten Haushälterin, Mrs. Brent, dann saß er allein in seiner Stube und ging um elf ins Bett. Bei Kerzenlicht konnte er nicht mehr lesen. Er schrieb also und verbrannte, was er geschrieben hatte. Zeitlebens gab er sich mit Wortspielen ab, mit *puns,* ganze Manuskripthefte sind erhalten. Pope und Bolingbroke zitierten oft Swifts Wahlspruch: *Vive la bagatelle!* Swift erzählte Bolingbroke: »Ich habe oft an den Tod gedacht, jetzt aber denke ich unaufhörlich an ihn.« Er fürchte nicht den Tod, er sehne sich nach ihm. Von Freunden verabschiedete er sich oft: »Gute Nacht; ich hoffe, ich werde Sie nie wieder sehen.« Auf seinem Tisch lag immer das Kapitel aus der Bibel aufgeschlagen, wo Hiob die Stunde seiner Geburt verflucht. »Und doch«, sagte er, »liebe ich *la Bagatelle* mehr als je.«

Letitia Pilkington erzählt, einmal saß sie beim Essen im Haus von Swift, als eine häßliche Köchin einen ganz zerkochten Braten auftrug.

Schatz, sagte Swift, nimm das in die Küche herunter und koche es weniger.

Das ist unmöglich, sagte die Köchin.

Wenn du also Fehler machen mußt, erwiderte Swift, dann mache Fehler, die man korrigieren kann.

Ein andermal hieß er die Pilkington alle ihre Fehler aufzählen und klagte sie an, einen Korkenzieher bei Tisch gestohlen zu haben, sie habe es getan, weil sie die ärmste seiner Gäste war. Oder er erzählte ihr, er habe eine Truhe, die alle Einkünfte seiner Pfründe enthielt, und nun habe er sie leer gefunden. Einmal berührte ihn Frau Pilkington mit ihrer behandschuhten Hand, und Swift habe sich wie eine Prüde aufgeführt. Als ein Diener sich entschuldigte, er habe Swifts Reitstiefel nicht geputzt, da sie doch gleich wieder schmutzig würden, erwiderte Swift, so solle er kein Frühstück bekommen, da er doch gleich wieder hungrig würde.

Als Congreve starb, trauerte Swift so sehr, daß er sagte, er wollte, er hätte nie einen Freund gehabt.

Am 13. Juli 1722 schrieb Swift an seine Geliebte und Schülerin Esther Vanhomrigh, die er Vanessa hieß: »In einem unterscheide ich mich von Dir, daß ich mich nämlich nicht mit meinen besten Freunden streite ... Ich flüchte vor dem Spleen bis ans Ende der Welt. Du machst noch einen Umweg, um Deinen Spleen zu suchen ... Ich wollte, Du würdest Dir ein Pferd anschaffen und immer zwei Diener zu Deinen Diensten haben und Deine Nachbarn besuchen – je schlimmere, um so besser ... Die beste Maxime, die ich im Leben kenne, lautet, Deinen Kaffee zu trinken, wenn Du kannst, und kannst Du es nicht, ebenfalls zufrieden zu sein; solange Du fortfährst, spleenig zu sein, rechne darauf, daß ich immer predigen werde ... und ohne Gesundheit und gute Laune möchte ich lieber ein

Hund sein ... Ich sehne mich darnach, Dich zu sehen ... Soweit gehe ich mit Dir einig, daß ich nicht vergnügt genug bin, um zu schreiben; denn dafür, glaube ich, braucht man einmal in der Woche Kaffee.«

Kaffee einmal in der Woche? fragte ich.

Alfred erklärte brummend, damals war Swift fünfundfünfzig Jahre alt, und seine Frau, wenn Stella seine Frau war, zählte etwa einundvierzig Jahre, und seine Geliebte, wenn Vanessa seine Geliebte war, etwa einunddreißig Jahre.

Kaffee einmal in der Woche? fragte ich und lachte aus vollem Hals. Aber dieser Swift war ein Kauz. Wenn er die Menschen satirisch peitschen wollte, machten seine Geschichten sie nur lachen. Die Kinder lasen sie und wurden vergnügt. Die getroffenen Feinde ächzten lachend. Ging er mit Stella, mit Vanessa zu Bett, mit beiden? Mit keiner? Sicher machte er seine Mädchen lachen, so oder so, wenn auch alle drei schließlich in Wut oder Wahnsinn und Kummer starben, Swift, Stella und Vanessa.

Er war ein postumes Kind, sagte Alfred, und schrieb und lebte in vielen Stilen.

Er war ein Possenreißer, sagte ich, wer nicht mit ihm lacht, begreift ihn nicht.

Ein ungeduldiger Mensch, der Swift, sagte Silvia. Er schrieb der Stella aus London: »So langsam sind die Leute, wenn sie einem eine Gunst erweisen sollen.«

Ein postumes Kind, wiederholte Alfred. Zu Dublin wurde er geboren, von englischen Eltern, am 30. November 1667. Sein Vater starb mit siebenundzwanzig Jahren, einige Monate vor Jonathans Geburt. Sein Großvater, Thomas Swift, Vikar von Goodrich in Herefordshire, stand im Bürgerkrieg auf der falschen Seite und hatte alles verloren und starb zu früh, ehe seine Seite wieder die richtige war. Er hatte die Nichte des Sir Erasmus, des Großvaters von John Dryden, geheiratet. Swifts Amme »stahl« ihn, als er ein Jahr alt war, und er blieb fast drei Jahre bei ihr, in Whitehaven, und konnte schon mit drei Jahren jedes Kapitel in der Bibel lesen. Dann nahm ihn seine

Mutter, die nur ein Einkommen von zwanzig Pfund im Jahr hatte, nach Leicester. Sein Onkel, der Anwalt Godwin Swift, sorgte für den verwaisten Jonathan, der mit sechs Jahren in die Schule von Kilkenny kam, wo auch Congreve Schüler war. Swift studierte schon 1682, mit seinem Vetter Thomas Swift, im Trinity College in Dublin, statt in England, wie er gewünscht hätte. »Durch die schlechte Behandlung seiner nächsten Verwandten«, sagte Swift, »war er so entmutigt und verzagt, daß er seine akademischen Studien viel zu sehr in jenen Fächern vernachlässigte, für die er keine natürliche Neigung hatte, und sich mit Geschichte und Poesie abgab, so daß er zur Zeit, da er seinen Bachelor of Arts zu machen hatte, wegen Dummheit und Ungenügen abgelehnt wurde, obgleich er sehr regelmäßig gelebt und alle Vorschriften genau befolgt hatte; schließlich bestand er mit knapper Not sein Examen.«

Swift hatte zeitlebens Ressentiments gegen seine Familie, wie gegen den Zufall, daß er in Irland geboren wurde. Auf die Frage, ob ihn nicht sein Onkel Godwin erzogen habe, antwortete Swift: ja, er gab mir die Erziehung eines Hundes. Dann, erwiderte sein Gesprächspartner, haben Sie nicht die Dankbarkeit eines Hundes.

Godwin Swift hatte ihn auf die besten Schulen Irlands geschickt, der arme Onkel hatte vier Frauen, und allein von der vierten sieben Söhne. Er lebte in seinen fünf letzten Jahren im Schwachsinn. Swift ward schon mit achtzehn Jahren Bachelor of Arts und erhielt in den nächsten Jahren häufig Universitätsstrafen. An seinem einundzwanzigsten Geburtstag, dem 30. November 1688, wurde er mit einigen andern wegen Streitereien im College und Beleidigung des Junior Dean bestraft, er mußte öffentlich in der Universitätshalle vor dem Dean niederknien und ihn um Verzeihung bitten. Zwanzig Jahre später rächte sich Swift am Junior Dean, Owen Lloyd, indem er ihn im Pamphlet gegen den Earl of Wharton der schändlichen Servilität bezichtigte. Infolge der Revolution von 1688 floh Swift gleich vielen Engländern aus Irland und ging zu seiner Mutter nach Leicester in England. Mit zweiundzwanzig Jahren, 1689, wurde er, für zwanzig Pfund im Jahr samt Kost und Logis, Sekretär bei Sir William Temple, dem berühmten Diplomaten und Freund von Königen, der sich auf sein Gut in Moor Park in Surrey zurückgezogen hatte. Swift aß lange mit den Dienern am »zweiten Tisch«. Er fand einen Freund in einem intelligenten und hübschen achtjährigen Mädchen, dem Töchterchen einer Bedienten bei der Schwester von Temple. Swift lehrte Esther Johnson, die er später Stella hieß, zu schreiben, denken und lesen. Swift hatte inzwischen den Master of Arts in Oxford gemacht. Mit siebenundzwanzig verließ er Moor Park, enttäuscht, weil Temple ihm noch keine Stellung verschafft hatte. Fünf Monate später erbat Swift unwillig ein Zeugnis von seinem Patron und erhielt 1695 die kleine Pfründe von Kilroot nahe Belfast, die hundert Pfund jährlich brachte. 1694 ward er Dechant, 1695 Priester. 1698 verzichtete er auf die Pfründe zugunsten eines Freundes in der Nachbarschaft, er hatte Irland satt und ging nach Moor Park zurück. Dort, im Vorzimmer der Zeitgeschichte, schrieb Swift viel, verbrannte das meiste, behielt aber einige pindarische Oden und zwei Satiren *The Battle of the Books, die Bücherschlacht* und *The Tale of a Tub, Das Märchen von der Tonne.*

In Paris hatte man einen Krieg der Sonette begonnen, dann zog Perrault in einer Rede in der Académie Française die Echtheit der Epen Homers in Zweifel, leugnete die Erhabenheit Pindars und zog die modernen Schriftsteller den antiken vor. Boileau erklärte, die antiken Autoren seien unübertrefflich. Ihn unterstützten Racine, Fénélon, La Bruyère. Auf der Seite von Perrault stand Fontenelle, ein Stern der Salons der Herzogin du Maine in Sceaux, der Dame Tencin und der Dame Geoffrin.

Dieser Streit erhitzte auch die englischen Literaten. Sir Temple veröffentlichte 1692 den *Essay über antike und moderne Literatur*; er berief sich zum Beweis der Überlegenheit der Alten auf die gefälschten Briefe von Phalaris. William Wotton griff Sir Temple an. Swift griff in seiner *Bücherschlacht* den Wotton an. Bentley bewies die Fälschung der Briefe von Phalaris. Boyle verspottete den Bentley. Swifts Pamphlet erschien sieben Jahre später, zusammen mit dem *Märchen von der Tonne.*

Als Sir Temple im Januar 1699 starb, suchte Swift nach neuen Pfründen. Sein halbes Leben lang mühte er sich darum, ein Bischof zu werden und endete als Dechant von St. Patrick. Nach Temples Tod sammelte er ein paar Pfründen, die ihm 230 Pfund im Jahr brachten, die Pfarre von Aghes in Meath mit den vereinten Vikarpfründen von Laracor und Rathbeggan und die Pfründen von Dunlarin in St. Patricks Sprengel. Nun kam er oft nach Dublin, da er nur zwanzig Meilen entfernt wohnte, und geriet durch Lady Berkeley, die Gemahlin des Lord-Oberrichters, und ihre Tochter in die vornehme Gesellschaft. Wieder bekam er Irland und alle geistlichen Ämter satt, ging erst nach Leicester zu seiner Mutter, dann nach London, wo ihn die Politik anzog. »Er war eher bereit, einzuschüchtern als zu schmeicheln.« Er besaß eine schreckliche Waffe, die Satire, da war er ein unbestrittener Meister. Er war weder Whig noch Tory. Erst machte er sich über die Tories lustig, später über die Whigs.

Sein Leben ging zwischen England und Irland hin und her. In Dublin geboren und aufgezogen, ging er mit zweiundzwanzig nach England, kehrte mit dreiundzwanzig nach Irland zurück, ging mit vierundzwanzig wieder nach England. machte mit fünfundzwanzig sein Examen in Oxford, kehrte mit siebenundzwanzig nach Irland zurück, ward Geistlicher in Kilroot mit achtundzwanzig, kehrte mit neunundzwanzig nach England zurück, ging als Kaplan und Sekretär des Earl of Berkeley nach Dublin mit zweiunddreißig Jahren, lebte das Jahr darauf in Laracor, erhielt die Pfründe von St. Patricks Kathedrale in Dublin, und reiste mit dem Earl of Berkeley nach London, wo er von April bis September 1701 blieb, da war er vierunddreißig Jahre alt. In England war er wieder von April bis November 1702, und von November 1703 bis Mai 1704, als er *Das Märchen von der Tonne* veröffentlichte.

Von November 1707 bis März 1709 war er wieder in England und versuchte, für den irischen Klerus eine Verminderung der Abgaben zu erreichen, die der englische Klerus schon erlangt hatte. Damals wurde er gut Freund mit den Londoner Wits, Addison, Steele, Dr. Arbuthnot und John Gay, schrieb die *Partridge Papers,* arbeitete am *Tatler* mit und veröffentlichte *Baucis und Philemon.*

Vom Septenmber 1710 bis Juni 1713 und vom September 1713 bis September 1714 war er wieder in London. In jenen Jahren wollte er England regieren und hat mehr oder weniger an der politischen Leitung Englands teilgenommen, durch seine Pamphlete, Artikel und seinen persönlichen Einfluß bei den Ministern Harley (Lord Oxford) und Henry St. John (Viscount of Bolingbroke). In seinen Briefen an Stella, die im *Journal an Stella* teilweise gesammelt sind, schildert er sein Leben und seine Bemühungen in jenen Londoner Jahren. Er arbeitete an einigen der großen Zeitschriften mit, am *Examiner* und am *Spectator,* er gab seine *Vermischten Werke in Vers und Prosa* heraus, ging im Sommer 1713 nach Irland, als Dekan von St. Patrick, ging wieder nach London und verließ die Stadt nach dem Tod der Königin Anne im August 1714 und blieb zwölf Jahre in Irland, von seinem siebenundvierzigsten bis neunundfünfzigsten Jahr. 1726 besuchte er London von März bis August. Sein *Gulliver* erscheint. Ohne seine Erlaubnis wurde sein langes Gedicht *Cadenus und Vanessa* veröffentlicht, die gereimte Geschichte seiner ungereimten Liebe zu Vanessa.

Mit sechzig Jahren macht er seine letzte Reise nach London, von April bis Oktober, und bringt in drei Bänden *Vermischte Werke in Vers und Prosa* heraus, mit Beiträgen von Pope, Gay und Dr. Arbuthnot. Im Jahre darauf stirbt Stella, am 28. Januar 1728. Zwölf Jahre später macht er sein Testament, mit dreiundsiebzig. Mit fünfundsiebzig, nicht mehr ganz bei sich, braucht er Wächter, die das Gericht bestellt. Am 19. Oktober 1745 stirbt er, mit achtundsiebzig Jahren, im Wahnsinn.

Er hatte zwei berühmte Liebesgeschichten, erklärte Silvia.

Und beide hat er ebenso eifrig verhüllt wie enthüllt. Er trieb in der Liebe dasselbe Spiel wie in der Literatur, wahrscheinlich aus denselben gefährlichen Gründen. Seine Werke wagte er nicht unter seinem Namen zu veröffentlichen, weil sie ihn Freiheit oder Leben kosten konnten. Er wollte die Verbrechen der andern anprangern, aber nicht dafür am Pranger stehen, wie der unglückliche Defoe. Für eine *Rhapsodie über Poesie,* die 1733 in London erschien und wo die gefährlichsten Sätze ausgelassen waren, wurden Mr. Motte, der Londoner Drucker, und Mary Barber, eine Freundin von Swift, die das Manuskript von Dublin nach London gebracht hatte, für länger als ein Jahr ins Gefängnis gesetzt. 1713 ward eine öffentliche Belohnung von 300 £ ausgesetzt, für jeden, der den Autor des Pamphlets *Der öffentliche Geist der Whigs,* entdecken und nennen würde. 1724 setzte Lord Carteret einen Preis von 300 £ aus, für jeden, der den Autor eines andern Pamphlets, *Drapier's Vierter Brief,* nennen würde. Aber in beiden Königreichen, England und Irland, wurde der Dean Swift nicht denunziert. Swift behauptet, es seien hunderte Pamphlete in England gegen ihn erschienen. Man griff ihn als Jakobiten an. Man beleidigte ihn auf offener Straße. Nachts mußte er sich von bewaffneten Dienern schützen lassen. Der Drucker eines Pamphlets, worin Swift den Iren riet, ihre eigenen irischen Wollstoffe und keine englischen zu tragen, wurde verfolgt. Auch der Drucker des *Vierten Drapier-Briefes* wurde angeklagt, aber von der irischen Jury freigesprochen.

Gut, sagte ich, die Satire war immer gefährlich. Die Satiriker wollte man immer totschlagen. Aber warum die Liebe verbergen? Swift liebte zwei junge Mädchen. Beide waren seine Schülerinnen. Beide folgten ihm nach Irland. Sie lebten und starben in seiner Nähe. Esther Johnson, seine »Stella«, war um vierzehn Jahre jünger, Esther Vanhomrigh, seine »Vanessa«, um vierundzwanzig Jahre jünger als er. Diese Kaufmannstöchter, eine Kleinrentnerin und eine Millionärin, beide geistreiche Personen, kamen aus der »Schule« Swifts.

Stella und Swift lebten elf Jahre – mit Unterbrechungen –

unter demselben Dach in Moor Park. Als Swift nach Irland ging, folgte ihm Stella in das fremde wilde Land, ein Mädchen von neunzehn.

Swift hatte Stella nach Laracor in Irland eingeladen, wo er Pfarrer war. Ihre Rente aus einer irischen Farm, ein Legat von Sir William Temple, sei klein, das Leben sei billiger in Irland. Das waren die Gründe, die er angab. Sie kam, ohne Gründe anzuführen. Sie brachte ein anderes Mädchen aus Sir Temples Haushalt, Rebecca Dingley, älter als sie, eine arme Verwandte von Sir Temple. Anfangs sah dieser Besuch der beiden Mädchen beim Pfarrer von Laracor wie ein ausgelassenes Abenteuer aus, *like a frolic,* wie Swift in seinem Nachruf auf Stella schrieb. Die Leute redeten. Mit der Zeit hörten sie auf.

Stella und Rebecca lebten in einer eigenen Wohnung mit eigenen Dienstboten. War Swift in Laracor, lebten die Mädchen in einem Häuschen nahebei. War er in Dublin, wohnten sie in Dublin in seiner Nähe. Swift zahlte alljährlich fünfzig Pfund an seine Stella. Das wußte keiner. Er sah sie fast nie des Morgens (wie er selber schrieb), und nachmittags und abends nur in Gegenwart einer dritten Person. Manche behaupteten damals wie heute, daß Stella und Swift verheiratet waren. Man kennt kein Dokument. In der *Encyclopedia Britannica* steht, Swift war ohne Leidenschaft. Swift ohne Leidenschaft?

Wenn Swift in London war, wohnten Rebecca und Stella im Hause von Swift. Dr. William Tisdall von Dublin hielt um Stella an, sie war vierundzwanzig Jahre alt und gab ihm einen Korb. Swift schrieb: »Wenn meine Umstände und meine Laune mich veranlaßten, an den Stand der Ehe zu denken, so würde ich unter allen Personen auf Erden Stella zur Frau gewählt haben, weil ich nie eine Person getroffen habe, deren Unterhaltung ich so vollkommen geschätzt habe, wie die ihre.« Swift hatte keinen Einwand gegen eine Vermählung Stellas mit einem andern erhoben. Beide blieben ihr Leben lang ledig und Freunde.

Der geistreiche römische Anglist Mario Praz spricht von Swifts tief verwirrter Seele in einer harten Schale des Egoismus. Diesen Egoismus habe Swift in Gullivers Reisen und im Umgang mit Stella und Vanessa bewiesen.

Swift schildert eine Stella, die lauter Witz und Leben und Tugend war. Er fragte sie um Rat, und sie riet ihm, was er hören wollte. Zuweilen widersprach sie ihm auch mutig. Sie erklärte lachend, sie würde ihm keine Haushälterin und kein Hausmädchen mit einem auch nur leidlich hübschen Gesicht erlauben. Nach ihrem Tod verbrannte er ihre Briefe an ihn und seine Briefe an sie. Doch bewahrte er von seinen fünfundsechzig Briefen aus London an sie (und Rebecca Dingley) sechsundzwanzig Briefe, das berühmte *Journal to Stella,* das vom 2. September 1710 bis zum 6. Juni 1713 geht, und postum erschienen ist. Da findet man das halbe Leben Swifts in jenen Londoner Jahren, seinen dummen Diener und seine strahlenden literarischen und politischen Freunde, den Regen und den Nebel, die Kaffeehäuser und die Herzoginnen, die er besucht, alle politischen Intrigen und seine halbversteckte Zärtlichkeit für Stella und ihre verschollene Kindersprache und ihr verliebtes Spiel und keine Spur von »Vanessa« natürlich, aber viele Schatten, Spuren und Spiegelungen von Stella und den halben Swift.

Esther Vanhomrigh, 1690 geboren, Tochter eines reichen Kaufmanns holländischer Herkunft in Dublin, war siebzehn, als Swift ihr 1708 zuerst in London begegnete, im Haus ihrer verwitweten Mutter, die mit zwei Söhnen und zwei Töchtern lebte. Als Swift 1710 nach London wiederkam, wohnte er in der Nähe der Vanhomrighs und besuchte oft die Mutter, seine Nachbarin, und plauderte gelegentlich mit der Tochter, einem launischen, hübschen Mädchen von neunzehn Jahren, er war dreiundvierzig. Nun begann sie ihn zu lieben und er sie zu bilden. Sie gestand ihm ihre Liebe. Er schrieb regelmäßig an Stella, die in Dublin mit ihrer Liebe auf ihn wartete, und ging regelmäßig zu Vanessa, die ihm in London ihre Liebe schilderte. Swift schrieb für sie sein langes Poem *Cadenus und Vanessa.*

Da beschrieb er sich als den Lehrer – Cadenus ist Decanus –, der das Geständnis der Liebe Vanessas damit erwidert, er sei ihr Freund. Sie wollte küssen, er gab ihr Verse. In Swifts Versen erwidert Vanessa, sie habe von ihm alles über die Freundschaft gelernt, und jetzt solle Cadenus von Vanessa die Liebe lernen. So endet das Poem dieser Liebe, nicht die Geschichte der Liebe.

Als Swift 1714 nach Irland ging, folgte ihm Vanessa, deren Mutter gestorben war, mit ihrer Schwester und lebte erst in Dublin, dann in Celbridge, zehn Meilen entfernt.

Nun lebte Swift mit zwei Mädchen, zwischen beiden. War Stella seine Frau? War Vanessa seine Geliebte? Wen betrog er? Betrog er beide? Wieviel wußte jede von der andern, wieviel jede von Swift, wieviel Swift von der oder jener? Welche liebte er? War er der Geliebte beider?

Er tat, als wolle er diese und jene verheiraten. Zu Stella kam er regelmäßig, ein erklärter Hausfreund, der mindestens das Dekor wahrte. Zu Vanessa kam er heimlich und, wie sie empfand, immer zu selten. Er schrieb ihr: »Ich fürchtete immer das Geschwätz dieser ekligen Stadt und sagte es Dir; und daß ich Dich nur selten sehen könnte, wenn Du nach Irland kämst ... Das sind Umstände im Leben, die notwendig sind und denen man sich fügen muß; und wenn man nur diskret bleibt, wird der Klatsch schon verstummen ...«

Acht Jahre dauerte diese Liebe aus der Distanz oder das geheime Verhältnis. Drei Jahre vor ihrem Tod schrieb ihm Vanessa, da war sie schon neunundzwanzig: »Weder Kunst noch Zeit oder Zufall haben die Macht, die unsagbare Leidenschaft zu schwächen, die ich für ... empfinde.« Den Namen nannte sie nicht, aus Furcht und Vorsicht und Leidenschaft und Liebe.

Die letzten Briefe schrieb ihr Swift von einer Reise durch Irland, zwischen Leidenschaft und Freundschaft, Hitze und Heiterkeit. Es sind Liebesbriefe voll jener törichten und blinden Vorsicht, die hundertmal mehr andeutet, als klare Worte es täten. Was gab es zu verbergen, wenn nicht Liebe? Er rät ihr, weniger romantisch zu sein und wie ein Mann von Welt zu sprechen und zu handeln. Er schrieb ihr, »es wäre unendlich besser, einmal in der Woche mit Kendall undsoweiter zusammengewesen zu sein, wenn einer drei oder vier Stunden damit verbringen könnte, Kaffee am Morgen zu trinken, oder tête-à-tête zu dinieren, und wieder Kaffee zu trinken, bis sieben Uhr. Ich bejahe alle Fragen, die Du mich fragen könntest ... und denke dran, daß Reichtum neun Zehntel von allem Guten im Leben ausmacht, und Gesundheit ist das letzte Zehntel – Kaffee trinken kommt erst lange darnach, und doch ist es das elfte, aber ohne die andern beiden kannst Du ihn nicht richtig trinken; und erinnere Dich an das Porzellan im alten Haus und an Ryder Street und des Obersten Reise nach Frankreich und die Londoner Hochzeit und die kranke Lady in Kensington und an das Unwohlsein in Windsor und an die Verrenkung durch die Bücherkiste in London. Im vorigen Jahr schrieb ich Dir lauter Artigkeiten, und Du warst mir böse; dieses Jahr will ich Dir keine schreiben, und Du wirst mir böse sein; doch meine Gedanken waren immer dieselben, aber ich gebe Dir alles frei und werde sie stets verantworten. Ich hoffe, Du wirst mir von Deinem Gelde geben, wenn ich Dich sehe, und ich will es Dir ehrlich wiederbezahlen. Antworte mir, wenn Du all das gut verstehst, und glaube mir, daß ich immer alles sein werde, was Du wünschest. Adieu.«

Und er schreibt in einem andern Brief: »Ich sehe Dich in diesem Augenblick, wie Du um zehn Uhr morgens aussiehst, und jetzt fragst Du alle Deine Fragen, und ich beantworte sie mit reichlich vielen affektierten Pausen, und dieselbe Szene hat sich schon vierzigmal wiederholt, ebenso wie die andre, von zwei bis sieben, länger als die erste um zwei Stunden, und doch hat jede ihre ganz eigentümlichen Reize ... Der beste Gefährte für Dich ist ein Philosoph ... Denke an die Szenen von Windsor, Cleveland Row, Ryder Street, St. James's Street, Kensington, the Sluttery, den Obersten in Frankreich etc. Cad denkt oft daran, besonders wenn er reitet, wie man mir versichert. Was für ein närrisch Ding ist doch die Zeit, und wie närrisch ist der Mensch, der ebenso zornig wäre, wenn die Zeit anhielte, als wenn sie vergeht ...«

Eines Tages hielt Vanessa es nicht mehr aus und schrieb an Stella (angeblich): Sind Sie die Frau von Dean Swift? Stella antwortete: ja und schickte Vanessas Brief an Swift und suchte im Haus einer Freundin Zuflucht. Swift warf sich aufs Pferd und ritt in schrecklicher Laune nach Marley Abbey, wo Vanessa wohnte, und kam mit steinerner Miene vor die arme Vanessa und warf ihren Brief auf den Tisch und ritt wortlos davon. Freilich wird auch diese Szene eine der zahlreichen Legenden um Swift sein.

Wenige Wochen später starb Vanessa. Sie war zweiunddreißig Jahre alt. Auch ihre Schwester und zwei Brüder waren jung gestorben. Sie hatte kurz vor dem Tod Swift enterbt und angeordnet, daß man ihre Briefe an Swift und Swifts Briefe an sie veröffentliche, ebenso Swifts Poem *Cadenus and Vanessa*, aber erst Walter Scott hat die Briefe gedruckt, in seiner Ausgabe von Swifts Werken.

Die Hälfte ihres beträchtlichen Vermögens hinterließ Vanessa dem achtunddreißigjährigen Philosophen und Bischof George Berkeley, der sich gar nicht bewußt war, diese Person je gesehen zu haben, die andre Hälfte dem Richter Marshall.

Swift hatte schon nach der ersten Begegnung mit Berkeley an Vanessa geschrieben, daß dies ein großer Philosoph sei – einer, den er nach Kräften fördern wolle. Berkeley, der berühmteste englische Philosoph zwischen Locke und Hume, ein Ire englischer Abkunft und ein Kätnerssohn, war ein bildschöner Mensch mit graziösen Manieren und einer Miene, die eine unbeschreibliche Güte und Reinheit ausstrahlte. Er war ein Favorit aller, die ihm begegneten. Pope schwor, Berkeley besäße jede Tugend auf Erden. Grimme Männer verglichen ihn mit einem Engel.

Durch Swift wurde er Kaplan beim Earl von Peterborough, was ihm ermöglichte, unter glänzenden Umständen zehn Monate in Sizilien, Italien und Frankreich zu verbringen.

In Paris traf er den großen Metaphysiker und Okkasionalisten Nicolas Malebranche, der vor Schreck und Wut gestorben sein soll, als im Verfolg einer hitzigen Diskussion Berkeley ihm bewies, daß die Materie gar nicht existiere.

Mit dem Geld Vanessas wollte Berkeley eine ideale Universität auf den Bermudas errichten. Gleichzeitig ein Idol der Königin Caroline und von Voltaire, ja von ganz England, war er so unwiderstehlich, so faszinierend, so voll reiner Leidenschaft, daß ihm beide Häuser des Parlaments 20.000 £ für seine ideale Universität bewilligten. Erst 1728 fuhr Berkeley mit seiner jungen Frau nach Amerika, aber statt auf die Bermudas ging er nach Rhode-Island, wo er in Newport landete und in einer Höhle sein Buch *Alciphron* geschrieben haben soll. Die Errichtung der idealen Universität hatte Walpole verhindert, aber Berkeley soll einer der frühen Förderer der Yale Universität gewesen sein.

Stella starb mit siebenundvierzig Jahren, umgeben von ihren Freunden. Swift, der indes in seinem Hause mit Freunden bei Tische saß, wie jeden Sonntag, setzte sich am selben Abend hin und schrieb *Über den Tod von Frau Johnson.* »Heute, Sonntag am 28. Januar 1728, gegen acht Uhr abends, brachte mir ein Diener eine Mitteilung mit dem Bericht vom Tod des treusten, anständigsten und teuersten Freundes, mit dem ich oder vielleicht irgend jemand gesegnet war. Sie starb um sechs Uhr abends heute; und endlich allein gelassen, um elf Uhr nachts, beschließe ich, zu meiner eigenen Genugtuung, etwas über ihr Leben und ihren Charakter zu sagen ... Ich kannte sie von ihrem sechsten Jahr an und hatte einigen Anteil an ihrer Erziehung ... Man hielt sie für eine der schönsten, graziösesten und angenehmsten jungen Frauen in London, nur war sie ein wenig zu fett ... Ihre Bonmots waren unübertrefflich.«

Swift lobt seine Freundin Stella wegen ihrer intellektuellen und sozialen Gaben. Er war kein verliebter Lyriker. Er rühmte nicht ihre Kunst des Küssens. Sie war nicht eitel, sie liebte nicht schöne Kleider. Als Kind und auch später, ward sie vom Gold, von seinem Klang, seinem Glanz fasziniert. Sie war wohltätig und fand dankbare Arme. Sie schenkte gern. Sie ging wenig aus und empfing viele Besucher. Swift macht sich oder ihr eine Ehre daraus, lauter Bischöfe aufzuzählen, die zu ihr kamen, »der verstorbene Primas Lindsay, der Bischof Lloyd, der Bischof Ashe, der Bischof Brown, der Bischof Stearne, der Bischof Pulleyn mit einigen neuern Bischöfen.« Ihre meisten Bekannten waren Geistliche, sagt er, und war selber ein Geistlicher.

Sie unterbrach nie einen Menschen. Sie lauschte mit Vernunft. Sie war nie zerstreut. Sie unterhielt sich lieber mit Männern. Als Mr. Addison in Irland war, hat er sie geschätzt und gerühmt, sagt Swift mit Stolz. Wie Addison war sie nie rechthaberisch in der Diskussion. Wenn jemand in der Gesellschaft hitzig auf einer falschen Meinung bestand, gab sie ihm gewöhnlich recht; das verhüte Lärm und spare Zeit. Sie habe Irland geliebt, und die Tyrannei und Ungerechtigkeit Englands gegen Irland aus vollem Herzen verabscheut. Mitten im Text bricht er ab, mit den Worten: »Mein Kopf schmerzt« und fährt am nächsten Tag fort: »29. Januar: Mein Kopf schmerzt, und ich kann nicht mehr schreiben«, und »am 30. Januar, Dienstag: Das ist die Nacht, da man sie begräbt, woran teilzunehmen meine Krankheit nicht erlaubt. Es ist jetzt neun Uhr abends, und ich habe mich in ein anderes Zimmer zurückgezogen, damit ich nicht das Licht in der Kirche sehe, das gerade gegenüber dem Fenster meines Schlafzimmers ist. Mit allem sanften Temperament, das einer Frau so gut ansteht, hatte sie den persönlichen Mut eines Helden.«

Es war eine »Rettung«, sagte Silvia. Swift malte nur die Tugend seiner Frau statt sie selber.

Nichts scheint mir schwerer als ein wahres Porträt eines Menschen. Wer wäre mit siebzig noch derselbe wie mit zwanzig oder vierzig? Wer wäre nicht mit andern Menschen anders? Und komponiert man hundert Porträts, straft jedes das andre Lügen.

Auch zwischen den hundert, meinst du, fände man nicht das Körnchen Wahrheit? fragte ich. Man muß vor allem einen Menschen lieben. Was fände man sonst an ihm, außer Staub und Narretei? Man muß an Menschen tief interessiert sein, um etwas Gutes an ihnen zu finden.

Man muß sie lieben, bestätigte Silvia.

Alfred hob den Zeigefinger, wie ein Schüler, der die Antwort weiß. Thackeray sagte von Swift: »Man denkt an ihn wie an die Ruinen eines großen Imperiums.« Waren seine achtundsiebzig Jahre meist heitere oder tragische Jahre? Amüsiert sich ein Mann nicht selber, der so viele andere amüsiert hat? Wollte er die Menschen amüsieren? Wer kennt sich in Satirikern aus? Swift schrieb, um zu kämpfen, und um genauer literarischer und politischer Ziele willen. Er schrieb seine mörderischen Pamphlete aus Menschenfreundschaft. Da solche politischen Pamphlete meist lebensgefährlich waren, veröffentlichte er sie anonym oder unter Pseudonymen. Seine Waffe war sein Witz. Er verkleidete sich gern in einen gelehrten Pedanten, in einen Logiker, den seine klarste Konsequenz zur Absurdität führte. Der Tollheit lieh er die allervernünftigsten Argumente. Er schien zu glauben, daß gewöhnliche, mittlere Argumente keinen Eindruck auf die meisten Menschen machten. Also machte er aus Menschen Zwerge oder Riesen und vergrößerte oder verkleinerte ihre Qualitäten. So schrieb er 1708 sein *Argument zum Beweis, daß die Abschaffung des Christentums in England, wie die Dinge stehn, mit einigen Unbequemlichkeiten verbunden sein mag.* Oder er schrieb 1729: *Einen bescheidenen Vorschlag, um zu verhindern, daß die Kinder der armen Leute eine Bürde für ihre Eltern oder ihr Land wären, und um sie nützlich für die Öffentlichkeit zu machen.*

»Es sei ein melancholischer Anblick«, so beginnt Swift eine der blutigsten Satiren der Weltliteratur, »für jene, die durch die Straßen dieser großen Stadt (Dublin) gehn oder im Lande reisen, wenn sie die Straßen, die Wege und die Türen vor den Hütten überfüllt mit Bettlerinnen finden, in Begleitung von drei, vier oder sechs Kindern, alle in Lumpen, die jeden Fußgänger um ein Almosen belästigen.« Diese Kinder, fährt Swift fort, werden, wenn sie aufwachsen, zu Dieben, oder sie gehn fort, um für den Prätendenten in Spanien zu kämpfen, oder sie verkaufen sich selber an die Barbadoès. Diese Unzahl von Kindern in den Armen, auf den Rücken oder auf den Fersen der Mütter und oft auch der Väter, ist ein schrecklicher Mißstand, »und wer darum immer eine gerechte, billige und leichte Methode finden könnte, um diese Kinder zu nützlichen Mitgliedern des Gemeinwesens zu machen, würde um die Öffentlichkeit so verdient werden, daß man eine Statue dem Retter der Nation aufstellte.«

»Es ist wahr«, sagt er, »ein Kind, eben von seinem Muttertier geworfen, kann von der Muttermilch ein Jahr lang bei wenig andrer Nahrung ernährt werden und wird höchstens zwei Schillinge kosten, welche die Mutter sicherlich erlangen kann, zumindest denselben Wert in Almosen, durch ihre durchaus gesetzliche Beschäftigung des Bettelns ...

Unsere Kaufleute bezeugen mir, daß ein Knabe oder Mädchen vor dem zwölften Jahr kein Handelsartikel ist ... Ein sehr unterrichteter Amerikaner, den ich in London kenne, versicherte mir, daß ein junges, gesundes, wohlgenährtes Kind von einem Jahr eine köstliche, nahrhafte und gesunde Speise sei, entweder geschmort, geröstet oder gekocht, und ich habe keinen Zweifel, daß es ebenso in einem Fricassee oder einem Ragout munden wird.«

Von den hundertzwanzigtausend Kindern in Irland, schlägt Swift vor, solle man zwanzigtausend für die Aufzucht beiseite tun, ein Viertel davon Knaben, und die restlichen hunderttausend sollte man mästen und mit einem Jahr an die bessern und wohlhabenden Leute verkaufen, »indem man der Mutter rät, die Kinder im letzten Monat reichlich zu säugen, damit sie dick und fett für eine gute Tafel werden. Ein Kind wird für zwei Mahlzeiten bei einer Einladung mit Freunden reichen, und wenn die Familie allein diniert, wird das vordere oder hintere Viertel für eine Mahlzeit genügen, und mit ein wenig Pfeffer und Salz gekocht, wird es noch am vierten Tag sehr gut schmecken, speziell im Winter.«

»Ich garantiere, diese Speise wird ziemlich teuer sein und

darum hübsch für Hausbesitzer passen, die bereits den größten Teil der Eltern verzehrt haben und darum das beste Anrecht auf die Kinder haben.«

Dann zählt er sechs weitere Vorteile auf, unter anderem werde es weniger Papisten geben, die Armen würden zum ersten Male Geld im Hause haben, und der Kinderhandel würde einen großen Anreiz für neue Ehen bilden.

Sein Heilmittel gelte nur für das Königreich Irland. Darum sollte niemand von andern Notbehelfen sprechen: wie eine Steuer von fünf Schillingen aufs Pfund für alle, die im Ausland leben; das Verbot von Kleidern oder Haushaltgütern, die nicht in Irland hergestellt wurden; die unbedingte Ablehnung aller Materialien und Instrumente, die ausländische Luxusartikel befördern; die Einschränkung der großen Summen, welche die Weiber aus Stolz, Eitelkeit, Müßiggang und im Glücksspiel ausgeben; eine Methode der Sparsamkeit, Klugheit und Mäßigkeit einzuführen; unser Land lieben zu lernen, worin wir sogar von Lappländern uns unterscheiden und den Einwohnern von Topinamboo, indem wir unsere Gehässigkeit und Parteiungen aufgeben und nicht länger wie die Juden handeln, die einander im selben Moment mordeten, da ihre Stadt eingenommen wurde. Indem wir ein wenig zurückhaltend sind und unser Land und unser Gewissen nicht für nichts verkaufen. indem wir den Hausherrn beibringen, wenigstens ein Minimum von Barmherzigkeit gegen ihre Mieter zu üben. Zuletzt indem wir unsern Ladenbesitzern ein wenig Ehrlichkeit, Fleiß und Fähigkeit beibringen, denn sie würden, wenn jetzt der Beschluß gefaßt würde, nur unsere heimischen Güter zu kaufen, alsbald sich vereinen, um uns zu erpressen und im Preis, im Gewicht und in der Qualität zu betrügen; denn sie konnten noch nie dazu gebracht werden, einen billigen Vorschlag einer anständigen Gewerbeführung zu machen, obwohl man sie oft und ernsthaft genug dazu aufgefordert hat.« Swift sagt, neben den professionellen Bettlern rechne er auch mit den faktischen Bettlern, den meisten Bauern, Arbeitern und Kätnern, die alle ihre Kinder so verkaufen könnten.

Und Swift endet: »Ich bekenne mit aufrichtigem Herzen, daß ich nicht das geringste persönliche Interesse an der Beförderung dieses notwendigen Werkes habe und kein andres Motiv als den öffentlichen Nutzen meines Landes, indem dadurch der Handel vermehrt, für die Kinder Sorge getragen, das Los der Armen erleichtert und den Reichen einiger Genuß geschenkt wird. Ich habe keine Kinder, durch die ich auch nur einen einzigen Penny dabei gewinnen könnte; mein jüngstes Kind ist schon neun Jahre alt und meine Frau über die Jahre hinaus, da sie noch Kinder haben kann.«

Nun, sagte Alfred, ist das kein Menschenhaß?

Das ist die leidenschaftlichste Liebe zu den Menschen, und ich bleibe dabei, was immer auch Swift selber geschrieben und gesagt hat.

Lieber Kesten, du hast unrecht, erwiderte Alfred. Kurz vor der Veröffentlichung von *Gullivers Reisen* schrieb Swift an seinen Freund Alexander Pope im Jahre 1725: »... der Hauptzweck, den ich mir in all meinen Schriften vornehme, ist, lieber die Welt zu ärgern als zu unterhalten ... Wenn Du an die Welt denkst, gib ihr auf mein Verlangen einen Peitschenhieb mehr. Ich habe immer alle Nationen gehaßt, alle Berufe und Gemeinden, und all meine Liebe gilt den Individuen; zum Beispiel hasse ich die Rasse der Anwälte, aber ich liebe den Justizrat Soundso und den Richter Soundso, dasselbe gilt für Ärzte – ich will nicht von meinem eigenen Gewerbe reden –, Soldaten, Engländer, Schotten, Franzosen und den Rest. Aber vor allem hasse und verabscheue ich dieses Tier, das Mensch heißt, obwohl ich herzlich Hans, Peter, Thomas liebe und so fort ... Ich habe Materialien für eine Abhandlung, die beweisen soll, wie falsch die Definition *animal rationale* ist, und wie es *rationis capax* heißen müsse, der Vernunft fähig, nicht vernünftig. Auf dieser großen Grundlage des Menschenhasses, obgleich nicht nach Timons Art, ist das ganze Gebäude meiner *Reisen* gegründet; und ich werde nie ein zufriedenes Gemüt haben, ehe nicht alle Menschen meiner Meinung sind.«

Ist das Menschenhaß? fragte ich. Er wollte die Welt reparieren, *mend the world.* Er schrieb an Pope, »schuld seid ihr, *vous autres,* die ihr die Menschen haßt, weil ihr wollt, daß sie Vernunftwesen seien, und wenn man euch enttäuscht, böse werdet.« Swift schrieb: »Wie sollte man annehmen, daß die Menschheit auf Rat hört, wenn sie nicht einmal sich warnen läßt?«

In seinen *Versen auf den Tod des Dr. Swift* schrieb er 1731:

> *»Vielleicht ist diesem Domdechant*
> *Zuviel Satire durchs Blut gerannt.*
> *Er schien bereit, nie dran zu sparen,*
> *Weil nie Satiren nöt'ger waren.*
> *Doch nahm er Bosheit nie zum Ziel,*
> *Nennt Namen nie, schlug Laster viel.*
> *Kein Einzelner getroffen scheint.*
> *Wenn einer tausend gleichweis meint.*
> *Sein Witz nur jene Fehler schlug,*
> *Die jeder bessern kann mit Fug.*
> *Sein wenig Gut, das gab er aus,*
> *Zu baun ein Toll- und Irrenhaus.*
> *Und zeigt mit der Satire Speer,*
> *Kein andres Volk bedarf es mehr!«*

Ist das Menschenhaß? fragte ich. Swift war ein großer starker Mensch, mit einem ziemlich langweiligen Gesicht, aber sonderbaren blaublitzenden Augen und buschigen Brauen. Er schrieb meist kurze Gelegenheitswerke, aber selten wirkt ein Autor gewaltiger, robuster, und so umfassend. Eine ganze Welt erscheint in seinem zerstreuten Werk. Niemand konnte so geistreich wie er über einen Besenstiel schreiben, doch war er kein Kleinmeister oder Idylliker; er war immer groß und ungeheuerlich. Sein Witz, meist präsent, schonte nichts und keinen. Je älter er wurde, umso obszöner ward er. Zynismus steht dem Alter gut. Aber seine ganze literarische Bemühung galt nur der Wahrheit. Vor allem war er ein rechtschaffener Mann. Die Bösen schienen ihm nur komisch. Das Laster dünkte ihm ein

Witz. Er liebte die Freiheit und Gesundheit so sehr, daß ihm kein Witz zu schmutzig war, kein Gedanke zu toll, kein Vorwurf zu ungerecht, um den Sieg der Gerechtigkeit, der Freiheit, der Tugend zu fördern. Zeitlebens war er ein kranker Mann. Er litt an Schwindel. Er schrieb seine Krankheit übermäßigem Obstgenuß in Temples Haus zu. Er fürchtete zeitlebens den Wahnsinn. Er litt an der »Sünde des Witzes«. Das Glück hieß er »einen ständigen guten Betrug, in dem man lebt«. Leichtgläubigkeit stimme friedlicher als Neugier. »Das erhabene feinste Wesen des Glücks sei der heitere friedliche Zustand eines Narren unter Schurken.«

»Vorige Woche«, sagte Swift, »sah ich, wie der Henker einer Frau die Haut abzog, und Sie werden es mir kaum glauben, wie sehr es das Aussehen dieser Person verschlimmerte. Gestern befahl ich, den Leichnam eines Beau in meiner Gegenwart zu entblößen, da waren wir alle verblüfft, so viele unvermutete Gebrechen unter einem einzigen Anzug zu finden. Dann öffnete ich sein Hirn, sein Herz, seinen Spleen, die Milz also ... die Fehler mehrten sich.«

Swift trieb es gar zu arg, erklärte Alfred. Das erste, was ein Mensch lernt, ist seine Zunge hüten. Es ist einfach unmöglich, alles herauszusagen, was einem in den Sinn kommt, außer auf dem Diwan der Psychoanalytiker. Swift sagte nicht alles, was ihm in den Sinn kam, aber er sagte alles, was er wollte, ohne Rücksicht auf andre, ohne Rücksicht auf sich. Mit seinem ersten Buch, das obendrein anonym war, *A Tale of a Tub*, schuf er sich die während Feindschaft seiner Kirche. Die meisten Menschen verstehen keinen Witz, und schon gar nicht Witze, die gegen sie gerichtet sind. Noch weniger Menschen verstehen Ironie. Swift hatte zum Beruf die Kirche gewählt und war ein Heiliger, aber einer, der sich zum Spiel verstellte und verbarg, ein Heiliger mit Ironie, ein Heiliger, der Witze machte, ein satirischer Heiliger, der immer obszöner sprach, der weder Gott noch die Kirche, weder die Regierung noch die Parteien schonte, der vor keinem Respekt hatte, außer vor klugen Pferden und gescheiten Literaten, der mit zwei Frauen lebte, wenn auch vielleicht nicht in der Sünde des Fleisches, was freilich unter diesen Umständen gleichfalls eine Sünde gewesen wäre; denn wenn man eine junge Frau liebt, die einen liebt, und man geht nicht mit ihr ins Bett, so begeht man eine Sünde. Dieser frechste Mensch in der englischen Literatur war ein Geistlicher, und da er lieber mit seinen Fehlern kokettierte, als mit seinen Tugenden zu prahlen, und da es sehr viel bedeutete, der Jonathan Swift zu sein, und fast nichts, besonders nicht in der Stadt London, ein kleiner irischer Geistlicher zu sein, spielte er sich überall, unter Wits und Ministern, auf den Geistlichen heraus, auf den Mann Gottes, der des Teufels Maske trug. Dieser Landpfarrer Jonathan Swift war ein genialer Spieler – mit Worten, mit Welten, mit Träumen einer besseren Menschheit. Dieser schärfste Satiriker schrieb im Vorwort seiner schonungslosen ersten Satire, dem *Märchen von der Tonne*: »Ich habe weder ein Talent noch eine Neigung für Satire«, und zum Ende des Märchens: »Ich versuche mich an dem sehr häufigen Experiment der modernen Autoren, über nichts zu schreiben; und wenn der Gegenstand ganz erschöpft ist, die Feder weiter gehen zu lassen ...«

Der glückliche Swift, sagte ich, hatte weniger Vorurteile als die meisten. Darum hatte er keine Geduld mit den Fehlern der Menschen, mit ihren Vorurteilen oder mit falschen Prätentionen.

Weil er mehr Mitleid und Liebe für seine Mitmenschen empfand, als die meisten, sagte Silvia behend.

Ja, sagte ich, und diese Liebe in tolle Wut kleidete.

Ja, sagte Silvia, er war erbarmungslos gegen Bosheit und Dummheit.

Und sprach mit erhobener Stimme wie zu Tauben, sagte ich.

Wie zu Blinden, sagte Silvia, mit dreifacher Anschaulichkeit.

Wie zu Schlafenden, die er aufwecken wollte, sagte ich.

Er sprach zum Volk, sagte Silvia.

Und er sparte nicht mit Anspielungen für die Gebildeten, für die Wenigen, sagte ich.

In Irland, berichtete Alfred, wo Stella neben ihm lebte,

faßte Swift, der Schloßkaplan des Lord Berkeley, eine große Neigung für die Lady und ihre Töchter und schrieb für sie, mit siebenunddreißig, die *Meditation über einen Besenstiel.* Aber schon mit vierunddreißig Jahren lebte er ein halbes Jahr in London, mitten unter den »Wits«, in vielen Cafés. Erst war er ein Whig und wollte sich in die Geschäfte der Welt mischen. Er wollte in London mitregieren und in England und in der halben Welt, wenn möglich, und er ließ ein ernsthaftes Pamphlet für die Whigs drucken, fast ohne Witz, und so begann Englands größter Satiriker seine literarische Laufbahn, fast ohne Witz. Aber er war ein Mitglied der anglikanischen Kirche, ein irischer Landpfarrer. Das war keine Stufe zum Erfolg bei den Whigs. Obendrein hatte Swift 1708 ein Pamphlet gegen die Whigs *Letter on the Sacramental Test* publiziert, anonym, wie fast alle seine Schriften. Um den Verdacht von sich abzulenken, hatte er sogar eine Anspielung auf Swift hineingeschrieben und in den literarischen Kaffeehäusern beißend gegen dieses Pamphlet und gegen den Angriff auf ihn gesprochen. Aber der Autor wurde entdeckt. Swift wußte, daß ihm die Whigs dieses Pamphlet verübelten und ihm darum mißtrauten. Leslie Stephen sagte: »Swift hielt die Whigs für Schurken, weil sie ihn nicht begünstigten, und er hielt sie nicht weniger für Schurken, weil sie sich gemäß ihren eigenen schurkischen Prinzipien betrugen.«

Damals gewann Swift seine besten Freunde, die »Wits« von England, lauter Humoristen. Es war ein Jahrhundert der Humoristen und Komödienschreiber und Satiriker, lauter Aufklärer und Lehrer der Völker und Menschen. Speziell in England wimmelte es von Komödienschreibern und Komödienfiguren. Es war ein lustiges Land voller Spötter.

Da war der Jonathan Swift, der aus schlummernden Literaten grellwache Satiriker schuf, wie mit einem Zauberstab, so groß war seine satirische Gewalt. Er weckte, befeuerte, befruchtete alle seine Freunde, den Dr. John Arbuthnot, den John Gay, den Alexander Pope, den Joseph Addison, den Richard Steele, und den William Congreve.

Es gab noch mehr Humoristen in England durch jenes ganze Jahrhundert: den William Wycherley und John Varquhar, den Daniel Defoe, den Henry Fielding und den Tobias Smollett und Lawrence Sterne und den Earl of Chesterfield, und den Samuel Johnson und seine Freunde Oliver Goldsmith, James Boswell, William Hogarth, Horace Walpole, Richard Brinsley Sheridan und John Vanbrugh.

War es Zufall, daß zur selben Zeit die Kaffeehäuser und die Humoristen in England blühten? fragte ich. Ihr mißversteht mich nicht, hoffe ich. Die Konflikte der Religion, der Weltanschauung, der Politik, die Spaltungen der Gesellschaft, die Ermüdung der Kleriker und Könige, das neue Bürgertum, die Skeptiker und Aufklärer, die ganzen Intellektuellen Europas, die wie aus einem Traum erwachten und sich die schlaftrunkenen Augen rieben und neu zu denken begannen, neu zu träumen, neu zu singen und neue Witze machten, die ganze Reformation und Renaissance, der Traum der Puritaner, die Revolution des Cromwell, die Gegenrevolution, die Entdeckungen neuer Kontinente, einer neuen Philosophie, einer neuen Physik und Metaphysik, die neuen Sitten und Städte, das alles kam nicht aus dem Kaffeesatz, das alles entsprang nicht den Kaffeehäusern oder Tavernen, und es führte auch nicht zu den Kaffeehäusern zurück. Meine ganze Apologie der Kaffeehausliteraten, mein ganzes Pamphlet für die literarischen Kaffeehäuser gilt größeren Gegenständen.

Mein literarisches Kaffeehaus ist nur ein Symbol für die Macht der Vernunft. Ich verspotte nur die falschen Vorurteile, die falschen Legenden in der Literatur, die falschen Vorstellungen von der Zivilisation, oder gar der Kultur, wie man in Deutschland sagt. Ich verspotte die falsche Figur des Dichters und den Aberglauben und Irrationalismus oder die Vorstellung, daß die Kunst, das freiste Spiel der Vernunft, am besten ohne Vernunft gedeihe.

Daß geistreiche Männer einander an einem unverbindlichen, ungezwungenen freien Orte treffen, daß sie in der Fülle der Unterhaltungen ihren Witz aneinander schärfen, daß sie gezwungen werden, Meister des Dialogs zu werden, daß sie wie in einem Theater, wo sie selber auch die Haupt-Akteure sind, die Sitten und Masken des Jahrhunderts betrachten und sich gleichzeitig von nahe und von ferne anschaun, daß Menschen einander begegnen, die sonst durch soziale und gesellschaftliche oder politische Schranken voneinander getrennt wurden, all das fördert sicherlich diese geistreichen Männer bis zu einem gewissen Grad, wie es dem Bedürfnis eben dieser geistreichen Männer entsprungen ist.

Satiren, Komödien, Humoristen, Theaterstücke, ja ein großer Teil der Literatur sind Produkte der Gesellschaft, Resultate der sozialen Verhältnisse und des sozialen Lebens. In den Höhlen der Einsamkeit blüht keine Gesellschaftssatire, kein Humor, keine Ironie, höchstens Pathos und Lyrik und bitterer Ernst.

Freilich findet man nicht in jedem Literaturkaffeehaus einen Swift mit einem Schwarm von Humoristen. Ich selber ging mein ganzes Leben lang ins Café und liebte immer die Gesellschaft der Literaten und floh meistens vor der Boheme und den Bohemiens und insbesondere vor den schlechten, falschen und nachgemachten Literaten, vor der künstlichen Boheme. Wenn ich ins Café gehe, um zu schreiben, muß ich allein sein und unter Menschen, die nicht im Café schreiben. Wenn ich ins Café gehe, um Freunde zu treffen, auch andere Literaten, gehe ich fast nie in Literatur-Cafés. Ich könnte wie Swift sagen: »Ich habe weder ein Talent noch eine Neigung für Satire.« Aber wo immer ich einen Schwarm von Literaten beisammen sehe, entdecke ich eine satirische Laune in mir und beginne über mich und meinesgleichen zu lachen. Die meisten Literatencafés gleichen der Bettleroper von John Gay.

Dieser John Gay war ein feister, freundlich lässiger leichtherziger Mann, erzählte Silvia, der Lieder schrieb und oft sein eigenes Interesse mißachtete und gerne in den Häusern der Reichen saß und ihr Brot aß, ein »Schoßhund einer Herzogin«, und Fabeln, Satiren und Opern schrieb, wie diese *Beggar's Opera* von 1728 und *Polly*. Die *Polly* trug dem armen gutmütigen Gay 1200.– £ und politische Verfolgung ein.

Swift war sein Mentor und Vorbild. Eines Tages hatte Swift an Pope geschrieben, welch »eine kuriose und hübsche Affäre würde ein Schäferspiel in Newgate geben«, unter Huren und Dieben, und wäre das nichts für unsern Freund John Gay? Gay folgte dem Rat und schrieb sein berühmtestes Werk, das schon zu seinen Lebzeiten immensen Erfolg hatte.

Gays *Beggar's Opera*, die meist im Newgate Gefängnis spielt, erzählt scheinbar die Geschichte des Straßenräubers Macheath. Polly Peachum und Lucy Lockit sind seine Weiber. Das Publikum erblickte in dem Straßenräuber Macheath das Porträt des Sir Robert Walpole, Earl of Oxford, des Führers der Whigs, der englischer Schatzkanzler und Lordschatzmeister von 1721 bis 1742 war. Das Publikum zog auch die heimische Balladen-Oper der italienischen Oper und dem Händel vor. Lavinia Fenton, welche die Polly Peachum kreierte, wurde die Herzogin von Bolton.

Dieser John Gay schrieb auch ein Buch *Trivia, oder die Kunst in den Straßen von London spazierenzugehen.* Als er eine Satire auf die Schäferpoesie schrieb, um seinen Freund Alexander Pope im *Krieg der Pastoralen* gegen Ambrose Philips zu stützen, ward seine Satire ein Glanzstück der Schäferpoesie. Auf dem Grabstein von John Gay in Westminsterabtei stehen seine Verse:

> *Life is a jest; and all things show it.*
> *I thought so once; but now I know it.*
>
> *(Das Leben ist ein Witz; die Welt beweist es fleißig.*
> *Ich hab' es einst gedacht; jetzt aber weiß ich!)*

Und da waren Addison und Steele, die Kaffeehaushelden bei *Will's.* Addison war um fünf Jahre jünger und schon erfolgreicher als Swift. Sie sahn sich und wurden Freunde. Addison hieß Swift »das größte Genie seiner Epoche« (in einer Widmung freilich, was schreibt man nicht in Widmungen?). Swift hieß den Addison den Ruhm seiner Epoche. Swift schrieb für die Zeitschriften der beiden Freunde Steele und Addison, den *Tatler* und den *Spectator*. Addison korrigierte sogar die Verse seines Freundes Swift.

Congreve hatte Swift auch ins *Café Will's* gebracht, wo Addison regierte. Addison, der Sohn eines Geistlichen, wollte kein Geistlicher werden. Er war ein glänzender Latinist, seine lateinischen Verse fielen dem Dryden auf. Addison reiste durch Italien, wo ihm nichts gefiel; darüber schrieb er ein Buch. Er suchte Mäzene und feierte den Sieg des Whig Marlborough bei Blenheim, wofür er einen Posten mit 200 £ jährlich erhielt. Daniel Defoe las diese 500 Verse Addisons, *Die Kampagne,* und sagte, ich schreibe meine Verse umsonst, aber Addison sicherte erst seine Pension, sonst hätte er nie gesungen. Defoe erlebte später, wie Steele und Addison ihn literarisch ausbeuteten, und seinen »Skandal-Club« nachahmten. 1706 wurde Addison Unterstaatssekretär von Irland und Mitglied des Parlaments. Drei Jahre später wurde er erster Sekretär des Vizekönigs von Irland, des Earl of Wharton, und blieb es drei Jahre lang.

Swift hatte in einem Pamphlet gegen den Earl geschrieben, Wharton ertrage die Flirts seiner Frau mit der Gleichgültigkeit eines Stoikers und denke, sie seien wettgemacht durch die Kinder, die seine Familie fortführten, ohne daß er sich die Mühe machen mußte, Vater zu werden. »Der Earl ist ohne allen Sinn für Scham und Ruhm, wie manche Menschen ohne Geruchssinn sind; und darum bedeutet ihm der gute Name nicht mehr, als ein köstliches Parfum jenen bedeuten würde ... Wer immer die Natur einer Schlange, eines Wolfs, eines Krokodils, eines Fuchses beschreiben sollte, dem muß man glauben, er tue es zum Nutzen anderer, ohne eine persönliche Zuneigung für diese Tiere oder Haß gegen sie.«

Nach der Veröffentlichung dieses Pamphlets »sah mich Lord Wharton an der Tür von White's *Chocolate House,* und ich sah ihn, nahm aber keine Notiz von ihm und war im Weggehn, als er jedoch durch die Menge kam und mich anrief und mich fragte, wie es mir gehe.«

Addison erhielt als Sekretär Whartons 2000 £ im Jahr.

1713 hatte Addison großen Erfolg mit einer schlechten Tragödie *Cato*. Swift schrieb an Stella: »Ich war diesen Morgen bei
der Probe von Mr. Addisons *Cato,* der am Freitag aufgeführt
werden soll. Es waren kaum zehn von uns da. Wir standen
auf der Bühne, und es war närrisch genug, mitanzusehn, wie
den Schauspielern alle Augenblicke souffliert werden mußte
und der Dichter sie dirigierte; und die Schlampe, die Catos
Tochter spielte, war mitten in einer leidenschaftlichen Stelle,
da rief sie plötzlich aus: Was kommt jetzt? Der Bischof von
Clogher war auch da, aber er stand abseits in einer Galerie.
Ich ging, um mit dem Lord Schatzkanzler zu dinieren, da er
aber schon zum Landsitz seiner Tochter gefahren war, kehrte
ich um und speiste privat mit Mr. Addison ...«

Was für ein Freundespaar, sagte ich, dieser »viktorianische«
Super-Gentleman der Aufklärung, dieser wie nach Maß ge-
schnittene, nur keinen Anstoß erregende, immer vermittelnde,
die bürgerliche Moral und die bürgerlichen Damen und ihre
Teestunden preisende, sogar in der Literatur streng geregelte
Addison, dieser Zensor der sogenannten guten Sitten, und
dagegen der überall exzedierende, explodierende, absurd maßlose, obszöne Swift?

Eine Weile, sagte Silvia, war Swift auch mit Richard Steele
gut Freund. Steele war wie Swift in Dublin geboren und englischer Abkunft; aber er war von Natur ein *Rake,* einer der
muntern Kavaliere. Er begann als Offizier der Life Guards
und hieß später Captain Steele, bis George I. ihn zum Sir
Richard machte. Er liebte das Spiel, das Vergnügen, die Wollust und veröffentlichte mit neunundzwanzig Jahren sein erstes
Buch *Der christliche Held, ein Beweis, daß die Prinzipien der
Religion allein genügen, um einen großen Mann zu machen.*
Er schrieb sentimentale Komödien, wie *Der zärtliche Gatte.*
1709 begann seine Zeitschrift *The Tatler,* verfaßt von »Isaac
Bickerstaff«, einem toleranten ältern Herrn, einem Astrologen,
der die Welt beobachtet und kommentiert, und zuweilen auch
das häusliche Leben.

Als *Des Herrn Bickerstaff gelehrte Arbeiten* erschienen,

glaubte das Publikum, die drei witzigen Freunde Steele, Addison und Swift seien die Autoren.

Swift, der den Namen Isaac Bickerstaff auf einem Ladenschild las, hatte ihn als Pseudonym für einen spaßhaften Literaturstreit gewählt, den er zwei Jahre lang gegen einen John Partridge geführt hatte. Dieser Partridge, ein ehemaliger Schuster und protestantischer Lärmschläger und Prophet von Verschwörungen, hatte dreißig Jahre lang astrologische Almanache mit Prophezeiungen für den Pöbel veröffentlicht. Nun publizierte »Isaac Bickerstaff« sehr präzise *Prophezeiungen für das Jahr 1708*. Dieser wahrhaftige Astrologe, der alle falschen Astrologen denunzierte, mitsamt ihren vagen Voraussagen, prophezeite die genauen künftigen Sterbetage von Louis XV. und von John Partridge, dieser würde am 29. März 1709 um elf Uhr abends sterben. Schon am 30. März veröffentlichte Isaac Bickerstaff ein neues Pamphlet, worin er auf ergreifende Weise *Einen Bericht vom Tode von Partridge* gab. Partridge schrieb eine *Antwort an Bickerstaff*, wo er aller Welt wehmütig versicherte, er lebe noch. Darauf erschien sofort eine *Rechtfertigung von Isaac Bickerstaff* und *Merlins Prophezeiung*, worin Swift mit seiner berühmten unwiderleglichen Logik bewies, John Partridge sei tot, absolut tot, unwiderruflich, ein für allemal! Daß Partridge fortfuhr, Almanache zu schreiben, sei gar kein Beweis gegen den Tod von Partridge.

In dieser Kontroverse erbat und erhielt Swift literarischen Beistand von Steele, Congreve, Thomas Prior und Thomas Yalden. Partridge, soweit er noch lebte, starb schier vor Verzweiflung, de facto aber erst 1715.

Welcher Übermut, sagte ich, dieser Kampf von Riesen gegen einen armseligen Zwerg! Aber vielleicht schlugen sie in diesem Zwerg den ganzen Aberglauben des Volkes? Im *Märchen von der Tonne* parodierte Swift die drei Kirchen und die Geschichte des Christentums. Und darnach zwei Jahre lang einen kleinen Kalendermacher?

Der deutlichste Satiriker Europas war der geheimnisvollste Privatmann. Er sprach von allem, enthüllte alle, war in jeder

Wendung, in jedem Tonfall Swift und blieb immer mysteriös. Liebte Swift die Weiber? Glaubte Swift an Gott? War Dechant Swift ein Christ?

Am Ende jeder Satire, jedes Pamphlets hüllt sich Swift in ein rätselhaftes Schweigen, wird doppeldeutig und zweisinnig. Mit den entschiedensten Mitteln wirkt er unentschieden. Ging die wahre Meinung des schlimmsten Spötters nur dahin, ein Skeptiker zu sein, ein Schüler von Montaigne? *Que sais-je?* War das die Maske des großen Aufklärers, der alle kleinen Aufklärer so spaßhaft fand? In seiner *Bücherschlacht* bricht er den Streit ohne Entscheidung ab, ebenso im *Märchen von der Tonne.*

Der Titel stamme, sagt Swift, von der Gewohnheit der Matrosen, eine leere Tonne ins Meer zu werfen, wenn sie einem Hai begegnen, um dessen Angriff vom Schiff abzulenken. So wollte Swift den »Leviathan« Hobbes und die kleinen Spötter des Jahrhunderts von der Kirche und Religion ablenken. Aber keiner spottete so scharf wie Swift in seiner angeblichen Ablenkung. Ein Vater habe seinen drei Söhnen drei gleiche Röcke hinterlassen, mit der Weisung, den Rock zu tragen und ihn keinesfalls zu ändern. Peter (die katholische Kirche, St. Petrus), Martin (Martin Luther, die anglikanische Kirche), Jack (John Calvin, die Dissenters oder Nonkonformisten) werden nach und nach ungehorsam, die unmodernen Röcke schließen sie aus der besten Gesellschaft aus, sie entdecken eine Autorität in ihres Vaters Testament (die Bibel), die Änderungen rechtfertigt. Peter schmückt seinen Rock mit Tressen und Fransen, Martin beraubt seinen Rock allen Schmucks. Jack in seiner Sucht, seinen Rock zu reinigen, zerfetzt ihn gar. Peter wirft seine Brüder hinaus und erklärt sich selbst für den einzigen Besitzer des Testaments. Er will die Alleinherrschaft. Martin und Jack zerstreiten sich erst mit ihm, dann untereinander. Jack denunziert Peter in Ausdrücken, die alles Übernatürliche in der Religion zu leugnen scheinen. Swifts Satire wird am heftigsten gegen Peter, aber er verschont auch die anglikanische Kirche und die Dissenters keineswegs. Er lieferte Material für den

Spott der Freidenker des ganzen Jahrhunderts. Seine Erzählung wird von vielen witzsprühenden Abschweifungen unterbrochen, gegen die falschen Gelehrten, gegen die Kritiker, über die Tollheit, über die antiken und die modernen Autoren, über einen von Swift vorgegebenen grenzenlosen Optimismus betreffs der Beziehungen zwischen Verlegern und Autoren. Es gibt auch eine lange Abschweifung über Abschweifungen.

Die Abschweifung ist sozusagen das literarische Café der Humoristen, bemerkte Silvia, das Eldorado der Plauderer und Feuilletonisten. Auch Steele war der angenehmste Plauderer, voller Digressionen für die Teegesellschaften der Damen und die Literaten im Café.

»Wo der Gatte beginnt, endet der Held«, sagte Steele, und: »Er ist ein Mann und darum ein Heuchler«, und »die Kunst der Liebe ist die Kunst des Gebens«, oder »Das ganze Leben ist wie ein Schwindligwerden«, und eine Kammerzofe sei »ebensosehr aus zweiter Hand wie ihre Kleider«.

Steele schrieb gegen Duelle und für die Frauen und ihre bessere soziale Stellung und zur Hebung ihres gesellschaftlichen Ansehens. Damals war die Gesellschaft nur eine Art Herrenclub.

Steele und Addison schrieben im *Tatler* und im *Spectator* unter anderem Kurzgeschichten, satirische Charakterskizzen, Briefe, Feuilletons. Steele schrieb auch über die Pflege einer kranken Gattin durch ihren Gatten, über die literarischen Interessen der Kinder, über den Tod eines Vaters, über Liebe und Ehe. Er gehöre, schrieb er, zur »Gesellschaft für die Reform der Sitten«.

Ein Säufer und Schuldenmacher, das war der Captain Steele, entgegnete Alfred. Steele war zweimal verheiratet und hatte uneheliche Kinder. Seiner zweiten Frau, der geliebten Prue, schrieb er vierhundert Briefe, wo er fortplaudert, man hat sie gesammelt und herausgegeben. In seiner Komödie *Der lügnerische Liebhaber* gesteht Penelope, sie ziehe einen Mann mit einschmeichelnden Fehlern einem Mann mit aggressiven Tugenden vor. Steele und Addison vereinten die einschmeichelnden

Fehler und aggressiven Tugenden, beide waren berühmt für ihre Kunst, zu gefallen.

Diese enragierten Kaffeehausliteraten Steele und Addison gehörten mit dem Buchhändler Jacob Tonson zu den Mitbegründern des berühmten »Kit-Cat-Club«. Da saßen lauter Whigs, der Komödienschreiber William Congreve, der schon mit Wycherley und Dryden zu den Säulen des *Café Will's* gehörte, und der Architekt und Komödienautor John Vanbrugh, und der Maler Godfrey Kneller und der Doktor Samuel Garth und dreißig bis vierzig Staatsmänner und Kavaliere, wie Walpole und der Earl von Berkeley. Wie Pope berichtet, war Jacob Tonson um 1700 der Clubsekretär, wurde aber später hinausgedrängt. Tonson hat bei Kneller die Porträts aller Mitglieder bestellt, zum Schmuck des Speisesaals im Haus, das Tonson bauen ließ. Ursprünglich hatten sich die Mitglieder beim Pastetenkoch Christopher Cat oder Katt nahe Temple Bar getroffen, in einem Haus mit dem Schild einer Katze und einer Fiedel. Die Hammelpasteten Cats hießen Kit-Cats. Dr. Arbuthnot machte ein Epigramm:

> *»Wo Kit-Cat seinen Namen nahm,*
> *Kein Kritiker kann's ermitteln;*
>
> *Ob vom Pastetenkoch er kam,*
> *Oder von der Katze und Fiedel.«*

Walpole sagte, man glaubte allgemein, der »Kit-Cat Club« sei nur eine Garnitur von Witzbolden; tatsächlich waren sie die Männer, die Großbritannien gerettet haben.

Ein hohes Lob für einen Verein von Kaffeehausliteraten und ihrer politischen Freunde, sagte Silvia lachend.

Alfred beugte sich vor und küßte ihre Hand und lachte gleichfalls.

Einer der Mitbegründer des »Kit-Cat-Clubs« war der Doktor Samuel Garth, der den Nachruf am Grabe von Dryden gehalten hat. Er war erst spät zur Medizin und Poesie gekommen. Ein Privatdozent am Cambridge College, wurde er an die medizinische Fakultät von London berufen, um dort das Armenspital zu leiten. Als die Londoner Apotheker hämisch dieses fromme Werk der Mildtätigkeit angriffen, verspottete sie Dr. Garth in seinem parodistischen Epos *Das Dispensarium*. Er wurde der Leibarzt von George I.

Als dieser Dr. Garth eines Abends im »Kit-Cat-Club« auf seine Uhr blickte und gerade zu Steele sagte, nun müsse er leider seine Patienten besuchen gehen, da brachte man einen besonders guten Wein, worüber Dr. Garth seine Patienten vergaß. Eine Stunde später erinnerte ihn Steele an seine Patienten. Garth nahm aus seiner Tasche eine Liste mit fünfzehn Namen, überflog sie und sagte: »Es macht kaum einen Unterschied, ob ich diese Patienten heute nacht noch sehe oder nicht; denn neun von ihnen haben eine solch schlechte Konstitution, daß alle Ärzte der Welt sie nicht retten können, und die andern sechs haben eine solch gute Konstitution, daß alle Ärzte der Welt sie nicht umbringen können.«

Von der Gunst der Kaffeehäuser und Boudoirs lebten die meisten der mehr als dreihundert Zeitschriften, die in den ersten zwanzig Jahren des 18. Jahrhunderts gegründet wurden; sie empfingen die Ideen und die Skandale aus den Cafés und Boudoirs und trugen sie dorthin zurück, sie dienten den politischen Parteien und der Literatur. Am berühmtesten sind *Tatler* und *Spectator*.

Dank Swift! rief Silvia. Swift war der Vater und Lehrer der Humoristen. Ohne ihn wären Arbuthnot, Addison und Steele nie berühmte Satiriker geworden. Addison war noch mit fünfunddreißig Jahren ein unbedeutender Verseschreiber. Ohne Swift und Steele wäre er nie »Addison« geworden. An Swifts Tisch im Kaffeehaus sah man plötzlich die Komik der Menschen und ihrer Welt. Sein Lachen steckte ganz England, ganz Irland, ganz Europa an.

Die Literaten genossen das Leben in ihren Kaffeehäusern und in ihren Clubs so sehr, und das Publikum in England war so neugierig auf dieses Leben in den Cafés, daß die Literaten in ihren Zeitschriften ganze imaginäre Clubs erfanden, um mit ihnen wieder imaginärerweise in ihre selben literarischen Stammcafés zu gehn, in denen sie tagaus und tagein herumsaßen. Defoe erfand seinen »Scandalous Club« in seiner *Review*; Steele seinen »Club in der Trompete« in seinem *Tatler*; und Addison seinen »Spectator Club« im *Spectator*.

Der *Tatler*, der an den Posttagen erschien, Dienstags, Donnerstags und Samstags, verkaufte viertausend Exemplare, meistens wieder in den Cafés. Im Januar 1711 endete er plötzlich nach 271 Nummern. In der ersten Nummer hatte Steele angekündigt: »Alle Berichte über Galanterie, Vergnügen und Unterhaltung werden unter der Rubrik von *White's Schokoladenhaus* stehn; Poesie unter *Will's Kaffeehaus*; gelehrte Dinge unter dem *Kaffeehaus Grecian*; auswärtige und heimische Neuigkeiten werden Sie von *St. James's Kaffeehaus* erhalten; und was immer ich über alle andern Themen liefern sollte, wird aus meiner eigenen Wohnung kommen.«

Unter dem Druck der Regierung verzichtete der *Tatler* sehr bald auf politische Nachrichten. Addison soll bis zur fünften Nummer nicht erraten haben, daß Steele der Autor war.

Mit Swift kam Steele auseinander; Swift sagte, Steele »sei die ödeste Gesellschaft, solange ihm nicht eine Flasche Wein zu Kopfe gestiegen sei.«

Tatler und *Spectator* schufen mit ihren wiederkehrenden Figuren und Typen die Skizzen zu Sittenromanen. Neben Mr. Bickerstaff trat im *Tatler* etwa auch seine Halbschwester Jenny Distaff auf, ihr Flirt wird beschrieben, ihre Brautzeit, der Beginn ihrer Ehe und ein Verführer, der die junge Frau in Versuchung führt, dem sie aber Gott sei Dank nicht erliegt.

Zwei Wochen nach dem Ende des *Tatler* erschien der *Spectator.* der die Gedanken und Taten eines imaginierten Clubs des Mr. Spectator brachte. Addison, ein Bewunderer von La Rochefoucauld und insbesondere von La Bruyère, ahmte dessen »Charaktere« nach. Die Hauptfigur im *Tatler* war der ältliche Landedelmann, einst ein Wüstling, nun ein Tory, Sir Roger de Coverley; neben ihm erschienen der reiche Kaufherr aus der City, Sir Andrew Freeport, und ein gelehrter Geistlicher, ferner ein Jurist und der mutige Captain Sentry und Will Honeycombe, ein naiver frivoler Weltmann auf dem Lande. Der *Spectator* starb nach 555 Nummern, aber Addison hatte schon in Nummer 517 den Sir Roger de Coverley umgebracht, »damit kein andrer ihn morden möge«.

Indes Addisons *Cato* gespielt wurde, mit einem Prolog von Pope und einem Epilog von Dr. Garth, gründete Steele *The Guardian* (mit dem »Wächter« Mr. Nestor Ironside), an dem Addison, Pope, Berkeley und vielleicht auch Gay und Parnell mitarbeiteten. Steele wurde Mitglied des Unterhauses, gründete eine neue Zeitung *The Englishman* und wurde aus dem Parlament vertrieben, nachdem ihn Swift in zwei Pamphleten angegriffen hatte. Steele machte zwei neue Zeitungen, *The Lover* und *The Reader*.

Swift spottete, Steele gebe seiner Partei statt eines ausgezeichneten Humoristen einen miserabeln Pamphletisten. Swift sagte von Steele: Erweise ihm einen Dienst, und er ist dein Feind für immer.

Addison hielt sich für eine Weile von der Politik fern. Als nach dem Tod der Königin Anne die Tories fielen und die Whigs im Triumph mit George I. zurückkamen, wurde Addison sogleich wieder erster Sekretär für Irland und Steele Intendant des Drury Lane Theaters, wo er eine langweilige Komödie von Addison aufführte. Steele ging wieder ins Unterhaus. Mit dem Sturz des Kabinetts fiel auch Addison, er machte die Zeitung *The Freeholder,* wurde Staatssekretär für Handel und Kolonien und heiratete seine alte Flamme, die Gräfin Warwick. Vor ihr soll er ins *Café Button* geflüchtet sein, wo er den Daniel Button, einen Diener der Gräfin Warwick, als Pächter eingesetzt hatte. Addison, den seine Freunde den schüchternen Humoristen hießen und einen Catull, saß oft stundenlang schweigend im Café, scheinbar nur mit seiner Tonpfeife beschäftigt, in Wahrheit ein scharfer Beobachter aller Kaffeehaustypen.

Bald wurde Addison wieder Minister, und Steele schrieb: »Ich fordere keine Gunst vom Herrn Minister Addison.« 1718 zog sich Addison mit einer Pension zurück. Im Jahr darauf kam es zu einem heftigen Streit zwischen Addison und Steele. Addison starb an der Wassersucht, er war erst siebenundvierzig Jahre alt. Steele, der ihn um zehn Jahre überlebte, verließ London vier Jahre nach Addisons Tod, er war krank und verschuldet, wie er es sein Leben lang war, stets auf der Flucht vor Gerichtsvollziehern. Er starb vergessen in der Provinz.

Man kann Swifts Einfluß auf Addison und Addisons Einfluß auf England kaum überschätzen, sagte Alfred. Er wirkte durch seine Güte und seinen milden, mäßigen Charakter. Er erschien seinen Zeitgenossen als der zivilisierteste Literat. Er schrieb Prosa um ihrer Schönheit willen und wegen der Tugend, versteht sich, und für die Damen, er wurde auch ihr Lieblingsautor. Swift meinte, Addisons Stil sei sehr hübsch und feminin.

Schon im ersten Beitrag zum *Tatler* schrieb Addison, noch mehr als die entlassenen Soldaten machten ihm die alten Journalisten Sorge ... Schlug Prinz Eugen tausende, so schlug der Journalist Boyer zehntausende ... Wo sollten diese Journalisten nach dem Friedensschluß Arbeit finden ... Unter Karl II. kam keine Zeitung heraus, ohne wenigstens einen Kometen in Deutschland oder einen Brand in Moskau. Er schlägt vor, für solch altersschwache Journalisten, die ihrem Land im Krieg gedient haben, Wohnungen im Chelsea Hospital zu reservieren, und schreibt: »Man kann nicht annehmen, ich sagte das in meinem eigenen Interesse; denn meine Hauptquartiere sind die Kaffeehäuser, die Theater und meine eigene Wohnung, ich brauche keine Feldlager, Befestigungen und Schlachtfelder, um mich zu ernähren. Ich rufe nicht nach Helden und Generälen für meine Unterstützung. Mögen auch die Offiziere bankrott gehn, und die Armeen aufgelöst werden, ich werde weiterhin in einer gesicherten Position leben, solange es Männer und Weiber gibt und Politiker und Liebespaare oder Poeten und Nymphen oder Schäfer, Bürger und Höflinge, über die ich schreiben kann.«

Ist es nicht besser, fragt Addison, sich selber kennenzulernen, als zu erfahren, was in Moskau oder Polen vorgeht? Steele schrieb, sie wollten im *Tatler* das nichtige Leben bloßstellen, Eitelkeit und Ziererei. Dagegen die einfachen Sitten rühmen, eine allgemeine Simplizität der Kleidung, im Gespräch und im Betragen.

Addison schrieb im *Spectator*: »Mein Ziel ist, die Moral durch Witz zu beleben und den Witz durch die Moral zu mildern. Man sagte vom Sokrates, er habe die Philosophie vom Himmel in die Wohnungen der Menschen gebracht; und ich habe den Ehrgeiz, daß man von mir sage, ich hätte die Philosophie aus den Bücherschränken und Bibliotheken, den Schulen und Universitäten gebracht, damit sie in Clubs und an Teetischen und in den Kaffeehäusern wohne.«

Addison griff die italienische Oper an, den falschen Witz im Gegensatz zum echten Witz, die Lotterien, die Narrheiten der Damen und die gar zu fanatischen Parteigänger der Whigs und Tories. Er schrieb über natürliches Genie, über Phantasie und Imagination. Er rühmte die Volksballade und Milton. Er führte seine Leser in die City, in die Westminsterabtei und nach Vauxhall, dem neuen Amüsierpark.

Als Pope anfing, berühmt zu werden, riet ihm Addison, »nicht mit dem Beifall der halben Nation sich zu begnügen«, und weder Whig noch Tory zu sein. Addison hätte am liebsten eine dritte, neutrale Partei gegründet. Er sagte: »Ehre die Götter gemäß der Tagesmode!«

Die freie Diskussion in den Kaffeehäusern hat die Literatur, die Wissenschaften, die Sitten der Gesellschaft mehr gefördert und umgewälzt als die ganze Revolution und Gegenrevolution des Jahrhunderts, versicherte Alfred mit einem ironischen Lächeln. Cafés und Zeitschriften verweltlichten England. Addison und Steele waren solche Laienprediger. Addison »empfahl« das Christentum; es zeuge von schlechten Manieren und mache lächerlich, kein Christ sein zu wollen.

Der ärgste Spötter bei *Button's* war ein Jahr lang ein »böser Buckliger«, der arme große Alexander Pope, 1.37 m groß. Von seinem sechsundzwanzigsten bis zum sechsundfünfzigsten

Jahr galt er als Englands größter Poet, »Pope ein Papist«, wie Swift sagte, oder »die Wespe von Twickenham«, wie seine Feinde ihn hießen.

Dr. Samuel Johnson hat ihn geschildert: »Die Figur von Pope ist, wie wohl bekannt, nicht nach dem hübschesten Modell geformt. Er hat sich selber in seinem *Bericht vom Kleinen Klub* mit einer Spinne verglichen, und ein andrer beschreibt ihn als bucklig hinten und vorn ... Er war so klein, daß er so hoch war wie ein gewöhnlicher Tisch, man mußte seinen Sitz erhöhen. Aber sein Gesicht war nicht ungefällig, und seine Augen waren beseelt und lebendig.

Man erzählt uns, er sei so schwach gewesen, daß er gegen Kälte äußerst empfindlich war; darum trug er unter einem Hemd von einem sehr groben warmen Linnen mit feinen Ärmeln eine Art Pelzfutter. Wenn er aufstand, ward er in ein Korsett aus steifem Stoff gekleidet, da er sonst kaum imstande war, sich aufrecht zu halten, bis er geschnürt war, und dann zog er eine Weste aus Flanell an. Eine Seite war bei ihm gekrümmt. Seine Beine waren so mager, daß er ihren Umfang vergrößerte, indem er drei Paar Strümpfe übereinander anzog, die ihm von der Magd angezogen und wieder ausgezogen werden mußten; denn er war nicht imstand, sich selber an- und auszuziehn, und ging nicht ohne Hilfe zu Bett und stand nicht ohne Hilfe auf ... Sein Haar war ihm fast ganz ausgefallen, und wenn er zuweilen mit Lord Oxford privat speiste, trug er eine Samtmütze. Sein guter Anzug war schwarz, wozu er eine Perücke und ein kleines Schwert trug.«

In Lombardstreet, mitten in London 1688 geboren, ein Großstadtkind, verbrachte er den größten Teil seines Lebens auf dem Lande, in seinem Park, in seiner Grotte, in seiner Villa zwischen Wäldern und Wiesen. Er war ein echter Kaffeehausliterat, aber in Schäfertracht. Dieser tändelnde, empfindsame, in die Musik der Worte verliebte Kranke wurde Englands schärfster satirischer Dichter, aber auch ein Poet so subjektiv wie Byron und Heine. Pope konnte tapfer spotten und tapfer resigniert sein:

»Late as it is, I put myself to school
And feel some comfort, not to be a fool.
Weak though I am of limb, and short of sight,
Far from a lynx, and not a giant quite;
I'll do what Meat and Cheselden advise,
To keep these limbs, and to preserve these eyes.
Not to go back, is somewhat to advance,
And men must walk at least before they dance.«

(So spät es sei, schul' ich mich selber ein
Und fühl' ein wenig Trost, kein Narr zu sein.
Wie schwach die Glieder sind, wie kurz die Sicht,
So gar kein Luchs, und wohl ein Riese nicht,
Folg' ich Meats Rat, und was Cheselden riet,
Das Aug' zu wahren mir, und jedes Glied.
Nicht rückwärtsgehn, heißt vorgerückt, im Ganzen,
Und Menschen müssen gehn, bevor sie tanzen.)

Pope war ein großer Poet, der schlechte Poesie haßte. Er war ein kranker Krüppel, der sich erfolgreich gegen hundert robust gesunde literarische Pfuscher wehrte. Er konnte sehr zornig werden und offenbarte seinen Zorn in Versen, die von Musik troffen. Er war berühmt und wurde auch dafür gehaßt.

Im *Prolog zu den Satiren* schrieb er:

»There are who to my person pay their court:
I cough like Horace, and though lean, am short.
Amon's great son one shoulder had too high,
Such Ovid's nose, – ,Sir, you have an eye.'
Go on, obliging creatures, make me see
All that disgraced my betters met in me.
Say, for my comfort, languishing in bed,
,Just so immortal Maro held his head;'
And, when I die, be sure and let me know
Great Homer died three thousand years ago.
Why did I write? What sin to me unknown

Dipp'd me in ink? my parents', or my own?
As yet a child, nor yet a fool to fame,
I lisped in numbers, for the numbers came.
I left no calling for this idle trade,
No duty broke, no father disobeyed:
The Muse but served to ease some friend, not wife,
To help me through this long disease, my life ...
O let me live my own, and die so too!
(To live and die is all I have to do:)
Maintain a poet's dignity and ease,
And see what friend, and read what books I please:
Above a patron, though I condescend
Sometimes to call a minister my friend.
I was not born for courts or great affairs:
I pay my debts, believe and say my prayers;
Can sleep without a poem in my head,
Nor know if Dennis be alive or dead.
Why am I asked what next shall see the light?
Heavens! was I borne for nothing but to write?
Has life no joys for me? or (to be grave)
Have I no friends to serve, no soul to save?

(Und manche schmeicheln so bei mir sich ein:
Ich huste wie Horaz, bin schlank, doch klein.
Des Ammonssohnes Schulter war zu hoch,
Wie Nasos Nase – ,Herr, hast Augen doch!'
Nur zu, gefäll'ge Freunde, laßt mich sehn,
An mir, was auch an Bessern war nicht schön.
Sag', mir zum Trost, der siecht in seinem Bett:
Grad so Vergil den Kopf gehalten hätt'!
Sag' sicher, siehst du mich kaum leben mehr,
Homer starb auch, dreitausend Jahre her.
Und warum schrieb' ich? Welche Sünde taucht'
In Tinte mich? Mein Fehl? Der Eltern auch?
Und doch als Kind, noch nicht ein Narr des Ruhms,
Lispl' ich in Versen; denn von Versen summt's!
Für diesen müß'gen Handel ließ ich nicht

Beruf und Vaters Rat und andre Pflicht.
Die Muse Freunde gab, kein Weib versüßt
Dies lange Siechtum, das mein Leben ist.
Laß mir mein eignes Leben, eignen Tod!
(Leben und Sterben, mehr tut mir nicht not:)
Des Dichters Würde wahren, leicht genug,
Den Freund nach Lust mir wählen, und mein Buch:
Erhaben ob Gönnern, ließ ich mich herab,
Daß ich Ministern meine Freundschaft gab.
Für Hof und Weltgeschäfte nicht gebaut,
Zahle ich Schulden, glaube, bete laut,
Schlaf' gut, weiß ich auch keinen Vers im Kopf
Und ob der Dennis lebt, ob tot der Tropf!
Was fragt man mich nach meinem nächsten Buch?
Sei Dichten mir an Lebens Statt genug?
Gibt's Wonnen nicht für mich? Und (sag' ich's schwer):
Kein Freund zu retten? Keine Seele mehr?)

Pope wollte nicht nur als ein großer Poet, sondern auch als ein guter Mensch gelten. Im übrigen waren Mystifikationen sein Spaß und Spiel. Er machte aus allem einen Roman oder einen Spottvers. Er mußte alles romantisieren oder romancieren. Obendrein war er ein Snob und dichtete seiner Familie Herzöge, Earls und Ritter an. Ein Großonkel, der in Spanien General wurde, hinterließ ihm ein kleines Vermögen.

Aus dem schönen Knaben hatte früh eine Knochentuberkulose einen buckligen Zwerg mit einem leidensschönen Antlitz gemacht, so fingen »diese lange Krankheit und die Poesie an«. Wahrscheinlich hatte er einen Teil seiner Mißgestalt schon vom Vater, der an einer Rückgratverkrümmung litt. Von seiner Mutter hatte er die schrecklichen Kopfschmerzen, die ihm sein Leben lang zusetzten. Seine Halbschwester, Mrs. Rackett, erzählte dem Anekdotenschreiber Spence, daß Alexander ein hübscher kleiner Junge mit glücklichem Gelächter, klaren Augen und rosigen Wangen war und eine Stimme wie eine

Nachtigall hatte. Noch ging er im Röckchen, als ihn »eine wilde Kuh« überrannte und auf ihm umhertrampelte und ihn am Hals mit ihren Hörnern verwundete. Frau Rackett erzählte Herrn Spence: »Der Unfall mit der Kuh ereignete sich, als mein Bruder drei Jahre alt war. Er füllte gerade einen kleinen Karren mit Steinen. Die Kuh traf ihn, entführte mit ihren Hörnern seinen Federhut und schleuderte das Kind auf die Steine, mit denen es gespielt hatte.« Er war der Sohn der zweiten Frau, Vater und Mutter waren schon nicht mehr jung, als er geboren wurde.

Aus einer Schule in Twyford nahe bei Winchester wurde er dimittiert, nachdem man ihn gezüchtigt hatte, wegen einer Satire auf seinen Lehrer.

Dann kam er in eine Privatschule bei Hydepark, zu einem katholischen Lehrer namens Deane, der wegen seiner Religion mehrmals im Gefängnis saß und am Pranger stand.

Mit dreizehn Jahren kam er nach Linfield, wo sein Vater ein Haus im Wald hatte. In London hatte er die Theater besucht und schon mit zwölf sein erstes Drama geschrieben. Dryden war sein Schwarm und Lehrer der Poesie. Er erzählte Spence: Ich sah Dryden, als ich zwölf Jahre alt war. Ich erinnere mich gut an sein Gesicht; denn ich blickte ihn mit Verehrung an und beobachtete ihn ganz genau. Er erzählte Wycherley, daß er Dryden nur einmal gesehen habe, aber sich erinnere, daß er »feist war, mit einem frischen Teint und zu Boden blickte und nicht sehr gesprächig war«.

Northcote erzählt im *Leben von Reynolds,* daß dieser als obskurer junger Mensch bei einer öffentlichen Auktion war, in einer Menge, die plötzlich wie ein Bienenschwarm summte und von den Gemälden sich abwandte und zur Tür schaute und Platz machte, wo nun eine kleine deformierte Figur heranschritt. Es war Alexander Pope, der unerwartet gekommen war. Jede Hand war ausgestreckt, um ihn zu grüßen, und der künftige Sir Joshua Reynolds streckte seinen Arm unterm Arm eines andern durch und drückte die Hand von Pope, den er gar nicht kannte.

Pope liebte seine Eltern abgöttisch. Sein Vater korrigierte die Verse des Kindes und erklärte, das sei ein schöner Reim oder ein schlechter Reim, er hieß jedes Gedicht einen Reim; die Mutter, eine einfache, ungebildete Frau, kam mit den aristokratischen Gästen ihres Sohnes gut aus, mit Bolingbroke und Sarah Herzogin von Marlborough, mit dem eitlen Sir Godfrey Kneller und dem schwierigen Dean Swift. Aber als Voltaire einmal nach Twickenham kam, verließ die Mutter von Pope vor dem schockierenden Gespräch Voltaires entrüstet das Zimmer.

Mit siebzehn Jahren begann der junge Dichter Pope die Bekanntschaft, ja Freundschaft und eine ausgedehnte literarische Korrespondenz mit dem 64jährigen, einst für seinen scharfen Witz und seine ausgelassenen Komödien, seine zahllosen galanten Abenteuer, seinen Dienst in einem Garderegiment und seinen Streit bei Hofe mit König Karl II. berühmten und nun armen, verbrauchten, halbverschollenen und verrufenen Wit und Autor William Wycherley. Der Wunderknabe spielte den Lehrer und korrigierte die Verse des Greises und merzte alle die Zitate aus den besten Autoren aus, die Wycherley ohne Anführungszeichen »zitierte«.

Wycherley »sah wie ein Herr von Adel aus«, wie Pope sagte. Er war mit der Herzogin von Cleveland befreundet, die ihm vom Kutschenfenster aus *rascal* (Schuft) zugerufen hatte, weil er so hübsch und frech aussah und sie angestarrt hatte, was natürlich zu einem Liebesverhältnis führte. Er hatte die eifersüchtige Lady Drogheda geheiratet, die er im Laden eines Buchhändlers getroffen hatte, und die ihm verboten hatte, zu Hof zu gehn. Er war sieben Jahre wegen seiner Schulden in der Flotte »eingesperrt« gewesen, bis er von König James II. gerettet wurde, aber nur zum Teil, denn Wycherley hatte nicht gewagt, ihm seine vollen Schulden einzugestehen, und also zahlte der König nur den eingestandenen Teil.

Infolge einer Krankheit hatte Wycherley vierzig Jahre vor seinem Tod sein Gedächtnis verloren. Er war immer noch eine »schöne römische Ruine«, sah wie ein Goliath aus, war immer noch ein Beau, immer noch ein Wit. Pope war siebzehn und im Anfang geblendet.

Wycherley hatte die beiden Sakramente, welche nach dem Rat weiser Männer die beiden letzten sein sollten, nämlich das Sakrament der Ehe und das letzte Sterbesakrament vereint. Kurz vor seinem Tode heiratete er ein nettes junges Mädchen, um sie zu seiner Erbin und damit glücklich zu machen. Am Abend vor seinem Tod rief er sie an sein Sterbelager und bat sie dringlich, ihm eine letzte Bitte nicht zu verweigern. Gerührt versprach sie es. »Meine Liebe, du sollst mir nur versprechen, nie wieder einen alten Mann zu heiraten!«

Die Briefe dieser seltsamen Literaturfreundschaft zwischen einem frühreifen Knaben und einem altersschwachen Greis, die fünf Jahre dauerte, dann durch einen einjährigen Streit unterbrochen wurde, um schließlich einigermaßen für die letzten fünf Jahre Wycherleys fortgeführt zu werden, veröffentlichte Pope mit so vielen Manipulationen, daß ihn auch die Nachwelt einen Intriganten hieß.

Wycherley, ein Katholik und in Frankreich erzogen, hatte Pope zu William Walsh, einem angesehenen Kritiker, gebracht, und bei *Will's* und bei *Button's* eingeführt und ihn gefördert. Auch Walsh förderte den jungen Pope und sagte ihm: »Wir haben große Dichter gehabt, aber keinen, der korrekt geschrieben hat. Ich empfehle Ihnen vor allem, streben Sie nach Korrektheit.«

Pope hat den Rat befolgt und schrieb schließlich so korrekt wie die Franzosen in seinem Jahrhundert. Das war das Ideal der Restaurationspoeten von England: Eine geschliffene Gesellschaftsdichtung voll Geist und Witz, die Poesie des Gutgesagten. Pope schrieb:

»True Wit is Nature to advantage dress'd,
What oft was thought, but ne'er so well expressed.«

(Witz ist Natur, zum Vorteil ausgeschmückt,
Schon oft gedacht, nie so gut ausgedrückt.)

Pope lebte anderthalb Jahre im Haus des Malers Jervas, eines Schülers von Kneller und nahm täglich Malstunden, um Maler zu werden. Kurzsichtig und ohne Talent, gab er es schließlich auf. Mit einundzwanzig Jahren veröffentlichte Pope seinen ersten Gedichtband, er wurde sogleich berühmt und begann die erste literarische Fehde, den *Krieg der Schäfergedichte,* mit dem Erfinder von ›Namby-Pamby‹. Ambrose Philips, der später im *Café Button* eine Birkenrute aufhing, um Pope damit auszupeitschen. Pope schrieb seinen *Essay über die Kritik,* durch den er mit Addison und dessen Freunden zusammenkam.

Der junge Pope besang die lästigen Kritiker:

>*No place so sacred from such fops are barred*
>*Nor is Paul's church more safe than Paul's churchyard:*
>*Nay, fly to altars; there they'll talk you dead;*
>*For fools rush in where angels fear to tread.*«

(Kein heil'ger Ort, den so ein Geck nicht sprengt,
Frech in St. Paul's, wie in Paul's Friedhof drängt;
Flieh zu Altären; dort schwatzt er dich dumm,
Ein Narr stürmt vor, wo Engel kehren um.)

In seinem *Essay über die Kritik* verspottete er den alten Kritiker John Dennis, der eine Tragödie *Appius und Virginia* geschrieben hatte, mit drei Versen: »*Aber Appius errötet über jedes Wort, das du sprichst, und starrt fürchterlich, mit einem drohenden Auge, wie manche wilden Tyrannen auf alten Tapeten.*«

So verspottete er die grandiose Manier und diktatorische Stimme des berühmten und bettelarmen gefürchteten Kritikers und Kaffeehausliteraten John Dennis, der damals 54 Jahre alt und zeitlebens erfolglos war. Er war ein Gelehrter in Cambridge gewesen und saß bei *Will's* mit Dryden, Congreve und Wycherley. Was immer er schrieb, Epen und Dramen, fiel mit sonderbarer Regelmäßigkeit durch, der einzigen Regelmäßigkeit in seinem Leben, wie Edith Sitwell schreibt. Er verabscheute die Franzosen dermaßen, daß man sie nur erwähnen mußte, um ihn in Raserei zu versetzen. Aber man respektierte und zitierte ihn in allen literarischen Kaffeehäusern. Dennis soll schlecht von den *Pastoralen* Popes gesprochen haben. Pope rächte sich mit diesen drei Versen. John Dennis rächte sich 1711 mit seinen *Kritischen und satirischen Reflexionen über eine neuerliche Rhapsodie, unter dem Titel Essay über die Kritik.* Da schrieb er u. a.: »Ich erinnere mich an einen kleinen Gentleman, den Herr Walsh zu seinen Freunden mitzunehmen pflegte, als doppelte Folie seiner Person und seines Talents. Fragt zwischen Sunninghill und Oakingham nach einem jungen kurzen, unflüggen Gentleman, dem eigentlichen Buckel des Gottes der Liebe, und sagt mir, ob er ein passender Autor ist, um persönliche Angriffe zu machen. Er mag die Alten rühmen, aber er hat Gründe, um Gott zu danken, daß er in der Neuzeit geboren wurde; denn wäre er ein Sohn der alten Griechen gewesen, so hätte sein Vater die gesetzliche Verpflichtung gehabt, ihn gänzlich beiseite zu schaffen, und sein Leben hätte nicht länger gewährt, als das Leben eines seiner Gedichte, nämlich einen halben Tag. Mag die Person eines Gentleman seiner Art noch so verächtlich sein, sein Charakter ist zehnmal mehr lächerlich; denn es ist unmöglich, daß sein Äußeres, obgleich es das eines rechten Affen ist, so sehr von der gewöhnlichen menschlichen Form abweichen sollte, wie sein vernunftloser immaterieller Teil sich unterscheidet von menschlicher Vernunft.«

Pope war damals 23 Jahre alt und verliebt in Martha Blount. Man sagt, dieser Angriff habe ihn zum Satiriker gemacht.

Man wird zum Satiriker geboren, widersprach Silvia.

Ihr Mann hob abwehrend die Arme. Ich weiß es nicht, ob ein Mensch zu irgend etwas geboren wird. Man wird zu allem gemacht, was man wird.

Ein Freund Popes machte ihn auf die wilde Familienfehde aufmerksam, die entstanden war, als ein gewisser Lord Petre mit Gewalt eine Locke der jungen Schönen Miss Arabella

Fermor in ihrem Schlafzimmer geraubt hatte. Pope schrieb, »um die Familien zu versöhnen«, das heroisch-komische Poem: *Der Lockenraub,* sein Meisterstück.

In jenen Jahren erschien Popes *Messiah* im *Spectator,* er war ein Stammgast bei *Button's,* er brach mit Addison. Pope schreibt: »Addison studierte regelmäßig jeden Morgen, dann traf er seine Freunde bei *Button's,* dinierte dort und blieb da fünf oder sechs Stunden; und zuweilen bis tief in die Nacht. Ich gehörte etwa ein Jahr lang dazu, fand es aber zuviel für mich; es schadete meiner Gesundheit, und so blieb ich weg ... Es herrschte zwischen mir und Mr. Addison eine gewisse Kälte für einige Zeit, und wir waren eine gute Weile nirgends mehr beisammen gewesen außer in *Button's Kaffeehaus,* wo ich ihn gewöhnlich fast jeden Tag gesehen habe.« Im Jahre 1720 erwähnt William Hogarth vier seiner Zeichnungen mit Typen von *Button's Café,* Pope, Arbuthnot, Addison und einen Grafen Viviani.

1713 hatte Pope den Dechant Swift kennengelernt; nun begann ihre Korrespondenz durch sechsundzwanzig Jahre, es begann eine der berühmtesten Literaturfreundschaften. Swift war damals sechsundvierzig und Pope fünfundzwanzig Jahre alt, und nie stritten die Freunde. Pope bewunderte sogar Swifts äußere Erscheinung. Das Bild von Dr. Swift, erzählte er dem Anekdotenschreiber Spence, gleicht ihm sehr; obgleich sein Gesicht einen gewissen öden Eindruck macht, hat er sehr eigentümliche Augen; sie sind so blau wie der Himmel und ganz ungewöhnlich schalkhaft.

Schon im November erklärte Swift in den eleganten Salons von London: »Der beste Poet in England ist Mr. Pope, ein Papist, der eine Übersetzung des Homer in englische Verse begonnen hat, auf die Sie alle subskribieren müssen; der Autor darf sie nicht in Druck geben, ehe ich nicht tausend Guineas für ihn habe.«

Als Popes Übersetzung der *Ilias,* dem Congreve gewidmet, erschien, war die schier endlose Subskriptionsliste so reich an großen Namen wie ein Empfang bei Hof, daneben fand man die Namen der Großen von *Will's* und *Button's*. In zehn Jahren Arbeit am ganzen Homer soll er neuntausend Pfund verdient haben. Da war endlich ein unabhängiger englischer Autor, ohne Mäzene. Als 1719 Popes gesammelte Gedichte erschienen, war er mit noch nicht dreißig Jahren schon ein »Klassiker«.

Mit einunddreißig Jahren kaufte Pope seine Villa in Twikkenham (er schrieb: Twitnam), wo er sich seine berühmte Grotte bauen ließ. Fünfundzwanzig Jahre lang lebte er »dank Homer« wie ein Schloßherr, empfing seine Freunde, Poeten und Prinzen und seine Freundinnen und führte ein modisch elegantes Leben. Die Schwestern Therese und Martha Blount kannte er, seit er achtzehn war. Er verehrte sie, schwärmte für sie, liebte Martha. Am Ende seines Lebens zog sie zu ihm, man flüsterte, sie seien verheiratet.

Auch für die Lady Mary Wortley Montagu schwärmte der schwärmerische Pope. Sie war die Tochter des Herzogs von Kingston, eine Verwandte von Henry Fielding. Als sie mit acht Jahren der Toast des »Kit-Cat Clubs« wurde, wohin ihr Vater sie eines Tages mitgenommen hatte, da war sie so stolz und glücklich wie nie wieder. Ein Kavalier nach dem andern nahm sie dort auf den Schoß. Als sie dreiundzwanzig Jahre alt war, brannte Edward Wortley Montagu mit ihr durch. Vier Jahre später war er britischer Botschafter in der Türkei, vier Jahre lang. Sie schrieb aus Konstantinopel und später Briefe, die so berühmt wurden, wie die Briefe von Lord Chesterfield und von Horace Walpole. Sie sah in Konstantinopel Impfungen gegen Pocken und warb dafür in England. Zwanzig Jahre lebte Mary wieder in der eleganten Welt von London. Alexander Pope war erst ihr glühender Freund und wurde 1725 ihr glühender Feind. Er schrieb satirische Verse, die sie auf sich bezog. Daraufhin schilderte sie, wie ihr kleiner buckliger Freund vor ihr niedergekniet sei und ihr seine Liebe gestanden habe, um Liebe bettelnd. Log sie?

Mit fünfzig Jahren verließ sie Freunde und Familie und schrieb aus Italien ihre berühmten Briefe. In einem ihrer boshaft verleumderischen Briefe an die Gräfin of Bute anläßlich von Lord Orrery's *Anmerkungen zum Leben und zu den Schriften von Swift,* schrieb sie: »Man kann kein schlimmeres Bild vom moralischen Charakter des Dr. Swift entwerfen, als er selber uns in seinen Briefen geliefert hat, die Pope druckte. Wir sehen, wie er eitel ist, kleinlich, undankbar gegen seinen Mäzen, den Earl of Oxford, wie er servil den Hof macht, wo er selbstische Interessen hat, und schäbig schimpft, wenn diese enttäuscht wurden, und wie er, um seinen eigenen Ausspruch zu zitieren, der Menschheit ins Gesicht fliegt, zusammen mit seinem Anbeter Pope. Es ist amüsant, sich vorzustellen, daß diese beiden überlegenen Wesen, ohne das gute Herz eben dieser Sterblichen, die sie so verachten, aber dank ihrer Geburt und ihrem vererbten Vermögen nicht mehr als ein Paar Lakaien geworden wären. Ich bin der Meinung, sie wären Freunde geblieben, auch wenn sie im selben Königreich gewohnt hätten; ihre Freundschaft hatte eine sehr starke Grundlage, den Hang, Schmeicheleien zu empfangen, auf der einen Seite, und den Hang, Schmeicheleien zu empfangen, auf der andern Seite. Pope machte mit der größten Zudringlichkeit allen alten Männern den Hof, von denen er sich ein Erbteil erhoffen konnte, dem Herzog von Buckingham, Lord Peterborough, Sir Godfrey Kneller, Lord Bolingbroke, Mr. Wycherley, Mr. Congreve, Lord Harcourt etc., und ich zweifle nicht, daß er vorhatte, den ganzen Nachlaß des Dean Swift einzuramschen, wenn er ihn nur hätte überreden können, sein Dechanat aufzugeben und in Popes Haus zu kommen, um da zu sterben; und seine generellen Predigten gegen das Geld zielten nur darauf, die Leute zu verführen, es wegzuwerfen, damit er es aufpicken könne.«

Recht boshaft für eine große Dame, sagte Silvia.

Recht unsinnig sogar für eine Lady, sagte ich.

Pope entdeckte überall, »das Leben eines Wit ist ein einziger Krieg auf Erden.«

Er verspottete die meisten lebenden Kritiker und Poeten als *dunces,* Dummköpfe (wie man einst die Anhänger von Duns

Scotus geheißen hatte), und wurde schonungslos verspottet. Er war für Intrigen gemacht und machte Intrigen sein Leben lang. Keinen Tee konnte Pope ohne eine Kriegslist trinken, wie man sagte. Er war für die Liebe geboren und wurde nie geliebt. Er glühte umsonst.

> *»Love free as air, at sight of human ties,*
> *Spreads his light wings, and in a moment flies ...*
> *O happy state! when souls each other draw,*
> *When love is liberty and nature law.«*

> *(Liebe, wie Luft so frei, die Fesseln sieht,*
> *Die leichten Flügel spannt, im Augenblick, und flieht ...*
> *Seliger Zustand! Wenn Herz das Herz ergötzt,*
> *Wenn Liebe Freiheit ist und die Natur Gesetz.)*

Swift drängte, wie alle seine Freunde, auch Pope zur Satire, und zu einer Arbeit für den »Scriblerus Club«. Swift schlug ihm 1720 eine allgemeine Satire vor, und Pope entwarf den *Fortschritt der Langeweile*.

Pope veröffentlichte seine Ausgabe von Shakespeares Werken, die der Dramatiker Lewis Theobald heftig angriff, in seiner Schrift *Shakespeare wiederhergestellt*. Theobald machte später eine eigene und bessere Ausgabe von Shakespeare.

Nun machte Pope aus Theobald oder Tibbald die zentrale Spottfigur seines satirischen Gedichts. Aus dem *Fortschritt der Langeweile* wurde die *Dunciade*. Aber Pope feilte so lange, daß ihm nach und nach die Dummköpfe unter der schreibenden Hand wegstarben. 1729 erschien die erste Fassung der *Dunciade*, mit einer Widmung an Swift. Inzwischen ward aber eine neue Figur die Zielscheibe der Satire von Pope, nämlich der Schauspieler und Dramatiker Colley Cibber, der im Theaterleben höchst einflußreich war, das *Drury Lane Theater* kontrollierte und der poeta laureatus wurde. Durch seine Geburtstagsgedichte für den König zog er sich den Spott von Pope, Swift und Fielding zu.

In der neuen *Dunciade* von 1742 und in der endgültigen

Fassung war statt Tibbald die zentrale Spottfigur Cibber geworden.

Auch in der Wochenschrift *Grub Street Journal* führten Pope und seine Freunde ihren Krieg gegen die Dunces.

Pope lebte im steten Krieg der Satiren und literarischen Cafés. Jeder Streit wurde dem Satiriker zum literarischen Streit, zur Satire, zum Labyrinth von Intrigen, und schließlich zur großen Verssatire *The Dunciade*.

Pope kämpfte gegen den berühmtesten oder berüchtigtsten Verleger seiner Zeit, Edmund Curll, der *Libelle* und *Lampoons* publizierte, gestohlene Privatbriefe berühmter Leute kaufte und veröffentlichte und nach dem Tod berühmter Leute gefälschte skandalöse Biographien veröffentlichte. Dr. Arbuthnot hieß Mr. Curll einen der neuen Schrecken des Todes. Curll war lang, linkisch, weiß im Gesicht wie ein Bäcker. Er hatte graue, große, halbblinde Glotzaugen, war plattfüßig und frech. Er wurde eingesperrt, an den Pranger gestellt, in Leintüchern geprellt und verlegte seine Spottschriften und Schmähschriften unverzagt weiter.

Pope gab ihm im Café ein Brechmittel, weil er Gedichte von Lady Mary Montagu publizierte, anonym, aber mit einem Hinweis, Pope sei der Autor. Seitdem gab es keine Schmähschrift gegen Pope oder dessen Freunde, die Curll nicht publizierte. Pope brachte ihn in seine *Vermischten Verse* und in seine *Dunciade*.

Pope führte Krieg gegen James Moore Smythe, den Sohn eines reichen Mannes und Nebenbuhlers von Pope bei Therese und Martha Blount. Durch Intrigen brachte Pope es dazu, daß Smythe als ein Plagiator Popes erschien. Und Pope schrieb satirische Verse gegen ihn.

Er schrieb Satiren gegen alle, die ihn wegen seiner Homer-Übersetzung angriffen. Der Streit mit Cibber hatte 1716–17 wegen einer Mumie und eines Krokodils begonnen, die eine Rolle in John Gays Komödie *Drei Stunden nach der Hochzeit* spielten; an dieser Komödie hatten auch Pope und Arbuthnot mitgearbeitet, sie fiel durch und wurde nach sieben Aufführungen abgesetzt. Das Publikum hatte die Mumie und das Krokodil ausgepfiffen.

Bald darnach spielte Colley Cibber eine Hauptrolle im Stück *Die Theaterprobe* und improvisierte über Krokodil und Mumie einige Witze, die vom Publikum mit schallendem Applaus empfangen wurden. Pope war anwesend und lief am Ende zu Cibber und machte ihm die heftigsten Vorwürfe. Cibber versprach, an jedem Abend seine Ausfälle zu wiederholen und hieß den Pope ins Gesicht *so particular a man,* einen so eigentümlichen Mann.

Der Literaturstreit währte 24 Jahre.

Da Swift einsam in Dublin lebte, lud Pope ihn ein, zu ihm nach Twickenham zu kommen und bei ihm zu leben.

Swift hatte im Sommer 1727 seinen Freund Pope bereits einmal in Twickenham besucht. In einem Brief an Sheridan hatte sich Swift über seine Taubheit und Schwindelanfälle beklagt. Sollte es sich nicht bessern, plane er nach Greenwich oder in die Nähe von London zu ziehen; denn »Mr. Pope ist zu kränklich und gefällig, auch kommen zu viele Bekannte«.

War sich Swift bewußt, daß er zwischen Witz und Tollheit am Abgrund hinging?

In Versen klagte Swift damals, er sei für die grillengleiche Stimme von Pope zu taub, sie könnten sich nur für eine Weile anblicken, und darnach kehre jeder zu seiner Beschäftigung zurück. Swift liebte Pope, aber dessen ausführliche formelle Höflichkeit irritierte ihn. Er verließ Twickenham. Indes Popes geschäftige Höflichkeit den armen Swift belästigt hatte, fürchtete Pope, Swift habe gefürchtet, ihn zu belästigen, und schrieb ihm: »Um Sie von meiner Toleranz zu überzeugen, sollte ich einfach nach Irland kommen, wenn ich noch lebe, um mich in Ihrem Haus nach meiner Art zu benehmen, wie Sie in meinem Haus nach Ihrer Art sich benommen haben. Sollte ich erkranken, würde ich nicht Ihr Haus verlassen.«

Swift erwiderte freundlich, Pope sei der beste und reizendste Freund in der Welt, und er kenne keinen auf Erden, dem er so sehr verpflichtet sei, und wenn er ihm grollte, so nur darum, weil sein Freund Pope sich allzusehr um ihn gekümmert habe. Aber Pope sei selber zu krank, um für einen kranken Freund Sorge zu tragen, dessen Schwindelanfälle schon durchaus genügten, es jedem Freund schwer zu machen, gar nicht zu sprechen »von dieser ungeselligen, heillosen Taubheit«.

Sollte Pope zu Swifts Haus kommen, so würde alles anders sein. In Swifts Haus konnten sie jeden Besuch abweisen, »und hier ist ein großes Haus, wo keiner den andern zu hören bräuchte, wenn wir beide krank wären. Ich habe eine ganze Schar von ältern ordentlichen Dienern beiderlei Geschlechts, auf die man keine Rücksicht zu nehmen braucht und welche die geeigneten Talente haben, um Sorge für uns zu tragen, die brüllen können, wenn ich taub bin, und auf Zehen schleichen, wenn ich nur schwindlig bin und schlafen möchte.«

Am 25. März 1736 schrieb nun Alexander Pope an Swift: »Ich habe wenig Lust, mir ein neues Haus zu kaufen. Mir blieb nichts anderes übrig, als die Überbleibsel eines Wracks zu sammeln und mich umzublicken, wie wenige Freunde mir geblieben sind ... Ich bin ein Mann im Unglück, das heißt ein Mann, dessen Freunde tot sind; denn ich strebte nie nach einem andern Reichtum als nach dem Besitz von Freunden.

Ich könnte Sie gut erhalten; denn ich bin reich, das heißt, ich habe mehr, als ich brauche. Ich kann Ihnen Raum für Sie und zwei Diener geben; ich habe in der Tat Platz genug, nur ich allein lebe im Haus. Die freundliche und herzliche Hauswirtin (Popes Mutter) ist tot. Der angenehme und unterrichtende Nachbar (Lord Bolingbroke) ist hingegangen. Doch habe ich mein Haus erweitert, und die Gärten dehnen sich aus und blühen, als wüßten sie nichts von den Gästen, die ich verloren habe. Ich besitze mehr Obstbäume und Küchengärten, als Sie sich vorstellen können, ja ich habe köstliche Melonen und Ananas, die ich selbst gezogen habe ... Um Gottes willen, warum sollten Sie nicht ... sogar alles, was Sie besitzen, den Armen von Irland schenken (für die Sie bereits alles andre getan haben) und den Ort verlassen und mit mir leben und sterben?«

Dean Swift pflegte, wie Edith Sitwell in ihrer Biographie von Alexander Pope schildert, in seinem Zimmer stundenlang wie ein wildes Tier im Käfig auf und abzugehn. Er liebte die Unordnung und seltsame vagabundische Manieren. Als er noch bei Lord Temple lebte und alljährlich seine Mutter in Leicester besuchte, wanderte er zu Fuß den weiten Weg, außer das Wetter war zu unwirtlich, so daß er im Wagen reisen mußte. Da erschien er dann mit Stroh im Haar wie König Lear und übernachtete in Nachtasylen für einen Penny, zahlte aber sixpence für frische Wäsche.

Pope beschrieb für Herrn Spence, wie er und John Gay einmal unerwartet zum Dean Swift zu Besuch kamen.

»Als wir hereintraten, rief der Dean: ›Heisa! Meine Herren, was soll der Besuch? Wie kam es, daß Sie all die großen Lords im Stich ließen, denen Sie so zugetan sind, um hierher zu kommen und einen armen Dean zu sehn?‹

›Weil wir lieber Sie als irgendeinen andern sehn wollten.‹

›Ach, ach, einer, der euch nicht so gut kennte, wie ich es tue, möchte euch geradezu glauben. Aber da ihr nun mal gekommen seid, muß ich was zum Abendessen für euch beschaffen, denke ich.‹

›Nein, Doktor, wir haben bereits zu Abend gegessen.‹

›Bereits gegessen? Das ist unmöglich. Wie? Es ist noch nicht mal acht Uhr abends.‹

›In der Tat haben wir schon gespeist.‹

›Das ist sehr seltsam. Aber wenn ihr noch nicht gespeist hättet, so hätte ich etwas für euch beschaffen müssen. Laßt sehn, was ich für euch besorgt hätte. Ein paar Hummern? Ach, das wäre vorzüglich gewesen: zwei Schilling; Obstkuchen: einen Schilling. Aber Sie wollen sicher ein Glas Wein mit mir trinken, obgleich Sie vor Ihrer gewöhnlichen Zeit so viel zu Abend gegessen haben, nur um meinen Beutel zu schonen?‹

›Nein, wir möchten lieber mit Ihnen plaudern, als mit Ihnen trinken.‹

›Aber wenn Sie mit mir zu Abend gegessen hätten, wie Sie vernünftigerweise hätten tun sollen, hätten Sie mit mir trinken müssen, eine Flasche Wein: zwei Schilling; zwei und zwei ist vier, und ein Schilling macht fünf Schilling, das macht genau zwei Schilling und sixpence für jeden. Hier, Pope, haben Sie eine halbe Krone; und da ist eine andre für Sie, Herr, ich bin entschlossen, nichts an Ihnen zu sparen.‹

All das sagte und tat er mit allem Ernst, den er bei solchen Gelegenheiten zeigte; und trotz allem, was wir dagegen vorbringen konnten, zwang er uns tatsächlich, das Geld zu empfangen.«

Pope war in steter Sorge, zu schreiben und die Zeit seines Lebens für sein Werk zu nutzen, für sein Lebenspensum. Fortwährend war er in geschäftiger Unruhe, sandte, wenn er in fremden Häusern wohnte, seine und fremde Diener stets mit dringlichen oder läppischen Botschaften aus und tat es dreifach in seinem eigenen Haus, klingelte auch als Gast in fremden Häusern fünfmal oder sechsmal des Nachts um Kaffee, weil er seine Verse schrieb und feilte. Man mußte ihn ja wie ein Kind anziehn und ausziehn. Man mußte ihm in allem nachgeben, wie einem verwöhnten Kind. Wohnte er bei Freunden, mußte der ganze Haushalt ihm zu Diensten stehn und nach ihm sich richten, und zehnfach so in seinem Haus. Doch liebten ihn seine Diener und hießen ihn einen guten Herrn.

Als Swift von Twickenham nach Irland heimfuhr, mit seinem Diener Watt, führte er ein Reisetagebuch, und da seine Mißlaune unterwegs immer wuchs, ließ er, sozusagen aus einem absichtlichen Versehen, das Tagebuch in einem Gasthaus liegen, und das Zimmermädchen sandte es an Mr. Pope.

Dieses Tagebuch erzählt alle kleinen Unbilden der Reise und alle närrischen Streiche von Swifts Diener Watt. Die Krawatten Swifts ließ Watt unterwegs liegen, da er annahm, sie könnten doch nicht gewaschen werden. Die Wäsche ließ er ungewaschen. Swift klagte Wind und Regen an. Er schilderte einen Ausflug, den er mit Watt unternahm (zu dem Swift nie sprach, aus Angst, der Diener werde freundlich antworten): sie wollten die Berge von Wicklow sehen, und als sie zu diesem Zweck »einen monströsen Berg« erklommen hatten, konnten sie die

Berge von Wicklow nicht sehen, weil der Tag zu bewölkt war; auch begann es zu regnen, der Dean und Watt flüchteten in eine welsche Hütte, wo ein kleiner Junge aus Schreck vor dem Dean zu brüllen begann. Der Dean Swift sandte seinen Diener Watt ins Gasthaus, um Swifts Mantel zu holen, aber Watt blieb so lange aus, bis Swift im ärgsten Regen fortging, um seinen Diener zu suchen und gerade zur *Inn* kam, als Watt mit dem Schlüssel zum Zimmer und mit dem Mantel Swifts die *Inn* verlassen hatte, so daß Swift nicht ins Zimmer konnte, um sich am Kaminfeuer zu wärmen. Swift sagte, Watts Dummheiten würden ein ganzes Buch füllen. Swift hieß ihn einen Lügner, einen Dummkopf, ein blödes Hündchen.

Natürlich ritt der Dean nicht so schnell, wie er gewünscht hätte, und versäumte sein Schiff nach Irland.

Als Swift heimkam, lag Stella immer noch im Sterben. Er beklagte sich über die Königin von England und ihre Freundin, die Hofdame Mrs. Howard, »sie haben weder Gedächtnis noch Manieren«.

Swift hatte der Mrs. Howard ein irisches Plaid für ein Nachthemd gesandt und hatte sich erboten, der Königin ein Plaid vom selben Muster für acht Schilling pro Yard zu besorgen. Die Königin hatte die Bestellung gemacht und dann statt dem Dean Swift für das Geschenk zu danken, sich ganz so betragen, als hätte sie den Stoff gekauft, was sie in der Tat getan hatte. Der Dean Swift vergab ihr natürlich nie.

Swift gab der Frau des Vikars einen Schilling, damit sie alle vierzehn Tage mit ihm Karten spielte. Wenn vornehme Gäste kamen, prätendierte er, taub zu sein. Und er litt fortwährend unter der Gewißheit, daß Stella bald sterben müsse. Er hatte ihr zuletzt angeboten, sie zu heiraten. Sie hatte es abgelehnt, nun sei es zu spät.

Im Dezember 1732 starb John Gay, mit siebenundvierzig Jahren. Pope und Dr. Arbuthnot schrieben es an Swift, der diesen Brief fünf Tage ungeöffnet liegen ließ, da ihn eine böse Ahnung warnte. Er schrieb an Pope, »darüber will ich nichts sagen«.

Als Swift die Kräfte seines Geistes verlor und im Stupor lebte, versuchte Pope, seine Briefe an Swift zu bekommen, um sie zu edieren und zu publizieren, wie er schon seinen Briefwechsel mit Wycherley und mit Caryll ediert hatte. Pope hatte sich von Caryll die Briefe geben lassen, sie nach Gutdünken geändert und publiziert, aber Caryll hatte Kopien der Briefe zurückbehalten, und da kam der wahre Text zum Vorschein, zur Blamage von Pope.

Nun wollte Pope seine Briefe an Swift insgeheim abändern, und dafür unternahm er einen ganzen Bau von kühnen Konstruktionen, schuf ein ganzes Gewebe von Halblügen. Er veranlaßte ungenaue Editionen dieser Briefe und unerlaubte, verleugnete sie dann öffentlich mit größter edelster Empörung und erklärte, die einzige Möglichkeit, Swifts Ehre und seine Ehre zu retten, wäre die neue Publikation der wahren Brieftexte. Er bewirkte den Druck in England und sandte auf vielen Umwegen ein Exemplar nach Irland und wandte sich voll großer Empörung gegen diese Publikation, sprach mit Zorn und Würde über das ihm angetane Unrecht und über das größere Unrecht, wenn diese Publikation nun in Irland publiziert würde. Der Dean Swift, sagte Pope, sei nicht mehr imstande, sich selber zu verteidigen, er sei völlig apathisch, er wisse nicht mehr, was um ihn geschehe und sei nur die Fassade, hinter der die Verräterei anderer sich auswirke. Swift ward gezwungen, zu erlauben, was ihn und jene seiner Freunde zu schädigen vermochte, denen er am meisten getraut hatte und die ihm am meisten getraut hatten.

Dies war Popes Argument, um alle Briefe in die Hand zu bekommen und sie so zu korrigieren, wie er wollte, damit die Publikation »vollständig« wäre. Seine Empörung schuf ihm aber neue Schwierigkeiten, und er mußte neue Stratageme erfinden. Denn der vorgesehene Verleger Faulkner ließ sich durch die Entrüstung von Pope täuschen und erklärte zu Popes großer Verwirrung, er sei damit einverstanden, die Briefe gar nicht zu publizieren.

So schrieb also Pope an Faulkner, jetzt merke er, daß es

zu spät sei, die Briefe nicht mehr zu publizieren. Der unheilvolle Zustand von Swift und die Intrigen der Freunde des Dean machten es notwendig, daß Pope sich selber durch die Publikation der gesamten Korrespondenz verteidige. Er vergab dem Dean bereitwillig und konnte ihn nicht tadeln; aber da man die Briefe publizieren wolle, sollte man ebensowohl auch die Briefe im Besitz des Dean publizieren, und das wäre angesichts der Verrätereien gewisser Freunde des Dean recht schwierig. Nun mischte sich Lord Orrery, der Biograph Swifts, in diesen Streit, die Schlacht ging zwischen Orrery und Pope, die beide abwechselnd die Kusine und Pflegerin Swifts, Mrs. Whiteway, bedrohten und sie durch Schmeichelei zu bewegen suchten, die Briefe von ihr zu erlangen.

Aber Pope hatte einmal die Gewohnheit, seine Briefe und die Briefe seiner Freunde zu fälschen, er druckte Briefe, die er einem Freund gesandt hatte, in der gedruckten Korrespondenz an die Adresse anderer Freunde, und schrieb ohne Bedenken Briefe des einen Freundes der Feder anderer Freunde zu.

Wahrscheinlich war es im Interesse der beiden Freunde und ihrer Freundschaft, daß Swift die herzliche Einladung für seinen Lebensabend in Twickenham abgelehnt hatte. Er hatte im November an Dr. Arbuthnot, seinen Freund seit mehr als fünfundzwanzig Jahren geschrieben: »Der wahre Grund, der meine Reise nach London verbietet ... ich bin nicht reich genug, um mir Pferde und Diener in London zu halten. Meine Einkünfte sind durch diese miserablen Unterdrückungen von Irland auf dreihundert Pfund im Jahr gesunken ... ich lebe um zwei Drittel hier billiger als dort ... Ich könnte nicht mit meinem Lord Bolingbroke leben oder mit Mr. Pope: sie sind zu mäßig und zu weise für mich und zu profund und zu arm. Und wie könnte ich mir Pferde leisten? Und wie könnte ich über ihre verdammten Straßen im Winter reiten? ... Darum will ich lieber wie Caesar einer der ersten hier sein als einer der letzten unter euch. Ich vergesse, daß ich so nahe der untersten Stufe bin ...«

Der arme Alexander Pope hatte nicht nur mit den Damen

peinliche Affären, nicht nur mit den schlechten Poeten, nicht nur mit den armen Journalisten, nicht nur mit Editionen seiner Briefe und der Briefe seiner Freunde, sondern sogar auch dort, wo er nur Gutes tat und nur Gutes tun wollte, wie zum Beispiel im großen Streit wegen des Grabsteins des Malers Sir Godfrey Kneller.

Es begann damit, daß Sir Godfrey Kneller, von seiner Bedeutung überzeugt und mit seinem Leben zufrieden, wie mit sich selber, ungern dahinging und keineswegs gesonnen oder gelaunt war, nach der Mode des Jahrhunderts, eine heroische Sterbebettszene für die Welt vorzuführen.

Er war schon mitten im Leben ein unmäßig eitler und lebensgieriger Mann. Pope fragte ihn einmal aus lauter Lust an Knellers schamloser Selbstzufriedenheit: »Sir Godfrey, ich glaube, wenn Gott Ihre Hilfe gehabt hätte, so wäre die Welt vollkommener?« – »Bei Gott!« rief Kneller. »Das glaub' ich auch!«

Kneller träumte, er sei gestorben und hätte als braver Katholik die Weisung bekommen, sich auf Gottes rechte Seite zu begeben, und wie er daranging, schritt St. Lukas zu ihm und fragte nach seinem Namen. Sir Godfrey Kneller! sagte Kneller. – Doch nicht der berühmte Sir Godfrey Kneller aus England? fragte St. Lukas ganz aufgeregt und war außer sich vor Wonne, als Kneller versicherte, er sei in der Tat der große Kneller, und die beiden Maler sprachen, wie unter Fachleuten üblich, von der Technik der Malerei und ihren kleinen und großen Geheimnissen. Aber auch dieser Traum verdroß den armen Kneller, statt ihn zu beruhigen.

Als Pope am Bettrand des sterbenskranken Kneller saß, der voller Unruhe war, weil er diese schöne Welt verlassen sollte, und als Pope ihn zu trösten versuchte, er sei doch ein sehr guter Mensch gewesen und würde zweifellos an einen bessern Ort kommen, da sagte Kneller: »Ach, mein guter Freund Pope, ich wünschte, Gott ließe mich ruhig in Chilton.«

Pope schrieb am 6. Juli 1725 an den Earl von Stratford: »Sir Godfrey schickte nach mir, kurz vor seiner letzten Stunde. Er

Dickens liest seinen Freunden vor

William M. Thackeray 1811–1863   *Charles Dickens 1812–1870*

Devil's Tavern in der Fleet-Street, wo sich der Club Apollo
von Ben Jonson befand

Garraway's Kaffeehaus,
Change Alley

Thatched House, Tagungsort des
Literarischen Clubs

begann mir zu erzählen, er sei nun überzeugt, er könne nicht mehr länger leben, und er begann leidenschaftlich zu weinen. Ich sagte, ich hoffte, er würde am Leben bleiben, andernfalls wüßte er doch, es sei Gottes Wille, und würde darum am besten in sein Los sich ergeben. Er antwortete sehr bewegt: »Nein, nein, nein, es ist des Bösen Geist.« Sein nächstes Wort war: »Bei Gott, ich will nicht in Westminster Abtei begraben werden!« – Warum nicht? fragte ich. Er antwortete: »Sie begraben dort Narren.«

Dann sagte er zu mir: »Mein guter Freund, wo wollen denn Sie begraben sein?« Ich sagte: Wo immer ich umfalle, sehr wahrscheinlich in Twitnam. Er antwortete: »Das will auch ich.« Und er wünschte, ich solle sein Epitaph schreiben, was ich versprach.

Er äußerte endlose Wünsche diesbezüglich, der Text solle lateinisch sein, damit ihn alle Ausländer lesen könnten, er solle aber auch englisch sein, damit ihn die Engländer verstünden. Ich bat ihn, darüber ganz ruhig zu sein, ich würde mein Bestes tun. Dann wünschte er, ich sollte meines Vaters Grabmal abreißen; denn es war der beste Platz in der Kirche und die Stelle, die man schon von weitem sah.

Ich war von diesem Ansinnen überrascht und zögerte, ich sagte, es sei ja wohl unpassend, und ich müßte auch meine Mutter erst fragen. Da weinte er wieder, so leidenschaftlich bewegt, daß ich aus purem Mitleid mit einem sterbenden Mann (ebenso wie gegen einen, den ich nicht für *compos* hielt) es nicht geradezu ableugnete und schließlich ihm sagte, er solle doch ganz ruhig in dieser Sache sein und ich würde schon alles tun, was ich mit Anstand nur tun könnte ...«

Aber dabei blieb es nicht, denn Kneller starb, und Lady Kneller klagte den Pope vor Gericht auf Erfüllung seines Sterbebett-Versprechens, er solle seines Vaters Grabmal niederreißen, und an dessen Stelle sollte ein Grabmal für Sir Godfrey und Lady Kneller errichtet werden, mit den großen Grabfiguren beider. Pope wandte sich wieder an den Earl von Stratford um Hilfe und obsiegte.

Pope starb 1744, an Wassersucht und Asthma, mit sechsundfünfzig Jahren. Wenig hat er vollendet, ein echter Fragmentarist. Er war ein gefühlvoller, guter, geistreicher Mensch, energisch und mutig, der trotz seiner Krankheit und Krüppelhaftigkeit mit Leidenschaft lebte, mit Leidenschaft spottete, mit Leidenschaft liebte, die Frauen, und vielleicht noch mehr die Literatur. Immer schrieb er über sich und seine Interessen, subjektiver als Lord Byron. Er machte aus seinem Landhaus in Twickenham und aus seinen literarischen Werken glänzende Filialen der literarischen Cafés von London, von *Will's* und *Button's.*

Ich weiß nicht, ob es die großen Poeten sind, sagte Silvia, die den Ruhm und den Charakter der literarischen Cafés und der literarischen Epoche ausmachen. Ist nicht die Menagerie der kleinen Poeten für die Cafés wie für die Epoche typisch?

Congreve hatte von *Will's* gesagt, es sei die lustigste Stätte der Welt, wie Afrika gebäre *Will's* täglich ein neues Ungeheuer.

Der Philosoph Berkeley sagte in seinem *Winzigen Philosophen:* »Aber würden Plato und Cicero heute wiederkommen, so würden sie für ungebildete Pedanten gelten; denn in den meisten Cafés von London sitzen einige hochbegabte Männer, die sie bald davon überzeugen würden, sie wüßten eben auf den Gebieten, auf denen sie so hoch geschätzt werden, nämlich in Moral und Staatswesen, rein gar nichts.«

Aber sind die mittleren Figuren der Epoche nicht unerläßlich für eine große Literatur? Sie erscheinen so lächerlich, wie etwa jener Vetter des großen Cromwell, ein gewisser Henry Cromwell, der bei *Will's* und *Button's* saß und Ovids Elegien übersetzt hatte. John Gay schildert »den ehrenwerten hutlosen Cromwell mit den roten Hosen ...«, der sein wahres Stammcafé bei der Witwe Hambledon hatte, wo er mit den Damen, und mit Dichtungen, Korrekturen, Wochenschriften saß, und kritisch seinen Kaffee und Schnupftabak prüfte, ein ergrauender Beau, ein exzentrischer Literat. Sind das nicht die Figuren,

die durch ihre Quantität die wahre Literatur ausmachen, das Pflanzenreich der Literatur, ihre immergrüne Vegetation, das Wiesengras und blühende Unkraut der Literatur?

Es ist kurios, sagte ich, auf welchen Umwegen viele Schriftsteller zu ihrem eigenen Stil gelangen. Swift, voller Dunkelheiten, strebte nach extremer Klarheit. Mit lauter höchst differenzierten Komplikationen predigte er die Schlichtheit, »diese Einfachheit, ohne die keine menschliche Leistung zu einer großen Vollkommenheit gelangen kann.«

Die Essayisten, erwiderte Silvia, beherrschten das Jahrhundert. Die großen Aufklärer wollten im Gegenteil gar keine Umwege mehr. Sie waren in höchster Eile, die Erziehung der Menschheit voranzutreiben und zu vollenden. Sie spürten schon im Rücken den Wind der Revolutionen. Sie wollten Lehrer der Menschheit sein, ohne Blutvergießen. Lessing hat es in *Ernst und Falk* gesagt: »Was Blut kostet, ist kein Blut wert.«

Die englischen Aufklärer, entgegnete Alfred, sahen »das größte Meisterwerk der Natur« in der Literatur. Zwar versicherte Alexander Pope, der berühmt war für seine Mischung aus Witz und Banalität, die für viele Humoristen eigentümlich ist: »Die menschliche Natur ist immer dieselbe«, worauf sein erklärter Feind Shadwell mit Bezug auf ihn entgegnete: »Dieses sehr kritische Zeitalter, da jeder ein Richter zu sein vorgibt ...« Aber eben darum wollten sie aus dem spröden Stoff der Menschheit wenigstens das machen, was zu erreichen war.

Und am feurigsten, sagte Silvia, glühte unter all diesen Humanisten und Humoristen, unter solchen Reformern, die aus Verzweiflung witzig wurden, der Jonathan Swift, der zwischen Engländern und Iren wie ein Riese wandelte oder wie ein Mensch zwischen Pferden, und zuweilen sich wie ein Zwerg unter lauter Riesen vorkam, ein Ausländer der Menschheit. Vielmehr, die Menschheit, die sich selber in einem Mann repräsentieren wollte, hatte diesen kleinen Landpfarrer aus Irland dazu ausersehen. Dieser Swift, ein Moralist und Philanthrop, war der frechste Geistliche seit Rabelais. Er schrieb an

Stella: »Das ist fatal für mich, am selben Tag ein Schurke und ein Prinz zu sein.« Stolz war seine Sünde. Er wollte nicht gefallen, er wollte durch seinen Witz ändern. Mit einigen zwanzig Jahren zog er das Gewand eines Geistlichen an, um etwas in der Welt zu werden. Mit knapp dreißig fühlte er sich einer halben Welt überlegen und war – ein Nepot, ein besserer Diener eines abgedankten Diplomaten.

Er sah die schlechte Einrichtung der Welt, studierte sie von nahe, im Wirbel der politischen Geschäfte und Intrigen, mischte sich in die Regierung Englands ein und war mit vierzig Jahren etwa – ein Schloßkaplan, ein Landpfarrer in Irland. Er nahm kein Geld und bekam kein Amt, übte aber größten Einfluß aus und stand an der Spitze oder nahebei.

Es ist wahr, sagte Silvia. Niemand schrieb so grausame Satiren aus so edlen Motiven.

Als er die Welt zum zweiten Mal und gründlicher durchschaut hatte, das erstemal aus Theorie und Anschauung, das zweitemal im Getümmel der großen Welt, schrieb er *Die Reisen Gullivers* im Zorn, und amüsierte Erwachsene und Kinder und sogar die Opfer seiner Satire. Er wurde ein Lieblingsautor der Kinder, ohne je Sympathie für sie empfunden zu haben. Sein Buch war so obszön, daß manche schamhafte Erwachsenen es nicht in ihrer Bibliothek duldeten, aber die Kinder lasen eines der bösesten und bittersten Bücher der Welt wie ein Märchen in ungekürzten oder in hundert verschnittenen Ausgaben.

Nur mit seinem Witz war er ein paar Jahre lang ein ungekrönter König von England und ein Dutzend Jahre später ein ungekrönter König von Irland. Aber was hat er an geschwinden Fakten bewirkt? Wood's Halfpence kam nicht nach Irland, oder einige englische Literaten erhielten Ämter und Pensionen. Und für sich selber gewann er zuletzt ein geistliches Amt, das ihm eine Art Verbannung schien, in Dublin als Dechant.

Und seine Schriften? Das meiste waren verstreute Pamphlete, war Journalismus. Freilich war sogar im Verstreuten fast immer der ganze Swift. Wenige Schriftsteller lieferten sich selber so radikal aus, mit ihrem Zorn und Hohn und Spott, in der Maske des gelehrten Pedanten. Immer war er der Leidenschaftlichste unter den Leidenschaftlichen, immer der Jonathan Swift. Beinahe alles ist darum autobiographisch; denn immer spricht Swift, der Satiriker der Menschheit, immer einer der edelsten Menschen, aus lauter enttäuschter Güte fast am Rand der Tollheit.

Und ist es nicht wie um toll zu werden, wenn man unter Menschen lebt? fragte ich. Die Menschen könnten so wunderbar sein. Sie sind gemacht, um zu lieben und geliebt zu werden. Sie könnten es sich so leicht machen, statt alle einander zu hassen, zu beneiden, zu bekämpfen, zu verderben und wie die andern auch sich selber. Sie könnten in Frieden und Freundschaft leben, Individuen wie Völker. Sie müßten nur aufhören, Nationen zu sein. Sie müßten nicht mehr die Verbrechen der Nationen dulden. Die Völker, die Staaten, die Nationen, jede Gemeinschaft unterliegt den gleichen moralischen Gesetzen wie jedes Individuum. Der einzelne darf nicht töten. Und tausend und eine Million dürfen ungestraft töten? Was beim Individuum ein Verbrechen ist, wird beim Volk zum Patriotismus? Eine Regierung darf ungestraft Krieg führen, Schulden machen, Menschen foltern, sich ungerecht bereichern, für sich oder ihr Volk? Wer über andre Menschen regieren will, trage statt mehr Verantwortung gar keine? Müsse statt millionenfacher moralischer Rücksicht viehische Exzesse begehn? Und erhält dafür Denkmäler, Straßen werden nach ihm genannt, Schulkinder lernen seinen Namen und die Daten seiner Untaten auswendig?

Wie lange wollen die Menschen das dulden? Sollen nur Einzelne zivilisiert sein, und jedes Volk ein Caliban, ein Monstrum, eine Mordmaschine, eine Möglichkeit der Zerstörung der ganzen Menschheit und der Erde? Die Menschen mehren sich und die Früchte des Landes, aber um welchen Preis! Da spielen sie mit den Gesetzen der Natur, und das Resultat sei der Selbstmord der Menschheit? Ist diese moralische Impotenz der Menschheit notwendig? Ich glaube es nicht. Das, wodurch sie gut sein könnten, das benutzen sie, um böse zu werden. Wodurch sie glücklich sein könnten, damit machen sie einander unglücklich. Die Menschheit wird immer kunstreicher und geschickter, und die Epochen werden immer erbärmlicher. Erhebt die Menschheit sich nur, um tiefer hinabzustürzen? Oder wollt ihr mir entgegenhalten: Immer schon erschlug Kain den Abel? Manche Menschen waren sogar Anthropophagen? Immer führten die Völker Krieg? Manche tranken aus den Schädeln ihrer Brüder? Immer zerstörten sie einander, rissen ihre Tempel und Städte nieder, schändeten der andern Frauen, meuchelten der andern Kinder, führten das halbe Volk in Sklaverei und beuteten das eigene Volk wie fremde Völker aus. Immer überrannten die Barbaren die Feineren und Zivilisierten. Immer schon stand die humane Welt einen Schritt vor dem Abgrund, mehr oder minder bildlich. Jetzt aber ward aus dem drohenden Bild die gräßliche Wahrheit. Die Menschheit wird untergehn, lange vor Mond und Sternen, lange vor unserer kleinen Sonne. Diese Erdkugel wird unbewohnt sein für Jahrmillionen oder Hunderttausende von Jahren, oder sie wird zerspringen.

Und wer entscheidet über unser Los?

Gegenwärtig sind die beiden mächtigsten Menschen der Welt ein Herr in Washington und ein Herr in Moskau.

Der eine ist ein herzkranker ausgedienter General von mäßiger Vernunft, mit mäßigen Kenntnissen, ein mäßiger Golfspieler, ein Konservativer sicher ganz guten Willens, sozusagen ein militärischer Menschenfreund, in einem Land, wo zwei Parteien herrschen, abwechselnd. Er ist ein Sprecher einer Mehrheit, die schon zur Minderheit wurde.

Der andere ist ein trinklustiger Parteisekretär, in einem Land, wo nur eine Partei herrscht, ohne Abwechslung, er ist ein Feind aller älteren Sozialsysteme, ein geschworener Freund aller Armen und Unterdrückten in allen Ländern außerhalb seines Machtbereichs, von mäßiger Vernunft, mit mäßigen Kenntnissen, sozusagen ein parteipolitischer Menschenfreund einer Menschheit unter seiner Diktatur, sicher ganz guten Willens.

Und wo sitzt das Gericht über diese beiden mittelmäßigen Weltfiguren, die über Gut und Böse, Leben und Tod der ganzen Menschheit, über unsere Manier zu leben, zu denken, zu sterben, entscheiden wollen und vielleicht auch entscheiden werden? Wo sind die Richter? Das Weltgericht des armen Schiller, die *Weltgeschichte* kommt zu spät und ist eine geschworene Partei.

Zwischen diesen beiden dubiosen Menschenfreunden schwankt nun das Geschick der Menschheit in giftigen Atomnebeln unter Experimenten, die unsere Erde vielleicht in die Luft sprengen.

Da sitzen an zwei Weltecken zwei unwissende Zauberer, zwei Riesen, in deren staubigen Manteltaschen es von zehntausenden mückengroßen Wissenschaftlern wimmelt, die auf höchst satirische Weise neue Todesmethoden zubereitet haben und täglich fürchterlichere Tode.

Trotz dem Risiko der Weltvernichtung streiten sich die beiden närrischen Männer um bunte Fetzen und Lumpen, um neue Ländereien und kleine Völker, die ihnen wie Steine im Magen liegen werden, nimmst du halb Korea, nehme ich halb Korea, gewinnst du Japan, gewinne ich China, mordest du Ungarn, morden meine Freunde Algerier, schöpfst du mit der hohlen Hand Öl aus Persien und Arabien, entfache ich das Feuer, das deine Hand verbrennen soll, bezahlst du deine Beduinen, bezahle ich meine Beduinen, du versprichst Freiheit und ich verspreche sie.

Beide Riesen schreien ihren Zorn in den Aether, wissen sie noch, worum der Streit ging? Um ihre Hafenarbeiter besser zu bezahlen? Um ihre Millionäre besser zu verpflegen? Damit ihre Kinder oder ihre öffentlichen Schulden samt der öffentlichen Schuld wachsen? Mehr Vitamine für die Schweine oder für die Säuglinge? Tod den Kommunisten oder den Kapitalisten? Um ihren Völkern mehr Fernsehapparate zu liefern, wo sie auf einer schwatzenden Scheibe das kolorierte und lärmende Nichts sehen, um mit dem Schatten des Nichts sich um ihre Zeit zu betrügen? Um die Freiheit? Ums Leben? Ums tägliche Brot? Wollen aber die Völker die Freiheit? Man verheißt jenen mehr Brot, die schon überfüttert sind, statt es jenen zu reichen, die noch hungern, man verspricht ihnen größere Autos, kleinere Steuern und die Herrschaft über Völker, die nach der Herrschaft über sie streben. Wer will das? Im Grunde keiner. Für nichts im Grunde also – den Krieg der Vernichtung?

Dabei vermehrt sich inzwischen die Menschheit lustig, die Ärmsten am meisten, es wimmelt und wühlt und wogt, wie Sand am Meer, wie Ameisen im Wald, wie Gras auf der Erde, wie Wassertropfen im Meer, wie Heuschrecken und Mücken im hitzegeilen Sommer.

Kann man nur mit Blut regieren und nicht mit Witz? Kann man nur einer vergewaltigten Menschheit Vernunft beibringen? Nur durch Kriege zum Frieden kommen? Muß man die Menschheit an den Rand des Untergangs führen, um sie einen halben Schritt voranzubringen? Muß man Millionen ausrotten oder demnächst die halbe Menschheit oder neun Zehntel oder die ganze, um – was – zu erreichen? Um recht zu behalten? Um besser zu leben? Um Gottes willen? Um der Völker willen? Um den Ehrgeiz von wem zu befriedigen? Um noch rascher zu sterben, als man ohnehin stirbt? Unser Leben ist kurz und karg genug, beladen genug, eines Irren Traum, eines Narren Vers, der nicht reimt und auf allen Füßen hinkt, wir sind ohnehin um das Leben der Götter betrogen, ohnehin von einem anonymen Gericht zum Tod verurteilt, noch ehe unser Prozeß begonnen hat. Die ganze Welt ist Zeuge gegen uns, wir sind Angeklagte und werden nicht vernommen. Wir reden in einer toten Sprache, die keiner versteht. Wir sind Schatten im Zerrspiegel eines Angsttraums, den keiner analysieren kann. Niemand kennt den Träumer. Es gibt keinen Arzt. Seit hunderttausend Jahren gibt es Menschen, und sie haben noch nicht gelernt, sich zu ertragen. Sie haben nichts gelernt, solange sie nicht in Frieden miteinander leben. Sie haben nichts erfunden, wenn sie noch nicht Gerechtigkeit und Freiheit und menschliche Würde und Frieden erfunden haben.

Trinken wir auf eine bessere Welt, sagte Silvia und hob ihr Glas Wein, um mit mir anzustoßen.

Swift hat auf vielen Wegen sein Glück versucht, erklärte Alfred ruhig, als wäre ich nicht abgeschweift. Er war ein Geistlicher, ein Politiker, ein Journalist, ein Pamphletist, ein Satiriker, ein Parodist, ein Wit und Poet, ein Freund, ein Liebhaber, eine graue Eminenz. Er besuchte Cafés und Theater und Salons. Er schrieb Gedichte, sogar Liebesgedichte, er half Menschen und lachte sie aus. Er schrieb Feuilletons. Er schrieb Briefe sein Leben lang.

Swift war 1710 von Dublin nach London mit dem Auftrag des irischen Klerus gegangen, ihre Steuern zu vermindern, die sogenannten *First Fruits,* die ersten Früchte, eine Besteuerung, die bei den englischen Klerikern schon weggefallen war. Swift war ein *lobby-man* der irischen Kirche, er sollte das Parlament zu einer Gesetzesänderung bewegen. Bei Stella beschwerte er sich, wie kühl ihn der Whig Minister Godolphin empfing. Swift war erst ein Whig. Aber als die Whig-Minister fielen und die Tories die Regierung übernahmen, wurde Swift ein Tory und schrieb Schmähschriften auf den gestürzten Finanzminister. Der Tory Henry St. John, später Viscount Bolingbroke, wurde Innenminister, der Tory Robert Harley, später Earl von Oxford, wurde Finanzminister. Sogleich erhielten die Tories von der Königin Anne die *First Fruits* für den irischen Klerus.

Harley versuchte, den Swift, und Swift den Harley für seine Zwecke zu gewinnen. Die Whigs hatten Swift angeklagt, er sei ein Tory. Er war weder ganz ein Whig noch ganz ein Tory. St. John und Harley wurden Busenfreunde Swifts. Harley verkannte anfangs Swift. Er sandte ihm nach drei Monaten eine Banknote von 50 £. Swift war wütend, »über beides, die Sache und die Manier«. Er sandte das Geld zurück, weigerte sich am nächsten Tag, mit Harley zu dinieren und verlangte Genugtuung. »Wenn wir diese großen Minister zu frech werden lassen, wird man sie nicht regieren können«, schrieb er an Stella. Eine Woche später war er immer noch zornig und ging zum Vorraum des Unterhauses und fand Harley dort und schickte den Minister als seinen Boten ins Haus, um St. John auszurichten, »Swift werde nicht mit ihm dinieren, wenn er spät dinierte.«

Am nächsten Tag schrieb Swift seiner Stella, er »habe Mr. Harley wieder in seine Gunst aufgenommen«. Am nächsten Samstag dinierte Swift mit St. John und Simon Harcourt, dem Lord Keeper, und er wurde ein Mitglied der Gruppe, die sich jeden Samstag versammelte (außer wenn die Königin in Windsor war) und unzeremoniell die Regierung besprach. Sie planten, wie sie die Whigs schlagen, den Herzog von Marlborough loswerden, den Frieden machen könnten. Die Minister besprachen die Intrigen. Swift beeinflußte die öffentliche Meinung mit Pamphleten und mit der Tory-Zeitung, dem *Examiner,* vormals einem Whig-Blatt, das er eine Zeit lang leitete; für kurze Zeit war er der mächtigste Journalist von England; freilich machte er sich auch die heftigsten Feinde, die ihm nie mehr verziehen.

1708 hatte Swift geplant, einen Band seiner vermischten Schriften herauszubringen, erst 1711 erschien der Band, in einem unerlaubten oder halb unerlaubten Nachdruck. Da sind Pamphlete wie *Die Gefühle eines Mannes der anglikanischen Kirche,* über die Verdienste politischer und religiöser Mäßigung und die Verkehrtheit bloßer Parteimeinungen, verbunden mit Angriffen auf die Nonkonformisten, was die Whigs wieder übelnahmen. Ferner *Ein Argument gegen die Abschaffung des Christentums,* wo Swift wieder die Deisten angriff: »Wenn das Christentum einmal abgeschafft wäre, wie könnten dann die Freidenker, die starken Logiker und die Männer von tiefer Gelehrsamkeit imstande sein, einen andern Gegenstand zu finden, an dem sie von allen Seiten ihre Talente und ihren Witz erproben könnten? Welche wunderbaren Werke des Witzes müßten wir missen, von all denen, deren Genie sich in Spott und Angriffen gegen die Religion erschöpft, und die darum bei keinem andern Gegenstand mehr glänzen könnten? Wir beklagen uns täglich über die Abnahme des Witzes bei uns und würden das beste Objekt des Witzes fortnehmen, das uns geblieben ist? Wer hätte sonst je Asgill für einen Humoristen und Toland für einen Philosophen gehalten, wenn nicht diese unerschöpfliche Witzquelle, das Christentum, immer parat gewesen wäre, um ihnen Material zu liefern? Es ist die weise Wahl des Gegenstandes, die allein den Autor schmückt und auszeichnet ... Denn wären hundert Federn auf der Seite der Religion angestellt gewesen, sie wären sogleich dazu verurteilt worden, zu verstummen und vergessen zu werden.«

Im Pamphlet: *Projekt für die Beförderung der Religion*, der Lady Berkeley gewidmet, denunzierte Swift die offene und schamlose Ausschweifung der Epoche und schlägt vor, die Regierung sollte eine Reihe von Sittenwächtern bestellen, für jede Provinz einen, welche die Moral des Volks überwachen sollten. Swift denunzierte die Gesellschaft, aber wie ein Gentleman, schrieb der *Tatler,* nicht wie ein vulgärer Fanatiker.

Ich bitte dich, bat Silvia, du wirst doch nie vergessen, was du längst weißt, daß man Swift nie ernst nehmen kann, mit seinen Vorschlägen, nicht einmal mit der Partei, die er nimmt, ja mit nichts, was er positiv sagt. Er ist ein Mann, der stets das Böse schreibt und stets erheitert; wo er spottet, da liebt er am meisten, er liebt durch Spott; wenn er die Laster angreift, beweist er seine Liebe zur Tugend. Swift spottet solcher Tugendwächter, er verachtet Moralprediger, er lacht über die Wits, er hält nichts von den Politikern.

Aber er diente ihnen vier Jahre lang, erwiderte ihr Gatte. Und dieser *Band Vermischter Schriften* enthielt Verse, und Schmähschriften gegen den Architekten und Komödienautor Vanbrugh, der gesagt hat, man mißtraue manchen, weil man sie nicht kennt, und andern, weil man sie kennt. Dann eine Satire auf Lord Cutts; das lange Poem *Baucis und Philemon,* das den Ovid nachahmt und von Addison korrigiert wurde; eine Grub Street-Elegie auf Partridge; eine Beschreibung eines Stadtregens; und anderes.

Mit diesem *Band Vermischter Schriften* endete die erste Periode des literarischen Lebens Swifts, und er begann seine kurze und glänzende politische Periode.

Addison besang die Siege von Marlborough, sein Freund Swift berechnete die Kosten dieser Siege und die Einnahmen des Generals. Seit in der Großen Allianz gegen Frankreich Wilhelm von Oranien Holland und England mit Österreich verbunden hatte, hörte Marlborough nicht zu siegen auf, und der Krieg hörte nicht auf, und die Steuern und die Preise stiegen. Die Landbesitzer, meist Tories, glaubten, die Händler und Bankiers, meist Whigs, bereicherten sich auf ihre Kosten, oder wie sie sogleich sagten, auf Kosten der Nation. Nun entdeckten die Tories, daß ein Schwiegersohn von Marlborough der Sohn des Finanzministers Godolphin war, und der andere Schwiegersohn der Innenminister Sunderland, daß die Herzogin von Marlborough, die Hüterin der königlichen Kleiderkammer, auch das Bett Godolphins hütete, und daß ganz England in Gefahr war, in die Taschen der Sippen und Magen der Marlboroughs zu wandern. Marlborough war zuerst ein Tory, darnach ein Whig, wie der Wind sich drehte. Nun waren die Whigs schuld an der Verlängerung des Kriegs, an Steuern und Preisen, an der Begünstigung der Dissenters, die für Marlborough arbeiteten. Plötzlich erinnerten die Orthodoxen sich und die Nation an die guten alten Sitten, an die herrliche alte Ordnung.

Drei Kreaturen von Marlborough, die Minister St. John und Harley, und Harleys Kusine Abigail Hill (die einen Posten im Schlafzimmer der Königin Anne hatte, dank der Herzogin von Marlborough, ihrer Kusine, und die später Lady Masham wurde) intrigierten bei der Königin gegen die Whigs und Marlborough. Als Marlborough und Godolphin es merkten, verloren die zwei Minister Harley und St. John ihre Posten, intrigierten aber weiter, bis Godolphin gestürzt wurde und die Tories zur Regierung kamen, mit St. John und Harley an der Spitze.

Die Minister St. John und Harley gewannen den witzigsten

Mann von London, Swift. Er wurde ihr Journalist, ihr Pamphletist, ihr Ratgeber – ohne Amt –, ihr Gewissen, ihr Witz, ihr Satiriker. Mit Zorn und Genie, aus den edelsten Motiven, die er nicht verbarg, schlug Swift auf die Whigs und Marlborough ein. Der General fiel nach einem Jahr. An seine Stelle trat der Herzog von Ormond, den Swift für seinen drittbesten Freund unter den Politikern hielt.

Die Whigs, sagte Swift, bilden nur zehn Prozent von England. Sie sind eine machtgierige, profitgierige Partei. Sie haben ihre Reichtümer auf Kosten der Mehrheit gesammelt. Sie lügen. Sie intrigieren. Sie machen Aufstände, nur um ihrer Partei zu dienen. Swift sagte: »Ich bin kein Partisan! Auch die Tories haben ihre Fehler. Es ist unselig, daß wir in zwei Parteien geteilt sind; beide geben einen mächtigen Eifer für unsere Regierung und Religion vor. Sie sind nur in den Mitteln uneinig. Die Übel, gegen die wir kämpfen müssen, sind hier Fanatismus, Verrat an der Religion, Anarchie im Namen einer Republik! Dort Papismus, Sklaverei, der Prätendent von Frankreich!«

Zwischen beiden Extremen stehe ich allein, sagt Swift. Ein Geistlicher, dem die Religion das Höchste bedeutet, das bin ich, und kein Politiker. Ich bin das Gewissen der Politiker. Ich bin das Gewissen von England. Ich schreibe gegen Tories und Whigs, für die alten britischen Tugenden. Die Revolution ist beendet.

Swift schrieb eine Unzahl politischer Pamphlete. Er kämpfte mit allen literarischen Mitteln eines Genies für die Menschheit, nebenbei für St. John und Harley, die im Augenblick das Beste für England wollten – wie Swift glaubte.

Swift war ein loyaler Freund seiner Minister, die keineswegs loyale Freunde von Swift waren. Er bekam seine Arbeiten und Dienste nicht bezahlt. Sie beklagten sich, wann immer Swift zu ihnen komme, habe er einen Whig im Ärmel, nämlich einen seiner literarischen Freunde, für die er Ämter und Pfründen erbat. Er sorgte für alle seine Freunde, aber zu spät und zu selten für sich. Der Philosoph Berkeley wurde durch ihn Bischof von Cloyne; Swift sagte: »Ich denke, ich bin nach Ehre und Gewissen verpflichtet, all meinen kleinen Kredit anzuwenden, um würdigen Männern zu helfen, in der Welt voranzukommen.« Er machte sich Hoffnung auf den Bischofssitz von Hereford, er bekam ihn nicht. Da hatte er Macht und Einfluß, aber weil er die Fehler seiner Minister weder sehen noch aufzeigen wollte, überschätzte er seine Macht und seinen Einfluß. Die Minister arbeiteten für ihren Nutzen, Swift fürs Gute. Die Feinde der Minister waren die Whigs, Swifts Feind war das Böse.

Da er ein Spötter war, fehlte es ihm nicht an Feinden.

Es war kein Vergnügen, sagte Silvia, von Swift mit seinem Haß verfolgt zu werden.

Die rothaarige Herzogin von Somerset war nach der Herzogin von Marlborough die Hüterin der königlichen Kleiderkammer. Sie haßte den Swift, noch bevor er ein Tory wurde, »einen Mann ohne Prinzipien, sowohl in Sachen der Ehre, als auch der Religion«. Swift veröffentlichte eine Schmähschrift gegen sie, wo er sie »Carrots«, rotes Rübchen, hieß, und auf die alte Anklage anspielte, sie sei in die Ermordung ihres zweiten Gatten verwickelt gewesen. Die Herzogin, die mit fünfzehn Jahren schon drei Gatten gehabt hatte, war die nächsten dreißig Jahre gattenlos geblieben, sie verzieh ihm nie.

Der Erzbischof von York, John Sharpe, schwor sein Leben lang, daß der Autor des *Märchens von der Tonne* eine Schande für die Kirche und den Staat sei.

Swift sagte: »Was immer tiefsinnige Politiker sagen oder tun, sie werden schwerlich den vernünftigen Teil der Menschheit überzeugen können, daß man nicht leichter auf dem gewöhnlichsten, kürzesten, leichtesten, sichersten und ganz gesetzmäßigen Weg zu einem guten Zweck vorankomme, als auf einem all dem konträren Weg. Große Minister haben mir oft versichert, daß Politik nichts anderes sei als gesunder Menschenverstand; was zwar die einzige wahre Sache war, die sie sagten, aber auch die einzige, von der sie wünschen mußten, daß ich es nicht glaubte.«

1711 und 1712 arbeitete Swift hart für seine Freunde, die Minister, für seine Freunde, die Tories, in Wahrheit für seine Freunde, die Engländer. Er schrieb an Stella: »Ormond verschafft mir eine Pfarre in Dublin, ich komme bald.« Er hatte dem Earl von Halifax wegen einer Beförderung geschrieben, er hoffte, die Präbende des Dr. South in Westminster zu erlangen, und schrieb: Bete, mein Lord, und wünsche, daß Dr. South beim Fall der Blätter sterbe. Dr. South starb nicht. Swift schrieb wieder an Lord Halifax: »Wenn der milde Winter nicht den überflüssigen Dr. South wegraffe, so sollte er, Swift, zum Bischof von Cork ernannt werden, da einige Hoffnung bestand, der jetzige Bischof, der Fleckfieber habe, möge sterben.« Der Bischof starb, aber Lord Halifax machte einen andern zum Bischof von Cork.

Im dritten Winter schrieb er an Harley, Lord Oxford: »Ich erlaube mir in aller Demut, Ihnen mitzuteilen, mein Lord, daß der Dechant von Wells diesen Morgen um ein Uhr gestorben ist. Ich lege meine armen Glücksumstände gänzlich zu Eurer Liebden Füßen.« Da blieben sie liegen. Zwar ging das Gerücht, er wäre Dechant von Wells geworden; es war falsch; das verdroß ihn. Die Stelle des Dechanten von Ely wurde frei, nicht für ihn; die von Lichfield; nicht für Swift! Er wurde nicht Bischof von Heresford, nicht Kanonikus von Windsor, weder Bischof von Raphoe noch von Dromore. Schließlich versprach der Herzog von Ormond, Swifts dritter und bester Freund unter den Ministern, Swift könnte Dechant von St. Patrick in Dublin werden, wenn der gegenwärtige Dechant zum Bischof von Dromore ernannt würde. Die Königin willigte ein. Swift blieb sein Leben lang der Dechant von St. Patrick in Dublin. »Alles, was Hof und Minister für mich taten: sie ließen mich meine Stellung in dem Land wählen, wo ich ein Verbannter bin!« Nicht einmal Hofhistoriograph durfte er werden!

Swift ging im Sommer nach Irland. Dann riefen ihn die Minister nach London zurück. Sie stritten, er versuchte den Streit zu schlichten. Bolingbroke wollte das Amt von Oxford haben.

Zornig ging Swift nach Berkshire, böse mit seinen Freunden Harley und Bolingbroke wegen ihrer politischen Tollheit, und böse mit der Königin Anne, weil sie ihn nicht zum Hofhistoriographen ernannt hatte. Er ward zahlender Gast bei einem Landpfarrer dreißig Meilen von Binstead, wo er tagelang kaum ein Wort sprach. Er zahlte eine Guinea per Woche für volle Pension. Er las, ging spazieren und schwieg, wie er Stella schrieb. Auch verfaßte er *Einige freie Gedanken über die politische Situation* zugunsten der Reformpläne Bolingbrokes.

In Windsor Park, in den Tagen seiner politischen Gunst, hatte er an den Jagden teilgenommen. Die dicke Königin Anne lenkte selber ihre Kutsche mit einem Gaul, »den sie wütend antrieb, wie Jehu, und sie war ein mächtiger Jäger wie Nimrod«. Im Sommer ging er mit dem Hof in den Park zum Picknick, mit allen Fräuleins vom Hofe. Die Gräfin von Shrewsbury flirtete mit Swift, sie fuhr in einem Einspänner, er saß zu Pferde und trug seinen bunten Rock aus Kamelott mit rotem Samt und Silberknöpfen, und sie plauderten den ganzen Tag im grünen Wald.

Jetzt grollte er dem Hof, und der Hof grollte ihm, er aß täglich um zwölf zu Mittag, und früh zu Abend mit einem Glas Ale und ging schon um zehn zu Bett, was sonst nicht seine Gewohnheit war.

Pope und Parnell besuchten ihn am Sonntag in der ersten Juliwoche und blieben ein paar Tage bei ihm, und sie sprachen über Politik, Poesie, Prosa, literarische Pläne und den Weltlauf.

Bolingbroke stürzte den Oxford, regierte drei Tage, wies für Swift 1000 £ an und machte ihm in London die schmeichelhaftesten Angebote. Indes rief ihn der gestürzte Oxford aufs Land, und Swift folgte ihm, statt beim regierenden Minister zu bleiben. Nun starb die Königin Anne. George I. rief die Whigs zur Regierung. Marlborough kam mit zweihundert Reitern nach London und mit Trommeln und fünfzig Kutschen. Bolingbroke ging ins Exil, Oxford ins Gefängnis, wo er in Lebensgefahr schwebte. Da bat Swift um die Erlaubnis,

Im Club der Pickwickier

Ein Samstagabend im Club »The Players« (Jahrhundertwende)

D. H. Lawrence 1885–1930   *Oskar Wilde 1856–1900*

Café Royal, ein altes Literatencafé am Piccadilly Circus

das Gefängnis mit Oxford teilen zu dürfen. Erst als man es ablehnte, ging er nach Irland, wo man ihn miserabel empfing. Seine tausend Pfund hat er nie erhalten (soviel mußte er für das Haus in Dublin zahlen).

In diesen vier Londoner Jahren war Swift der Schatzmeister und ein leitendes Mitglied des »Clubs der Brüder«, einer Gesellschaft von Wits und Politikern, die wie Maecenas und Horaz zusammenlebten. Swift schrieb einige Beiträge zum *Tatler*, zum *Spectator*, zum *Intelligencer*, und 1712 seinen *Vorschlag für Verbesserung, Korrektur und Ermittelung der englischen Sprache*, die einzige Schrift, die Swift unter seinem Namen publiziert hat. In einem Brief an Harley empfahl er die Gründung einer englischen Akademie nach dem Vorbild der Académie Française.

In Dublin fühlte er die Tiefe seines Sturzes. In London hatte er Teil an der Macht gehabt und unter lauter Freunden gelebt. In Dublin war er, wie ihm schien, ein bedeutungsloser kleiner Dechant, von allen gehaßt, ohne den geringsten Anteil an den öffentlichen Geschäften Irlands, die Politiker mieden ihn.

Swift ging für den Winter wieder nach London, erzählte Silvia. Nun saß er (statt mit seinen falschen Freunden, den Politikern) mit den Literaten, seinen wahren Freunden, in den Kaffeehäusern und im »Scriblerus Club«, wo er mit ihnen die Lebensgeschichte ihres phantastisch komischen Helden Martinus Scriblerus beriet.

Als er zu Stella nach Dublin zurückkehrte, folgte ihm Vanessa, und er fand statt der politischen Intrigen amouröse.

»Vanessa, in ihrer Blüte,
Scheint hell wie Atalantas Stern,
Selten erschaut und nur erschaut von fern ...«
Cadenus aber, »in schwindender Gesundheit, vorgerückten
Jahren ...
Konnt' preisen, achten gar, und billigen,
Doch er verstand nicht, was die Liebe war.«

In Irland verachtete Swift erst das Volk, dann haßte er die Tyrannen. Und diese Tyrannen waren Whigs. Anfangs fast verfemt, wurde er zuletzt der populärste Patriot von Irland. 1720 begann er sein erstes irisches Pamphlet *Vorschlag für den universellen Gebrauch von Irischen Manufakturwaren*, wofür der Drucker von der Regierung verfolgt wurde. 1724 kamen seine *Drapier's Letters*. Zwei Jahre vorher hatte William Wood, »ein Eisenwarenhändler und bankrott«, ein Patent erhalten, Kupferpfennige für Irland für vierzehn Jahre zu münzen, im Betrag von 108 000 £. Der König hatte das Patent seiner Geliebten gegeben, der Herzogin von Kendal, die es an Wood für zehntausend Pfund verkaufte. Das irische Parlament protestierte. Aber der Finanzminister von England, Sir Robert Walpole, war einverstanden. Dublin war aufgebracht.

Der englische Innenminister, Carteret, ein Freund von Swift, widersprach Walpole, der ihn anfangs 1724, um ihn loszuwerden, zum Generalleutnant von Irland ernannte. Als Carteret landete, war Irland in Aufruhr.

Im Juli 1724 richtete Swift einen anonymen öffentlichen Brief »an die Ladenbesitzer, Händler, Bauern und gemeinen Leute von Irland«, gezeichnet M. B. Drapier (oder *draper*, Tuchhändler). M. B. behauptete, ein schlauer Tuchhändler von Dublin zu sein, der seinen persönlichen Schaden voraussah, wenn Engländer in seinen Laden kommen und seine Waren mit Säcken voll von Woods unverschämtem Plundergeld kaufen durften. Dieser erste Brief tat große Wirkung, aber das Kabinett empfahl die neuen Münzen. Im August sandte der Tuchhändler einen zweiten Brief an »Mr. Harding, den Drucker«, und einen dritten am 25. August an »den Adel und die Gebildeten und Besitzenden von Irland« und am 13. Oktober einen vierten Brief an »das ganze Volk von Irland«.

Der Drucker wurde angeklagt; Swift schwieg eine Weile. Aber am 14. Dezember veröffentlichte er den fünften Brief an Lord Molesworth. Der sechste Brief vom Oktober 1724 an Lord Middleton, wurde erst 1735 gedruckt. Es gibt mehr

Tuchhändlerbriefe, alle späteren Datums. Diese Briefe über Woods Half-pence gehören zu den schärfsten Satiren in englischer Sprache. Swifts Argumente sind gewalttätig und voll von absichtlich schiefen und tumultuösen Interpretationen. »Ich muß gestehen, ich sehe es als meine Pflicht an, so weit Gott mich befähigt hat, und so lange ich innerhalb der Grenzen von Wahrheit, Pflicht und Anstand bleibe, meine Mitbürger davor zu warnen, so sehr sie auch den König, ihr Land und alles, was ihnen lieb und teuer sein kann, schätzen, doch niemals diese verderbliche Münze zuzulassen, nein, nicht so viel wie einen einzigen halben Pfennig ... Wenn die Behörde es passend finden sollte, alle Schriften und Reden über diesen Gegenstand zu verbieten, mit Ausnahme derer zugunsten von Mr. Wood, so will ich gehorchen, wie es mir zusteht ...; erst wenn ich in Gefahr zu bersten bin, werde ich ins Schilfrohr gehen und wispern – keinen Tadel gegen die Weisheit meiner Landsleute – sondern nur diese Worte: Hüte dich vor Woods Halfpenny.«

Zu diesen Pamphleten gehört auch *Woods Exekution,* von 1724.

Swift wurde das Idol der Bürger von Dublin und Irland. Swift behagte diese Popularität nicht, er sagte, er sterbe hier »voller Wut, wie eine vergiftete Ratte in ihrem Loch«.

Swift schrieb über Wood und seine Agenten, die Feinde Gottes und des Königreichs Irland: »Ich will Herrn Wood und seine Agenten durch den Kopf schießen, wie Straßenräuber oder Hausfriedensbrecher, wenn sie es wagen, auch nur einen einzigen Pfennig von ihrer Münze mir bei einer Zahlung von hundert Pfund aufzuzwingen. Die Ehre nimmt keinen Schaden, wenn man sich vor einem Löwen beugt, aber wer, der eines Mannes Antlitz trägt, kann mit Geduld sich vorstellen, daß er lebendig von einer Ratte gefressen werde.«

Swift klagte nicht den König an und deutete nur versteckt aufs Honorar der Herzogin-Mätresse. Er griff die Minister und Wood und Woods Half-pence an. Jeder Ire, der nur eine Münze Woods nähme, würde weniger bekommen; jeder, der damit bezahlte, würde weniger geben, als er bekommen hatte. Indes Wood prosperieren würde, »sollten wir zusammen leben, so fröhlich und gesellig wie Bettler, nur mit dieser einen Schmälerung, daß wir weder Fleisch zu essen noch Stoffe uns zu kleiden haben sollten, außer wir wären es zufrieden, einherzustolzieren in Kleidern von Kettenpanzern oder Kupfergeld zu essen wie Strauße Eisen fressen.«

»Wurden nicht die Leute in Irland so frei geboren, wie die Leute in England? Wie haben sie ihre Freiheit verwirkt? Ist ihr Parlament nicht eben solch ein billiger Repräsentant des Volks wie jenes von England? ... Sind sie nicht Untertanen desselben Königs? Scheint nicht dieselbe Sonne auf sie? Und haben sie nicht denselben Gott zum Beschützer? Bin ich nicht ein freier Bürger in England, und werde ich in sechs Stunden zum Sklaven, indem ich den Kanal kreuze?« ... »Ich habe alle englischen und irischen Gesetze durchgelesen, ohne ein Gesetz zu finden, das Irland irgend abhängiger von England macht als England von Irland. Wir haben uns in der Tat verpflichtet, denselben König mit England zu haben, und infolgedessen sind sie verpflichtet, denselben König mit uns zu haben. Denn das Gesetz wurde von unsern Vorfahren gemacht, und unsere Vorfahren waren damals nicht solche Narren (was immer sie auch unter der vorhergehenden Regierung waren), sich unter ich weiß nicht welche Abhängigkeit zu stellen, von der man jetzt ohne irgendeine Basis des Gesetzes, der Vernunft oder des gesunden Menschenverstandes spricht.«

»Jede Regierung ohne die Einwilligung der Regierten ist die wahre Definition der Sklaverei.«

»Die Abhilfe ist ganz in euren Händen ... Bei den Gesetzen Gottes, der Natur, der Nationen und eures eigenen Landes seid ihr und sollt ihr so frei ein Volk sein wie eure Brüder in England.«

Swift sagte: »Geld, der große Entzweier der Welt, ist durch eine sonderbare Umwälzung der große Einiger eines höchst gespaltenen Volkes geworden.«

Als Carteret landete, riefen eben Höker den vierten Tuchhändlerbrief durch die Straßen von Dublin aus, durch die der neue Statthalter von Irland kam. Carteret bewunderte »das Genie, das die meisten seiner Epoche überstrahlte«, aber er setzte 300 £ aus, für Informationen, die zur Entdeckung des Autors binnen sechs Monaten führen würden.

Ganz Dublin und der Statthalter wußten, daß Swift der Autor war, aber es gab keinen gesetzlichen Beweis. Während der sechs Monate speiste Swift im Schloß und unterhielt Lady Carteret auf einem Gartenfest, das er in seinem Garten gab. Als Carteret vernahm, Swift gehe damit um, sich selber zu entdecken, riet er ihm davon ab.

Derselbe Walpole, der gesagt hat, jeder Mann habe seinen Preis, wagte nicht, Swift verhaften zu lassen. 1725 wurde das Patent aufgehoben. Wood bekam eine Pension. Carteret erklärte: »Die Leute fragen mich, wie ich Irland regiert habe. Ich erwidere, daß ich alles tat, um dem Dr. Swift zu gefallen.«

Swifts Ruhm in Irland wurde zur Legende. Unbekannte zogen die Hüte auf der Straße vor ihm, wenn er vorbeiging. Als er nach Dublin gekommen war, hatten die Irländer angenommen, da käme ein Diener der Tyrannen. Nun aber war er der irische Patriot, der Gegner der englischen Minister, der Verteidiger der Armen, für die ein halber Pfennig ein Stück Geld war.

Zehn Jahre lang hatte Swift in Irland geschwiegen. Nun hatte er anonym gesprochen, mit der Stimme eines Tuchhändlers, und war der heimliche König von Irland.

In diesen Jahren hatte er begonnen, an der Geschichte seiner imaginären Reisen zu arbeiten, fünf oder sechs Jahre lang sollten es zuerst die Reisen des Martinus Scriblerus für den »Scriblerus-Club« werden; weitere fünf oder sechs Jahre arbeitete er an den Reisen des Schiffsarztes Lemuel Gulliver. Im April 1721 schrieb er an Charles Ford über dieses Buch der Reisen, 1722 schrieb Vanessa davon. Das ganze Buch *Travels into several remote nations of the world by Lemuel Gulliver* oder *Gullivers Reisen* erschien 1726, vorsichtig redigiert vom Londoner Drucker Benjamin Motte, aus Furcht, sonst gerichtlich verfolgt zu werden. Das Original ging verloren. Swift gab dem Charles Ford die korrekten Stellen, die der Drucker Motte dann geändert hatte, und Ford schrieb diese authentischen Stellen in sein Exemplar der ersten Auflage. Diese authentischen Stellen wurden mit einer Ausnahme auch in die Dublin Ausgabe von George Faulkner im Jahre 1735 aufgenommen.

Das Buch erschien unter einem Pseudonym. Es sollte der wahre Bericht eines Schiffsarztes und Seekapitäns von Nottinghamshire sein, eines gewissen Lemuel Gulliver, der Bericht seiner Abenteuer in fremden Ländern, herausgegeben zur Unterhaltung junger Männer von Adel, vom Vetter des Reisenden, Richard Sympson. Der Herausgeber versicherte, er habe den Text nicht geändert, außer daß er die unzähligen Stellen gestrichen habe, die sich auf Winde und Wellen bezogen und ähnliche nautische Details. Es waren Landkarten und das Porträt von Gulliver beigedruckt, zum Beweis der Authentizität.

In dem Vorwort des Captain Gulliver an seinen Verleger und Vetter Sympson vom 2. April 1727 schreibt der verbitterte Weltreisende, er habe es zugelassen, daß man seinen Reisebericht veröffentliche, weil er gehofft habe, durch die Lehren seines Buches alle Mißbräuche und Korruption mindestens auf dieser kleinen Insel England gänzlich zu beendigen.

Nun sieht er aber nicht eine einzige Wirkung. Er hatte seinen Vetter und Verleger gebeten, ihm einen Brief zu schreiben, wenn infolge seines Buches »alles Parteiwesen in England beseitigt wäre; die Richter unterrichtet und aufrecht würden; die Kläger ehrlich und bescheiden, mit einigem gesunden Menschenverstand; und Smithfield von Pyramiden von Gesetzbüchern loderte; die Erziehung des jungen Adels vollkommen geändert würde; die Ärzte verbannt und die weiblichen *Yahoos* (wie Swift verächtlich die Menschen heißt, *Yahoos,* diese stinkenden Tiere) reich an Tugend, Ehre, Wahrheit und Vernunft wären; der Hof und die Vorzimmer der Minister gründlich gesäubert und gekehrt; Geist, Verdienst und Gelehrsamkeit belohnt; alle die der Literatur in Vers und Prosa Schande machen, dazu verurteilt wurden, nichts anderes als ihren Mist zu fressen und ihre Tinte zu trinken. Mit diesen und tausend andern Reformen rechnete ich ganz fest durch Deine Ermutigung; da sie ja klar aus meinen Vorschriften folgten, wie ich sie in meinem Buch geliefert habe. Und man muß doch zugeben, daß sieben Monate eine genügende Zeit sind, um jedes Laster und jede Tollheit zu kurieren, deren die Jahoos fähig sind; wenn ihre Natur nur im geringsten für Tugend oder Weisheit geeignet war ...«

Seht ihr, sagte ich zu Silvia und Alfred, warum ich den Swift liebe. Für diese gerade Ironie, für diesen direkten Witz. »Einen großen Vorzug haben wir, des bin ich sicher«, schrieb Swift im vierten Tuchhändlerbrief, »auf welchen alle Personen von englischer Geburt keinen Anspruch erheben werden, nämlich daß unsere Vorfahren dieses Königreich Irland der Herrschaft Englands unterworfen haben, wofür wir mit einem schlechtern Klima belohnt wurden und mit dem Privileg, von Gesetzen regiert zu werden, mit denen wir nicht übereinstimmen, und mit einem ruinierten Handel und mit einem Haus von Peers ohne Gerichtsbarkeit und mit dem Vorzug, daß wir fast unfähig sind, irgendein Amt zu bekleiden und mit der Drohung von Woods halfpence.«

So spricht man zu Tyrannen und öffentlichen Volksbetrügern. Aber das waren noch große Zeiten, noch zivilisierte Länder, wo man nicht gewagt hat, einen berühmten Schriftsteller, der diese aufsässige Sprache geführt hat, zu schinden und zu schlagen, zu hängen und zu vierteilen, ins KZ zu senden und zu vergasen, oder ihm mit modernen Chemikalien und psychologischen Prozessen das Hirn auszuwaschen, bis er mit Vergnügen nachplappert, was ihm seine Kerkerwärter vorplappern. Wir sind vielleicht, sagte ich, die letzten freien Schriftsteller in der Welt.

Nach uns werden jene kommen, denen man vorsagt, was sie nachsagen werden. Sie werden nicht mehr von gelben und blauen Blumen sprechen dürfen, da es eine Literaturkammervorschrift geben wird: Blumen sind durchgängig rot zu heißen. Sie werden keine Kritik üben dürfen, weder an jenen von der Literaturkammer geschätzten Dichterkollegen noch an den Ministern, die diese Literaturkammern eingerichtet haben werden. Niemand wird mehr schreiben dürfen, daß das Volk Hunger leide. Niemand wird mehr sagen dürfen, daß unsere Regierung irre. Niemand wird im Krieg schreiben dürfen, wir wollen Frieden haben. Niemand wird ein Wort gegen das Christentum sagen dürfen, wenn das Christentum die herrschende Staatsreligion sein wird, oder gegen Mohammed, wenn er regieren wird, oder gegen die Religion der Religionslosen, wenn diese zur Herrschaft gelangen wird. Man wird zeugen, auf Befehl. Man wird gebären, auf Befehl. Man wird die Frau nehmen, die einem von der Regierung gesandt wird, und seine Frau der Regierung ablassen, wenn es die Regierung fordert. Man wird seine Kinder ausliefern und seine Ansichten. Man wird in den vorgeschriebenen Formeln die vorgeschriebenen Meinungen äußern, bei Gefahr des Lebens. Man wird auf Befehl Tausende Menschen töten und ihren Todesqualen zuschaun und unter der nächsten Regierung erklären, man habe es auf Befehl getan, und man wird straflos ausgehn. Man wird sich weigern, ein unschuldiges Kind zu töten, trotz dem Befehl der Regierung, und wird vom obersten Staatsgericht zum Tode verurteilt und auf sehr feierliche Weise hingerichtet werden. Man wird gezwungen werden, gewisse Regierungspasteten zu essen, auf Befehl der Regierung sich operieren zu lassen, wo, wann, wie oft und warum es der jeweiligen Regierung gut erscheint. Mitglieder von Minoritäten werden es strikt vermeiden, sich Goldplomben machen zu lassen, damit gegnerische Regierungsangestellte nicht in Versuchung kommen, sie zu töten, um ihnen darnach die Goldplomben auszubrechen. Man wird Staub essen und schwören, es sei Manna. Man wird die schlechtesten Verse seiner Feinde loben müssen, als käme einem das Lob von Herzen. Man wird nicht mehr Rabelais und Swift, Heine und Voltaire, Lessing und Heinrich Mann lesen dürfen, sondern von morgens bis abends und manche von uns auch bei Nacht die gesammelten Werke von Leuten wie Adolf Hitler und Josef Stalin, und alles auf Regierungsbefehl, bei Strafe des Lebens und des Todes.

Mein Freund Alfred erwiderte: *Drown the world,* sagte Swift. Ertränkt die Welt! »Ich bin nicht zufrieden damit, sie zu verachten, aber ich möchte sie ärgern, wenn ich es ohne Gefahr tun könnte.« Trotzdem wußte dieser Swift die Menschen zu gewinnen, persönlich und mit seinen Büchern, ja mit seinem misanthropischen Buch, mit dem *Gulliver* entzückte er Kinder und Erwachsene in aller Welt und wurde einer der populärsten englischen Autoren. Seine Freunde rühmten seinen Edelmut, seine Großherzigkeit, seine Aufopferung für Freunde, seine Dienstfertigkeit, seine stets bewährte Gefälligkeit, seine glänzende Laune, seinen herrlichen Witz, seinen süßen Charme, seine Sanftheit. Er bezauberte alle. Dr. Arbuthnot sagte: »Swift ist ein glücklicher Mensch, daß er in seinem Alter – Swift war neunundfünfzig, als *Gullivers Reisen* erschienen – solch ein lustiges Buch schreiben kann. Swift benutzte und parodierte andere Autoren, wie den armen Defoe, dem er die Technik der falschen Herausgeberei und die trokkene Sprache abgelauscht und den er trotzdem so gründlich verachtet hat. Swift benutzte Lukian und Philostrat, Rabelais und Cyrano de Bergerac, Perrot d'Ablancourt und Tom Browne. Die nautischen Fachausdrücke kopierte er aus einem Handbuch für Seeleute.

Gulliver und Swift, sein unsichtbarer Reisegefährte, sein Reiseführer und Kommentator, fuhren zuerst zu den Zwergen nach Liliput und Blefuscu, und Swift sah England zwergengleich, und der groteske Hof von Liliput glich aufs Haar dem Hof von London. Swifts Leben in London, Swifts Erfahrungen in der englischen und in der europäischen Politik, er transponierte sie nach Liliput. Die kleine Königin war ein Porträt der Königin Anne, Flimnap war ein Sir Robert Walpole, der Minister in Liliput war der Earl von Nottingham, der milde Reldresal war wie Carteret.

Swift und Gulliver reisen nach Brobdingnag, zu den Riesen. Der König sagt vom winzigen Gulliver, auch solche Geschöpfe »haben ihre Titel und Ehrungen; sie erfinden kleine Nester und Kaninchenbauten, die sie Häuser und Städte heißen; sie spielen ihre Rolle in ihrer Kleidung und mit ihren Equipagen; sie lieben, sie fechten, sie disputieren, sie betrügen, sie verraten.«

Und der König von Brobdingnag sagt, als Gulliver ihm von seinesgleichen berichtet: »Deine Landsleute sind die verderblichste Rasse kleiner hassenswerter Würmer, welchen die Natur je erlaubt hat, auf der Oberfläche der Erde zu kriechen.«

Die dritte Reise ging zur fliegenden Insel, Laputa, was auf spanisch *Hure* heißt. Die Inselbewohner stecken in abstrusen Spekulationen oder phantastischen Projekten. In der Akademie zu Lagado tummeln sich Pedanten, die Sonnenstrahlen aus Zwiebeln gewinnen wollen, und Schafe ohne Wolle, Seide aus Spinnweben, die Bücher durch mechanische Maschinen schreiben lassen, schmerzlose Steuermethoden erfinden wollen und dergleichen mehr. In Glubdubdrib konnte er berühmte Tote heraufbeschwören. In Luggnagg sah er die unsterblichen Struldbrugs, die altersschwach fortleben, in greisenhaftem Stumpfsinn.

Die vierte Reise führte zu den tugendhaften Pferden, den *Houyhnhnms.*

Als Gulliver nach England zurückkam, weil die tugendhaften Tiere keinen Menschen unter sich duldeten, konnte er nicht mehr die Menschen, die *Yahoos* ertragen, sondern nur noch Pferde. Er hatte auf der Insel der weisen Pferde eine verkommene wilde nackte Menschenrasse getroffen. Ihm schauderte, als sein Herr, eines der weisen Pferde, ihn einer körperlichen Untersuchung unterwarf und entschied, Gulliver selber sei ein *Yahoo.* Er erzählte dem Pferd alles über die Sitten und das Leben und die Art der Europäer. Das weise Pferd entschied, das sind *Yahoos,* ihre Sitten, ihre Laster, ihre Bosheit. »Die kleine Spur Vernunft«, welche die *Yahoos* in Europa vorausbekommen hatten, benutzten sie nur zu größerer Korruption. Schließlich begann Swift so zu denken, als wäre er selber ein Pferd: »Wenn ich an meine Familie, meine Freunde, meine Landsleute oder die menschliche Gattung ganz allgemein dachte, betrachtete ich sie, wie sie wirklich waren, als *Yahoos* nach Form und Wesen.«

Ist das nicht Menschenhaß? fragte Alfred.

Ich schwieg.

Silvia erwiderte: Ich weiß, was unser Freund antworten will – Ist das nicht Menschenliebe? Liebe fürs Ideal des Menschen? Ungeduld des enttäuschten Optimisten, der es immer noch nicht aufgibt, den Menschen zu predigen, weil er auf die Menschheit hofft!

Perverse Menschenliebe vielleicht, erwiderte Alfred. »Stelle dir vor«, schreibt Swift anläßlich eines möglichen Krieges der tugendhaften, weisen Pferde, der *Houyhnhnms,* »stelle dir zwanzigtausend von ihnen vor, die mitten in eine europäische Armee hereinbrechen, ihre Ränge verwirren, ihre Wagen umwerfen, die Gesichter der Soldaten zu Brei zerschlagen durch schreckliche Schläge mit ihren Hinterhufen.« Stammt solch eine Vorstellung nicht aus unbezähmbarem Haß? Oder Swift beschreibt, wie Gulliver an einem heißen Tag sich nackt auszog und in einen Fluß stieg, um sich abzukühlen. Eine junge weibliche *Yahoo,* die hinter einer Sandbank stand, beobachtete die Szene und rannte, plötzlich von Lust entflammt, in größter Eile, und sprang ein paar Meter entfernt von Gulliver ins Wasser, wo er badete. »Ich habe mich nie in meinem Leben so schrecklich gefürchtet! Sie umarmte mich auf die üppigste Art; ich brüllte so laut ich konnte, und das Füllen (das Gulliver zum Schutz und als Wächter begleitete und in der Nähe gegrast hatte) galoppierte herbei, worauf sie ihren Griff mit dem äußersten Widerstreben aufgab und ans andere Ufer schwamm, wo sie stand und starrte und heulte all die Zeit, indes ich mich ankleidete ... das Haar dieses Viehs war nicht einmal rot (was eine Entschuldigung für einen ein wenig irregulären Appetit geliefert hätte), sondern es war schwarz wie eine Schlehe«, – wie das Haar von Stella?

Also war Swift nicht nur ein Misanthrop, sondern auch ein Misogyn? fragte Silvia.

Sind nicht die wahren Menschenfeinde jene, die den Menschen schmeicheln, um Gewinn aus ihnen zu ziehen? Und gibt es einen Menschenfeind, der lachen kann, der Witze macht, der so ausgelassen lustige Geschichten schreibt und neben seinem ausschweifenden Haß und Abscheu so viel Güte beweist, so viel zarte Empfindung, so viel Lust an Tugend, Weisheit, Menschlichkeit, Rechtschaffenheit, Gelehrsamkeit, Gelächter beweist, so genau seine Mitmenschen und ihre Fehler studiert und nachdenkt, wie sie zu bessern wären – sind das nicht hundert Beweise der Liebe? Wer so fanatisch die Wahrheit liebt wie Swift, der liebt fanatisch die Menschen. Wer so viele Dinge liebte, wie Swift, Bücher und die englische Sprache, die Vernunft und die armen Leute, die Gerechtigkeit und die jungen Mädchen, seine Freunde und originelle Wendungen, alte und neue Autoren und den eigenen Stand, das eigene Wesen, der ist kein Menschenfeind. Wer sich selber so leidenschaftlich liebt, der liebt auch andre mit Leidenschaft.

Im März 1726, erzählte Alfred, fuhr Swift mit dem vollständigen Manuskript von *Gullivers Reisen* nach London. Vanessa war tot. Stella, seit langem leidend, schien sterbenskrank. Der Verlust ihrer geliebten Unterhaltung machte ihn krank, wie Swift sagte, und müde des Lebens. Er floh von Irland, um nicht ein Zeuge ihres Sterbens zu sein. Man sagte, Stellas schwere Krankheit und später Stellas Tod veränderten seinen Charakter und sein Temperament und seien die Ursache für die rasende Wut und Verzweiflung mancher seiner Schilderungen. Sein Schwindel wurde chronisch.

Als Swift mit neunundfünfzig Jahren nach London kam, war Harley tot, Bolingbroke, vom Oberhaus ausgeschlossen, lebte in erzwungener Zurückgezogenheit. Die Whigs regierten, aber es waren neue Whigs, keine Freunde von Swift darunter, und viele der alten Freunde waren schon tot, wie der gute Addison.

Doch Alexander Pope und John Gay und Dr. Samuel Garth

waren da und glücklich mit ihm, und er freute sich mit ihnen. Pope sagte, Swift »war die Freude aller hier, die ihn kennen, wie er es vor elf Jahren war«.

Die Freunde lasen das Manuskript von *Gullivers Reisen* und diskutierten es mit Swift. Pope, erfahren in heimlichen Publikationen und in Publikationsintrigen, die damals üblich waren, da Autoren und Drucker oft in Gefahr schwebten, fand einen Hauptspaß darin, mit Swift die verstohlene Publikation des Buches zu beraten und vorzubereiten, damit ja der Autor nicht entdeckt und verfolgt würde. Pope bestand auch darauf, daß Swift ein Honorar von 200 £ verlangte. Es war das erste und das letzte Honorar, das Swift in seinem Leben für seine Schriften empfangen hat.

Erst im August, als Swift schon nach Dublin abgereist war, empfing Motte, der Drucker, das Manuskript, »er wußte nicht woher und von wem es in der Finsternis vor seinem Haus aus einer vorüberfahrenden Mietskutsche abgeworfen wurde.« Wahrscheinlich saß der alte Mystifikator Alexander Pope lachend in jener Mietskutsche. Jedenfalls gab es keinen »Beweis«, wer der Autor war. Kein Gericht konnte vom Drucker Motte den Autor erfragen.

Am 28. Oktober 1726 erschien *Gullivers Reisen,* »mehr um die Welt zu vexieren, als zu amüsieren«. Der Drucker hatte aus Furcht mehrere Stellen purgiert. So beschädigt die Zensur die Meisterwerke. Das Buch wurde indes nicht verfolgt. Es amüsierte alle Welt.

Pope und Gay schrieben an Swift: Die Politiker erklären einstimmig, daß das Buch frei von speziellen Vorwürfen sei, aber daß die Satire auf die allgemeine Gesellschaft der Menschen zu streng sei ... »Vom Höchsten bis zum Niedrigsten liest jeder das Buch, man liest es im Kabinett der Minister und im Kinderzimmer.«

Es lachte die Prinzessin von Wales, Vorbild der Königin von Brobdingnag. Die alte Feindin Swifts, die Herzogin von Marlborough, lachte aus vollem Halse. Dr. Arbuthnot prophezeite, der Erfolg werde so groß sein wie bei John Bunyans *Pilgrim's*

Progress. Die erste Auflage war in einer Woche ausverkauft. Im selben Jahr erschienen Ausgaben in Dublin, in Amsterdam, in Paris. Damals wurde auch *Cadenus und Vanessa* ohne Swifts Erlaubnis publiziert.

Swift kam 1727 wieder nach London. Am 28. Januar 1728 starb Stella. Swift war verzweifelt. Im Oktober 1729 veröffentlichte er *Einen bescheidenen Vorschlag.* Die Welt rächte sich an ihrem Satiriker. Sie nahm seine Scherze nicht ernst. Lord Bathurst schrieb aus England, er habe fast seine Frau dazu bewogen, durch das jüngste ihrer Kinder die ältesten versorgen zu lassen. Die Leser versicherten, Swift scherze nur. Ein Bischof behauptete ernsthaft, Gulliver lüge.

Swift sagte 1731: »Da ich die Situation des Königreichs Irland für absolut verzweifelt ansehe, möchte ich einem Toten keine Medizin verschreiben.« Er verwaltete seine Kathedrale strikt und streng. Er publizierte 1732 einen vierten Band der *Miszellaneen,* 1733 eine Rhapsodie *Über Poesie,* 1735 in Dublin die erste Ausgabe seiner *Gesammelten Werke* in vier Bänden, und einen Band *Miszellaneen,* und 1738 *Eine vollständige Sammlung eleganter und geistreicher Konversation,* wo er die dümmsten stehenden Redensarten der Gesellschaft sammelte, das Buch hieß auch *Höfliche Unterhaltung.* Angeblich war es die Sammlung eines Herrn Simon Wagstaffe, der vierzig Jahre lang geduldig die besten Aussprüche gesammelt habe, die er in der guten Gesellschaft gehört hatte. 1738 schrieb Swift *Regeln für Diener,* wo er ihnen alles Schlimme aufs wärmste empfahl, was er je Schlimmes an Dienern gewahrt hatte. Er schrieb schließlich seine *Verse auf den Tod von Dr. Swift.* Er wollte das Gedicht ursprünglich nicht zu seinen Lebzeiten veröffentlichen, las es aber dem und jenem Freund vor und ließ es schließlich 1739 drucken, unter vielen Scherzen und mit manchem Trick, wie üblich. Diese Poeten des 18. Jahrhunderts mußten so oft ihre Autorschaft um Lebens und Todes willen verheimlichen, daß sie es auch zum Spiele taten. Es ist ein Selbstporträt, aber auch das Selbstporträt eines Humoristen ist eine Fopperei, ein Witz, ein Spiel, halbwahr, überwahr.

Seit seiner Jugend hatte Swift an einer obskuren Krankheit gelitten, wahrscheinlich einer Erkrankung des Gleichgewichtorgans im innern Ohr, die ihn häufig quälte, mit Schwindel und Taubheit und Übelkeiten und Erbrechen, einer Seekrankheit ähnlich. Im Alter wurde es eine Folter, er hörte im Ohr den Donner von Ozeanen und den steten Lärm ungebärdiger Trommeln. Er wurde immer mißtrauischer und launischer. Im März 1742 (da war er fünfundsiebzig Jahre alt), wurden ihm vom Gericht Wächter bestellt, da man fürchtete, er werde Hand an sich legen, er hatte sein eigenes Bild im Spiegel bedroht, und im August erklärte ihn eine Kommission für wahnsinnig. Nach fürchterlichen Wochen der Qual (ein Auge ward entzündet und hatte eine Geschwulst so groß wie ein Ei, fünf Diener wehrten ihm, sein Auge auszureißen), ward er schließlich gelähmt und lebte noch drei Jahre ohne Schmerzen, aber in schweigsamer Apathie. Als er hörte, man wolle wie üblich Freudenfeuer an seinem Geburtstag anzünden, sagte er nach jahrelangem Schweigen: »Es ist alles Tollheit; sie sollten es lieber gehn lassen.«

In seinen letzten Tagen hörten Freunde, wie er murmelte: »Ich bin, was ich bin.« Er wurde um Mitternacht in St. Patrick's begraben, an Stellas Seite, gemäß seinem eigenen Testament, das er fünf Jahre zuvor, am 3. Mai 1740, gemacht hatte. Die Armen von Dublin folgten dem Sarg. Er vermachte den größten Teil seines Vermögens, gegen elftausend Pfund Sterling, zum Bau eines Hospitals für Idioten und Verrückte in Dublin; er machte noch andre menschenfreundliche Vermächtnisse. Er schrieb sein eigenes Epitaph: Hier liegt der Körper von Jonathan Swift, der dieser Kathedrale Dekan war, wo die wilde Entrüstung sein Herz nicht mehr zerreißen kann. Geh, Wanderer und ahme, wenn du kannst, diesen eifervollen Verteidiger von manneswürdiger Freiheit nach. Yeats übersetzte Swifts Latein:

> »Swift has sailed into his rest;
> Savage indignation there
> Cannot lacerate his breast.

Imitate him if you dare,
World-besotted traveler; he
Served human liberty.«

(Swift ging ein in seine Ruh.
Dort kein wilder Unmut mag
Ihm die Brust zerreißen. Du
Ahm' ihm nach, wenn du es wagst,
Weltvernarrter Wandrer: Er
Diente in der Freiheit Heer.)

Man sammelte sechs Bände seiner Briefe. Das war nun einer
deiner geliebten Kaffeehausliteraten. Er war von einem grandiosen Stolz. Die Meinung der Menge erschien ihm wie das
Summen einer Mücke. Er verbarg seine Vorzüge. Seine Fehler
stellte er heraus, sogar seine angeblichen Fehler. Er war ein
wahrer Wohltäter mit einer sauern Miene. Wenige Menschen
wurden mehr von ihren Freunden geliebt. Thackeray sagte
von ihm: »Ein immenses Genie; ein schrecklicher Sturz und
Untergang. So groß dieser Mann erscheint, so sind seine Gedanken doch wie ein Imperium, das fällt.« Und Macaulay
hieß ihn »den zotenhaften Priester, den meineidigen Liebhaber, den abtrünnigen Politiker, ein Herz, das von Haß gegen die ganze menschliche Rasse brennt, einen Geist reich versehen mit Bildern vom Misthaufen und Spital.« Aber Macaulay war ein Whig, der einen Whig verurteilt, weil er zu den
Tories übergegangen war.

Swift, der die Menschheit abstrahierte, dachte und sah sie
in Bildern. Emerson sagte, Swift beschreibe seine Figuren wie
für einen Steckbrief. *A nice man is a man of nasty ideas,* sagte
Swift. Ein feiner Mann ist ein Mann der unflätigen Ideen.
Swift hatte unflätige Ideen, aber er war ein nobler, ein guter
Mann. Swift hatte sehr kostbare und seltene Talente. Er spielte
wie wenige epische Meister mit allen Formen des Romans, mit
allen Theorien der Wissenschaft, mit allen großen Ideen, wie
sein Lehrer Rabelais. Er erfand angebliche wissenschaftliche
Theorien, basiert auf wissenschaftlichen oder pseudowissen-

schaftlichen Thesen, um damit die Objekte seiner Satire besser zu entlarven. Er sprach mit den Stimmen und Thesen seiner satirischen Opfer und brauchte sie nur zu zitieren oder zu übertreiben, um sie einer unsterblichen Lächerlichkeit preiszugeben. Die Kunst, ein übertriebenes Argument scheinbar plausibel zu entwickeln, teilte Swift mit Donne und John Dryden, aber Swift war der Meister.

Ich habe es schon oft gesagt, erwiderte ich, die ganzen modernen Thesen von der Auflösung des Romans richten sich nur gegen den realistischen und naturalistischen Roman des ausgehenden achtzehnten und neunzehnten Jahrhunderts. Sie stammen von Literaturkritikern, die nie einen Rabelais, einen Cervantes, einen Defoe, einen Swift und Lawrence Sterne und Voltaire gelesen haben, sonst wüßten sie, daß die Väter des europäischen Romans längst alle Techniken der epischen Auflösung geübt haben, alle Ideen schon vorausgedacht haben. Nur machten sie Witze, wo die kleineren Enkel in düsterem Ernst sich wie Originaldenker und kunstrevolutionäre Dichter gebärden. Techniker lachen über die Erfinder erfundener Maschinen. In der Literatur sitzt die Ignoranz zu Gericht, und Dummheit und Impotenz sind die Schöffen.

Das *Café Royal* hatte sich inzwischen gefüllt. Jeder Tisch war besetzt. Ich blickte zum erstenmal richtig auf und sah zu meiner Überraschung die sonderbarsten Figuren, wie aus sieben vergangenen Jahrhunderten. Seeräuber saßen da und Diebinnen, schien mir, Trommelbuben und Sklavenhändler mit ihren Lieblingssklavinnen. Am selben Tisch saßen Herzoginnen und Huren, Erzbischöfe und Flötenspieler und dazwischen ganze Haufen jüngerer Wits und Rakes, mit Freundinnen und Frauen. Der Nebel war noch dicker geworden. Die Kellner liefen hin und her und brachten dampfenden Punsch und Pasteten, gebratene Fasanen und Beefsteak mit Plumpudding und Meerrettich und geistige Getränke. Es roch nach Nebel und Tabak, nach Poesie und schwarzem Bier und Ingwer, nach Puder und Parfums und nacktem Weiberfleisch. Eine große schwarze Fliege, die wie prähistorisch aussah, wie der Urahn aller Fliegen der Welt, summte mit einem Male zwischen unseren Nasen. Mir war, als hörte ich durch den dicken weißen Nebel die Glocke vom Big Ben und ein entferntes lautes Geschrei, wie von verschiedenen Völkern in einem Dutzend Sprachen, es war bestimmt auch Suaheli, deutsch und ungarisch, Hindi und Bengali, kentum – und satem – Sprachen, und sogar jiddisch und englisch, und Guanha.

Ist es also wahr? fragte ich meine Freunde, mit einem erschrockenen Herzen. Beginnt die Menschheit unmoralisch zu werden und ihre Unmoral in Ordnung zu finden? Dann ist sie verloren.

Es ist drei Uhr morgens, sagte Silvia.

Alfred bestellte eine neue Flasche Wein. Der Kellner tänzelte schier. Er schien im Laufe der Nacht immer jünger zu werden.

Die Herrschaften rauchen nicht? fragte er. Es sind nämlich eben frische Austern und eine Reihe von Opiumpfeifen eingetroffen.

Wir sind Nichtraucher, erwiderte ich scharf. Wir träumen reicher ohne Opium.

Bringen Sie uns zwei Dutzend Austern, sagte Alfred.

Der Kellner verbeugte sich zeremoniös und flüsterte uns zu: Es ist Neujahrsnacht, wir feiern das Jahr 1764. Er eilte sogleich davon, um unsere Bestellung auszuführen.

1764? fragte Alfred. Da gründeten der Maler Joshua Reynolds und der Enzyklopädist Samuel Johnson ihren »Literarischen Club«.

Samuel Johnson hieß seinen jungen Freund und spätern Biographen James Boswell *a clubbable man*, für die Gesellschaft, für Clubs geschaffen. Er war es selber. Die Einsamkeit war ihm verhaßt, ja ihm schauderte vor ihr. Das große Geschäft seines Lebens, sagte er, bestand darin, vor sich selber zu entfliehen. Wenige Tage vor seinem Tode dankte er dem lieben Gott, daß er ihn zeitlebens bei Vernunft belassen habe. Zeitlebens hatte er sich dem Wahnsinn nahe gefühlt. Rationalisten sind Menschen, die um die Vernunft zittern. In Gesellschaft oft von ansteckender Heiterkeit, steckte er voller geheimer Schwermut. Er hatte religiöse Obsessionen, skrofulöse Leiden, litt an konstitutioneller Melancholie bis zur Verzweiflung und zeigte viele Seltsamkeiten: er war ein orthodoxer Christ, er war ein wölfischer Vielfraß, bewahrte Orangenschalen auf, mußte alle Pfosten berühren, wenn er durch die Straßen ging, hatte konvulsivische Zuckungen und murmelte krampfhaft.

Dieser sonderbare Mann liebte darum die Gesellschaft von Menschen, willst du sagen? fragte ich. Als ob man Gründe bräuchte, um die Menschen zu lieben? Genügt es nicht, ein Mensch zu sein?

Er redete gern, sagte Alfred. Und er sprach mit Witz und Verstand. Er brauchte und suchte Zuhörer, im Kaffeehaus, im Restaurant, in der Taverne. Ein Wirtshausstuhl, sagte er, ist der Thron des Menschenglücks. Und auf diesem Throne sprach er, um den Gegner zu erledigen, ein Gladiator in der Arena der Intellektuellen. Er war ein echter Moralist und ein wahrhaft guter Mensch, aber träge, saumselig, ein launischer Hypochonder und gierig. Dialoge zu führen, oder der große Monologist im Café zu sein, das war sein neuster Beruf. Welch ein gewaltiger Mann! Seinen ersten Club bildete er noch, als er in Gough Square, Fleet Street lebte, mitten in steter Arbeit. Da versammelte er einige seiner Freunde, Schriftsteller, Anwälte und andre gute Sprecher jeden Dienstag abends in dem *Steak House Zum Königskopf* in Ivy Lane. Einmal gab der »Ivy Lane Club« auf Anregung von Samuel Johnson ein großes Essen in der *Teufelstaverne* zu Ehren der Geburt des ersten literarischen Kindes von Frau Lennox. Johnson hatte eigens einen großartigen warmen Apfelkuchen bestellt und legte unter vielen Zeremonien einen Lorbeerkranz um die Stirn der Dichterin. Um fünf Uhr morgens strahlte Johnsons Gesicht wie von südlicher Glut, obgleich er nur Zitronenlimonade getrunken hatte, er zwang die andern, die schon ziemlich berauscht waren, Kaffee zu trinken. Die Kellner schliefen. Es vergingen Stunden, bevor man die Rechnung von ihnen erhielt. Um acht Uhr morgens kam man erst auf die Straße.

Wie Boswell erzählt, sagte um diese Zeit etwa Johnson zu Mr. Hook, er wolle einen Stadtclub haben und gab ihm den Auftrag, einen Club zu bilden. Es war wohl ein Club, wo Herren gemeinsam zu Mittag aßen. Boswell besuchte den Club einmal und fand, die Mitglieder seien vernünftige Männer von gutem Benehmen.

Nach einigen Jahren bildeten die übriggebliebenen Mitglieder des »Ivy Lane Club« den »Essex Head Club«, der dreimal wöchentlich im *Essexkopf* in der Essexstraße beim Strand tagte. Die Taverne Sam's wurde von Samuel Greaves, einem alten Diener von Mrs. Thrale, der Gattin eines Brauers, geführt. Johnson hatte die Regeln des Clubs entworfen, zum Beispiel daß man threepence Strafe zahlen mußte, wenn man fehlte. Um nicht die drei Pfennige zu zahlen, erschien Johnson einmal, obwohl er krank war, und bekam Asthma und mußte für acht oder neun Wochen das Haus hüten.

Sein berühmtester Club war aber der »Türkenkopf-Club« oder der »Literarische Club«. Beim Maler Sir Joshua Reynolds in Leicester Square trafen sich häufig viele Freunde, und einmal schlug Reynolds dem Dr. Johnson vor, diese Freunde sollten einen Club gründen. Dr. Johnson war natürlich enthusiastisch und schlug als Modell den »Ivy Lane Club« vor. Man begrenzte erst die Zahl der Mitglieder auf neun. Edmund Burke wurde aufgefordert und war so begeistert, daß er bat, auch seinen Schwiegervater einzuladen, einen eminenten katholischen Arzt. Burke, in Dublin geboren, war ein Freund von Amerika und Indien und ein Feind der Französischen Revolution. Auch ein Staatssekretär im Kriegsministerium wurde aufgefordert, auch Oliver Goldsmith, der nur zögernd eintrat. Eines der ersten Mitglieder, Hawkins, hatte gegen Goldsmith protestiert, das sei nur ein »literarischer Packesel«. Bald wurde aber Hawkins aus dem Club gedrängt, wohl weil er grob gegen Burke war. Burke und Johnson waren die großen Sprecher, ihre Witzkämpfe waren berühmt.

Sie waren schon elf Mitglieder, da sprach Reynolds zum Schauspieler David Garrick vom Club, und Garrick sagte: »Das gefällt mir sehr. Ich denke, ich werde einer der Euren sein.« Johnson war ergrimmt. »Einer von uns? Wie weiß er, ob wir es ihm erlauben?« Er wollte Garrick ablehnen. Er werde sie mit seinen Possen nur stören. Goldsmith schlug 1773 vor, den Club auf zwanzig Mitglieder zu erweitern. Es würde sie erfrischen; denn nach neun Jahren dieses Clubs gebe es nichts Neues mehr unter ihnen; sie seien jeder durch des andern Geist gereist.

Johnson war verärgert und rief aus: »Herr, Sie haben nicht meinen Geist durchquert, ich garantiere es Ihnen.« Sir Joshua Reynolds unterstützte aber Goldsmith. Das erste neue Mitglied war David Garrick. Da waren, wie man sagte, »die witzigsten, weisesten und edelsten« Männer des Jahrhunderts beisammen. Der Club war ein Zentrum der Literatur, eine Art unoffizieller literarischer Akademie, wie es einst *Will's* mit Dryden und *Button's* mit Steele und Addison waren. Zum »Club« kamen Boswell, Sheridan, Adam Smith, Edward Gibbon und Horace Walpole, der Freund der Marquise Du Deffand, und Charles James Fox, der große liberale Staatsmann und Gegner vom ältern Pitt.

Fox war einer der ersten mächtigen Staatsmänner, die freiwillig, um des Prinzips willen, in die Opposition gingen. Er handelte aus Überzeugung, nicht fürs Geld. Er hatte den besten Vater gehabt. Als seine Mutter, Lady Holland, sich über den kleinen Charles beklagte, sagte Lord Holland: »Sorge dich nicht; er ist ein vernünftiger kleiner Bursche und wird es lernen, sich selber zu kurieren.« Als der Kleine dem Vater sagte, er müsse seine Taschenuhr zerbrechen, erwiderte Lord Holland: »Wenn du mußt, so mußt du.« Er schützte seinen Sohn soweit wie möglich vor dem Sadismus der englischen Schulen, nahm ihn aus Eton nach Frankreich mit, führte ihn an die Spieltische und suchte selber die erste Mätresse seines Sohnes mit großer Umsicht aus. Der Junge verlor aber bald den Spaß an ihr und wollte nach Eton zurück, wo er sogleich nach seiner Rückkehr verprügelt wurde. Er war ein Spieler und wurde dick mit den Jahren. Er war mit zwanzig Jahren Mitglied des Parlaments und mit einundzwanzig schon Flottenminister, der jüngere Pitt wurde im selben Alter schon Premierminister. Fox verlor fabelhafte Summen, er war ein wilder Spieler, aber er trat für jede gute Sache ein, für die amerikanischen Kolonisten, für die ausgebeuteten Inder, für die Freiheit der Presse, für Irland, er freute sich über den Sturz der Bastille und trat für die Rechte der Katholiken ein. Im Gegensatz zu Pitts langen Regierungen übernahm er selten und nur für kurze Zeit die Regierung. Er glaubte an keine Religion, heiratete seine Mätresse und starb an der Wassersucht, mit achtundfünfzig Jahren.

Macauley schilderte Samuel Johnson und seinen »Literarischen Club«: »Fragen des Geschmacks, der Bildung, der Kasuistik zu diskutieren, in einer Sprache so exakt und stark, daß man alles, ohne ein Wort zu ändern, hätte drucken können«, war für Johnson keine Anstrengung, sondern ein Vergnügen. Er liebte, wie er sagte, ein Bein übers andre zu schlagen und seiner Rede freien Lauf zu lassen. Er war bereit, den Überfluß seines reichen Geistes an jeden zu verströmen, der einen Gegenstand aufbrachte ... aber seine Unterhaltung war nie so brillant und schlagend, als wenn er von einigen Freunden umgeben war, deren Talente und Kenntnis sie befähigte, wie er es ausdrückte, »ihm jeden Ball zurückzuwerfen, den er warf« ... Die Urteile, die der »Literarische Club« über neue Bücher fällte, wurden geschwind in ganz London bekannt und waren wirkungsvoll genug, eine ganze Auflage an einem Tag zu verkaufen, oder »die Druckbögen bei einem Koffermacher oder als Einwickelpapier eines Pastetenbäckers enden zu lassen.«

Zehn Jahre lang soupierten sie einmal in der Woche, am Samstagabend, im *Türkenkopf* in der Gerrardstreet in Soho, da saßen sie von sieben Uhr abends bis tief in die Nacht und diskutierten, und ihr Mittelpunkt war der verschwatzte Samuel Johnson. Was kam dabei heraus? Physische und geistige

Indigestionen? Denn dieser Johnson war das Wörterbuch der englischen Sprache, er war das Lexikon der englischen Bildung. Er wußte alles, verstand alles, sprach über alles, und hatte über alles seine eigene Meinung, zu allem machte er sein eigenes Bonmot, er hatte seine eigene Suada voller Paradoxe.

Wie? fragte ich. Wenn die geistreichsten Menschen einer Epoche beisammensitzen, ändern sie die Welt, die Epoche, die Stadt, wenigstens sich selber, oder ein allgemeines Vorurteil.

Macaulay beschrieb den Samuel Johnson. Da saß diese seltsame Figur, die uns so vertraut ist wie nur solche Menschen, zwischen denen wir aufwuchsen. Da saß er mit seinem Riesenkörper und Riesengeist, mit dem großen massigen, häßlichen Gesicht voller Narben infolge der Skrofulose, mit den schwarzen Wollstrümpfen, der grauen Perücke, den schmutzigen Händen, mit den abgebissenen Nägeln, mit der ganzen Unart eines Mannes, der aus der Unterwelt der Armut, aus der Hölle von Grubstreet herausgekommen ist. Die kurzsichtigen Augen, der Mund und die Gliedmaßen zucken konvulsivisch. Wir sehn die schwere Masse rollen, hören ihn keuchen, zerstreut murmeln, und dann erschallt sein Zwischenruf: »Warum, Herr! Nein, Herr! Was denn, Herr! Und Sie begreifen die ganze Frage nicht, Herr!«

Johnson sagte, jedermann habe das Recht, zu sagen, was er für wahr halte, und jeder andre habe ein Recht, ihn dafür abzulehnen. Und er sagte: »Patriotismus ist die letzte Zuflucht eines Lumpen.« Über die Frauen sagte er: »Ohne die Imagination würde es keinen Unterschied machen, ob einer in den Armen eines Zimmermädchens oder einer Herzogin liege.«

Und so ein Ausspruch und solche Gesinnung gefällt euch? fragte Silvia mit echter oder gespielter Empörung. Aber in jenem Club saßen ja auch genug Junggesellen herum. Und dennoch waren sie alle versammelt, um sich von einem geistreichen Unflat sagen zu lassen, Liebe sei eine schiere Einbildung, und ein Weib sei wie das andre? Ich habe keinen Geschmack an Misogynen, auch nicht an solchen, die es vielleicht nur zum Spaß sind. War nicht Oliver Goldsmith

ein Junggeselle? Und Boswell war es damals? Und Edward
Gibbon war es? In seiner Jugend war er einmal verliebt, aber
wie? Sein Vater hatte ihn im Zorn in die Schweiz geschickt,
weil Edward Gibbon plötzlich katholisch geworden war, also
kam er zu einem Pfarrer, der ihm wieder die rechte Art, ein
Christ zu sein und zu Gott zu beten, beibringen sollte, nach
den Ansichten seines Vaters. Und Edward Gibbon vergaß seinen Katholizismus und verliebte sich in Mademoiselle Su-
zanne Curchod und hielt die Reisenden auf der Straße nahe
Lausanne an und zwang sie zuzugeben, daß keine Dame besser und schöner war als seine Dulcinea. Aber als sein Vater
ihm die Ehe verbot, schrieb er: »Ich seufzte als ein Liebhaber, ich gehorchte als ein Sohn«, und heiratete nie und
fuhr später nach Rom und begann den *Niedergang und Fall
des Römischen Reiches* zu schreiben, jenes berühmte Buch,
bei dessen drittem Band der Herzog von Gloucester dem
Autor sagte: »Wieder so ein verdammt dickes und breites
Buch! Immer Papier bekritzeln, bekritzeln, bekritzeln? Wie
Mr. Gibbon?« Ein großer Schriftsteller, aber wenn er beschrieb, wie irgendwo Frauen vergewaltigt wurden, das genoß
er von Herzen.

Auch wenn Christen verfolgt wurden.

Und dieser Edmund Burke saß ja auch im Club, dieser Begründer der konservativen Theorien! Sein Freund Dr. Johnson sagte: »Wenn du dich vor dem Regen unterstellst und zufällig neben Burke zu stehen kommst, so wirst du darnach
sagen – das war ein interessanter Mensch!« Und Oliver Goldsmith sagte von Burke, er habe seinen Geist verengt und der
Partei gegeben, was der Menschheit gebührt hätte.

Auch Burke war einer dieser Anglo-Iren, in Dublin geboren, von englischen Eltern. Während der amerikanischen
Revolution hielt er eine Reihe großer Reden für die Versöhnung. Er nahm teil an den Whigregierungen und ging 1784
in Opposition mit Fox und verfolgte Warren Hastings. Er
bewunderte die englische Revolution von 1688, weil sie schon
lange vergangen war, und haßte, im Gegensatz zu Fox, die

Französische Revolution von 1789, weil sie aktuell war. 1791 trennte er sich von seinen Freunden, den Whigs, und wurde der schlimmste Reaktionär und Held der Tories. Was kann man von so einem Reaktionär für die Rechte der Frauen erwarten? Oder von einem Fox, der erst, als es mit ihm zu Ende ging, seine Mätresse geheiratet hat? Oder von dem Nationalökonomen Adam Smith? Oder vom Maler Joshua Reynolds? Oder von Horace Walpole? Oder gar von jenem Freund von Boswell, dem General Paoli aus Korsika? Ein schöner Club, das muß ich sagen!

Und doch haben die Engländerinnen im achtzehnten Jahrhundert sich von den eigenen Vorurteilen und den Vorurteilen ihrer Männer befreit. Schließlich gingen sie sogar in die literarischen Cafés und gründeten selber literarische Cafés in ihren Salons, wie unsere Lady Mary Wortley Montagu. Sicher war es geschmacklos, daß sie so indiskret über ihren Galan Pope gesprochen hat. Aber Pope hatte ja die berühmten Verse geschrieben von *der furiosen Sappho und der lästerlichen Lesbia,* und sie bezog diese Verse auf sich, und Pope leugnete natürlich, aber alle Welt wußte, daß er ein Intrigant war und mit Versen stach, ohne es zuzugeben. Und auch sie war ein Wit, auch sie konnte mit Worten stechen und treffen, sie war den Umgang mit Wits gewohnt, in ihrem Salon waren diese Pope und Horace Walpole die Sterne.

Gegen 1780, sagte Alfred, zählte der »Literarische Club« schon fünfunddreißig Mitglieder. Nach dem Tod des Wirts vom *Türkenkopf* zog der Club zum *Prinzen* in Saville Row und später zu *Baxter* in Dover Street und am Ende des Jahrhunderts zum *Thatched House* in St. James.

Schon wieder ein Kaffeehauskönig, ein Literaturdiktator, ein Kaffeehausliterat, der fünfundzwanzig oder dreißig Jahre lang über die englische Literatur, die englische Sprache, die Sitten Englands geherrscht hat. Und einer seiner jungen Freunde, ein andrer Kaffeehausheld, der Schotte James Boswell, schrieb über diese typische Kaffeehausfigur die größte Biographie, nach der Meinung der Angelsachsen, *The Life of*

Samuel Johnson. Da also wurde der moderne Mensch erst richtig sichtbar, erst wahrhaft deutlich, im Kaffeehaus, in der Taverne. Samuel Johnson war ein großer Sprecher, und viele, nicht nur Boswell, notierten, was Johnson sagte. Er war ein Bücherheld, er ging auf Büchern spazieren, wie auf einem Schlachtfeld. Er war ein »Charakter«, ein Charakterdarsteller zugleich, wahrscheinlich ein besserer Komödiant als sein Schüler und Clubgenosse David Garrick. Dreißig Jahre lang sprach er Literatur in jedem Kaffeehaus und war offenbar im Gespräch witziger als in seinen Schriften. Seine Person war ein besseres Buch als alle, die er in seinem Leben geschrieben hat. Er lebte und sprach und wurde lebend und sprechend der Mitautor seines postumen Meisterwerks, des Boswell'schen Lebens von Johnson. Auch war er ein guter Mensch, mit Charme und Witz und Güte, voller Herz und Mitgefühl und Menschenliebe, ebendarum auch, wie nur Menschenfreunde sein können, voller Grimm fürs Gute, sehr streng aus Güte. Dieser berühmte Buchkritiker und Literaturpapst, der die *Lebensläufe der englischen Poeten* geschrieben hat, und den *Shakespeare* und *Johnsons Diktionär der englischen Sprache* und zwei der berühmtesten Essay-Zeitschriften des 18. Jahrhunderts herausgegeben hat, den *Rambler*, zweimal wöchentlich, von 1750 bis 1752, und den *Idler* allwöchentlich von 1758 bis 1760, er rühmte sich, er habe nie ein Buch zu Ende gelesen. Johnson riet einem jungen Autor, er solle sein eigenes Werk mit genauer Sorgfalt lesen und wann immer er eine Stelle finde, die ihm besonders brillant erscheine, sie sogleich ausstreichen!

Er war ein Turm von einem Mann, ein wahres Fleischgebirge, eine Konversationsmaschine. Wie eine öffentliche Rundfunkanstalt sprach er täglich zwölf bis vierzehn Stunden und gab alles zum besten, Poesie und Prosa, Hörspiele, komische Szenen, Anekdoten und Rundtafelgespräche, er selber war der Ansager und Sprecher, der Rundfunkintendant und die Rundfunkkapelle, Publikum und Poet.

Sein diminutiver Freund Oliver Goldsmith sagte, wenn Samuel Johnson eine Fabel über kleine Fische schreiben würde,

so sprächen sie sicherlich wie die Walfische. Aber er sagte auch, Johnson habe vom Bären nur seine Haut. Als Johnson dem jungen Schotten James Boswell begegnete, seinem künftigen Biographen, da war Johnson schon vierundfünfzig Jahre alt, und Boswell erst dreiundzwanzig. Der junge Mann, lang schon ein Bewunderer des Dr. Johnson, dürstete nach literarischem Ruhm und war schon ein »Löwenjäger«, er führte sich selber wenige Jahre später bei Rousseau ein, um ihm ein moralisches Leben zu empfehlen, und bei Voltaire, um ihn über die Unsterblichkeit aufzuklären. Er hatte schon mit achtzehn Jahren den sterbenden Hume besucht. Johnson nahm ihn sogleich unter seine Freunde auf, aber erst zehn Jahre später in seinen Club. In jenem Jahr 1763 hatte Johnson neben Boswell auch das Ehepaar Thrale kennengelernt und zu Freunden gemacht, zu Streatham war er oft bei dem reichen Bierbrauer zu Gaste. Das Jahr darauf gründete Johnson den »Literarischen Club«. Er hatte in seinem *Diktionär* einen »Club« als eine »Versammlung guter Männer, die sich regelmäßig treffen« definiert. Boswell und Johnson sahen sich zuletzt 1784, im Todesjahr von Johnson. Boswell schildert, wie Johnson ihn in der Kutsche ein Stück Wegs begleitet hatte, in Bolt Court ausstieg und mit pathetisch lebhaften Schritten wegeilte. Wenige Männer wurden so rundum bekannt wie Johnson durch Boswells Biographie, eines großen Autors Buch über einen großen Autor. Samuel Johnson hatte geschrieben, niemand könne das Leben eines Mannes schreiben, der nicht mit ihm gegessen und getrunken habe. Und ferner, niemand könne durch Nachahmung ein großer Mann werden. Über das Werk von Congreve *Incognita* sagte er, »ich möchte es lieber rühmen als lesen.« Er sprach, um im Gespräch zu siegen.

Alfred erzählte, dieser Lexikonschreiber Johnson war der Sohn eines Buchhändlers zu Lichfield. Seit seiner Geburt litt er an Skrofulose und starb auch schon mit fünfundsiebzig Jahren. Die Königin Anne berührte ihn, als er drei Jahre alt war. Seine Mutter hatte ihn nach London getragen, da sie sich von dieser Berührung die Heilung versprochen hatte. Einen großen Teil seines Lebens verbrachte er in bitterer Armut, besonders nach dem Tod seines Vaters, der seine Geschäfte in Unordnung zurückgelassen hatte. Johnson schrieb: *Slow rises worth by poverty depressed.* Er bemühte sich mehrmals, ein Gerichtsdiener zu werden und wurde ein Landschullehrer, nachdem er sein Studium in Oxford aus Armut nach vierzehn Monaten oder vier Semestern hatte aufgeben müssen. Auch Schullehrer konnte er nicht bleiben, denn er war sehr hochmütig und schlecht gelaunt und schnitt so viele seltsame Gesichter in der Schulklasse, daß die Kinder tödlich erschraken. Damals heiratete er die Witwe Mrs. Porter, sie war einundzwanzig Jahre älter als er, sie siebenundvierzig, er sechsundzwanzig. Sie starb siebzehn Jahre später, da war sie vierundsechzig, er dreiundvierzig. Er berichtete: »Es war eine Liebesehe, von beiden Seiten.«

Johnson lebte zwanzig Jahre von seiner Feder. Im Frühjahr 1737, mit achtundzwanzig Jahren, ging er nach London, mit einem seiner Schüler, David Garrick, er hatte zweiundeineinhalb Penny in der Tasche und Garrick dreiundeineinhalben. Man weiß nicht, wie und wovon er lebte. Aber im Jahr darauf war er einer der literarischen Tagelöhner von London und schrieb für *The Gentleman's Magazine* und publizierte in Nachahmung von Juvenal und Pope eine Satire auf London, die ihm einiges Ansehn und zehn Guineas brachte, und schrieb vier Jahre lang Parlamentsberichte für sein *Gentleman's Magazine*. Damals arbeitete Johnson zusammen mit Richard Savage und mit Dr. John Hakesworth; dieser bewunderte den Johnson sehr, bis er ihn so meisterlich nachahmte, in Tonfall und Sprache, daß die Herausgeber der Werke Johnsons voller Verzweiflung nicht wissen, was von Johnson, was von Hakesworth ist; und Johnson bewunderte den armen Richard Savage so sehr, daß er ein Jahr nach Savages frühem Tod einen *Bericht vom Leben des Mr. Richard Savage* schrieb, wo er dem Freund alles verzieh, was der »majestätische Lehrer moralischer und religiöser Weisheit«, wie ihn Boswell hieß, bei andern nicht verziehen hätte.

1747 druckte Johnson den Prospekt zu seinem englischen Wörterbuch und widmete seinen *Plan zu einem Wörterbuch* dem Lord Chesterfield, der ein Mäzen vieler Autoren war und ihm zehn Pfund schickte und fortan ihn vernachlässigte, bis das Wörterbuch erschienen war. Da wollte Lord Chesterfield den Mäzen und Kenner spielen und rezensierte das Wörterbuch, aber Samuel Johnson schrieb ihm jenen berühmten Brief vom 7. Februar 1755: »Sieben Jahre, mein Lord, sind nun vergangen, seit ich in Ihren Vorzimmern wartete, oder von Ihrer Tür weggewiesen wurde; während dieser Zeit trieb ich mein Werk durch Schwierigkeiten voran, die zu beklagen nutzlos wäre, und habe es endlich soweit gebracht, daß es nun erscheinen wird, ohne einen Akt der Hilfe, ein Wort der Ermutigung oder ein Lächeln der Gunst. Solch eine Behandlung habe ich nicht erwartet; denn ich hatte nie einen Mäzen zuvor.

Der Schäfer bei Vergil wurde zuletzt mit der Liebe bekannt und fand, sie sei eine Tochter der Felsen.

Ist nicht ein Mäzen, mein Lord, einer, der mit Gleichgültigkeit auf einen Mann blickt, der um sein Leben im Wasser kämpft, und erst wenn er festen Grund erreicht hat, ihn mit seiner Hilfe belästigt? Die Beachtung, die Sie meinen Bemühungen zu schenken beliebten, wäre freundlich gewesen, wenn sie früh gekommen wäre: aber sie wurde hinausgeschoben, bis ich gleichgültig ward und sie nicht mehr genießen kann; bis ich einsam wurde und nichts mehr geben kann; bis ich bekannt wurde und sie nicht mehr brauche. Ich hoffe, es heißt nicht sehr zynisch und grob sein, keine Verpflichtungen anzuerkennen, wo keine Wohltat empfangen wurde, oder es nicht zu akzeptieren, daß das Publikum mich dafür einem Mäzen verpflichtet glaubte, was ich dank der göttlichen Vorsehung allein für mich tun konnte.«

Sechs Jahre vorher hatte Johnsons alter Schüler David Garrick, der rascher berühmt wurde, Johnsons langweiliges Stück *Irene* aufgeführt, in dem *Drury Lane Theater,* dessen Direktor Garrick war. Johnson verdiente fast 300 £ daran. Johnson hatte viele Freunde und viele Freundinnen sein

Leben lang, und drei davon, Elisabeth, Hester und Catherine, durften ein oder zweimal sogar eine Nummer des *Rambler* schreiben, aber die größte Auflage von allen Heften der Zeitschrift erreichte jenes Heft, das Samuel Richardson geschrieben hat, es wurden mehr als fünfhundert Exemplare davon verkauft. Der Verleger klagte, das Entzücken der wenigen Leser der Zeitschrift stehe in keinem Verhältnis zum Verkauf.

Als das *Wörterbuch* in zwei Foliobänden erschien, wurde Johnson berühmt. Seine erfolgreichste Geschichte, *Rasselas,* eine moralische Erzählung wie Voltaires *Candide,* erschien drei Wochen nach dem *Candide.* Ab 1762 erhielt Johnson eine Rente von 300 £ vom König. Seitdem hatte Johnson Muße für sein Kaffeehausleben und seine Konversation.

Im nächsten Jahr traf er Boswell, der schon seit früher Jugend niedergeschrieben hat, was geschehn ist (*minutes of what passed*) und der von der ersten Stunde an alles notiert hat, die Geschichte von Johnson, die kleinsten Zwischenfälle aus dessen Laufbahn, Johnsons Redensarten, Witze, Gesten und Freunde. Neun Jahre verbrachte Johnson mit einer Ausgabe von *Shakespeare.* Fünf Jahre später schrieb er *Tory-Pamphlete,* eines gegen Amerika, *Taxation no Tyranny, Steuern keine Tyrannei.* Gegen sein sechzigstes Jahr besserten sich seine Gesundheit und Laune. Die Müdigkeit schwand, die ihn bisher durchs Leben gequält hatte. Er unternahm eine große Reise mit Boswell, »dem unschottischsten aller Schotten«, den er vorher in den Club aufgenommen hatte. Sie fuhren ins schottische Hochland und auf die Hebriden und darauf nach Wales. Johnson und Boswell schrieben Reiseberichte, Boswell schrieb den bessern Bericht.

1775 machte die Universität Oxford den alten Studenten Johnson zum Doktor honoris. Johnson begann die berühmte Kontroverse mit Macpherson wegen dessen *Ossian,* in einem Brief, worin er Macpherson einen literarischen Fälscher hieß.

In hohen Jahren, 1777, begann Johnson sein Hauptwerk, die *Lebensläufe der englischen Poeten,* auf Anregung Londoner Buchhändler. Die Werke der Poeten erschienen in achtundsechzig Bänden, und die Lebensläufe Johnsons, die gesammelten Einleitungen, in vier Sonderbänden. Die beiden letzten Jahre von Johnson waren einsam und melancholisch. Er starb in seinem Haus in Bolt Court. Sieben Jahre später, 1791, erschien die monumentale *Biographie von Boswell über Samuel Johnson,* gewidmet dem Joshua Reynolds.

Die Gäste von Mrs. Thrale verglichen Johnson einmal mit dem Rüssel des Elephanten, der stark genug war, um sogar den Tiger zu schlagen, und biegsam genug, um sogar eine Nadel aufzuheben.

Johnson hatte viel Gefühl, sogar für sich selber, und wenn er die Armut des Gelehrten in seinem Gedicht *Die Eitelkeit der Wünsche der Menschen,* beschrieb, brach er in Tränen aus. In spätern Jahren hatte er ein seltsames Gesinde im Haus, für das er zärtlich sorgte, den Neger Frank, die blinde Frau Williams, die Katze Hodge.

Mrs. Thrale berichtete, daß er stärker und gewaltsamer durch die Kraft von Worten getroffen wurde, die Ideen ausdrücken, als irgend sonst jemand, den sie kannte. Er konnte zuweilen recht nüchtern sagen: »Niemand, außer Dummköpfen, schrieb je für was anderes als für Geld.« Aber wenn er für Geld geschrieben hat, so wollte er den andern für ihr Geld seine Wahrheit liefern. Der Mensch, sagt er, sei hier nur für eine kurze Zeit, und seine Aufgabe sei, sich selbst zu einem höheren und glücklicheren Zustand der Existenz emporzuheben, durch unablässig wachsame Vorsicht und tugendhaftes Wirken.

Das ist nobel genug, für einen indolenten Melancholiker, der krank und leidend und oft gereizt war und in den ersten fünfzig Jahren seines Lebens stets unterm Druck der Arbeit stand. Er war wohltätig und leidenschaftlich der Wahrheit ergeben. Und er saß unter seinen Freunden, wie Boswell sagte, »stets auf der Wache gegen den mindesten Grad der Falschheit«. Er wollte, man solle die wahren Fakten erzählen und die moralische Wahrheit durch die Wiederholung der moralischen Prinzipien und die Zerstörung jeder Illusion schaffen. Mrs. Thrale spricht von »seinem wahrhaft toleranten Geist und seiner christlichen Nächstenliebe«.

Boswell sagt, Johnson sei nie streitsüchtig gewesen und nie geneigt, die neuen Zeiten zu schmähen. Dryden sagte es von Shakespeare: »Er ist immer groß, wenn eine große Gelegenheit sich bietet.« Man rühmte sein Talent für Beileidsschreiben, etwa in seinem Brief an Dr. William Dodd bei dessen bevorstehender Hinrichtung. Er schrieb *Rasselas* im Nu, um das Geld für das Begräbnis seiner Mutter aufzubringen und ihre Schulden zu bezahlen.

Dieser Kaffeehausliterat war eine Art Personifikation von London. Die ganze Stadt wandelte mit diesem Elefanten voller Weisheit und schwerer Grazie. Er war ein Kenner und ein Amateur, ein Wunder an Fleiß und ein Müßiggänger. Er sagte, alle Klagen, die man über unsere Welt erhoben hat, waren ungerecht. Er war ein Sittenkritiker und wußte, wie vergänglich die Kritik der Sitten ist. Alle Werke, sagte er, die Sitten schildern, brauchen Kommentare in sechzig oder siebzig Jahren oder in kürzerer Frist. Er sagte: Nicht jeder Mann kann ein Bonmot weitergeben. Horace Walpole freilich sagte gegen ihn: »Und mag er so viele Leben haben wie eine Katze, so wird doch nicht mehr von ihm übrigbleiben, als vier Zeilen vielleicht.« Von Johnsons fünfundsiebzig Jahren lebte Boswell nur zwei Jahre und zwei Monate in seiner Nähe.

Johnson glaubte, jedermann würde am besten selber das eigene Leben beschreiben. »Wir leiden nicht immer für unsere Verbrechen«, sagte er, »wir werden nicht immer durch unsere Unschuld beschützt.«

Über den Maler Reynolds, von dem Boswell gesagt hat: »Man hielt ihn für den glücklichsten Menschen in der Welt«, sagte Dr. Johnson: »Sir Joshua Reynolds ist das ganze Jahr hindurch immer derselbe.« Johnson hat das Prestige und die Unabhängigkeit des englischen Literaten befestigt. Sein Brief an Chesterfield beendete die Zeit der Mäzene. Er vereinte das klassische Dogma mit der aufgeklärten christlichen Moral, für die er ein mystisches Gefühl hatte. Zwanzig Jahre lang hatte er in intimer Freundschaft mit dem Ehepaar Thrale gelebt, insbesondere mit Mrs. Thrale, in deren Haus in Streatham Park er oft zu Gaste war, bis sie Witwe wurde und jede Beziehung mit Johnson abbrach, um drei Jahre später, im Sterbejahr Johnsons, den katholischen Musiker Gabriele Piozzi zu heiraten.

Sheridans Vater, ein Freund von Boswell, hieß Johnson »einen Schriftsteller von gigantischem Ruhm in unsern Tagen der kleinen Männer«. Samuel Johnson war einer der auffälligsten Männer seines Jahrhunderts. Obendrein wurde die auffälligste Biographie über ihn geschrieben.

Am 16. Mai 1763 erzählt das Londoner Tagebuch des dreiundzwanzigjährigen Boswell: »Ich trank Tee im Laden von Davies (dem Buchhändler, im Hinterraum) in Russell Street, da kam gegen sieben Uhr der große Mr. Samuel Johnson herein, den ich schon lange gern getroffen hätte. Mr. Davies stellte mich ihm vor. Da ich seine tödliche Antipathie gegen die Schotten kannte, sagte ich zu Davies: ›Erzählen Sie nicht, wo ich herstamme.‹ Dennoch tat er es. ›Mr. Johnson‹, sagte ich, ›in der Tat komme ich von Schottland, aber ich kann nichts dagegen tun.‹ ›Sir‹, antwortete er mir, ›dagegen, finde ich, kann eine große Menge Ihrer Landsleute nichts tun.‹ Mr. Johnson ist ein Mann, der furchtbar aussieht. Er ist ein sehr großer Mensch, leidet an entzündeten Augen, an einer Lähmung und an Skrofeln. Seine Kleidung ist sehr schmutzig, und er spricht mit einer ganz vulgären Stimme. Aber seine großen Kenntnisse und die Kraft, mit der er sich ausdrückt, schaffen ihm einen echten Respekt und machen seinen Umgang zum größten Vergnügen. Er besitzt großen Humor und ist ein verdienter Mann. Aber die prinzipielle Grobheit, die er in seinen Manieren zeigt, ist unangenehm. Ich werde mir alles aufschreiben, was ich mir von seiner Unterhaltung merke. Er sagte, die Leute möchten gern glauben, ein Autor sei im privaten Leben größer als andre Leute. Ungewöhnliche geistige Anlagen bedürfen ungewöhnlicher Gelegenheiten, um sich zu bewähren ...« Schon sind wir mitten im endlosen Gespräch von Johnson und Boswell, von

Meister und Jünger, wobei am Ende der Jünger zum ebenbürtigen, wenn nicht gar größeren Meister wird.

In seinem *Londoner Tagebuch* aus dem Jahre 1763 schildert der junge Boswell, wie er plane, die Bekanntschaft mit Samuel Johnson weiterzupflegen, wie er nie mit ihm zusammen gewesen sei, ohne nicht darnach als ein besserer Mensch sich vorzukommen. Er war stolz darauf, mit Johnson umgehn zu dürfen, erzählte ihm seine ganze Geschichte und kam sich sehr groß vor, wenn er mit Dr. Goldsmith und mit Dr. Johnson, mit so bekannten Literaten, zusammen im *Türkenkopf* speiste. Die Universalität von Dr. Johnson verwunderte ihn stets aufs neue, und sie machte es ihm schwer, sich an Johnsons Unterhaltung genau zu erinnern. Er hat den Verdacht, Johnson habe nicht immer den besten Geschmack, kann sich aber keinen bessern Umgang vorstellen, und es ist ihm eine Wonne, auch den kleinsten Umstand im Verkehr mit ihm aufzuschreiben. Seit er ihn getroffen hatte, begann er schärfer über die Moral und seine Pflichten nachzudenken, war begeistert vom Rat Johnsons, ein Tagebuch zu führen, wahr und unverstellt, und erzählte ihm, er führe es schon seit seiner Abreise aus Schottland. Als Boswell gestand, er habe zuweilen die mindesten Kleinigkeiten notiert, sagte ihm Johnson: »Sir, da ist nichts zu klein, für eine so kleine Kreatur, wie der Mensch ist. Nur indem wir kleine Dinge studieren, erwerben wir die große Wissenschaft, möglichst wenig Elend und möglichst viel Glück zu finden.«

Als er Johnson besuchte, traf er einen komisch aussehenden kleinen Mann, der Levett hieß und bei Johnson lebte. Boswell fragte den Dr. Oliver Goldsmith, wer dieser kuriose Mensch sei. »Sir«, sagte Goldsmith, »er ist arm und ehrlich, was genug für Johnson ist«. Johnson sagte ihm, Friedrich II. von Preußen rühme sich, ein Held, ein Musiker und ein Autor zu sein. »Ziemlich gut für einen einzelnen Mann, was aber den Autor betrifft, so ist seine Prosa verdammt dummes Zeug. Er schreibt, wie man sich vorstellt, daß Voltaires Laufjunge schreiben würde, und zeigt so viele geistige Anlagen wie ein Diener

Voltaires ...« worauf Boswell erklärt, es brauche eben sehr viel weniger Geist, ein berühmter König zu sein, als ein guter Autor.

Boswell steigt vier Treppen hoch mit Levett und sieht mit Ehrfurcht die Bibliothek, wohin sich Johnson zurückzieht, wenn er arbeiten will, weil er nicht wünscht, sein Diener müsse lügen, wenn er unerbetenen Gästen sage, sein Herr sei nicht zu Hause; denn Johnson glaubt, die Wahrhaftigkeit eines Dieners nehme durch solche kleinen Notlügen Schaden.

Am 22. Juli abends nahmen sie ein Zimmer im Kaffeehaus *Zum Türkenkopf*, weil die Wirtin, wie Johnson erklärte, eine gute Frau sei und Geschäfte machen müsse. Und Johnson sagte dem Boswell, er liebe den Umgang mit jungen Leuten, es mache ihn jünger. Freundschaften mit jungen Menschen dauerten länger, wenn sie dauerten, und junge Leute hätten mehr Tugenden und mehr Begeisterung als alte, mehr edle Gefühle in jedem Betracht, und die jungen Leute heutzutage hätten mehr Witz und Humor und Lebenskenntnis als zu seiner Zeit.

Boswell beklagte sich über die Anfälle von Melancholie, unter denen er leide, und die in seiner Familie erblich seien. Johnson gestand ihm, auch er leide darunter, und empfahl ihm stete geistige Arbeit, viel körperliche Bewegung und ein mäßiges Leben, besonders aber solle er nachts nicht Alkohol trinken.

Johnson rühmte sich, nie habe ein Literat unabhängiger gelebt als er. Auch sagte er, man müsse den höheren Rang eines Mannes respektieren. Es gebe eine Mrs. Macaulay in London, eine große Republikanerin. »Ich kam eines Tages zu ihr und sagte ihr, ich, ein entschiedener Monarchist, sei nun ganz bereit, mich zu ihrem republikanischen System bekehren zu lassen, und zu denken, die Menschen hätten durchaus alle denselben Rang; und ich erbäte mir daher, daß ihr Lakai mit uns nun zusammen bei Tisch äße. Sie hat mich seitdem nicht mehr gern gesehen. Sir, Gleichmacher gehn nur bis zu ihrer eigenen Stufe herunter. Sie alle wollen, daß es auch Leute unter ihrem Rang gebe.«

Als Boswell ihm erzählte, daß Sir James Macdonald, der den Samuel Johnson nie gesehen habe, einen großen Respekt, aber gleichzeitig auch viel Furcht vor Johnson habe, sagte Johnson: »Sir, wenn er mich sähe, mag beides sich vermindern.«

Johnson sagte zu Boswell, es gebe nur wenige, die er so gern habe wie ihn, und als Boswell erzählte, er wolle nach Schottland heimfahren, sagte ihm Johnson mit so viel Gefühl, daß Boswell fast die Tränen kamen: »Mein lieber Boswell, ich würde beim Abschied sehr unglücklich sein, wenn ich nicht dächte, wir würden uns wiedersehen.«

Auch sagte Johnson, am glücklichsten im Leben sei ein Schuljunge. Und er sagte, je berühmter ein Mann sei, um so mehr fürchte er, seinen Ruhm zu verlieren.

Am 28. Juli hatten Johnson und Boswell wieder ein separates Zimmer im *Türkenkopf* genommen, und Johnson sagte, Swift hätte einen größeren Ruhm, als er verdiente; sein Glanz läge in seiner großen Vernunft, denn sein Witz (obwohl recht gut) sei nicht wahrhaft groß. Er bezweifelte, daß *Das Märchen von der Tonne* wirklich von Swift sei; denn Swift habe nie zugegeben, daß er der Autor war, und es sei viel besser, als Swift gewöhnlich sei. Johnson sagte, Addison sei ein großer Mann.

Boswell erzählt, er und Dr. Johnson seien Arm in Arm nachts den Strand entlanggegangen, da sei ein Straßenmädchen gekommen und habe sie angesprochen. »Nein«, sagte Mr. Johnson, »nein, mein Kind, das geht nicht.« »Wir sprachen dann über das Unglück dieser armen Kreaturen und wieviel mehr Elend als Glück durch irreguläre Liebe entstehe.«

Boswell erwähnt, was er das sonderbarste Detail im Leben Johnsons heißt: »Als Mr. Johnsons Frau lebte, brachte sie als Gesellschafterin eine Miss Williams ins Haus, eine liebenswürdige, geistreiche Frau, die eine bemerkenswerte Kenntnis moderner Sprachen besaß. Ihre Augen waren überempfindlich ... es endete damit, daß sie stockblind wurde. Mrs. Johnson starb, und während Mr. Johnson seine Wohnung behielt, blieb Miss Williams bei ihm. Als er seine Wohnung im Temple nahm, mietete Miss Williams eine eigene Wohnung. Es vergeht nie eine Nacht, daß Mr. Johnson nicht Miss Williams sieht. Wie sehr er auch in Gesellschaft sich verspäte, immer bleibt Miss Williams auf, bis er kommt und mit ihr Tee trinkt. Ich glaube, Miss Williams wird hauptsächlich von Johnsons Großmut unterhalten, und ich glaube, niemand besaß je die Verrücktheit oder Bosheit, irgend etwas Unziemliches zwischen ihnen zu vermuten. Er versprach, mich bald bei ihr einzuführen ... Eines Nachmittags nahm er mich mit, um Tee bei Miss Williams zu trinken, die eine behagliche Wohnung in Bolt Court, Fleet Street hat. Ich fand eine witzige, angenehme Frau, aber stockblind. Ich war bei guter Laune und wurde freundlich empfangen.« Johnson zog später in diese Wohnung.

Eines Tages hatte Boswell Herrn Thornton besucht, einen jungen Mann, der £ 15000 von seinem Vater geerbt und über einen gedruckten literarischen Briefwechsel von Boswell und dessen Freund Erskine eine günstige Kritik geschrieben hatte; bei ihm traf er »die Genies von London«, die beiden Freunde John Wilkes und Charles Churchill. John Wilkes, häßlich und schielend, mit einer berühmten Freundin, ein Jakobiner und Übersetzer von Anakreon, war einer der schärfsten Pamphletisten. Sein Freund Charles Churchill, der Autor der *Rosciade,* einer der wildesten Satiren zwischen Pope und Byron, war ein Pfarrer, der sich von seiner Frau hatte scheiden lassen und ein Stutzer geworden war. Obendrein war er ein Feind aller Schotten, gegen die er, wie in der *Rosciade* gegen alle Schauspieler und Schauspielerinnen Londons, erbittert loszog.

Boswell war glücklich, die Genies von London zu treffen, und ging zu Johnson, der ihm erklärte, die Menschheit habe eine Abneigung gegen intellektuelle Beschäftigung. Die meisten Menschen seien es zufrieden, Ignoranten zu sein. Johnson sagte, es gebe starke Beweise für die christliche Religion. Und Garrick sei der beste Mann in der Welt für eine lebhafte Unterhaltung. Johnson versprach, ihn zu besuchen, schüttelte ihm freundlich die Hand, und Boswell schrieb in sein Tagebuch, ich habe großes Glück. Ich werde diese Bekanntschaft pflegen.

Boswell erzählte ihm wiederum seine Geschichte, und Johnson sagte, Ihr Vater wollte aus Ihnen mit zwanzig den Mann machen, der Sie mit dreißig sein werden. Ein Vater und ein Sohn sollten zu gewissen Zeiten sich trennen. Ich glaubte nie, was mein Vater sagte. Sir, ich bin ein Freund der Unterordnung. Sie führt durchaus zum Glück der Gesellschaft. Es bereitet ein gegenseitiges Vergnügen, zu regieren und regiert zu werden.

Er sagte, Dr. Goldsmith ist einer der ersten Autoren, die wir jetzt haben und ein verdienter Mann. Goldsmith hatte lockere Prinzipien, aber er kommt nun in Ordnung.

Boswell trank mit einem Freund Kaffee bei *Will's,* »das so oft im *Spectator* erwähnt wurde.« Er ging zu Johnson, der seine Hand nahm und ihm sagte, mein lieber Boswell, ich liebe Sie sehr.

In der zivilisierten Gesellschaft sei Geld mehr angesehn als gute Taten, erklärte Johnson. Geh auf die Straße und halte dem einen Mann eine moralische Predigt und gib dem andern einen Schilling, und du wirst sehen, wer dich am meisten respektieren wird. Johnson sagte, er habe immer die Neigung gehabt, nichts zu tun.

Wieder sitzt Boswell mit Johnson im Kaffeehaus *Zum Türkenkopf,* sie sprechen über Gott und seine ganze Welt, zwei gläubige Christen, und vielleicht haben sie England oder die Welt verbessert, redend und diskutierend in den Kaffeehäusern von London.

Auch Oliver Goldsmith, der so berühmte ländliche Idyllen und Figuren geschrieben hat, war ein Londoner Kaffeehausliterat, ein *Grub Street character.* In London schrieb er seinen ländlichen *Pfarrer von Wakefield* und *Das verlassene Dorf.* Johnson, mit der Pracht und dem Pomp seiner Prosa und mit seinem Witz, beeinflußte als wahrer Literaturdiktator den Boswell und Burke, Gibbon und Goldsmith. Goldsmith sagte, er sei nur geistreich mit sich allein an seinem Schreibtisch.

Er sagte, das Publikum wird mir nie Gerechtigkeit erweisen; wann immer ich etwas schreibe, versteifen sich die Leute darauf, nichts davon zu wissen. Aber mit seinen Hauptwerken hatte er schon zu Lebzeiten Erfolg beim Publikum und bei den Literaten. Dr. Johnson, Sir Joshua Reynolds, Burke und Garrick zählten zu seinen besten Freunden. Man nahm ihn sogleich in den »Literarischen Club« auf, indes Johnson viel später große Mühe hatte, Boswell in den Club zu bringen.

Unter lauter rücksichtslosen Satirikern war Goldsmith der Sentimentale und der elegante Stilist. Trotz seinem gewaltigen Mißtrauen gegen die Nachwelt hatte er sein Werk durabel gemacht, es war viel dauerhafter als der arme Autor, der schon mit vierundvierzig Jahren starb.

Er war in Irland geboren, 1730, verbrachte seine Kindheit in einem irischen Dorf – sein Vater war ein armer Dorfpfarrer – und studierte wie alle diese irischen Genies am Trinity College in Dublin. Er wollte in den geistlichen Stand treten und wurde abgelehnt. Er plante, nach Amerika durchzubrennen. Er versuchte, Jus zu studieren und wurde 1753 bei der medizinischen Fakultät in Edinburgh zugelassen. Er schien mit sechsundzwanzig Jahren noch ein fauler, uninteressanter Taugenichts. Er fuhr nach Leyden und will in Louvain ein Diplom als Doktor der Medizin bekommen haben und zog dann als Vagabund und Flötenspieler zu Fuß durch Europa und »focht seinen Weg durch«, wie er zu Johnson sagte.

Er wurde Korrekturleser in der Druckerei von Samuel Richardson, der später, nach seinem fünfzigsten Jahr, Romane schrieb. Goldsmith schrieb dann für einen andern Buchhändler. Er versuchte zwei oder dreimal ohne Erfolg, als Arzt zu arbeiten. Er suchte Stellungen und verlor eine nach der andern, er lebte in einer Knabenschule, er schrieb und konnte nicht davon leben, er wollte Krankenwärter werden, aber Surgeon's Hall lehnte ihn als nicht geeignet ab. Er übersetzte Bücher, schrieb Buchkritiken und Biographien und kompilierte historische und naturhistorische Werke. Mit zweiunddreißig Jahren veröffentlichte er sein erstes Buch *Eine Untersuchung des gegenwärtigen Standes der Bildung in Europa.* Er bekam bald mehr journalistische Arbeiten, bis er schließlich mit den zwei zuerst anonym erschienenen satirischen Briefen über die englischen Sitten, *Der Weltbürger,* die angeblich von einem Chinesen geschrieben waren, Erfolg hatte. Da ahmte er Montesquieu, Voltaire und Rousseau nach. Doch sagt man, der wahre Geburtstag seines Lebens sei der 31. Mai 1761 gewesen, als Thomas Percy zu ihm den großen Johnson brachte, der mit einer neuen Perücke zum Essen kam.

Seitdem sorgte Johnson wie ein älterer Bruder für seinen Freund Goldsmith, den er bewunderte. Trotzdem war Goldsmith immer mit literarischen Brotarbeiten bis ans Ende seines Lebens überhäuft, mit lauter Kompilationen und Nichtigkeiten. Thomas Percy, der durch die Sammlung alter Balladen berühmt wurde und dessen eigene Gedichte und Balladen vergessen sind, beschrieb den dreißigjährigen Goldsmith: »Ich besuchte Goldsmith in seiner Wohnung im März 1759 und fand ihn, wie er an seiner *Untersuchung* arbeitete, in einem elenden, schmutzig aussehenden Raum, worin nur ein Stuhl war; und als er aus Höflichkeit seinen Stuhl mir überließ, war er selber gezwungen, auf dem Fensterbrett zu sitzen. Während wir uns zusammen unterhielten, klopfte jemand schüchtern an die Türe und auf die Aufforderung, hereinzukommen, trat ein armes kleines Mädchen in Fetzen herein, von einem sehr gefälligen Wesen, und machte einen Knicks und sagte: Meine Mama schickt ihre Komplimente und erbittet eine Gefälligkeit von Ihnen, nämlich ihr einen Topf mit Kohlen zu leihen.«

Aber fünf oder sechs Jahre später zog Goldsmith in den Temple und empfing da seine Freunde, in purpurnen Hosen und in einem scharlachfarbenen Rock, bis zum Hals zugeknöpft, ein häßlicher, glatzköpfiger, pockennarbiger Zwerg, aufgeputzt wie ein Dandy. Boswell sagte, der übertriebene Wunsch von Goldsmith, um jeden Preis zu gefallen, machte ihn oft so lächerlich. Johnson sagte: »Er war ein sehr großer Mann. Und niemand war närrischer, wenn er keine Feder in der Hand hatte, und niemand weiser mit der Feder in der Hand als er.«

So sagte Walpole über David Hume, den er gut kannte: »Die Schriften von Mr. Hume waren seiner Unterhaltung so überlegen, daß ich oft sagte, er verstehe keinen Gegenstand, bis er nicht erst darüber geschrieben habe.«

Und Oliver Goldsmith sagte selber: »Ich liebe keinen Mann, der seinen Eifer in Nichtigkeiten zeigt.«

David Garrick erklärte:

»Here lies Nolly Goldsmith, for shortness called Noll,
Who wrote like an angel, but talked like a poor Poll.«

(Hier liegt Nolly Goldsmith, der Kürze halber hieß er Noll,
Der schrieb wie ein Engel, aber sprach wie der Papagei Poll.)

Goldsmith schrieb darauf 1774 eine *Vergeltung* für den »Literarischen Club«.

Johnsons Epitaph in der Westminsterabtei lautete, auf Latein – denn Johnson weigerte sich, Westminsterabtei durch eine englische Inschrift zu entweihen: »Ein Poet, Naturwissenschaftler und Historiker, der kaum eine Gattung der Literatur unberührt gelassen hat und nichts berührte, das er nicht verschönt hat (*Nullum tetigit quod non ornavit*); über alle Leidenschaften, ob sie lächeln oder weinen machen sollten, war er ein mächtiger und doch milder Meister, in seinem Genie sublim, lebendig und versatil, im Stil erhaben, klar, elegant.«

Im März 1766 erschien der *Pfarrer von Wakefield*, den Goldsmith wahrscheinlich schon vier Jahre zuvor geschrieben hatte. Johnson soll für das Buch einen Verleger gefunden haben. Man sagte aber auch, es sei in Teilen an verschiedene Verleger zu verschiedenen Zeiten verkauft worden. Goldsmith erhielt 60 £. Das Buch hatte drei Auflagen in fünf Monaten. Goethe war einer der ersten, der diesen Roman rühmte, der einer der gelesensten englischen Romane und in aller Welt übersetzt wurde.

1768 wurde in *Covent Garden* sein Lustspiel *Der Gutmütige*, das Garrick abgelehnt hatte, mit Erfolg aufgeführt, und Goldsmith richtete sich sogleich eine teurere und viel zu elegante

Wohnung in Brick Court ein. Das belastete ihn finanziell bis an sein Ende. Goldsmith beschrieb George, den Sohn des *Pfarrers von Wakefield,* als einen leichtsinnigen Vagabunden, Goldsmith hatte etwas davon, und er lieh George viele seiner eigenen Erfahrungen und Abenteuer auf dem Kontinent.

Er liebte prunkende Kleider, konnte Geld nur wenige Stunden in der Tasche behalten und gab es jedem, der ihn darum bat. In seinen letzten Jahren kam ein junger Landsmann zu ihm und bat um Hilfe, und Goldsmith machte ihn zu seinem Sekretär. Dieser M'Donnell schrieb: »Ich sah ihn nur in sanfter und freundlicher Laune, stets fließend ja überfließend von der Milch menschlicher Güte für alle, die irgendwie von ihm abhingen.«

Und Washington berichtet in seinem *Leben von Goldsmith* »Als er starb, wurde er nicht nur von seinen Kollegen beweint, sondern auch von den Wehklagen der Alten und Schwachen und den Seufzern von Weibern, den armen Objekten seiner Wohltätigkeit, denen er nie ein taubes Ohr gezeigt hat, sogar wenn er selbst unter seiner Armut litt.«

1769 wurde er ein Professor für Geschichte an der neuen Royal Academy, aber das brachte ihm kein Honorar. Er schrieb eines der besten englischen Lustspiele, *She stoops to conquer, sie bückt sich, um zu erobern.* Lange wollte es kein Mensch aufführen, ein Jahr vor seinem Tode wurde es endlich gespielt, und ein rauschender Erfolg. In seiner letzten Krankheit versuchte Goldsmith, der ja eine Art Doktor war, oder es vorgab, sich selber mit den verkehrten Pillen zu kurieren, was seinen Tod vielleicht beschleunigt hat. Er starb am 4. April 1774 und hinterließ trotz allem Rat und vielen Mühen von Dr. Johnson 2000 £ Schulden.

In seiner *Untersuchung* schildert Goldsmith einen Autor, der ihm selber ähnelte, »dessen Schlichtheit ihn allen heimtückischen Manövern der Schlauen preisgibt und dessen Empfindlichkeit ihn den leisesten Kränkungen durch die Spötter ausliefert, und der zwar voller Seelenstärke ruhig in den vorhergesehenen Erschütterungen eines Erdbebens dasteht, doch so empfindlich in seinen Gefühlen ist, daß er bei der mindesten Enttäuschung wie gelähmt erscheint.«

Wenige englische Schriftsteller, wie Dr. Johnson oder George Bernard Shaw, gaben Anlaß zu so vielen Anekdoten wie Oliver Goldsmith. Der kleine Mann war populär, mit seinem häßlichen rohen Gesicht und seinem strahlenden gutmütigen Lächeln, mit seinen ungeschickten Gliedmaßen, aufgeputzt in Samt und Seide, die wahre Karikatur eines Dandy, mit seiner gutturalen irischen Stimme und seinem Mutterwitz, mit dem halben Stottern und der eleganten Sentimentalität, ganz offenherzig, ganz naiv in seinem Ehrgeiz und in seiner lachenden Eitelkeit, ganz der Liebling seiner Freunde, die ihn vor lauter Zärtlichkeit verspotteten, vor lauter Spott ihn liebten.

Auch Sheridan wurde 1777 ein Mitglied des »Literarischen Clubs«. Dr. Johnson war ein Bewunderer der Mutter von Sheridan und ihres tragischen Sittenromans *Memoiren von Miss Sydney Biddulph.*

Sie hieß Francis Chamberlaine und war die Frau von Thomas Sheridan, einem Schauspieler und Sprachlehrer, der ein Freund von Boswell war und *Sherry the dull* hieß, Sherry der Langweilige. Johnson schrieb ihr: »Madam, ich weiß nicht, ob Sie ein Recht haben, Ihre Leser so sehr leiden zu machen?«

Ihr Sohn, einer der amüsantesten Menschen des Jahrhunderts und einer der größten Komödienautoren Englands, ein Zeitgenosse und geistiger Verwandter von Beaumarchais, beendete mit siebenundzwanzig Jahren seine Laufbahn als Komödiendichter und begann eine neue Karriere als Redner, Minister, Politiker.

Er kam 1751 in Dublin zur Welt, verließ Irland mit neun Jahren, ward in Harrow erzogen, war ein schlechter Schüler und weinte leicht, weil sein Vater sich nicht um ihn kümmerte, weil er kein Geld hatte, weil er zu den Feiertagen nicht nach Hause durfte wie die andern Knaben. Sein Vater nahm ihn schließlich nach Bath, wo der Alte eine Akademie gründen wollte, was ihm mißlang. Richard Sheridan tanzte in dem berühmten Badeort mit allen Frauen, schrieb Liebesverse für die Damen, Sonette auf die Damen, Satiren gegen die Damen und wurde der etablierte Wit und Dandy von Bath.

Er verliebte sich in eine junge hübsche Sängerin mit einer wunderschönen Stimme, Miss Lindley. Ihr Vater schickte sie zur Vorsicht nach Frankreich, Sheridan reiste ihr nach, hatte zwei Duelle mit Mr. Mathews, einem andern Verehrer von Miss Lindley, und heiratete sie. Damals hatte die Sängerin 5000 £ im Jahr verdient, aber Sheridan verbot seiner Frau, weiterhin öffentlich aufzutreten. Sie besaß noch 3000 £, zweitausend gab sie dem Vater. Sheridan führte sie und die restlichen tausend Pfund in ein Häuschen in Slough und liebte sie ein ganzes Jahr lang. Da das Geld zu Ende ging und sie nicht neues Geld verdienen durfte, begann Sheridan in aller Eile ein Stück zu schreiben, um Geld ins Haus zu schaffen. Er war schon vierundzwanzig Jahre alt. Das Lustspiel hieß *Die Rivalen* und fiel durch. Aber Sheridan verbesserte das Stück sogleich, da wurde es ein enormer Erfolg. Er ließ zwei weitere Stücke aufführen, *St. Patrick's Day* und *Duenna*.

Mit sechsundzwanzig Jahren übernahm Sheridan den Anteil von Garrick am *Drury Lane Theater,* ließ zwei neue Komödien, *Ein Ausflug nach Scarboroughs* und die *Lästerschule* spielen, und wurde Mitglied des »Literarischen Clubs«. Sein letztes Stück war eine Farce, *Die Kritiker* (1779).

Im Jahr darauf wurde er Mitglied des Parlaments; mit einunddreißig Jahren trat er in die Regierung ein. Er hatte in seiner Jugend gesagt: »Ich bin entschlossen, so viele Kenntnisse zu erwerben, als ich nur vermag. Ich will englisch und französisch so gut wie möglich lernen.« Im Unterhaus zitierte er griechisch. Er war ein Whig und daher nur kurz im Amt. Weniger als ein Jahr war er Finanzminister. Seine erste Frau und sein Sohn starben früh an Schwindsucht. Er verdiente jährlich 10 000 £ durch seinen Anteil am *Drury Lane Theater,* da mußte man es niederreißen. Der Wiederaufbau kostete 75 000 £ mehr als veranschlagt war. Fünfzehn Jahre später brannte das Theater, Sheridans Hauptbesitz, bis zum Grund nieder. Er stand mit einer Flasche Wein auf der Straße, trank und sah dem Feuer zu und erklärte, »wenn ein Mann nicht bequem und behaglich an seiner eigenen Feuerstelle, an seinem Kamin sitzt, dann wüßte er nicht, wo er sonst behaglich sitzen könnte.« Das Unterhaus vertagte aus Teilnahme seine Sitzung.

Gegen seine Schlaflosigkeit nahm Sheridan erst Claret, dann Brandy ein.

Er sagte: »Es ist eine Tatsache, daß ich kaum einmal in meinem Leben einer Verleumdung widersprochen habe ... Würde ich mein Leben nochmals beginnen, so würde ich anders handeln.« Es gab keine zweite literarische Figur Englands, die auf so vielen Feldern glänzte. In der Politik war er immer honett, minder gegen seine Gläubiger. Er öffnete selten seine Briefe. Er hielt berühmte Anklagereden gegen Warren Hastings. Er war der vertraute Berater des Prinzen von Wales. Er verbrachte ganze Nächte in lustiger Gesellschaft, trank und plauderte geistreich wie kein zweiter. Er blieb immer »der joviale Sherry«. Er lebte fünfundsechzig Jahre lang. Er war ein Komödienautor, ein Theaterdirektor, ein Staatsmann, ein Politiker, ein Salonlöwe, ein Wit in allen Kaffeehäusern, ein berühmtes Mitglied des »Literarischen Clubs« und des Parlaments, von unerreichter Fröhlichkeit, voller Charme, von blendendem Witz, ein hinreißender Redner, Liebhaber und Mensch. In den letzten Jahren bedrückten ihn seine Schulden und eine Hirnerkrankung.

Einer der letzten berühmten Gäste bei *Will's,* wo er oft am Fenster saß, war George Bryan Brummel, der »Beau Brummel«. Er lebte von 1778 bis 1840. Er lebte wie ein Akrobat, er stürzte wie ein Akrobat. Er war der König der Dandys. Aus seiner Erscheinung machte er täglich ein neues Kunstwerk.

Sein Vater war zwölf Jahre lang ein Privatsekretär des Lord North, dann wurde er der High Sheriff von Berkshire. Sein Großvater war ein Ladenbesitzer in St. James, der an Personen von Adel Zimmer vermietete.

Von früher Jugend an beschäftigten ihn seine Kleider. In Eton hieß er »Buck Brummel«, der Stutzer Brummel. Er wurde nie ausgepeitscht. Er hatte Talente! Er röstete Käse ganz ausgezeichnet und führte in der Schule eine neue Mode ein. Er trug eine goldene Schnalle an der weißen Halsbinde. Er gefiel. Als der Prinz von Wales, Prinz Florizel, der spätere König Georg IV., nach Eton kam, bemerkte er den sechzehnjährigen Brummel und versprach ihm eine Fähnrichstelle in seinem Regiment, bei den 10. Husaren. Der Prinz war damals zweiunddreißig Jahre alt. In Oxford blieb Brummel nicht lange. Dort galt er als ein »Wit«.

In London traf er den Prinzen wieder und wurde intim mit ihm. Mit zwanzig Jahren war er schon Hauptmann und quittierte den Dienst. Mit einundzwanzig Jahren erbte er 30 000 £ und richtete sich eine Junggesellenwohnung in Mayfair ein. Dank seiner Freundschaft mit dem Prinzen von Wales und seinem physischen Genie ward er für achtzehn Jahre der *arbiter elegantiarum* von London, von seinem zwanzigsten bis zum achtunddreißigsten Jahr. Er war es ganz unbestritten. Er war ein Snob, ein Dandy, ein Beau, ein Genie, ein Wit.

Er brauchte drei Stunden für seine Toilette, zog sich dreimal täglich um, das kostete ihn neun Stunden genauer, gedankenvoller, kunstvoller Arbeit. Es war alles durchdacht und mit größter Handfertigkeit ausgeführt. Es war Kunst und Kunsthandwerk, Stil und Technik, Meisterschaft im Entwurf und in der Ausführung.

Er hatte einen schönen Körper, und er liebte ihn wie kein Liebhaber den schönsten Körper seiner Geliebten.

Er rieb seinen nackten Körper jeden Morgen zwei Stunden lang mit einem Handschuh, bevor er mit seiner Toilette begann. Er setzte sich vor seinen silbernen Toilettenkasten, ließ sich rasieren und riß sich einzelne Haare mit verschiedenen Pinzetten aus. Dann zog er sein erstes Hemd am Tage an. Wie alle ernsthaften Künstler, hatte er strenge und genaue und scharf durchdachte Prinzipien. Keine Parfums, sagte er, aber feinstes Leinen, eine Menge davon, und auf dem Lande gewaschen, auf der Wiese gebleicht! Sein Ziel war das schwierigste: Vollkommene Einfachheit als das Resultat vollkommener Kunst.

Im Hemd diskutierte er mit seinem Kammerdiener die neueste Schöpfung des Tages und ging ans Werk.

Am Morgen trug er hohe Stiefel und Hosen, oder Stulpen und Hirschlederhosen, mit einem blauen Rock, mit einem ledernen Rock. Seine Stiefel wurden mit Champagner geputzt, waren aber sehr distinguiert und konservativ in der Form.

Die Schönheit des Anzugs lag im Schnitt.

Jedes Genie ist schließlich zu einem Hauptteil Fleiß, wozu die unendliche Sorgfalt in der Ausarbeitung aller Details kommt.

Seine Krawatte war zwölf Inches breit und mußte zwischen Kinn und Schultern liegen. Sie war schneeweiß. Um sie richtig anzuziehn und nicht die geringste Falte entstehn zu lassen, mußte er sich wie beim Dentisten zurücklegen, es war eine schwierige, langwierige Prozedur und dauerte mindestens zehn Minuten. Sein Freund, der Prinz von Wales, kam schon am Morgen und sah mit höchstem Interesse der Toilette von Brummel zu. Wenn Brummel mit dem Anzug fertig war, aßen sie zusammen, tranken einige Flaschen Wein, der Prinz von Wales fragte seinen Freund um Rat für seinen Anzug und zeigte ihm seine neuen Kleider, nicht ohne ein gewisses Beben; denn Brummel war nie ganz zufrieden, insbesondere war der Schnitt nie so vollkommen, wie es dem großen Brummel notwendig schien. Brummel war so delikat, daß er einen Spucknapf aus Silber hatte. Wenn er einmal seinen Hut trug, konnte er ihn vor keiner Dame mehr ziehen; er hätte sonst den rechten Winkel für den Sitz seines Hutes verloren.

Er war kein Narziß, sagte man; denn es gebe wenig Porträts von ihm. Er war ein Narziß, aber er war selber der Künstler, selber ein Maler, ein Meister des eigenen Porträts, er malte täglich drei »Selbstporträts«.

Er hatte eine berühmte Sammlung von Schnupftabakdosen, die er mit Finger und Daumen derselben Hand öffnete.

Für seinen perfekten Anzug erfand er natürlich auch eine perfekte Haltung, und zwar eine absolute Schnödigkeit des Geistes und der Manieren, die ihn ständig an den Abgrund brachte und ständig vor dem Sturz bewahren mußte. Er machte es sich zum Prinzip, gegen jedermann, ohne Ausnahme, von vollkommener, fast schon rüder Impertinenz zu sein, am Rande des Unerträglichen, genau an der schwindligen Grenze, wo die Frechheit so elegant wird, daß man sie gerade noch hinnimmt.

Er brachte den »cut« in Mode, den schneidenden Blick, starr und direkt in die Augen des Gegenüber, ohne das geringste Lächeln, ohne irgendein Erkennen, das war ein Blick, der den andern in die peinlichste Verlegenheit setzen sollte, ihn zerschmetterte, ihm einen Horror gab wie vor dem kalten Blick des Basilisken. Die Hauptregel bei dieser ständigen Rüdheit war die vollkommen republikanische Gleichheit, mit der er Hoch und Niedrig behandelte oder mißhandelte, den Kellner wie den König. Er sagte zum künftigen König von England beim Abendessen: »Wales, klingle mal dem Diener!«

Einem Vater, der ihm vorwarf, er habe ihm den Sohn ruiniert, erwiderte Brummel: »Aber, mein Herr! Ich tat, was ich konnte, für ihn. Einmal reichte ich ihm meinen Arm den ganzen Weg von *White's* zu *Brooke's*!«

Er griff ständig an, allein, und konnte nicht mal fechten. Es war eine Art Masochismus. Er behandelte alle Leute so, daß sie ihn – eigentlich – zum Duell hätten fordern müssen, aber er zitterte vor Duellen. Manchmal rettete ihn sein Witz.

Ein Offizier, dessen Nase weggeschossen worden war, kam zu Brummel, um eine Erklärung zu fordern, weil Brummel ihn einen pensionierten Hutmacher geheißen hatte. Brummel entschuldigte sich ausführlich, und als der Offizier im Weggehn war, sagte Brummel: »Ja. Es muß ein Mißverständnis sein. Denn wenn ich es jetzt bedenke, so hatte ich nie mit einem Hutmacher ohne Nase zu tun.«

Die Sekundanten eines andern Gentleman forderten drohend eine Entschuldigung in fünf Minuten. Fünf Minuten, schrie Brummel in gespieltem Entsetzen, in fünf Sekunden – oder rascher, wenn Sie wollen!

Eines Nachts weckte er in London einen Mr. Snodgrass in einem fremden Haus. Er fragte ungestüm: »Ich bitte Sie, Herr, heißen Sie Snodgrass?« – »Ja, ich heiße Snodgrass.« – »Snodgrass! Snodgrass! Ein wirklich recht komischer Name. Gute Nacht, Mr. Snodgrass!«

Eine zu schnell emporgekommene Dame, Frau Thompson, sandte ihn von einem Dinner fort, zu dem sie ihn nicht eingeladen hatte, was er wohl wußte, aber er wußte auch, daß ihn eine Frau Johnson eingeladen hatte. Indem er die Einladungskarte der Frau Johnson herauszog, bemerkte er: »Guter Gott! Wie ungeschickt! Aber Sie wissen, Johnson und Thompson, ich meine: Thompson und Johnson – sind einander gar zu ähnlich. Frau Johnson-Thompson, ich wünsche Ihnen einen recht angenehmen Abend!«

Als man ihm ein Huhn gab, das zu zäh war, sagte er vor allen Gästen zu seinem Hund, der an der Wand hinter ihm saß: »Hier, Atons, versuche, ob du das mit deinen Zähnen beißen kannst, ich will verdammt sein, wenn ich es kann.« »Was sollte ich aber tun«, fragte er einen Kavalier, der wissen wollte, warum er eine gewisse Dame nicht geheiratet habe, »wenn ich also tatsächlich diese Lady habe Kohl essen sehen?«

»Bedford«, sagte er und befühlte den neuesten Rock dieses Herzogs Bedford, »und nennst du dieses Ding einen Rock?«

Als er einen Gentleman namens Byng sah, den man heimlich »Pudel« hieß, wie er mit einem Pudel in seiner Kutsche fuhr, fragte er: »Ja, wie geht's denn, Byng? Ein Familienausflug, eh, scheint's?«

Er war ein Spieler und führte ein verschwenderisches Leben; je weniger Geld er hatte, um so böser wurde seine Zunge. Er begann sogar seinen Gönner offen zu verhöhnen. Der Prinz von Wales wurde fett, und Brummel warf es ihm in Gegenwart anderer vor. Der Prinz schämte sich, und Brummel zerstritt sich mit ihm. Da der Prinz verhehlen wollte, daß Brummel ihn brüskiert habe, beschloß er, den Brummel öffentlich zu schneiden. Als sie sich zufällig in St. James's Street trafen, der Prinz mit einem Bekannten, und Brummel mit seinem Freund Jack Lee, blieb der Prinz stehn, unterhielt sich mit Lee und starrte durch Brummel durch, als sei er aus Glas. Nach einigen Minuten der Unterhaltung, währenddes Brummel ganz gelassen blieb, trennte man sich. »Well, Jack«, sagte Brummel, da der Prinz und sein Freund erst zwei oder drei Schritte entfernt waren, und zwar so laut, daß der Prinz ihn hören mußte, wobei er sich noch umdrehte, damit der Prinz gewiß jedes Wort verstünde: »Well, Jack, wer ist eigentlich dieser fette Freund von dir?«

Seit ihn der Prinz von Wales öffentlich geschnitten hatte, verlor Brummel seine Popularität. Wer seine Existenz auf gesellschaftliche Geltung setzt und die Gesellschaft brüskiert, muß stürzen. Brummel stürzte langsam, wie später Oscar Wilde, doch schien der Sturz im letzten Augenblick jähe zu sein.

Er spielte so achtlos, daß er einmal 26 000 £ gewann, und sie wieder ganz verlor und mehr als er besaß.

Er ging in höchster Pracht zur Oper, ließ sich sehn, und sprach mit diesem und schnitt jenen, und floh noch in derselben Nacht nach Calais. Englische Freunde zahlten ihm eine kleine Rente. Er lebte vierzehn Jahre in Calais, von 1816 bis 1830.

Er kam nicht aus und machte neue Schulden. Grenville, einer der Freunde, erzählt: »Ich fand ihn in seiner alten Wohnung, beim Ankleiden, da waren einige antike hübsche Möbel im Zimmer, ein ganzer Toilettentisch aus Silber. Er war voller Fröhlichkeit und Schamlosigkeit und Elend.«

Er saß in Calais, wo alle Engländer durchkamen, die auf den Kontinent und nach Hause fuhren. Er saß wie ein Wächter am Zoll, in den kleinen französischen Cafés am Fenster, und blickte auf die Straße, ob wieder Engländer durchkamen. Lange wahrte er den Schein. Wenn ihn einer der alten Freunde oder ehemaligen flüchtigen Bekannten zum Abendessen einlud, spielte er den Schwierigen, zu dieser Stunde, sagte er etwa, könnte ich nicht dinieren. Als sein Hund in Calais starb, schloß er sich drei Tage ein. Er habe seinen letzten Freund verloren, sagte er.

Schließlich erreichten einige Freunde, daß er englischer

Konsul in Caen wurde. Eines Tages schrieb er ans Foreign Office, mein Konsulat ist eine Sinekure. Kein Mensch kommt zu mir, ich sitze den ganzen Tag im Kaffeehaus.

Lord Palmerston schaffte das Konsulat ab und gab ihm keinen neuen Posten. Die Schulden wuchsen. Es kamen keine Geschenke aus England mehr.

Er mußte eine schwarze Krawatte tragen, die weißen Krawatten schmutzten zu schnell und wurden zerschlissen. Er verschlampte, verschmutzte, wurde immer gröber und ein wenig verrückt. Nur der Hund des Hotelwirts vergötterte ihn.

Er saß in einem kleinen Café und sollte seine Tasse Kaffee zahlen. Er sagte: »Ja, Madame, beim Vollmond zahle ich, beim Vollmond.«

Da ihn niemand mehr besuchte, erfand er Besucher. Er stellte auf die Tafel billige Talgkerzen, ließ für mehrere Personen decken und durch den Diener die imaginären Gäste anmelden: Die Herzogin von Devonshire! Lord Chesterfield! Mr. Sheridan! Der Prinz von Wales!

1835 kam er wegen Schulden ins Gefängnis von Caen. Wieder halfen ihm alte Freunde und lösten ihn aus, sie sicherten ihm ein kleines Einkommen. Er hatte alles Vergnügen an sich, an seiner Kleidung, an seiner Haltung verloren. Er war ein schmutziger alter Mann geworden, ein Schmarotzer. 1837 hatte er zwei Schlaganfälle. Er starb im Asyl *Bon Sauveur* zu Caen, 1840, ohne einen Pfennig, allein. Er hatte sich selber vergessen.

Lord Byron sagte, die drei größten Männer dieses Jahrhunderts seien Beau Brummel, Napoleon, Lord Byron – in dieser Reihenfolge.

Beau Brummel hat die Hosen erfunden, die wir heute tragen.

Nach Caen, sagte ich, fuhr ich im Spätsommer 1938 mit Ferdinand Lion und fand kein Denkmal des Beau Brummel. Hugo Jacobi, dessen Versbuch »Venezianische Spiegelungen« von Thomas Mann und mir gerühmt wurde, hatte mir das Ende Brummels in Caen genau geschildert. Hugo Jacobi, ein Landsmann und Freund von Albert Schweitzer, war ein Poet, der in einem seiner schönsten Gedichte schrieb: »Wir sind der Anfang erst, noch nicht das Letzte« und der wie fürs literarische Café geschaffen war und mit dem ich in so vielen Cafés in Berlin, Paris, Trouville, London, New York oder bei PEN Club Banketten saß.

Er war ebenso charmant wie zerstreut, so gastfreundlich wie betulich, ein vielgeschäftiger Freund der Damen und Dichter, ein echter Kavalier mit den zivilisierten Manieren des 19. Jahrhunderts und den barbarischen Schicksalen des 20. Jahrhunderts. Und er ist der einzige Privatmann, der einen Literaturpreis im neuen Deutschland gestiftet hat. Dieser Preis für junge Lyriker wird von zwei der besten Literaturkenner, dem glänzenden Essayisten und Causeur Ferdinand Lion und dem trefflichen Lyriker und Anthologisten Hans Bender, alljährlich vergeben, so an den Nürnberger Hans Magnus Enzensberger oder an den Perser Cyrus Atabay.

Henry Fielding, sagte Silvia lächelnd, hieß seine Zeit *a trifling age,* eine tändelnde, unbedeutende Epoche.

Das kann keiner von unserer Zeit sagen, erklärte ich, und ich bin nicht im geringsten stolz darauf. Ich wollte, unser Jahrhundert hätte mehr getändelt, sei unbedeutender gewesen und hätte mehr literarische Cafés und Salons und meinetwegen in jeder Hauptstadt ein Dutzend Beau Brummels.

England hat nie viele literarische Salons gehabt, versicherte Silvia, und auch die literarischen Cafés hatten nie wieder, ja in keinem andern Lande jene überragende Stellung und Bedeutung, wie in jenen hundert Jahren in England, von Oliver Cromwell bis Johnsons Tod.

Die Caroline Lamb, Viscountess Melbourne, führte einen berühmten literarischen Salon. Sie schrieb Romane und hatte eine Affäre mit Lord Byron, der in die Cafés auf dem Kontinent ging, ins *Greco* in Rom und ins *Café Florian* in Venedig. Zur Caroline Lamb kamen Joshua Reynolds und auch William Blake, der aber auf alle einen niederschmetternden Eindruck machte.

Viele Genies machen einen schlechten Eindruck, versicherte

ihr Gatte. Der Vater von Virginia Woolf, Sir Leslie Stephen, und Virginia Woolf hatten literarische Salons. Sir Leslie Stephen, ein Biograph und Professor zu Cambridge, hatte eine Tochter von Thackeray geheiratet, in erster Ehe, und empfing Thackeray und Meredith und Thomas Hardy und Stevenson und Henry James und Oliver Wendell Holmes.

Virginia Woolf, deren Gatte ihr Verleger, deren Verleger ihr Gatte war, Mr. Leonard Woolf, empfing in Bloomsbury Roger Fry und Aldous Huxley und Lytton Strachey und T. S. Eliot und Stephen Spender und Auden.

Auch die Lady Ottoline Morell sah die Literaten bei sich, T. S. Eliot und Lytton Strachey, D. H. Lawrence und Katherine Mansfield, Bertrand Russell und Virginia Woolf und Graham Greene.

Stephen Spender erzählt, wie Lady Ottoline sich der jungen Autoren bemächtigte und wie man sich über sie lustig machte; so geht es gewissen allzu leidenschaftlichen Förderinnen der jungen Literatur. Sie hatte ihren Salon auf dem Lande. In ihren Landhäusern versammelten viele Damen in England die Literaten, es waren literarische »Week-end-Salons«.

Der Dichter Ford Madox Ford, der Hueffer hieß und eines Deutschen Sohn war, und der dem Joseph Conrad Englisch beibrachte und einige Romane mit ihm zusammen schrieb, hatte in Chelsea ein Haus und mit Violet Hunt einen Salon, wo Yeats erschien und Ezra Pound dominierte, der bekannte Faschist, Antisemit und Negerfeind, der auch Verse schreibt; es kamen auch Joseph Conrad und Thomas Hardy. Ford Madox Ford entdeckte James Joyce und Ernest Hemingway und bewirtete Galsworthy und John Masefield und William James.

Gibt es noch heute literarische Salons in London? fragte ich.

Die Dichter, erwiderte Silvia, empfangen ihre Freunde, die Poeten. Am Piccadilly steht das schöne alte Wohnhaus The Albany, wo John Priestley und Cecil Sprigge wohnen und ihre Freunde empfangen. Und Edith Sitwell hat regelmäßige Empfänge. Und es gab die literarisch-politischen Salons der Lady Astor und zuvor den Salon der Webbs. Dort war Bernard

Shaw der Held, in Passfield Corner, beim Lord Passfield, wie Sidney Webb mit seinem Adelsnamen hieß, indes seine Frau Beatrice Webb Potter nie den Titel ihres Mannes annahm. Bernard Shaw, eines der ersten Mitglieder der Fabian Society, einer der vier Großen, welche die Fabian Society leiteten, hatte Webb dort eingeführt. Es war eine 1864 gegründete Vereinigung mit sozialreformerischem Programm. Ihre bedeutendsten Mitglieder waren die beiden Webb und Shaw und H. G. Wells. Aus diesem Club ging die Labour Party hervor. Und viele der politischen und sozialen Reformen Englands in unserer Epoche wurden von diesen Literaten angeregt und gefördert.

Shaw war sein Leben lang ein Freund von Beatrice Webb, sie hieß ihn den »Kobold«. Ihr erster Lehrer war der Philosoph Herbert Spencer, der aber ihre Bekehrung zum Sozialismus entschieden verabscheut hat. Zu ihren Freunden gehörten auch der Philosoph Bertrand Russell und Annie Besant, die aus einer Sozialistin und Fabierin eine Theosophin und indische Nationalistin wurde.

Ich bewundere Lord Russell, versicherte ich, aber hat er wirklich recht, wenn er sagt, die Menschheit sollte lieber vierhundert Jahre russisch reden und in Sklaverei leben, als das nächste halbe Dutzend Millionen Jahre tot zu sein?

Das fragst du, sagte Silvia, der die Freiheit mehr liebt als ...

Nicht mehr als das Leben der andern. Ich weiß nicht, was ich selber tun werde. Ich fürchte, ich werde keinen Selbstmord begehen, aber vielleicht in der Sklaverei zu reden versuchen und dabei umkommen. Aber ich habe keinen Geschmack an einer Moral, die von andern das Opfer ihres Lebens fordert. Freilich habe ich auch keinen Geschmack an falschen Antithesen.

Sidney Webb führte einen Salon mit moralischen Grundsätzen, sagte Silvia. Wenn die Engländer Moralisten werden, sind sie konsequent bis zum Rande des Absurden. Beatrice Webb beschreibt, wie sehr ihr Mann »unnötige Mitteilungen« haßte, insbesondere von jenen, die mit ihm lebten. Sie erzählt, daß er ihr oft sagte, wenn sie Arm in Arm spazieren gingen oder wenn sie am Kamin auf seinem Schoß saß: »Wir müssen Gutes tun; denn wir waren erstaunlich glücklich.«

In diesem Hause, sagte ich, wurde Gutes gewollt und Gutes getan. Die Menschheit wurde gefördert. Da waren Literaten offen am Fortschritt der Menschheit beteiligt. Kann man Besseres von Literaten erwarten, neben guten Gedichten und guten Romanen und guten Dramen, kurz guter Literatur?

Es gibt immer noch einige Clubs in London, sagte Silvia, wo sich Autoren begegnen, vielleicht auch um Gutes zu tun, es gibt den PEN Club, und die »Society of Authors«, und den »Savage Club«, und den »Saville Club«, und einen ganzen Haufen von Cocktailparties. Ob auch beim unmäßigen Alkoholgenuß die Literatur und die Welt gefördert werden? Was glaubst du?

Der Geist weht, wo er will, sagte ich. Aber schaut! Der Nebel hat sich gehoben. Da sieht man das ganze *Café Royal*, und es scheint mir fast leer zu sein, ich sehe nur in der Ecke ein paar Kellner an der Wand stehen und schlafen. Ober, die Rechnung, bitte!

Gleich, Herr, gleich! rief der alte Kellner, unser irischer Freund. Und ich gratuliere den Herrschaften. Soeben ist die Sonne über London aufgegangen. Es sieht aus, als sollten wir einen wunderbaren Tag bekommen.

Also gehen wir, rief Silvia, und genießen wir unsere Tage, solange uns noch die Sonne scheinen will.

Ich habe sie gerufen. Aber werden sie erscheinen? Seit einer Stunde sitze ich auf der Via Veneto, an einem Tisch vor dem *Caffè Rosati*. Links und rechts sitzen Ausländer und schöne Römerinnen, Literaten und die Mädchen vom Film und Theater, Geschäftsleute und Journalisten.

Zu beiden Seiten der Straße stehen leuchtende Tulpenbeete. Es weht ein Duft von blühenden Mandelbäumen. Eine Grille zirpt lauter als alle Autos.

Zum Scherz habe ich den Congresso degli arguti, den Club der fünf Possenreißer Roms ins Kaffeehaus eingeladen. In gewissen Mondnächten gehorchen sie dem Ruf der Poeten. Mir ist nicht ganz geheuer. Der Nachthimmel blitzt von Sternen. Der Mond schwimmt wie ein weißes Schiff über den hohen Pinien und Zypressen der Villa Borghese.

Auf allen Straßen und Plätzen rauschen die Brunnen und stehen Tische und Stühle vor den Kaffeehäusern und Weinschenken. Rom sieht wie ein einziges kontinuierliches Kaffeehaus aus.

Die Brunnen von Rom rauschen bei Tag und Nacht. Im unendlichen Gespräch des fließenden Wassers stehen die mythischen Brunnenfiguren, wie eine fabulöse Gruppe des römischen Volks, überall, an den Straßenecken, auf Plätzen und Hügeln, in den Höfen der Paläste, in Kreuzgängen und in allen Gärten.

Statt der Luft atmen sie Wasser. Aus allen Öffnungen der Fabelgötter und mythischen Tiere spritzt es und schäumt und fließt und steigt und fällt, glitzernd im Schein der Sonne, märchenhaft im Mondlicht und voll feuchtem Pomp in der Illumination der elektrischen Lampen.

Kaum ein Platz im alten Rom, kaum eine Straße ist ohne Brunnen, und überall gibt es Kaffeehäuser.

Aber die römischen Cafés führen ein Gespensterleben. Nur

zu gewissen Stunden erwachen sie. Wie auf eine Losung versammeln sich die Gäste. Die Espressomaschine leuchtet rötlich wie von geheimen Flammen. Die Barkellner mischen die Getränke und flirten mit allen Kundinnen, denen Barkellner gefallen. Die Kuchenverkäuferin, die häufig auch die Kasse bedient, lächelt und plaudert mit dem Freund ihres Bräutigams, er hat offenbar jeden Tag einen neuen Freund.

Es riecht nach Kaffee und Tabak und dem Parfum der Herren. Die Römer parfümieren sich stärker als die Römerinnen. Man schwatzt und kritisiert. Zeitungsverkäufer bieten ihre Zeitungen an, mit den täglich neuen Nachrichten vom drohenden Weltuntergang und mit dem täglichen lokalen Mord. Man ißt an der Bar eine Pizza. Die Herren stehn in Gruppen vor der Bar, mit Gelächter und großen Gesten. Sie versperren den Durchgang und diskutieren ungeniert mit Blick und Wort die körperlichen Vorzüge, Stück um Stück, von jeder passabeln Frau.

Die Brunnen und die Cafés von Rom haben ihre Geschichte.

Ohne seine frischen Wasserquellen aus den Albaner Bergen, ohne seine Aquädukte, Thermen, Wasserleitungen wäre schon das antike Rom nicht eine Millionenstadt, nicht die *urbs* geworden.

Zahlreiche Brunnen stammen aus dem 16. Jahrhundert. Im 17. Jahrhundert machte der barocke Bildhauer Bernini Rom zur Stadt der Brunnen. Schon die Florentiner bauten viele Brunnen mit Figuren. Bernini stellte zuerst seine Tritonen und Flußgötter und Pferde und Delphine mitten ins strömende Element des Wassers und vereinigte Wasser und Stein. Aus Steinen schuf er Bewegung und Bäume und Wolken und stellte seine steinernen Römer und Römerinnen in ein steinernes Bestiarium, in eine steinerne Natur, in eine steinerne Götterwelt.

Viele Cafés gab es schon anfangs des 18. Jahrhunderts. Aber noch heute verkehrt in manchen Cafés eine halb verschollene, halb provinzielle Gesellschaft, Kreaturen aus einer mittelalterlich magischen Welt, wie Besucher aus vorigen Jahrhunderten. Aus Höflichkeit scheinen manche unsere Tracht zu tragen, doch sind da Mönche und Mädchen wie aus alten Bildern, daneben Soldaten und Bäuerinnen, Papagalli und Vitelloni, Professoren und Beamte mit den Bärten unserer Großväter und flinke Literaten.

Die Literaten machten den Ruhm, die Fremden das Glück der großen römischen Cafés. Der Weg der berühmten Cafés ging von der Piazza di Spagna, dem Tummelplatz der Fremden im 18. Jahrhundert, zum Corso im 19. und zur Via Veneto im zwanzigsten Jahrhundert. In der guten Jahreszeit, die in Rom mindestens neun Monate währt, wachsen die Cafés wie durch Zauber. Vor einer kleinen Bar, in der es kaum einen Tisch oder gar keinen Stuhl gibt, stehn plötzlich Dutzende von Tischen, wie vom Frühling hergetragen, und die Straßen von Rom sehn wie ein einziges kontinuierliches Café aus.

Die eleganten Italiener bummeln am Sonntagmorgen, zwischen Kirchgang und Mittagsmahl, und an allen warmen Abenden auf der Via Veneto, zwischen der alten römischen Mauer und der neuen amerikanischen Botschaft. An sonnigen Tagen gleicht die Via Veneto einem Kurpark, an Sommerabenden einem Strandbad.

Auf beiden Gehsteigen der Straße stellen die großen Cafés, *Doney* und *Strega, Café de Paris* und *Rosati* und *Golden Gate* und *Carpanno* in zwei Reihen Hunderte von Tischen und Stühlen, die einen mit dem Rücken zur Hauswand, die andern mit dem Rücken zu den promenierenden Autos. Zwischen den beiden Tischreihen flanieren im Gedränge die Spaziergänger auf einem schmalen Teil des Gehsteigs wie Laienspieler auf einer Freilichtbühne oder wie Mannequins auf einer Modenschau. Das Publikum sitzt wie im Theater, und keiner klatscht Beifall.

Die Italiener sind im Privatleben noch unbekümmerte Individualisten. Mitten im Gedränge bleiben sie gruppenweise stehn, und mit feurigen Gesten sprechen sie über nichts, als ginge es um alles. Die Spaziergänger warten geduldig, bis die Gruppe sich auflöst.

Manchmal zieht der Mond über die Via Veneto herauf, wie herbeigeweht von einem linden sommerlichen Wind, und verzaubert die schüchternen Bäume und hundertsprachigen Gäste aus hundert Ländern und die lächelnden offenbusigen Römerinnen und die geschäftigen Kellner, die kühlende und erhitzende Getränke servieren. Der Mond verzaubert die tausendjährige graue Stadtmauer und die fernen Wipfel der Pinien im Park der Villa Borghese und die bunten Blumen auf dem schmalen Rasen zwischen Gehsteig und Fahrsteig und die höflichen Hotels und die teuren Läden mit den feilen Schaufenstern und die freundlich fluchenden Bettlerinnen mit den Säuglingen, die ihr Los lallend verwünschen, und die sinnlichen Schoßhunde und die supereleganten kommunistischen Poeten von Rom und die neutralen Malerinnen mit ihren koketten Freunden und den noch koketteren Freunden der Freunde. Und die Sterne funkeln wie vergoldete Kurgäste in den obersten Rängen der Oper. Und die Autos rollen vorbei wie die Stunden von gestern. Und die Gespräche werden langsamer, und das Lachen wird lauter, und der Wind flüstert, und die Liebespaare gehen mit jähem Entschluß schlafen.

Aber die Brunnen führen ihr unendliches aquatisches Gespräch fort. Auf der Piazza Mattei, die früher das Getto abschloß, rauscht die Fontana delle Tartarughe, der Schildkrötenbrunnen, und vier graziöse Epheben stehn zwischen vier Delphinen und vier Schildkröten, und jeder zweite Ephebe trägt ein Efeublatt, öffentlich beschämt, und jeder andre ist schamlos nackend, und unschuldig zeigt er sich, und das ist ein hübsches Symbol für Rom, das hier sittenstreng und daneben locker ist. Im Kreise stehen beschämte Tugend und nackte Natur.

Auf der Piazza Barberini bläst der Triton Berninis durch eine Muschel das helle mondbeglänzte Wasser zum Sternenhimmel empor, und er ward auf einer Muschel, die von vier Delphinen getragen wird, mit ihnen zusammen emporgehoben aus dem tragenden, fließenden Element, in dem alle leben.

Am Ende des Platzes, wo die Via Veneto anhebt, steht Berninis Bienenbrunnen, und auch die Bienen verspritzen Wasser. Und die Fontana di Trevi ist groß wie der Palazzo, dessen Fassade sie bildet, mit Pferden, Meergöttern und Felsen, aus denen dasselbe Wasser rauscht, das den Kaffee in der *Tazza d'Oro* liefert, nahe dem Pantheon. Und auf dem Spanischen Platz schwimmt eine Barke Berninis im Wasser, zu Füßen der Spanischen Treppe.

In der Villa Borghese spritzen die Seepferde. Nahe dem Corso fließt es aus dem Maul des Facchino. Nahe dem Senat strömt es aus steinernen Büchern aus der Mauer der alten Universitätsbibliothek. Und an allen Ecken und Enden von Rom fließt das lebendige Wasser aus den steinernen Sarkophagen, wo altrömische Figuren die altrömischen Sitten zeigen.

Auf der Piazza Navona steht Berninis Fontana dei Fiumi, mit Grotte und Obelisk und einem Löwen und Seepferd und den großmäuligen Riesen, den vier Flüssen des Paradieses oder der vier Ecken der Welt, Nil und Ganges und La Plata und Donau, mit Möwen und Muscheln und Palmen und Blumen aus Stein.

Am Ende des Platzes steht die Fontana del Moro von Bernini, und der zappelnde Delphin will dem Meergott entwischen, und es rauscht und fließt dramatisch und episch und lyrisch poetisch, eine ganze wässerige Literatur in Marmor und Stein. Der Satyr verströmt sich mit seiner Familie in der Villa Borghese. Neptun und Moses sind Brunnenfiguren. Es rauschen Najaden und Venus und ein Adler und Äskulap. Es plätschert die antike Fontana della botticella. Auf dem Kapitol rauschen die Brunnen neben der Göttin Minerva und dem Tiber und dem Nil mit Sphinx und Löwin und verkünden die Größe von Michelangelo und Rom.

Brunnen und Cafés von Rom! Jede Weltstadt hat ihre besondern Merkmale, ihren spezifischen Charakter, ihre Typen, ihren besondern Geruch.

New York mit seinen Wolkenkratzern und Warenhäusern, mit seinem Völkergemisch und den gezählten Straßen ohne

Namen und Hintergrund, riecht nach Meerwinden, Whisky und sterbendem Nonkonformismus.

Paris mit seinen großen Boulevards und winzigen bistros, mit Midinetten, Malern und Clochards, riecht nach Parfums und Pissoirs.

Berlin, mit Ruinen und Russen, riecht nach Vergangenheit und Zukunft zugleich und nach Pfannkuchen, Ostsee, Kiefern und Apfelblüten.

Amsterdam riecht nach Matjesheringen mit Zwiebeln, nach Tulpen und Grachten, Venedig nach seinen Kanälen, Tauben und Gondeln mit Liebespaaren, Neapel nach Pizza und Bordellen, München nach bayerischem Bier und gerösteten Maroni, nach Fasching und Schwabinger Humoren. London riecht nach Nebel, Kohlenrauch, Hammelfett und verregneten *Spinsters*.

Aber Rom riecht nach Weihrauch und Olivenöl, Mimosen und frisch gebranntem Kaffee aus den zahllosen *Torrefazioni*, den Kaffeeröstereien, und aus den Espressomaschinen, es riecht nach ruinierten Heiligen und antiken Ruinen, nach Mode und Mystik, nach Nachtviolen und allen Weinen der Castelli Romani.

Rom hat seine tausend Kirchen zwischen Palmen und Pinien, seine römischen Säulen und ägyptischen Obelisken, die antiken Thermen und Tempel, seine wie Tulpen in Holland bunt blühenden Mönche und bettelnden Nonnen, seine eleganten Zypressen und Mädchen, seine zahllosen Brunnen und Cafés und sehr zivilisierte, kenntnisreiche und klatschsüchtige, leider ein wenig unpünktliche Gespenster, so unpünktlich wie manche hübsche Römerin.

Werden nun meine fünf geladenen Gäste kommen? Vorsorglich bestelle ich zwei Flaschen Wein von Orvieto und sechs Gläser, zum Erstaunen des Kellners. Ich hoffe, meine fünf Gäste kommen in anständiger Tracht und gewöhnlicher Figur und benehmen sich wie normale Kaffeehausgäste.

Da bleibt eine kuriose Gruppe vor meinem Tische stehn, unheimlich und vertraut. Sind sie es? Sind sie es nicht?

Sie winken. Sie lächeln. Ich drehe mich um. Niemand sitzt hinter mir. Also gelten ihre freundlichen Gesten und Blicke mir? So sind es die fünf Unheimlichen, die ich gerufen habe? Ich sehe aber nur drei Herren und eine Dame. Sie strecken mir die Hand zum Gruß entgegen. Ich stehe auf und begrüße sie. Es ist die verwegenste Gesellschaft, indezent und komisch. Einer der Herren und die Dame sind von kolossalischer Statur. Sie sieht wie die Ägypterin aus, Isis im Palazetto Venezia, die das Volk Madama Lucrezia heißt.

Er gleicht dem Flußgott im Hof des kapitolinischen Museums auf dem Campidoglio, er ist so schlüpfrig und feucht. Sie haben steif obszöne Züge, etwas verschollen Göttliches.

Ihre beiden Begleiter passen nicht zu ihnen und scheinen doch aus derselben Familie, wie arme Verwandte hochgestiegener Herren. Der eine gleicht dem Abate Luigi von der Piazza Vidoni. Er lächelt mir spöttisch zu und reicht mir eine eiskalte Hand. Sein langer schwarzer Rock, sein Mäntelchen und sein weißer Kragen werfen sonderbare Falten, als lächelten auch sie ironisch. Der vierte gleicht aufs Haar dem Facchino vom wasserspeienden Brunnen nahe dem Corso, in seiner altertümlichen Gepäckträgerbluse. Erstaunt warte ich, ob er nicht auf der Via Veneto Wasser aus seinem Maule speit. Ich fühle es naß auf meinem Gesicht, als der freche Bursche mir nach der Sitte des römischen Volks beide Wangen zum Gruße küßt, es sind kaltfeuchte und nach Knoblauch und Erde riechende Küsse.

Nun sprechen sie zu mir. Mir zittern die Knie. Ich glaube gar nicht an Gespenster. Sind das die fünf redenden Steine von Rom, die ich für diese Vollmondnacht eingeladen habe? Es sind nur vier. Da stößt der fünfte zu uns.

Den kenne ich. Welch verwüstetes Gesicht, welche entstellte Figur, welch steinerne Grazie, und die antike Würde! Wär' ich nicht nüchtern, glaubte ich mich berauscht. Oder träume ich?

Dieser fünfte gleicht dem »Meister Pasquino«, der an der Ecke der Piazza Pasquino steht, nahe der Piazza Navona, dem

Rennplatz des Kaisers Domitian. Pasquino ist eine antike Statue hellenistischer Herkunft; sie stellt den Menelaus dar, der den Leichnam des Patroklus trug, oder den Ajax, mit dem Leichnam des Achilles. Fürs Café hat er sich wie ein moderner Boxer angezogen, er duftet nach Haarwasser und Parfum. Er reicht mir die Hand. Ob ich ihn um seinen Personalausweis bitte? Ich wüßte gerne, ob er ein Grieche oder der Trojaner ist, der Verführer der schönen Helena, ich hätte ihn gern gebeten, mich seiner Dame vorzustellen, sie ist keineswegs spröde.

Endlich setzen sie sich an meinen Tisch, ich schenke ihnen ein, sie trinken, kichern, beginnen einander zuzuwinken, zeigen einander die prominenten Gäste und wissen von jedem und jeder riskante Geschichten und vergleichen die neuen Skandalgeschichten mit andern aus uralten Zeiten. Und sie reden, als seien sie überall Zeugen und Blutzeugen gewesen, zuweilen, als sei es ihnen selber passiert. Die Dame Lucrezia spricht von den Abenteuern der jungen Römerin, die sich den Dolch in den Busen gestoßen hat, weil ihr der Sohn des Tarquinius Superbus genommen hatte, was Mädchen so gerne hingeben. Die Dame sprach, als stäke der Dolch in ihrem eigenen vergilbten Busen. Dazwischen sprach sie von ihrem Bruder Cesare Borgia und hieß Alexander VI. nur »mein Papa« und erzählte schlüpfrige Dinge von Tasso. Ich mußte erröten.

Ich hatte die fünf beschworen, um mir die alten Geschichten der Poeten von Rom und der literarischen Kaffeehäuser erzählen zu lassen, aber binnen kurzem schienen sie von meinem Wein berauscht und erzählten unanständige Skandalgeschichten, die ich gar nicht wiedererzählen kann. Sie behaupteten, die Zeitgenossen und Historiker hätten alles verwischt, verheimlicht, verdreht, verfälscht. Sie wußten alles besser.

Die fünf sind die sprechenden Statuen von Rom. Sie bilden den Kongreß der anonymen Satiriker und Sittenprediger. Als unter der geistlichen Zensur der Päpste keiner mehr die Stimme gegen Mißbräuche, Unrecht und Obskurantismus erheben durfte, da begannen die Steine zu spotten, gereimt und ungereimt. Die Steine wurden die öffentlichen Ankläger.

Ein buckliger Schneider mit Empörung und Witz hatte im fünfzehnten Jahrhundert seine Werkstatt neben Pasquino. Er soll als erster heimlich Täfelchen mit kurzen satirischen Versen oder anklagenden Dialogen zu Pasquinos Füßen niedergelegt haben. Er machte Schule. Ungeniert griff man die Mächtigen an, sogar den Heiligen Vater, und geißelte mit der Waffe des Witzes alle, die es verdienten. Das Volk verbreitete es mit Windeseile. Solche Schmähverse legte man auch zu Füßen der vier andern redenden Steine Roms oder befestigte sie sichtbar. Madama Lucrezia, Marforio, Abate Luigi, der Facchino und Pasquino sprachen schamlos gerecht zum Ergötzen des Publikums und zur Wut der Getroffenen. Ihre Wirkung war oft unmittelbar. Es war die Rache an einer unerträglichen Zensur. Es war der gereimte und ungereimte Wind der Freiheit.

Die besten Witze, Epigramme und Parodien kamen aus den literarischen Kneipen und Cafés. Da die Literaten ihre aggressiven Sonette und schneidenden Dialoge bei Lebensgefahr nicht drucken konnten, legten sie diese anonyme Kritik vor die Steine, ohne Furcht vor der allmächtigen Inquisition.

Meine Damen und Herren, sagte ich mit dem Mut eines Autors, der von Mondgespenstern sein Material bezieht. Sie sind also ein zweitausendjähriges Witzblatt.

Sie sehen ein wenig bleich aus, lieber Herr, sagte mir die großartige Madama Lucrezia, die wie ein Turm zwischen den Kaffeehausgästen saß. Schon öffnete sie ihr Handtäschchen und fing an, sich zu pudern, zu schminken und die Lippen und Augenbrauen nachzuziehen. Macht das der Mond, fragte sie, der Wein von Orvieto oder der drohende Termin für die Ablieferung Ihres Buches?

Das römische Volk, erwiderte der allzu familiäre Facchino an meiner Stelle, fürchtet keine Gespenster. Wir gehen in Rom zwischen Jahrtausenden spazieren. Wir leben mit toten Cäsaren und Heiligen, wie mit Trinkkumpanen. Träfe ich in

Am Markusplatz in Venedig stand Italiens erstes Café

*Anna-Amalie von Sachsen-Weimar mit (von links:) Schütz, Herder,
Angelika Kauffmann und anderen Begleitern in der Villa d' Este*

Johann J. Winckelmann 1717–1768

Goethe (1749–1832) in Italien

Thorwaldsen (1768–1844) mit dänischen Künstlern in einer römischen Osteria

der nächsten Osteria einen Sklaven des Kaisers Augustus, so tränke ich ruhig ein Glas Wein mit ihm, und wir würden über die gleichen Witze lachen.

Rom ist kein Museum, erklärte Abate Luigi; bei uns sind St. Peter und Horaz aktuell wie Croce und Nenni. Unsere Kaiser und Päpste oder der Duce sprachen und handelten alle wie für tausend Jahre; manche schienen schon bei Lebzeiten tot. In Rom regieren verschiedene Souveräne über verschiedene Reiche, der Papst und der Präsident der Republik. In dieser Stadt der Kardinäle wimmelt es von Kommunisten. Die Mönche sind zuweilen Atheisten, viele Atheisten sehn wie Mönche aus. Keine Stadt war so mächtig wie Rom, keine war so tief gestürzt. Doch hat sich Rom von jedem Fall erhoben.

Ich heiße Marforio, sagte ohne Anlaß Marforio. Unter den Imperatoren Roms wohnte hier mehr als eine Million: Bürger, Freigelassene, Sklaven und Ausländer aus drei Erdteilen. Aber als die Kaiser nach Byzanz zogen und die Goldziegel vom Pantheon mitführten, als die Barbaren Rom plünderten, als Theoderich die römischen Marmorsäulen nach Ravenna schleifte, die Karl der Große ins Frankenland wegtrug, als die Malaria kam, der gelbe Eroberer, und die Sarazenen und die Normannen auftauchten, als im vierzehnten Jahrhundert die Päpste nach Avignon ins Exil gingen, da wohnten schließlich kaum 15 000 Menschen in Rom. Die verfallene Stadt schien ein Gespenst. Die antiken Tempel wurden ein Marmorbergwerk. Die antiken Statuen wanderten in die Kalköfen. Das Kapitol hieß der Ziegenberg, weil Ziegen dort weideten. Das Forum Romanum hieß Campo Vacchino, weil Kühe dort weideten. Der sacco di Roma brachte 1527 Roms Bevölkerung wieder von 90 000 auf 30 000 herunter. Rom zeigt alle Wunden seiner Schönheit. Heute leben über zwei Millionen in Rom, und die Stadt ist so schön und elegant wie irgendeine auf Erden.

Meine Familie, sagte Pasquino, wohnt in Trastevere, da sieht es arm und schmutzig genug aus. Die Reichen sind immer zu reich, die Armen immer zu arm. Gibt es in dieser Stadt noch wahre Christen? Auch wir armen Leute fühlen uns in Rom zu Hause. Im alten Rom wäre ich ein Sklave gewesen. Unsere Hände haben die Thermen und Tempel gebaut, die Villen und Gärten, die Brücken und Aquädukte. Wir waren die Legionäre. Wir halfen die Welt erobern.

Sie haben recht, Signor Facchino. Obgleich ich schon seit sechs Jahren in Rom lebe, bin ich ein Fremder. Auch mir kommt vor, als seien die einfachen Leute in Rom die freundlichsten. So viele Söhne des Volks gereichten zum Ruhme Roms. Der Berber Terenz war ein Sklave und wurde, neben Plautus, der Komödiendichter von Rom. Marcus Aurelius, ein »Weiser auf dem Thron«, war ein Plebejer. Sein Zeitgenosse Epiktet, der stoische Philosoph, war ein Freigelassener, war zeitlebens ein armer Mann.

Lucrezia lächelte. Unser Freund Facchino hat einen Schulungskurs in Moskau mitgemacht. Die großen Männer findet man in allen Klassen.

Aber die großen Männer, die sich gegen das Volk wenden, sagte Pasquino, hören auf, große Männer zu sein.

Die alten Griechen wußten es, bestätigte Marforio. Sie haben alles gewußt. Die alten Römer haben alles angewandt. Sie haben alles verstanden. Die Hellenen waren bessere Denker und Naturforscher, Maler und Staatskundige, Athleten und Literaten. Rom beherrschte die Welt und herrscht heute geistig über einen großen Teil der Menschheit.

Latein, sagte Abate Luigi, war mehr als ein Jahrtausend die Weltsprache. Seine Tochtersprachen, Spanisch, Portugiesisch, Italienisch, Französisch, Rumänisch und Rhätoromanisch sind zusammen heute noch die weiteste Weltsprache. Die lateinische Literatur, fast in allem an Hellas verschuldet, bildete die Weltliteratur. Die Schüler von Hellas wurden die Lehrer Europas und Amerikas. Die meisten Menschen lernen lieber aus zweiter Hand. Man imitiert lieber das Entlehnte als die Originale. Man baute wie Rom, man regierte wie Rom. Man sprach Recht wie die Römer. Man schrieb wie die Römer. Man empfing das Heidentum und das Christentum aus Rom. Polybios oder Josephus kamen, um römische Autoren zu werden.

Die Athener Aristophanes und Menander waren die bessern Autoren. Aber der Römer Plautus wurde zum Lehrer von Shakespeare und Molière, von Lessing, Gogol und Kleist. Die Nachahmer von Talent bringen es weiter als die Originale mit Genie. Vergil schlug den Homer und ward fast ein christlicher Heiliger. Cicero, Cäsar und Sallust prägten die Prosa Europas. Die Römer nahmen den Schauspielern die Masken ab und wurden die ersten Mimiker, die Theaterlehrer Europas. Jahrtausende besang man die Liebe – und liebte wie Catull und Tibull. Man schrieb Satiren wie Horaz und Juvenal. Man machte Geschichte, wie Tacitus und Sueton sie beschrieben haben. Man war anzüglich wie Ovid, wissenschaftlich streng wie Galen und Plinius.

Wie lebten die Literaten im antiken Rom? fragte ich.

Sie hatten ihre literarischen Cafés und Salons, versicherte Marforio. Ihre Verleger druckten nicht und zahlten nicht. Man nimmt an, daß Horaz seine Manuskripte den Brüdern Sosii zur Vervielfältigung übergab. Cicero überließ seine Manuskripte dem Titus Pomponius Atticus, dem ersten römischen »Verleger«, er war ein Mäzen. Er ließ die Manuskripte durch Sklaven auf seine Kosten vervielfältigen und vertrieb sie selber oder durch Buchhändler. Der Autor empfing Geld von einem reichen Gönner, dem er sein Buch widmete ... Die Exemplare, die man nicht absetzte, benutzte man als Einwickelpapier. Jeder Verleger konnte alle Manuskripte, auch die der andern Verleger, abschreiben und verkaufen lassen. Es gab keinen Rechtsschutz der Autoren für ihre Texte. Jeder konnte jeden abschreiben.

Glücklicherweise, sagte Lucrezia, ziehen fast alle Autoren es vor, ihre eigenen Dummheiten drucken zu lassen.

Glücklicherweise? fragte der Abate Luigi. Die Alten, wahre Meister des Plagiats, gelten mit Recht für originell.

Es gab Mäzene, versicherte Pasquino. Schon im alten Griechenland hatten die sieben Weisen unter Thales und Solon ihre Bankette. Es gab Bankette beim König Ptolemäus. Plato und Xenophon berichteten von den kaffeehausähnlichen

Banketten mit Sokrates und Alkibiades. Lais versammelte Intellektuelle zu geistreichen Gesprächen. Schon Scipio versammelte im alten Rom Freunde, Autoren und Gelehrte um sich, ebenso Cato im »Conviviano«, ebenso Cicero. Die Scipionen schufen den »ersten Humanismus«, den »Hellenismus«. Ursprünglich waren die Griechen in Rom verachtet und verhaßt, samt ihrer Bildung, ihrer Literatur, ihren Künsten. Auch die Cäsaren förderten und verfolgten abwechselnd die Autoren. So handeln auch die modernen Diktatoren. Maecenas, der sich rühmte, ein Etrusker zu sein, war der Freund und Förderer von Vergil, Properz, Horaz und anderer Poeten. Er stammte aus Arezzo wie Petrarca, Guido Monaco, Aretino, Vasari, aus der Mitte Italiens, wie Leone Leoni, wie Cesalpino, der das System des Blutkreislaufes entdeckt hat.

Pasquino rief ungeduldig: Ein sauberer Freund! Er hat sie verführt, die Tyrannen zu rühmen. Er hat sie verleitet, die Legende von der aurea aetas zu erfinden, der goldenen Zeit. Rom war trotz Athen, Alexandria und Antiochia ein Zentrum des Hellenismus, es lebte kulturell von Hellas und nicht von den fabulösen »alten Römern«. Er gefällt mir nicht, euer Mäzen. Er ahmte den Augustus nach. Er beriet diesen Supertyrannen. Beide predigten die berühmten Römertugenden, die mir nie gefielen. Sie taugen nicht fürs Volk. Die Herren offenbarten vielmehr die römischen Laster. Dem Volk empfiehlt man Sittenstrenge, soldatische Zucht, Hingabe an den Staat. Man macht Gesetze, damit die armen Leute mehr Kinder machen. Man macht Gesetze, damit die armen Leute heiraten. Für das Geld der armen Leute errichtete Augustus Prunkbauten. Wo fand Maecenas seinen Reichtum? Augustus machte aus Rom eine Marmorstadt. Die Veteranen schickte er in entfernteste Provinzen. Sich selber hieß er den Augustus, den Erhabenen. Er ließ sich auf Altären Opfer bringen. Die eigene Tochter Julia und seine Enkelin Julia schickte er wegen unsittlichen Lebenswandels ins Exil. Wie wandelte er durchs Leben? Den Dichter Ovid, der nicht die Tugenden fabulöser Vorzeiten schildern wollte, sondern ein moderner großstädtischer

Dichter war, den schickte Augustus ins Exil ans Schwarze Meer, wo Ovid nach zehn Jahren starb.

Nero hatte seine eigene Methode, die Literaten umzubringen, er befahl ihnen den Selbstmord, so starb mit 26 Jahren Lukan, der in seinem Epos *Pharsalia* republikanische Gesinnungen gepriesen hatte. Zum Selbstmord wurde Petronius gezwungen. Zum Selbstmord zwang Nero seinen Lehrer Seneca, der in den ersten Jahren unter dem Kaiser Nero das Römische Reich regiert hat. Seneca mußte sich mit 61 Jahren töten. Es ist kein Trost, daß Nero seine Mutter und seine erste Frau ermorden ließ und sich selbst ermordet hat, wobei der Cäsar, auf seine Literaten neidisch, sich für einen Künstler ausgab, *qualis artifex pereo*. Und das war ein Schüler dieses Stoikers Seneca, der die Menschenliebe gepredigt hat. Abscheulich! Und es gibt immer noch Könige auf Erden, Reliquien so unnütz wie wir fünf es sind.

Unser Freund ist ein wütender Republikaner, erklärte Abate Luigi. Sicher hatte Maecenas politische Absichten, aber auch literarische Verdienste. Dem Horaz schenkte er sein Sabinum, ein Landgut nahe dem Städtchen Licenza. Maecenas schrieb selber Prosa und Verse, aber der Kaiser und die Literaten verspotteten ihn dafür. Maecenas hat die Ehe des Kaisers gestiftet und Augustus mit Antonius versöhnt, er hat den Augustus angeblich humanisiert. Er war in kritischen Situationen tatkräftiger als ein Dutzend Männer zusammen, in der Muße üppiger als ein Dutzend Weiber. Seine Literaten lebten sorgenfrei; aber er machte aus dem Republikaner Horaz einen Lobsänger des Augustus; veranlaßte den Properz, statt der Liebe vaterländische Gegenstände zu besingen, und den Vergil, in seiner Aeneis von der Vorzeit zu schwärmen, als wäre sie der Spiegel der angeblich idealen Zustände unter Augustus.

Ich wollte, es hätte nie einen Maecenas gegeben, versicherte Facchino und schlug auf den Tisch, daß unsere Gläser tanzten. Kunstwerke sind zu teuer erkauft, wenn sie, auf Kosten des Volks, der Tyrannei dienen und sie verherrlichen.

Maecenas selber schildert ein Gastmahl mit Vergil, Horaz

und Messalla, erzählte Pasquino. Dieser Feldherr, Staatsmann und Freund von Augustus, dieser Messalla hatte einen eigenen Hofhalt mit Literaten. Sein besonderer Günstling war Tibull, der mit 35 Jahren starb, früh wie Catull, der schon mit 33 Jahren hinging. Die großen Sänger der Liebe wurden nicht alt. Auch Tibull sehnte sich ins Goldne Zeitalter zurück. War diese Sehnsucht nach alten Zeiten bei so jungen Leuten nicht ein ironischer Protest gegen die allzu neuen Zeiten der Tyrannen? Machten sich diese Poeten nicht über ihre Auftraggeber insgeheim lustig? Mit der Sehnsucht nach den alten Zeiten begann die goldene Zeit der römischen Literatur, und mit Satiren gegen die neuen Zeiten unter den Kaisern endete sie. Solange die römische Literatur blühte, war sie offen oder insgeheim oppositionell.

Martial und Juvenal und Petronius schrieben Satiren und malten die schlimmen Sitten. Tacitus hegte die Ideale der Republik, litt schweigend unter der Tyrannei des Kaisers Domitian und malte düstere Bilder der Kaiserzeit. Die römische Komödie blühte in der Republik. Die römische Prosa hatte ihre ersten Meister in der Republik. Freilich starb schon der erste römische Komödienautor Naevius im Exil. Die Dichter unter Augustus waren in der Republik geboren. Die Dichter, die unter den Cäsaren geboren wurden, waren fast alle Oppositionelle mit der geheimen Sehnsucht nach der Republik.

Aber Augustus trug den Ruhm davon, brummte Facchino.

Lucrezia versicherte, nach dem Sturz von Rom seien die lateinischen Literaten in ihren Provinzen geblieben. Der Kirchenvater Augustinus etwa, ein Afrikaner wie Apulejus, schrieb seinen *Gottesstaat,* als Alarich 410 mit seinen Westgoten die Stadt Rom besetzte. Damals starb das literarische Leben in Rom. Das geistige Leben unter den Päpsten wurde geistlich. Im frühen Mittelalter gab es keine italienische Literatur. Literaten aus Italien erschienen am Hofe des Frankenkönigs Karl des Großen, bei den sächsischen Kaisern, in Frankreich und England. Noch im zwölften Jahrhundert schrieben viele Italiener provençalisch, im dreizehnten Jahrhundert französisch.

Die ersten Bücher in italienischer Sprache waren Übersetzungen aus dem Lateinischen, Französischen oder Provençalischen. Die *Sonnenhymne, der Cantico del Sole* des Heiligen Franziscus von Assisi war eine der ersten italienischen Hymnen. Am Hofe des Kaisers Friedrich II. entstand die »Sizilische Schule«. Die drei ersten großen italienischen Dichter, Dante, Petrarca und Boccaccio waren aber Florentiner. Die toskanische Sprache, die dem Latein am meisten ähnelte, wurde die Sprache der Literatur. Aber wie der letzte römische Philosoph, Boëthius, sein berühmtestes Buch im Gefängnis geschrieben hat und hingerichtet wurde, so mußte Dante, der erste große italienische Dichter, im Exil sterben, Petrarca wurde im Exil geboren, in Arezzo, und Boccaccio in Paris.

Am selben Tage boten die Universität von Paris und der Senat von Rom dem Petrarca Vorschußlorbeeren für sein ungeschriebenes Werk *Afrika* an. Petrarca zog die Krönung in Rom vor, auf dem Campidoglio, am Ostersonntag 1341. Und ein Römer im Exil schenkte ihm ein kleines Landgut in Vaucluse bei Avignon. Aber rastlos zog er, wie vor ihm Dante, durch Italien, von Gönner zu Gönner. In Rom ward Petrarca vom Gegensatz der einstigen Größe und der verfallenen Gegenwart erschüttert.

Erst unter den Päpsten der Renaissance wurde Rom wieder ein Zentrum der Zivilisation, neben den Höfen von Lorenzo in Florenz, Elisabeth in Urbino und Ercole in Ferrara. Im fünfzehnten Jahrhundert gründete man zu Florenz, Neapel und Rom literarische Akademien, in Rom »um die Entdeckung und Untersuchung alter Bücher zu fördern«. Später kamen andre Akademien zur Pflege der Literatur dazu, die »Akademie der Humoristen« und die »Accademia dei Lincei«, die heute noch existiert. Ein Achtzehnjähriger hat sie 1608 mit andern Jünglingen begründet, heute ist sie die italienische Akademie der Wissenschaften; Tassoni und Galilei, Giacomo Casanova und Thomas Mann waren Mitglieder. Die Akademie der Arkadier machte Goethe gegen seinen Wunsch zum Mitglied.

Alexander VI. und Julius II. und Leo X. förderten die Künstler und Literaten Italiens im Stil der römischen Imperatoren, großartig und tyrannisch. Die Genies gingen im Vatikan, in den Palästen der Kardinäle und Nepoten, in den Villen der berühmten Bankiers wie des Agostino Chigi und in den Salons der großen Kurtisanen ein und aus. Die reichsten Römer hatten Skribenten in ihrer Hofhaltung, die zu Festen Oden und Sonette schrieben. Leo X. führte eine der ausgelassenen Komödien des Ariost auf. Neben Bramante, Raffael, Leonardo da Vinci wirkte zu Rom Michelangelo, dessen Sonette zum Glanz der italienischen Literatur beitragen. Die berühmtesten ausländischen und italienischen Literaten kamen nach Rom; Ariost und Tasso, Aretino und Galilei, Erasmus und Luther, Montaigne und Copernicus und der Luxemburger Goritz, der einen Kreis deutscher Literaten um sich sammelte. Wer kam nicht nach Rom?

Den ersten literarischen Salon in Rom hat die Witwe Margherita Sarrocchi geführt, eine reiche, im Kloster erzogene Römerin, die viel las, viel wußte, weise und gelehrt war. Man sagte, unter Frauen sei sie ein Mann, unter Männern eine Frau. Sie schrieb Sonette und Epen und führte eine Korrespondenz mit Galilei. Sie hatte einen zweiten Mann, den keiner erwähnte, und ein Kind von einem Freund Galileis, sie hatte viele Freunde. Marini, der im siebzehnten Jahrhundert der berühmteste Dichter Europas war, weit berühmter als etwa ein Shakespeare, schrieb so glühende Liebesgedichte an sie, daß die platonische Liebe eine sinnliche wurde. Die Wollust war kurz. Marini verließ sie. Sie schrieb eine Satire auf ihn, er ein Pasquill gegen sie. In seinem Hauptwerk *Adone* hieß er sie eine »schwatzhafte Elster«. Marinis Nachfolger in ihrem Bett und Salon ward ein philosophisch sehr gelehrter Bischof.

Zwei Sorten von Damen halten literarische Salons, versicherte Pasquino, jene, die sich der Poesie, und jene, die sich den Poeten hingeben.

Einen literarischen Salon führte die Gräfin Albany, erzählte Lucrezia. Die Albany war mit einem Stuart verheiratet, einem Prätendenten der Krone Englands. Ihre Freunde und Diener sagten zu ihr »Majestät«. Ihr Liebhaber war Alfieri. Er hat sich verkleidet und die Königin, die unter dem Betragen ihres Mannes litt, aus einem Kloster entführt und nach Rom gebracht. Dort hat er sieben Trauerspiele in Versen geschrieben, darunter den *Saul,* den er für sein Meisterwerk hielt. Er hat im Salon der Gräfin Albany alle sieben Tragödien in Versen vorgelesen.

Alfieri besuchte den Salon der Maria Pizelli, der Tochter eines römischen Advokaten, wo auch Goethe eines Tages hinkam. Signora Maria saß in der Mitte des Salons, die Gäste saßen um sie herum im Halbkreis. Man führte gebildete Diskussionen wie in einer Akademie. Man zitierte griechisch und lateinisch. Man behandelte einen ganzen Abend lang eine Kamee, die ein Sammler erworben hatte. Auch hier las Alfieri seine sieben Tragödien in Versen vor.

Im Salon des Fürsten Grimaldi führten römische Fürsten und Fürstinnen sein Drama *Antigone* auf, er spielte mit. Cimarosa hatte eine Symphonie für den Abend komponiert. Als der englische Kronprätendent starb, zogen Alfieri und die Gräfin Albany nach Paris, wo in ihrem Salon Beaumarchais den dritten Teil seines *Figaro – La mère coupable –* vorlas. Als die Französische Revolution sogar Scheinköniginnen bedrohte, gelang es dem Paar mit Mühe, zu entkommen. Sie zogen nach Florenz, wo ein junger Maler sich in die Gräfin verliebte, erhört wurde und die Gräfin und Alfieri malen durfte. Alle drei haßten die französische Republik. Schließlich starb Alfieri, wie Lamartine sagte, »an böser Laune«. Alfieri und die Gräfin Albany hatten sechsundzwanzig Jahre zusammen gelebt. Er setzte sie zur Erbin seines Vermögens und seines literarischen Nachlasses ein. Sie ließ seine Werke drucken und neben Macchiavellis Grab sein Grabmal aufstellen, das Canova geschaffen hatte. Sie lebte mit ihrem jungen Maler und führte auch in Florenz ihren literarischen Salon, wo man sie »die Königin« hieß, Lamartine und Ugo Foscolo und

Thomas Moore und viele Fremde von Distinktion kamen zu ihr.

Im achtzehnten Jahrhundert, erzählte Abate Luigi, kamen die fremden Künstler und Dichter im Haufen nach Rom, insbesondere die Deutschen. Raphael Mengs und Winckelmann hatten die Antike für sie entdeckt. Damals entstanden sehr viele Kaffeehäuser in Rom. Ihre besten Kunden waren Fremde und Literaten, meistens fremde Literaten. Das älteste römische Café, das heute noch am selben Ort existiert, ist das *Antico Caffè Greco,* in der elegantesten Straße Roms, der Via Condotti, bei dem Spanischen Platz, wo damals die meisten Fremden abstiegen. Es ist seit 1760 urkundlich bestätigt. Ein Levantiner hat es begründet. Der deutsche Maler Tischbein, der Goethes Rücken in Rom gezeichnet hat, traf im *Caffè Greco* schon 1779 deutsche Maler. Der Berliner Gymnasiallehrer und Redakteur der *Vossischen Zeitung,* Karl Philipp Moritz, der Autor des *Anton Reiser,* hatte 1788 im *Greco* Goethe und Johann Heinrich Meyer, den »Kunstmeyer«, zuerst getroffen. Als Moritz bei einem Sturz vom Pferd am Ponte Sisto den Arm brach, besuchte ihn Goethe, und sie wurden Freunde. Fräulein von Göchhausen, die Hofdame aus Weimar, berichtete Goethes Erzählungen vom Stammbettler, dem witzigen Krüppel »Bajocco«, der nach der Kupfermünze hieß, um die er bettelte, und den Fragonard gemalt hat. Goethe, der am Corso, Ecke der Via Fontanella wohnte, hieß »der Baron gegenüber dem Palazzo Rondanini«.

Damals kamen die Deutschen durch die Porta del Popolo nach Rom, sagte ich. Ihr erster Gang war oft ins *Caffè Greco,* um Briefe oder Bekannte zu finden. Alle Literaten und Künstler, die nach Rom kamen, gingen ins *Greco.* Dort saß wohl Casanova mit Raphael Mengs und Winckelmann, dorthin kamen Goldoni und Gogol, die Musiker Rossini, Berlioz, Liszt, Gounod, Richard Wagner und Felix Mendelssohn, die Künstler Canova, Thorwaldsen, Marées, Schwind, Feuerbach, Böcklin, Lenbach, ferner Mickiewicz, Grillparzer und Gregorovius, Lord Byron und Shelley und Nathaniel Hawthorne und Mark

Twain, Ampère und Hippolyte Taine, Hans Christian Andersen und Nietzsche und Heinrich Mann und Thomas Mann, Edschmid, Wolfgang Koeppen und G. R. Hocke.

Stendhal schrieb an Romain Colomb am 20. November 1825: »Um nach Terni zu gelangen, ging ich auf einem Weg hoch am Osthang des Tales. Eine Bäuerin grüßte mich lachend wie einen Bekannten ... Ich fragte meinen kleinen Führer, der so freundlich zu mir war, da man in Italien so viel Mißtrauen und Haß begegnet, selbst bei jenen, die man hoch bezahlt. Er lächelte, schwieg und sagte endlich lachend: Ich sehe, Signor Stefano, daß Sie unbekannt bleiben wollen. Diesen Rock habe ich mir von den sechs Talern gekauft, die Sie mir bei Ihrer Abreise geschenkt haben ... Schließlich erkenne ich, daß ich ein Monsieur Etienne Forby bin, ein Landsmann und Landschaftsmaler, der sechsundzwanzig Tage lang in Fossagno den Wasserfall gemalt hat. Alle Bauern grüßen mich mit besondrer Freundlichkeit, ich merke, ich bin beliebt. Auch die jungen Bäuerinnen grüßen mich ganz herzlich. Ich fragte meinen kleinen Führer, wie ich mir die Abende vertrieben habe; und ob ich kein Mädchen gehabt habe. Hélas, nein! Mein Doppelgänger hat sich sechsundzwanzig Abende hindurch standhaft gelangweilt, ohne sich Gesellschaft zu suchen. Unter allen den Ortsansässigen, die mich auf dem Markt umringen, versuche ich, mich zu entdecken; unmöglich. Alle schrien: Ihr treibt euern Spaß mit uns, Signor Stefano. Ich blieb drei Stunden mit ihnen und spendierte ihnen einen Weißwein und Würste, die eine Meile weit nach Knoblauch stanken. Was ich auch sagte und tat, ich blieb für sie der Signor Stefano. In Rom, im *Caffè Greco,* hat man mich mit meinem Doppelgänger bekannt gemacht, er war gewißlich ein moralisch properer Herr; ich war aber enttäuscht, ihn so häßlich zu finden; das ist eine Lehre. Es ist sonderbar, wie ein durchaus nicht eitler Mensch sich über sein Aussehen Illusionen macht. Sogar Leute, die täglich Bilder anschaun, kommen doch dazu, wenn sie sich ihre Krawatte binden und sich dabei anschaun, ihre eigenen Fehler zu übersehen.«

Stendhal schrieb in Rom seine *Promenades dans Rome*, wobei er seine Lektüre der *italienischen Reise* von Goethe unter Beweis stellte. Er wohnte zuletzt in der Via Condotti 43.

Arthur Schopenhauer riß im *Caffè Greco* Witze über die »Nazarener« und andre frische Konvertiten, von denen es damals im *Greco* wimmelte, wie Cornelius Overbeck und Philipp Veit. Schopenhauer machte sich lustig über die Deutschen in ihrer deutschen Tracht mit ihrem deutschen Patriotismus, er riet den Malern, lieber die griechischen Götter als die frühen Christen zu malen, und als ihm der Bildhauer Eberhard entgegnete, welch herrliches Motiv die Zwölf Apostel gäben, sagte ihm Schopenhauer, er möge sich mit seinen zwölf Philistern nach Jerusalem trollen. Fast hätten ihn die empörten Nazarener verprügelt. Seitdem mied Schopenhauer das *Greco*.

Felix Mendelssohn schrieb 1830 an seinen Vater: »Es sind furchtbare Leute, wenn man sie in ihrem *Caffè Greco* sitzen sieht. Ich gehe auch fast nie hin, weil mich zu sehr vor ihnen und ihrem Lieblingsort graut. Das ist ein kleines finsteres Zimmer, etwa acht Schritt breit, und auf der einen Seite der Stube darf man Tabak rauchen, auf der anderen aber nicht. Da sitzen sie denn auf den Bänken umher, mit den breiten Hüten auf, große Schlächterhunde neben sich, Hals, Backen, das ganze Gesicht mit Haaren zugedeckt, machen einen entsetzlichen Qualm (nur auf der einen Seite des Zimmers), sagen einander Grobheiten; die Hunde sorgen für Verbreitung von Ungeziefer; eine Halsbinde, ein Frack wären Neuerungen – was der Bart vom Gesicht frei läßt, das versteckt die Brille, und so trinken sie Kaffee und sprechen von Tizian und Pordenone, als säßen die neben ihnen und trügen auch Bärte und Sturmhüte! Dazu machen sie so kranke Madonnen, schwächliche Heilige, Milchbärte von Helden, daß man mitunter Lust bekommt dreinzuschlagen ...«

Nicht zu Unrecht trug das *Caffè Greco* im neunzehnten Jahrhundert den Spitznamen *il Caffè Tedesco*. Der Tiroler Maler Koch pflegte dort in Weinlaune wie ein Hahn zu krähen und unterm Vorwand einer Bergpartie über die Tische zu steigen.

Es kamen Spieler und Abenteurer und Räuber zuweilen ins Café und Vernet und Delaroche und Ingres und Benjamin Franklin und Washington Irving und Thackeray und Walter Scott und Björnson und Oscar Wilde, Anatole France und Marcel Proust und Longfellow.

Die deutschen Literaten trafen sich auch in der *Locanda Tedesca,* der deutschen Gastwirtschaft Ecke Via Condotti und Spanischer Platz, oder im *Caffè Inglese,* dessen Wände der Kupferstecher und Baumeister Giambattista Piranesi aegyptisch ausgemalt hatte, und wo die reichen Engländer von Händlern, Antiquaren, Antikensammlern und Fälschern heimgesucht wurden. Dort saß der Antiquar Thomas Jenkins, dessen Rat auch Winckelmann und sein Kardinal Albani einholten, und dem Goethe die Bekanntschaft der jungen Mailänderin Maddalena Riggi verdankte, in die er sich »blitzschnell und eindringlich« verliebte, worauf er ihr englische Stunden gab. Sie heiratete einen Porzellanfabrikanten und hatte sechs Söhne. Goethe saß auch in der *Osteria della Campana,* zwischen dem Kapitol und dem Theater Marcello, auf der Piazza Montanara.

In die *Locanda Tedesca* kamen Winckelmann und seine Freunde, Raphael Mengs und die Brüder Casanova, später Goethe und seine Freundin Angelika Kauffmann, darnach Ludwig Richter und Graf Platen, auch Joseph Victor Scheffel, der »Trompeter von Säckingen«, der einem armen Gepäckträger statt eines Trinkgeldes einen Fußtritt verabreichte und es seinen deutschen Lesern erzählte.

In der Via Gregoriana im Palazzo Tomati empfingen der preußische Gesandte Wilhelm von Humboldt und seine Gattin Karoline den Alexander von Humboldt und den Ludwig Tieck und den August Wilhelm Schlegel mit Madame de Staël, der Feindin Napoleons, und die Bildhauer Rudolph Schadow und Christian Rauch, der ein Hauslehrer der Töchter Humboldts war.

Zuweilen waren die Salons der Ausländer berühmter als die Salons der Römer. Für die Humanisten war ganz Europa ein

Haus, ein Salon, ein Café. Sie schrieben Latein, tauschten ihre Bücher und Briefe aus, und viele trafen einander in Rom, dem Zentrum der geistlichen und einer geistigen Welt. Hier fanden die italienischen Dichter Mäzene und ein gebildetes Publikum, den Atem der großen Welt und fremde Kollegen. Sie erlitten literarische Einflüsse und übten sie in ganz Europa.

Hier wirkte Tasso, fand Marini seinen europäischen Ruhm. Hier wurde die Ästhetik der deutschen »Klassiker« geboren, mit Winckelmann und Raphael Mengs und Goethe. Hier hatte der bayerische König Ludwig die Anregung gefunden, aus München eine pseudo-italienische Provinzstadt zu machen. Ohne die Besuche der deutschen Literaten in Rom, ohne die römischen Kaffeehäuser und Salons, ohne die römischen Kunstschätze und Kirchen sähe die klassische deutsche Literatur vielleicht barbarischer – und origineller aus.

Im achtzehnten Jahrhundert saß ich gerne im *Caffè del Veneziano*. Mit Monti deklamierte ich Gedichte gegen die Franzosen. Neben uns saß Metastasio, der bald kaiserlicher Hofdichter in Wien wurde und Operntexte für Gluck und Salieri und Mozart schrieb. Da machte der Bankier Torlonia, bald ein Fürst Torlonia, seine Geschäfte mit Weizen und Geld. Das Lokal war primitiv. Man saß auf Holzböcken. Der Kaffee war köstlich. Statt Glasscheiben gab es weiße Leinenvorhänge, die man beim Regen zuzog. Im Saal gab es nur einen Kaffeelöffel, er ging von Hand zu Hand. Die feinsten Römer verkehrten dort.

In der »Villa Malta« auf dem Pincio empfing Wilhelm von Humboldt den Canova und Thorwaldsen und Angelika Kauffmann. In der *Italienischen Reise* berichtet Goethe, wie er vor seiner Abreise im April 1788 Dattelpflanzen, die er aus Kernen gezogen, einem römischen Freund übergeben habe, der sie in der Sixtinischen Straße verpflanzt habe, wohl in den Garten der Villa Malta.

Damals lebten viele deutsche Dichter und Maler in weltbürgerlicher Freiheit zu Rom, fern dem Druck, den die Deutschen zu Haus und die Römer in Rom trugen. Es gab unter den deutschen Malern zwei feindliche Schulen, die Klassizisten, Schüler von Canova und Thorwaldsen, und die romantischen Nazarener. Henriette Herz, die mit ihrer Freundin Dorothea Schlegel damals in Rom lebte, schilderte die Künstlerabende im Hause Buti, wo auch Ludwig von Bayern hinkam. Der Prinz trug noch die altteutsche Tracht des Turnvaters Jahn und der Burschenschaften, die von den deutschen Regierungen bereits verpönt war und in Rom extravagant aussah. Henriette Herz erzählte, wie eine römische Prinzessin am Nemisee in Genzano vor solch einem breitschultrigen Teutonen mit wild herabwallendem Haar und in altteutscher Burschentracht entsetzt davongelaufen sei, wie vor einem Satan, es war aber der Dichter zarter Liebeslieder, Friedrich Rückert.

Auch im zwanzigsten Jahrhundert gab es berühmte Literaturcafés in Rom, berichtete Abate Luigi. Der dritte Saal, *la terza saletta,* im *Caffè Aragno* am Corso war zwischen 1910 und 1930 der Treffpunkt von Malern, Literaten und Politikern, die vom nahen Parlament herüberkamen. Da sah man Borgese, der später ins Exil ging und Gabriele d'Annunzio, der eine Zeitlang auch im *Greco* ein Stammgast war, als er dort Illustratoren für einen Gedichtband suchte. Auch die sezessionistische Künstlervereinigung »In arte libertas« tagte im *Greco,* 1886–1899, aus der die erste Kunstbiennale in Venedig hervorging.

Ins *Aragno* kamen auch Mommsen und Gregorovius und die Dramatiker Rosso di San Secondo und Sam Benelli und die jungen Literaten Emilio Cecchi und Goffredo Bellonci, die heute zu den angesehensten Literaturkritikern Italiens gehören. Man sah nach dem Marsch auf Rom Papini und andre Faschisten. Die Literaten kamen auch ins *Babington* an der Piazza di Spagna oder ins elegante *Caffè di Roma* am Corso.

Schriftsteller, Maler und Filmleute kommen heute ins *Caffè Canova* an der Piazza del Popolo oder ins *Caffè Rosati* auf der Via Veneto, wo wir gerade sitzen. Die meisten italienischen Verleger wohnen in Mailand, Venedig, Florenz, in Turin oder Neapel. In Rom leben die Autoren Alberto Moravia und

Ignazio Silone, die beide literarische Zeitschriften edieren, ferner Carlo Levi und Bonaventura Tecchi, Edoardo Cacciatore und Carlo Bernari, Giovanni Necco und Ferruccio Amoroso. Nello Sàito, Ungaretti, Pratolini, Giorgio Vigolo, Guido Piovene, Cardarelli, Herausgeber der literarischen Wochenschrift »Fiera Letteraria«, sowie der ausgezeichnete Kritiker Paolo Milano, und Elsa Morante. Es gibt einige literarische Salons in Rom. Goffredo Bellonci und seine Frau Maria Bellonci, Autorin einer gescheiten Biographie der Lucrezia Borgia, empfangen jeden Monat. Bei ihnen wird jedes Jahr der Premio Strega verteilt, gestiftet von einem Likörfabrikanten. Ein andrer Preis wird alljährlich im Salon der Maria Luisa Astaldi, der Essayistin und Herausgeberin der Zeitschrift *Ulisse* vergeben, gestiftet von ihrem Gatten.

Bei Flora Volpini, die ihre Autobiographie *Die Florentinerin* publiziert hat, wird der Premio Allemagna verteilt, gestiftet von einem Konditor und Kaffeehauswirt.

Der Essayist Emilio Cecchi empfängt sonntagnachmittags Literaten, Maler, Journalisten. Seine Frau malt, die Tochter schreibt Filme, der Sohn ist ein Bühnenbildner. Der Kritiker Gallo und Elena Craveri-Croce, die Tochter des Philosophen, empfangen regelmäßig.

Die literarischen Cafés und Salons in Rom sind nüchterner als jene in Paris und London, sagte ich. Man trinkt nicht so viel Alkohol. In Rom sieht man selten Betrunkene. Man zeigt mehr Kenntnisse als Esprit, im Gegensatz zu Pariser Cafés und Salons. Und doch ist der Römer Martial der Vater des literarischen Epigramms gewesen, und Horaz der Vater der literarischen Satire.

Drüben vor dem *Caffè Doney* steht meine Frau mit unsern Freunden, sagte ich, sie kommen aus der Oper und suchen mich.

Sie sind verheiratet? fragte Lucrezia. Gehen wir rasch! Wir sind zwar Italiener und hatten vormals selber diesen Anhang und Andrang von Familienmitgliedern, Nachbarn, Freunden, dieses lebendige Gewimmel, in dem wir, die schärfsten

Kronprinz Ludwig von Bayern in der Spanischen Weinstube auf dem Ripa Grande

Graf von Platen 1796–1835

Stendhal 1783–1842

Caffè Greco um 1850

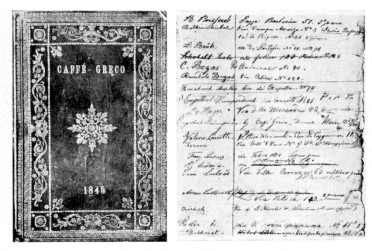

Gästebuch des Caffè Greco vom Jahre 1845 mit Eintragungen
von Begas und Humperdinck

Individualisten Europas, stets auftreten. Aber der Congresso degli arguti erscheint nur den Poeten, und nicht mal allen, geschweige ihren Familien und Freunden.

Ich bitte Sie, sagte ich, meine Frau ist den Umgang mit Gespenstern gewohnt, und ich sehe, unsere Freunde haben ihre beiden Söhne bei sich, es sind amerikanische Knaben, Anthony und Johnny, und ich bin neugierig, ob die modernen amerikanischen Knaben so forsch mit Gespenstern umspringen, wie es die kleinen Amerikaner bei Oscar Wildes *Gespenst von Canterville* taten.

Ich kenne diese Erzählung, jene Buben werfen nach Gespenstern mit Kopfkissen und bieten ihnen eine Aurora Creme und Dr. Dobells Tinktur gegen Leibschmerzen und Pinkertons Fleckenentferner an. Wir Gespenster hassen nicht die Furchtlosen, sondern die Respektlosen. Euer Respekt ist die Realität der Gespenster. Wir werden diese amerikanischen Buben nicht abwarten.

Ich bitte Sie, sagte ich, meine Frau wird es mir nie vergeben. Sie wird mich fragen, wie war Madama Lucrezia angezogen? Ich bin so ungeschickt in der Beschreibung von Kleidern. Aber da sind meine Freunde schon. Guten Abend, sagte ich. Ich sitze in der besten Gesellschaft.

Du bist allein, sagte meine Frau.

Du hast Wein getrunken, sagte Anthony.

Aus sechs Gläsern, sagte Johnny.

Ich blickte mich um. Ich saß in der Tat allein. Ich blickte auf die Uhr, es war genau ein Uhr, die Geisterstunde war vorüber.

Ich stand auf. Ich war ein wenig ungehalten. Ich wollte eben meinen steinernen Gästen mitteilen, daß nicht nur Addison und Steele die Kaffeehäuser, in denen sie saßen, in ihre Geschichten übernommen haben, sondern daß auch die meisten modernen Erzähler ihre Cafés in ihre Romane, Novellen und Dramen herübernehmen. Ein Kaffeehaus bietet im täglichen Leben dieselben Vorteile wie in der Literatur. Ich habe mehrere Romane geschrieben, wo Hauptszenen im Kaffeehaus spielen.

Oscar Wilde beginnt seine Geschichte von der geheimnislosen Sphinx: »Eines Nachmittags saß ich vor dem *Café de la Paix* und betrachtete den Glanz und das Elend des Pariser Lebens und wunderte mich ...«

Indes wir an die Bar gingen, um eine Limonade zu trinken, erzählte ich meinen Freunden, seit zweihundertfünfzig Jahren gebe es in der europäischen Literatur mehr Kaffeehäuser als Wälder und Wiesen. Eine der schönsten Komödien des Goldoni heiße *La bottega del caffè*. Manche italienischen Städte sähen wie ein einziges Café aus, insbesondere an Sommerabenden, zum Beispiel Venedig.

Die großen venezianischen Autoren, Carlo Goldoni, Carlo Gozzi und Giacomo Casanova sind klassische Kaffeehausliteraten. Sie lebten, liebten, spielten, schrieben im Kaffeehaus. Und gibt es ein eleganteres, großartigeres Kaffeehaus als den Markusplatz in Venedig? Wer saß nicht unter den Arkaden der Neuen Prokurazien? Addison und Goethe, Lord Byron und Casanova, Rousseau und Montesquieu, auch ich mit meinen literarischen Freunden! Wie viele Mädchen hat Casanova am Markusplatz verführt?

Es gibt edlere Repräsentanten Venedigs als Casanova, aber keinen lustigeren, trotz Goldoni, keinen frecheren trotz Arlecchino, keinen sinnlicheren trotz Tizian, keinen verliebteren.

Es ist kein Zufall, daß der tragische Verführer Don Juan ein Spanier war, aber der komische Verführer Casanova ein Venezianer. Nie gefiel ihm die Liebe so sehr, gestand Casanova, als wenn er dabei lachen konnte; das Komische stachelte seine Sinnlichkeit.

Das Wesen der Verführung ist Verstellung. Der Verführer treibt sein psychologisch sinnliches Maskenspiel voller Methode und Komödientricks. Venedig ist solch ein urbanes Spiel der Verstellung und Verführung, eine Stadt, die über den Wassern schwebt, ein Witz und ein Wunder. Verfallende Zivilisationen haben den üppigen Reiz und das schwindende Feuer der prachtvollen Sonnenuntergänge, mit dem Zauber verwesender Farben, mit der Süßigkeit erschlaffender Wollust.

Im achtzehnten Jahrhundert, zu Lebzeiten Casanovas, dieses buhlerischen Helden des Rokoko, lebte die tausendjährige Patrizierrepublik Venedig im spiegelnden Licht vergehender Größe. Noch setzte der Doge die Kappe aufs Haupt und vermählte sich feierlich dem Meere. Aber die Meere gehorchten schon neuen Herren, Franzosen, Holländern und Engländern, und der Handel Venedigs verebbte.

Die Stadt, auf hundert kleinen Inseln inmitten der Lagune, vier Kilometer vom Festland entfernt, war Europas schwimmende Bühne. Maskierte Falschspieler begegneten echten Königen. Maler und Matrosen exzellierten. Man spielte auf allen Straßen und in allen Theatern die improvisierte Komödie. Sogar in den Logen der Theater spielte man Glücksspiele, wie in den Salons, Kasinos und Kaffeehäusern. Alle Welt schien verliebt.

Mit seinen falschen Fenstern und zahllosen Geländern und Gondeln, mit den Gassen, die nirgendhin führen, Kulissen, die sich unversehens auftun, Geheimtüren, die sich lautlos schließen, mit seinen tausend Balkons und Irrwegen war Venedig das Paradies der Abenteurer und Verliebten. Durchs halbe Jahr regierte der Karneval. *Sior maschera* hieß der Doge, *sior maschera* der Gondoliere.

In dieser theatralischen Stadt ward Casanova geboren, ein Sohn von Komödianten. Natürlich machte er aus seinem Leben eine verliebte Posse. Erst war Venedig seine Bühne, dann wurde es ganz Europa. Er ward der berühmteste Abenteurer des achtzehnten Jahrhunderts, er hätte sein Handwerk nirgends besser lernen können als in Venedig. Viele seiner Eigenschaften und Eigenheiten verdankte Casanova seiner Vaterstadt und teilte sie mit andern Venezianern: Die Beredsamkeit, die bis zum literarischen Talent ging und bis zur Verführung durch Wort und Schmeichelei; die Spielsucht, vom Spieltisch bis zur Komödie des Lebens und zum Falschspiel; der Spaß an Masken und an der Vielfalt der Berufe; sein Talent fürs Glück, seine Spottsucht, sein Geschick für Parodien, sein Hang zum Kaffeehaus, zum Adel und zu Akteuren; seine maßlose Freude an Frauen.

Die venezianische Malerei ist Sinnenlust und ein Götzendienst für die Frau. Casanova hat aus dem Liebhaber der Frauen einen Typus gemacht, einen der wenigen gültigen Typen der Menschheit. Er war ein Verschwender von Natur, er hat ein Leben und seine reichen Talente an die Frauen verschwendet.

In Venedig hatte Casanova nur kleines Glück. Er wurde dort ein Nichtstuer, ein Spieler, ein Verführer, ein Zwischenaktgeiger, der Liebling eines Senators, dessen Leben er vielleicht gerettet hatte, und zuletzt ein Spion.

Mit einundzwanzig Jahren machte Casanova das Vergnügen zu seiner Religion. Mit dreißig Jahren wurde er von der Inquisition unter die Bleidächer gesteckt, als Freimaurer und Verderber der Jugend, floh nach drei Monaten und sah Venedig erst mit fünfzig Jahren wieder.

Die Zeit seines äußeren Glanzes war vorbei. Er versuchte als Schriftsteller und Journalist und schließlich als Spitzel und Denunziant seiner Freunde bei der Inquisition sein Brot zu verdienen. Er lebte dürftig wie nie sonst und mußte infolge eines Streits mit einem Patrizier Venedig für immer verlassen.

Seine großen Abenteuer, Liebschaften und Erfolge hatte er im Ausland. Auch Casanova war einer der Propheten, die zu Hause am wenigsten gelten.

Es gibt nur zwei venezianische Schriftsteller, die man in aller Welt kennt und heute noch liest, die beiden Kaffeehausliteraten Goldoni und Casanova; beide schrieben ihre Memoiren in einer fremden Sprache, französisch, sozusagen mit verstellter Stimme, in einem frischen Maskenspiel.

Venedig war so reich an einheimischen Talenten, daß es nicht genug Platz für alle gab.

Auch Casanova war so reich an Talenten, daß er wie ein Dilettant aussieht. Aber alle seine nichtsnutzigen Affären und Abenteuer, seine Durchstechereien und Kapriolen, seine intellektuellen Ausflüge und die zahllosen Berufe, die er ausübte, seine Reisen hin und her und quer durch ganz Europa, seine Bankrotte und das Leporelloregister aller Mädchen, die er hatte und die er gern gehabt hätte, dienen durchaus der Erziehung eines Schriftstellers, eines klassischen Autobiographen, des schamlosesten und aufrichtigsten. Und Schamlosigkeit und Aufrichtigkeit sind die Haupttugenden der großen Autobiographen, wie Rousseau und Boswell beweisen. Auf allen Umwegen eines Hochstaplers, Verführers, Falschspielers und Spions wurde er einer der besten Chronisten Venedigs (und aller europäischen Kaffeehäuser) im achtzehnten Jahrhundert und hat, wie Goldoni in seinen Komödien, ein rauschendes, tolles und grundwahres Bild des Lebens und der Sitten Venedigs im Rokoko gemalt und obendrein ein reiches Bild Europas.

Erst im Alter und im böhmischen Exil, im Schloß Dux des Grafen Waldstein oder Wallenstein hat Casanova sein Hauptwerk, sein Lebenswerk geschaffen, die Memoiren in zwölf Bänden, worin Venedig (und Europa) lebt und lacht, liebt und stirbt, Europa im Spiegel der Cafés.

Zu seinen Lebzeiten ward Casanova von seinen Landsleuten zu den größten Taugenichtsen Venedigs gezählt, und die Venezianer hatten recht. Und doch war er einer der größten Söhne Venedigs. Er hat sich dazu gemacht. Zu seinen Lebzeiten galt Casanova sicherlich für einen Fanfaron, für einen Frauenjäger, und oft für einen Lumpen. Und war er nicht charakterlos und zuweilen abscheulich? Aber am Ende, als Greis, an der Stelle seiner wahren literarischen Geburt, schuf er aus Fehlern und Sünden, aus Charaktermängeln und aus kleinen oder großen Verbrechen, aus hundertfacher Schuld an hundert mehr oder minder Unschuldigen einen Charakter, der zwar weder rein noch glänzend ist, aber nicht schlimmer ist als viele, die zeitlebens einen besseren Ruf und bessere einzelne Qualitäten hatten. Das geschah durch die Zauberei eines großen Talents, das der eigenen Erziehung diente.

Zwar waren auch zu Dux die kleinen Mädchen vor dem siebzigjährigen Wüstling nicht sicher, und die Mütter versteckten sie, wenn er kam; zwar war er auch im Alter mit allen Sinnen bereit, für die Sinne und ihren äußern Glanz und ihren Kitzel zu leben. Obgleich seine Abenteuer und Liebesgeschichten das Leben von einem halben Dutzend anderer ausgefüllt hätten, vergaß er nie die legitimen Interessen des Intellekts, schrieb er so viel wie ein fleißiger Literat und studierte zeitlebens, schrieb als Fachmann mit Vernunft über viele Gegenstände verschiedener Art und machte aus sich nicht nur einen Welttypus, sondern auch eine großartige und freilich dubiose und schillernde geistige Figur.

Gleichzeitig hielt er sich für *la dupe des femmes,* das Opfer der Frauen, und für ihren Glücksbringer, für einen Liebhaber, der keine seiner zahlreichen Geliebten unglücklich gemacht habe. Nur ein Intellektueller aus dem Kaffeehaus konnte sich mit dieser Brillanz als einen sinnlichen Wüstling, als den reinen Sinnenmenschen schildern. Es bedurfte eines raffinierten Geistes, um so sinnlich erscheinen zu können. Gerade ein Venezianer konnte diese genialische Verwandlung, diesen psychologischen Maskenwitz, diese Zauberei gemischt aus Poesie und Wirklichkeit, aus Frivolität und Aufrichtigkeit, aus Liebe und Parodie vollbringen.

Trotz Bellini und Tizian, Tintoretto und Palma Vecchio, Giorgione und Veronese, Tiepolo, Guardi und Canaletto, trotz Marco Polo, Gozzi und Goldoni, wirkt der Taugenichts unter ihnen, Giacomo Casanova, der Verführer und Possenreißer als der wahre Bastard Venedigs, der natürliche Sohn Venedigs. Denn er war einer der kuriosen Kaffeehausliteraten, die zugleich ein Bohemien und ein Genie sind.

Für Casanova war das Kaffeehaus so natürlich, so unentbehrlich, so teuer wie Venedig, ja wie eine Geliebte.

Gilt das nicht für viele Kaffeehausliteraten, in deren illustrer Reihe es Moralisten gibt, wie Lessing und Heine, Swift und Addison, Voltaire und Diderot?

Stendhal hat gesagt, eher wechsle er eine Geliebte als ein Kaffeehaus.

Blume! sagte die Stimme im Telefon zu mir. Ich heiße Blume. Sie kennen mich nicht.

Bleiben wir dabei! sagte ich und wollte schon abhängen. Da rief er: Ich bin ein deutscher Dichter!

Seit man anfing, den letzten Krieg zu vergessen und den neuesten vorbereitet, kommen beinahe täglich deutsche Dichter nach New York.

Wurden Sie von Washington eingeladen? fragte ich.

Nein, antwortete er, ich habe meine Überfahrt selber bezahlt. Man hat nämlich meine Gedichte gedruckt. Ich erhielt Honorar. Vielleicht sahen Sie alle Besprechungen. Ich wurde viel besprochen. Mein Buch heißt: *Die Badewanne*. Ich bin Tachist.

Freilich, erwiderte ich.

Ja, sagte er, wir sind eine Gruppe junger Tachisten in der deutschen Bundesrepublik: Karl Krolow. Aber er weiß es vielleicht nicht. Er ist auch nicht mehr so jung. Und Paul Celan. Und Walter Höllerer und Heinz Piontek und Ingeborg Bachmann und Hans Magnus Enzensberger. Und ich. Natürlich bilden wir keine Gruppe. Aber vielleicht sind wir eine. Mir ist es erst jetzt am Telefon eingefallen. Ich muß Sie sprechen.

Ein Tachist? fragte ich. Malen Sie etwa?

Ich schreibe, erwiderte er. Ich bin erst acht Tage in New York und berauscht. Ich trinke keinen Alkohol. Kaffee trinke ich, in mäßigen Mengen, aber die New Yorker Cafés gefallen mir nicht. Hier will ich bleiben. Hier will ich leben. Ich bin fünfundzwanzig Jahre alt. *Die Badewanne* ist mein erstes Buch. Schreiben ist meine Seligkeit, und wenn ich vielleicht noch fünfzig Jahre leben werde, und warum nicht ...

Warum nicht? fragte ich.

Sie verstehen mich. Ihre Bücher habe ich noch nicht gelesen.

Aber ich hörte Sie über den Bayerischen Rundfunk oder den Norddeutschen, vielleicht war es auch Rias?

Oder der Westdeutsche Rundfunk oder der Südwestfunk, sagte ich. Oder vielleicht jemand anders? Das ist es. Sie haben einen andern gehört? Martin Kessel, vielleicht? Oder Kurt Kersten? Oder Erich Kästner? Genieren Sie sich nicht. Es sind lauter ausgezeichnete Schriftsteller.

Ich muß Sie sprechen, sagte der Mann am Telefon. Es geht um mein Leben!

Ich hatte nicht den Mut zu erwidern: *That's all?* Ich bat ihn, am andern Tag zu kommen, er brachte mir *Die Badewanne,* es waren witzige Verse darunter. Ich sagte es ihm, und er empfing meine Lobsprüche wie ein Großkalif den Tribut eines kleinen Beduinenhäuptlings, aber er gefiel mir ganz gut, er hatte etwas Angenehmes, zerstreut Freundliches, eine zielbewußte Ironie, er sah auch angenehm aus, und er sagte mir nun erst, er habe einen Brief an mich, von meinem alten Schulfreund Karl Beisler aus München, einen Empfehlungsbrief, sein Vater sei ein Klient des Dr. Beisler, er selber sei auch in München geboren und habe dort lange gelebt, aber er wolle nicht mehr zurück. Ich schlug ihm vor, ihn zu einem meiner Freunde mitzunehmen, der mich erwarte, zu Mr. Francis Mark, einem Professor für deutsche Literatur an der New York University. Sie wollen ein amerikanischer Schriftsteller werden, Herr Blume? Mein Freund Mark kennt die deutsche und die amerikanische Literatur. Er kann Ihnen besser raten als ich. Wir treffen dort eine junge deutsche Schriftstellerin, die für einige Wochen nach Amerika gekommen ist.

Wir nahmen ein Taxi. Unterwegs riet ich ihm, ein Buch von Malcolm Cowley zu lesen, *Die Literarische Situation,* das 1955 in New York erschienen ist. Cowley schreibt, die New Yorker Gesellschaft habe kein Interesse an Schriftstellern gezeigt, die darum auch wenig von dieser Gesellschaft wüßten. Viele der jüngern amerikanischen Schriftsteller leben lieber in Rom, Florenz, Paris, auf Majorka, in Tanger oder Positano als in New York. Und Sie, ein junger Europäer, wollen in dieses neue Land ziehen, eine neue Sprache lernen, in eine fremde Literatur eindringen?

Ehe er antworten konnte, hielten wir. Ich zahlte, und der junge Mann starrte auf das Haus, wo mein Freund wohnte. Das ist ja ein Wolkenkratzer, sagte er erstaunt. Ich dachte, diese drohenden Türme, neben denen die nachgemachten gotischen Kirchen zu Zwergen werden, seien nur Bürohäuser. Ich liebe dieses steinerne Riesenantlitz von New York, es ist das Gesicht eines staubigen, schwitzenden, ungeheuerlichen, aber sehr lebenslustigen und lachenden Dämons.

Hier ist der Aufzug, sagte ich.

Welcher Stock, bitte, fragte der greise Liftjunge, der mit Augen, Bart und Statur wie Verdi aussah.

Der dreiundzwanzigste, bitte! Professor Mark wohnt im Penthouse, erklärte ich, in einer dieser Eckwohnungen auf dem Dach oder einem Terrassenvorsprung. Meist besitzen sie einen Dachgarten und einen weiten Blick auf New York, der bei Nacht recht wirkungsvoll ist. New York ist eine Nachtschönheit. Als ich im Mai 1940 zum erstenmal nach New York kam, schien mir die Stadt wie ein grotesker Massentraum von hundert Millionen Einwanderern. Das war ein steinerner Witz aus der Doublé-Zeit, *the gilded age,* ein großkapitalistischer Architekturtraum, der schon ein wenig verschollen wirkt. Das war eine kosmopolitische Burleske von absurder Häßlichkeit und barbarischem Prunk, ein babylonischer Über-Turmbau, der erfüllte Wunschtraum einer aus allen entlegenen Winkeln der Welt hierher verschlagenen Bevölkerung, von lauter verlorenen Söhnen auf der Flucht vor den alten Städten und auf der Suche nach der neuen Welt. Sie wollten endlich in Urwäldern leben und gründeten ein Superbabel. Aus Träumen von einer neuen Welt schufen sie die überdimensionale Kopie der alten Welt. Aus Trappern, Jägern und Cowboys wurden sie Wallstreetmakler, Detroitingenieure und Harvardphysiker.

Der dreiundzwanzigste Stock, bitte! sagte der Liftboy.

Ich klingelte. Lieber Mark, das ist Dr. Robert Blume.

Willkommen, sagte mein Professor. Im Arbeitszimmer saß

schon die junge Dichterin, Ilse Engel, hübsch und einnehmend, wie wenige Dichterinnen. Sie blickte uns an, als sollte jeder morgen ihr Bräutigam werden. Ihr Kleid war wie ein enges Hemd aus Seide. Sie zeigte sich in allen Stellungen und von allen Seiten. Sie gab uns zu verstehen, sie sei nicht mal dreißig. Mich behandelte sie wie einen Jüngling, Blume wie einen Greis, den Professor wie einen Vater, es war alles bedacht, und sie brachte nichts durcheinander. Sie hatte schon den zweiten Gedichtband veröffentlicht und sieben größere literarische Preise eingesammelt, Preise von literarischen Gruppen, von deutschen Städten, von Ländern, von Akademien, und von der Großindustrie, sie war ein Mitglied des PEN Clubs, Mitarbeiterin aller feineren deutschen Zeitschriften, auch hatte sie von den Blinden einen Hörspielpreis erhalten. Sie war reizend. *Isn't she charming?* flüsterte mir Professor Mark zu. Blume sagte es ihr laut: Sie sind aber charmant! Da lachte sie fröhlich, als wäre sie ein kleines Mädchen, das man lobt, weil es sich so hübsch gekämmt hat.

Mark, ein eingefleischter Junggeselle, kochte den Kaffee im Zimmer, in einem elektrischen Kaffeekocher aus Glas, er hatte belegte Brötchen von *Old Denmark* in der 57th Street East und einen Käsekuchen von *Long* in der Madison Avenue besorgt, und wir aßen und tranken und flirteten mit Ilse Engel, und Mark zeigte uns seine Terrasse und bot uns Schnäpse an.

Blume erklärte, es sei der Traum eines Zauberers. Inzwischen war es dunkel und New York war hell geworden. Blume sagte, New York sei die schönste Stadt der Welt. Dieser Lichterrausch, diese schwebenden, schwimmenden Türme, diese gleißenden Ströme, diese illuminierte Grandiosität und in der Tiefe der Canyons das winzige Getümmel und Gewimmel! Und der nahe Sternenhimmel, durchaus den Dimensionen der Riesenstadt angemessen. Das ist ein Traum von Imperatoren.

Ein Traum von irischen Schutzleuten, sagte ich, von jüdischen Pelzhändlern und schottischen oder spanischen Architekten. New York erscheint auch mir zuweilen vor lauter Absurdität schön. Das Hudsontal, so romantisch wie das Rheintal, liegt mitten in der volkreichsten Stadt der Welt. Ich wohnte viele Jahre im elften Stock am Riverside Drive, am Ufer des Hudson, mit dem Broadway im Rücken. Wenn ich nachts aufwachte und ans Fenster ging und den riesigen Strom sah, auf dem einmal die halbe Kriegsflotte Amerikas an mir vorüberschwamm, und am andern Ufer die grünen bewaldeten Hügel von New Jersey sah und den Wind vom Meer roch, oder die Ozeandampfer mit ihren Nebelhörnern heulen hörte, oder wenn ich abends an meinem Schreibtisch saß, und die Sonne über dem Strom in glühenden Farben unterging, als wollte sie sich in New Jersey schlafen legen, war ich entzückt von New York. Um 1800 war New York eine Stadt von sechzigtausend Einwohnern, jetzt wohnen acht Millionen da, oder mehr, und in Groß-New York dreizehn oder vierzehn Millionen. Es liegt am Meer, zwischen dem Hudson und dem Eastriver, einem Meeresarm. Es liegt an einer Strommündung und auf Landzungen und auf einer Insel. Hundert Völker wohnen da beisammen, sprechen in hundert Sprachen und alle englisch. Sie wohnen an vielen Stellen für sich, hundert Städte in einer Stadt, in Harlem die Neger, in Chinatown die Chinesen, auf der untern Eastside die armen Juden, in Brooklyn Italiener und Juden, in Yorkville die deutschen Handwerker, uptown die Portoricaner, zwischen sechzigster und siebzigster Straße West die Franzosen, in der Park Avenue midtown sitzen die Millionäre und uptown die ärmsten Neger, in Greenwich Village Iren und Italiener, in Washington Heights Griechen und Juden und auf Washington Square Neuengländer, und überall durcheinander alle Rassen und Klassen und Völkerschaften. Es ist der gewaltigste Stoff für einen Großstadtdichter, aber ich habe vierzehn Jahre dort gelebt und nur eine Kurzgeschichte über New York geschrieben. New York ist ein schwieriger Stoff für ausländische Literaten. Und da sind wir schon bei den Problemen von Dr. Blume.

Ilse Engel lächelte uns allen zu, als gelte ihr Lächeln jedem von uns besonders. Der Professor erzählte mir alles, sagte sie mit naiver Bescheidenheit. Sie sind ein deutscher Dichter und seit einer Woche in New York. Nun wollen Sie ein amerikanischer Dichter auf Lebenszeit werden. Bei uns nehmen alle vernünftigen Leute es übel, wenn ein junger Mensch erklärt, er wolle Dichter werden. Es klingt sogar komisch. Ich finde es komisch, wenn ein begeisterter junger Mensch zum Beispiel sich vornimmt, sein Leben lang ein Staatsbeamter zu sein, wegen der Pension vielleicht, die er mit fünfundsechzig Jahren bekommen soll, oder wegen der Sicherheit im Leben. Man hat ein einziges unwiederholbares Leben, und da wollen die jungen Leute ganz sicher sein, daß sie es verpfuschen, und legen sich definitiv fest und bleiben ihr ganzes Leben lang Steuerberater, Amtsrichter, Chirurg, Matrose, Pfarrer oder Doktor, heiraten in jungen Jahren, bekommen die vorgefaßte Zahl Kinder, kaufen ein Haus, eine Waschmaschine, ein Auto und einen Fernsehapparat und warten in aller Gemütlichkeit und Ruhe teils auf die Pension, teils auf die Atombombe und haben schon gelebt, bevor es begonnen hat.

Man muß sein Leben planen, erklärte ihr Blume, wenn man vernünftig leben will. Man kann mit der Inspiration nicht mal dichten, geschweige mit Inspiration drauflosleben.

Ist es also Inspiration oder Kalkül, wenn Sie plötzlich eine neue Heimat und eine neue Sprache erwerben und unter Fremden für Fremde schreiben wollen? Noch dazu in einem Land, sagte Professor Mark, wo seit je die Dichter isoliert lebten, wie im Exil, und wo die meisten sogar die Gesellschaft der Kollegen fliehen, und viele in Opposition zur öffentlichen Meinung oder zur Regierung stehen!

In einem Land, sage ich, wo der Konformismus die Frucht der verfassungsmäßig garantierten Freiheit ist. Darum haben auch viele amerikanische Schriftsteller ein furchtbares Leben geführt. Sie waren und blieben Außenseiter der Gesellschaft. Edgar Allan Poe, in Boston geboren, ein Kind fahrender Komödianten, hat seine Eltern verloren, als er zwei Jahre alt war. Darnach lebte er im Hause des kinderlosen Kaufmanns John Allan, eines Schotten, mit dem er sich zerstritt. Aus dem College und aus Westpoint ward Poe davongejagt. Mit sechsundzwanzig Jahren hat er seine dreizehnjährige Kusine Virginia Clemm geheiratet. Er war an Zeitschriften in Baltimore, in Richmond und in New York Redakteur. Er schrieb Meisterwerke fürs Brot. Er trank zuviel und aß zu wenig. Er hungerte mit Frau und Schwiegermutter. Die junge Frau starb an Tuberkulose. Er starb mit vierzig Jahren auf dem Weg zur zweiten Heirat. Fünf Tage lang war er verschwunden gewesen und war schließlich in Baltimore nahe einer Wirtschaft im Delirium tremens aufgefunden worden. Wahrscheinlich hat ihn eine Gruppe von politischen Wahlschwindlern tagelang mit Schnaps traktiert, um ihn immer wieder seine Wahlstimme in verschiedenen Wahlurnen abgeben zu lassen. So starb ein amerikanischer Klassiker, den freilich erst Baudelaire entdecken·mußte.

Herman Melville, der einigen Ruhm und Erfolg mit seinen ersten fünf Büchern gewonnen hatte, verlor beide wieder mit seinem Meisterwerk *Moby Dick*, veröffentlichte noch ein paar Bücher, blieb ohne Widerhall und war mit achtunddreißig Jahren literarisch am Ende. Man druckte ihn kaum mehr, las ihn kaum mehr, vergaß seinen Namen, sein Werk. Nun suchte er sein Brot mit Vorträgen zu verdienen. Umsonst bewarb er sich um eine Staatsstellung. Umsonst besuchte er den Präsidenten Lincoln. Schließlich wurde er ein kleiner Zollinspektor am Landungspier zu New York. Von dieser elenden Stellung lebte er neunzehn Jahre. Freunde ließen auf ihre Kosten einige Reiseschilderungen und Gedichte drucken.

Er lebte noch vierzig Jahre nach dem Durchfall seines *Moby Dick*. Aus Enttäuschung schrieb er kaum mehr. Doch war er ein großer Dichter geblieben. Mit 75 Jahren schrieb er wenige Wochen vor seinem Tode ein Meisterwerk, die Erzählung *Billy Budd*. Finden Sie das Schicksal der amerikanischen Klassiker verlockend?

Sie sprechen von Erfolg, antwortete Blume, und von Geld, als wären wir Geschäftsleute. *Fame and fortune?* Es gibt leichtere Wege dahin als die Literatur. Aber in Amerika kann ein Individuum noch der Gesellschaft entgegentreten, ein Unbekannter gegen Unbekannt. Ich will zu Menschen reden, deren

Vorurteile ich nicht teile, deren Erfahrungen ich nicht erfuhr, deren Ideale mir trivial erscheinen. Ich wurde anders erzogen, bravo! Ich erhielt eine andere Bildung. Und englisch ist nicht meine Muttersprache. Ich werde diese Sprache um so besser lernen, um so kritischer schreiben. Der Fremde hat ein schärferes Ohr für die Dummheiten und die Feinheiten einer Sprache. 1947 erhielt mein Vater eine Berufung an die Universität London. Ich ging auf englische Schulen, studierte in Oxford und in München, ich habe englische und deutsche Freunde und Freundinnen, ich las die englische und die deutsche Literatur, als wären beide mein Erbteil gewesen. Ich bin für Amerika gemacht. Hier leben lauter Einwanderer und Söhne und Enkel von Einwanderern.

Ich unterbrach ihn. Der neueste Amerikaner ist der beste, er ist der echte Amerikaner, das Original des Einwandererlandes.

In Europa muß ich es mindestens dem Homer gleichtun, versicherte Blume, oder dem Shakespeare und dem Goethe, dem Molière und Cervantes.

In Amerika kann ich sogar die amerikanischen Klassiker vergessen; Washington Irving, Fenimore Cooper, Nathaniel Hawthorne, Edgar Allan Poe, Walt Whitman und Herman Melville, Longfellow und sogar noch Mark Twain sind die literarischen Söhne Europas. Ein junger Amerikaner kümmert sich nicht darum und wetteifert höchstens mit Faulkner und Hemingway, Arthur Miller oder Tennessee Williams, und diese Konkurrenz riskiere ich.

Sie denken in der Tat amerikanisch, gestand ich und lachte. Sie treiben die Literatur wie einen Sport, wie einen Wettkampf, aus dem Sie als Sieger hervorgehn wollen.

So handelten die Dramatiker von Athen, entgegnete Blume.

Die meisten europäischen Leser, dozierte mein Freund, bewundern an der neuern amerikanischen Literatur die Fülle der Stoffe, das reiche Bild der Gesellschaft, das spezifische Kolorit, die ausgedehnten besondern Erfahrungen aus dem breitesten amerikanischen Leben. Die meisten amerikanischen Autoren dagegen beklagen sich über ihre Isolation, heißen sich Außenseiter einer Gesellschaft, die sie nicht kennen oder nicht kennen wollen. W. H. Auden, der schon ein bekannter englischer Dichter war, als er in die amerikanische Literatur einwanderte, schrieb in einer Einleitung zu dem amerikanischen Dichter Henry James, der als schon bekannter amerikanischer Autor in die englische Literatur eingewandert ist, folgende Ratschläge für junge amerikanische Autoren: »Veröffentliche nichts, bevor du nicht dreißig Jahre alt bist, sondern studiere, absorbiere, experimentiere! Brauche mindestens drei Jahre für jedes Buch! Schone deine Gesundheit und führe das völlig regelmäßige Leben eines Mannes, der in einem Villenvorort lebt! Vor allem schreibe keine Autobiographie; denn deine Kindheit ist buchstäblich dein ganzes Kapital.«

Das ist es, rief Blume. Ich will nicht als ein falscher Kapitalist in eine Literatur kommen. Ich will nicht als ein hoffnungsloser Erwachsener mein ganzes Leben lang mit den Gefühlen, Erfahrungen und Gedanken eines Kindes haushalten. Ich will weder in Europa meine Väter noch in Amerika mich selber lebenslänglich kopieren. Ich will kein Avantgardist werden, aus lauter Langeweile. Ich will als Erwachsener in eine neue Welt kommen und meine Kindheit ausstreichen.

Sie werden ein guter Reporter werden, sagte Ilse Engel. Sie wissen nichts. Sie verstehen nichts. Sie kennen nichts. Sie sehen alles neu und schreiben auf, was Sie sehen. Im 18. Jahrhundert benutzten die Satiriker die Methode der fiktiven Ignoranz, sie verkleideten sich als Chinesen oder Perser, die nach Europa kamen, oder sie verkleideten die europäischen Figuren als Chinesen oder Perser. Vielleicht wollen Sie Satiren schreiben? Ich kenne Amerika nicht. Die Harvard University hat mich für einige Wochen eingeladen. Da erzählt man mir, keine drei Dutzend amerikanische Autoren könnten nur von den Einnahmen ihrer Bücher oder ihrer Theaterstücke leben. Die meisten Bücher sterben hier in wenigen Monaten. Die meisten Bücher sogar der berühmten lebenden Autoren sind vergriffen. Ein lebender Autor existiert gemeinhin nur mit der letzten Neuerscheinung oder seinen Erfolgsbüchern oder mit Taschenbuchausgaben. Es gibt Millionen Buchkäufer in den Vereinigten Staaten von Amerika. Aber gibt es ein literarisches Publikum? Welche Rolle spielt der Autor in Amerika? Welchen Einfluß hat er? Welche Wirkung übt er? Gab es hier literarische Salons, Cafés und Clubs? Gibt es sie noch? Ist es wahr, daß man hierzulande die Schriftsteller nicht nach ihrem literarischen Wert, sondern nach ihrem finanziellen Einkommen einschätzt? Bestimmt die Höhe ihres Einkommens ihre soziale Stellung?

Man verkauft in den Drugstores Plato und Shakespeare für 25 cents pro Band. Die *Saturday Review,* die Buchkritiken und ein paar Literaturartikel bringt, hat eine Auflage von hunderttausend. Universitäten, Verleger, ja Autoren finanzieren die *little magazines,* die kleinen literarischen Zeitschriften. Manche Meisterwerke der amerikanischen und europäischen Literatur, von Tolstoi bis Proust und Thomas Mann, von Mark Twain bis Thornton Wilder erscheinen in Millionenauflagen.

Nun, sagte Professor Mark, ein Autor namens William Dean Howells, der 1920 mit 83 Jahren starb, galt bei vielen in seinen höheren Jahren als der führende amerikanische Schriftsteller. Er war ein Freund und literarischer Berater von Mark Twain, von Stephen Crane und andren Autoren, und ein Konservativer. Er hatte in Cambridge gelebt und war in seine Heimat, nach Ohio, zu Besuch gekommen, und saß eines Abends auf der Veranda im Garten mit der Familie Hamlin Garlands, eines Freundes und Kollegen. Und Howells erzählt: »Ich begann von den berühmten Dichtern zu sprechen, die ich kannte, als mich Garland unterbrach und bat: Warte eine Minute! Er rannte über die Wiese zu einem Zaun und dann zu den andern auf den andern Seiten und lud mit wildem Armschwenken seine Nachbarn ein, die auf ihren Gartenveranden saßen. Kommt alle her, schrie er. Er erzählt von Holmes und Longfellow und Lowell und Whittier! Und auf seine Einladung kamen sie über die Zäune gestiegen und folgten ihm zu seiner Veranda. Jetzt erzähle weiter, bat er mich, als

Edgar Allan Poe 1809–1849   *Mark Twain 1835–1910*

Der Bohème-Club in New York

Henry David Thoreau 1807–1862

Nathaniel Hawthorne 1804–1864

Walt Whitman 1819–1892

Herman Melville 1819–1891

alle herumsaßen, und ich fuhr fort, indes die Singvögel vor-
überflogen und zwitscherten und es langsam Mitternacht
wurde.« War dieses Publikum hinter den Zäunen in Ohio
nicht ein literarisches Publikum?

Henry James, sagte Mark, sprach von der kleinen literarischen Vergangenheit Amerikas. Die amerikanische Literatur
ist kaum hundertfünfzig oder zweihundert Jahre alt, aber
solche jungen Literaturen wie die amerikanische oder die russische rennen mit Riesenschritten zur frühen Meisterschaft.

Das stimmt, sagte ich. Die amerikanische Literatur ist so
gewaltig und trostlos wie dieser halbe Kontinent. Die Kultur
dieses Landes war das Erbteil Europas. Von Anfang an bekämpfen hier die Anhänger der europäischen Traditionen die
Rebellen gegen diese Traditionen. Diese beiden Faktionen
kämpfen in der amerikanischen Literatur heute noch. Auf der
einen Seite stehen die Erben von Hellas und Rom, von Palä-
stina und China, von Göttingen und Oxford, Paris und Madrid,
wie Benjamin Franklin, Washington Irving, Poe und Hawthorne und Melville bis O'Neill und Thornton Wilder. Auf
der andern Seite stehen die falschen Barbaren und nachgemachten Rothäute, die *Innocents abroad and at home,* die
glauben, die Zivilisation beginne in USA und mit ihnen. Es
sind die Antihumanisten wie Walt Whitman und Mark Twain,
Fenimore Cooper und Ernest Hemingway, William Faulkner
und Erskine Caldwell.

Beide Gruppen sind typische Koloniale. Typisch kolonial
sind die Vertreter der vier Stoffgruppen der amerikanischen
Literatur: Meer – Farm - Städte – und *the frontier. The frontier,* das ist die jeweilige Grenze der weißen Kolonisation,
zwischen Wildnis und Zivilisation, zwischen Urbarmachern
und Urwald, zwischen Weißhäuten und Rothäuten. Zu Beginn
war diese Grenze nahe dem Atlantischen Ozean, zuletzt am
Stillen Ozean.

Es gab auch in Amerika literarische Clubs, Cafés und Salons, versicherte Professor Mark. Sie waren das Werk der
Großstadtdichter. Benjamin Franklin und sein Halbbruder

James gründeten die ersten literarischen Clubs. Benjamin Franklin, ein Kind aus Boston, schrieb schon mit siebzehn Jahren Essays für die Bostoner Zeitung seines Halbbruders James. Benjamin war ein Mitglied des »Hell-Fire-Club« (des Höllenfeuerclubs), den James 1721 für die Mitarbeiter seiner Zeitung begründet hatte. Dieser Club kämpfte im Geiste der Londoner Kaffeehäuser gegen die Reaktion. Infolge eines Streits mit seinem Bruder war Benjamin Franklin nach Philadelphia gezogen, wo er in einer Druckerei arbeitete, bis er selbst eine Druckerei aufmachte. Er gründete mit 21 Jahren und zwölf aktiven Freunden einen Debattierclub, den »Junto Club«, und im Jahr darauf eine »neue Religion«. Der Club verbreitete seine deistischen und utilitären Ideale vierzig Jahre lang und schuf die erste öffentliche Bibliothek in Amerika. Franklin begründete auch die »Amerikanische Philosophische Gesellschaft«, ein städtisches Krankenhaus und eine »Akademie für die Erziehung der Jugend«, die spätere Universität von Pennsylvanien.

Neuenglische Intellektuelle, wie Nathaniel Hawthorne und Henry David Thoreau, trafen sich zwanglos, etwa im Hause des Philosophen Ralph Waldo Emerson in Concord bei Boston, im »Transzendentalen Club« und diskutierten über Philosophie, Literatur und Religion. Der Name des Clubs stammte von Kants Definition des Transzendentalen. Sie waren von Kant und Goethe, Schleiermacher und Novalis, Jean Paul und Fichte, Herder und Schlegel beeinflußt und beeinflußten amerikanische Dichter wie Walt Whitman und Herman Melville. Mitglieder dieses losen Clubs gründeten, neun Meilen von Boston, die »Brook Farm Enterprise«, eine Kooperative, die sich von 1841 bis 1847 hielt. Nur einige Literaten lebten wirklich auf der experimentellen Farm wie der Musikkritiker Dwight, der Journalist Dana und der Romancier Hawthorne. Dort wollten sie die erhabenen Ziele der Kultur und das brüderliche Leben fördern. Hawthorne melkte wirklich Kühe und fand sich weder dichterisch noch brüderlich noch menschlich gefördert. Das Leben in der Kommune war simpel. Alle Mitglieder sollten die Arbeit und den Ertrag gleichmäßig teilen. Jeder ackerte oder gab Unterricht oder übte ein Handwerk aus. Hawthorne fand unter den Mitgliedern dieser Farm seine Frau. 1843 wurde die Farm unter den kommunistischen Ideen von Fourier eine »Phalanx«.

Henry David Thoreau lebte in freiwilliger Isolation. Er hieß sich einen Mystiker, Transzendentalisten, Individualisten, baute mit siebenundzwanzig Jahren eine Hütte am Walden-Teich und schrieb in zwei Jahren sein Buch: *Walden*. Er wollte zum nackten Leben zurück. Er wollte das Mark des Lebens saugen. Er wollte, von keinem belästigt, keinen belästigen. Jeder Mensch sollte sein eigenes Leben führen, nicht das Leben seiner Eltern oder Nachbarn. Er mußte für einen Tag ins Gefängnis gehen, weil er sich geweigert hatte, eine Steuer an den Staat zu zahlen, der den Krieg gegen Mexiko führte, einen Krieg der Sklavenhalter und Sklavenhändler aus den Südstaaten. Er predigte passive Resistenz in seinem Essay *Civil Disobedience,* den Ungehorsam des moralischen Bürgers, den Ungehorsam aus moralischen Gründen. Jeder Mann sollte sich selber retten, dann würden alle gerettet werden. In seiner Schrift *Leben ohne Prinzip* lehrte er, ein individuelles moralisches Gesetz sei den öffentlichen Gesetzen und Verfassungen überlegen. Wie Jefferson, der dritte Präsident der Vereinigten Staaten von Amerika, behauptete er, jene Regierung sei die beste, die am wenigsten regiere. Er hielt Reden gegen die Sklaverei der Neger und schrieb für die Indianer, die Opfer der weißen Kolonisten.

In Boston wurde 1855 der »Saturday (Samstag) Club« gegründet, mit Longfellow, Emerson und Henry James. Alle Samstagabend saß man zusammen und führte zwanglose literarische Diskussionen. Bald gründete dieser Club die Zeitschrift *Atlantic Monthly,* die heute noch zu den angesehenen literarischen Zeitschriften gehört. Der »Tuesday Club« (Dienstagsclub) in Philadelphia gründete die Zeitschrift *Portfolio.* Der »Anthology Club« in Boston gründete die berühmte Zeitschrift *The North American.* Das »Boston Athenaeum« gründete ein Museum, eine Bibliothek, ein Laboratorium. In New York wimmelte es stets von literarischen und politischen Radikalen. Kurz vor der amerikanischen Revolution war New York ein Zentrum aufständischer Figuren und Ideen. Thomas Paine und Alexander Hamilton lebten dort. Washington Irving, der erste amerikanische Autor mit Weltruhm und Weltwirkung, wurde in New York geboren. Er schrieb seine humoristische *Geschichte von New York, von Diedrich Knickerbocker,* einem holländisch-amerikanischen Gelehrten seiner Erfindung. Er und seine Freunde bildeten die »Knickerbocker-Gruppe« und gaben das *Knickerbocker-Magazin* heraus.

Auch James Fenimore Cooper, der *Lederstrumpf*-Autor, gründete in New York einen literarischen Verein, den »Bread and Cheese (Brot und Käse) Club« mit etwa fünfunddreißig Mitgliedern, aus dem 1827 der »Sketch Club« und der »Literarische Club« hervorgingen. Der »Sketch Club« gründete 1847 die »Century Association« von Malern und Autoren. Obgleich Irving und Cooper konservative Demokraten waren, gerieten sie in die schärfste Opposition gegen die amerikanische Gesellschaft. Cooper, der in Amerika und in der Welt populär war, führte Prozesse gegen Zeitungen und gegen die Regierung und war von den Mißbräuchen der Demokratie ebenso entsetzt wie von der geringen öffentlichen und privaten Rechtschaffenheit.

Viele Literaten Amerikas, sagte ich, haben den revolutionären Geist bewahrt. Sie sind Nonkonformisten in einer wütend konformistischen Gesellschaft geblieben. Sie haben nur kurze Traditionen, aber die Traditionen eines freien Volkes, indes wir in Europa die Traditionen der Tyrannei hatten, der Diktatur von Staat und Kirche.

Ilse Engel widersprach. Sogar in Deutschland, wo noch Schiller und Goethe, Herder und Wieland Höflinge waren, gingen die meisten Genies in die Opposition. 1933 ging die Hälfte der deutschen Literatur und Wissenschaft ins Exil.

Zum Glück der amerikanischen Literatur, bemerkte ich, gab es keine Höfe, um sie zu zähmen oder zu korrumpieren. Zum

Glück mißachteten die Mächtigen, das heißt die Reichen und ihre Regierungen, die Literatur und ihre soziale und politische Bedeutung. So mußten die Dichter direkt zum Volk sprechen, in der Sprache des Volkes, für die Interessen des Volkes. Sie begannen vielfach als oppositionelle Journalisten, wechselten ihre bürgerlichen Berufe so häufig, wie es in Amerika üblich ist, und endeten als oppositionelle Schriftsteller. Auch der große Haufen ist kein Mäzen der guten Literatur. Was die Menge an Moral vielleicht voraushat, verdirbt sie durch den Mangel an Geschmack. Sehr große Gefahren der amerikanischen Literaten sind die Vergnügungsindustrie und die Kommerzialisierung. Hollywood, die Filmzentrale, ist ein Friedhof amerikanischer Literaturtalente. Auch die Massenzeitschriften mit ihrem vorgekauten Stil, der Umschreibetechnik – *rewriting* – und mit ihren konkurrenzlos billigen Ideen, Gefühlen und Themen korrumpieren die Literatur. Die Masse korrumpiert. Sogar literarische Salons und Cliquen tun es zuweilen.

Es gibt in New York, berichtete Professor Mark, seit hundertfünfzig Jahren literarische Salons. Wie im alten Rom liebt man in New York das Neue und Allerneuste. Nirgends wird man so schnell berühmt und so schnell vergessen. Nirgends ist der Verbrauch an Menschen und Talenten so ungeheuerlich. Nirgends ist die Gesellschaft so frei und so gemischt, so massenhaft und so individuell, so bedenkenlos und so idealistisch. Der literarische Ruhm wird in New York gemacht und von der Provinz bestätigt. Auch Edgar Allan Poe besuchte literarische Salons in New York, etwa den Salon seines Freundes und Kollegen Duykinck, am Clinton Platz, oder den Salon der Dichterin Lynch, wo Poe sein berühmtes Gedicht vom *Raben* vortrug. Im Hause Astor hatte Poe die junge reizvolle Dichterin Osgood kennengelernt, mit der er im *Brodway Journal* eine Art literarischer Liebschaft führte, wobei sie ihre Verse aneinander veröffentlichten und sich sozusagen gegen Honorar liebten – es waren höchst bescheidene Honorare. Poe war der erste »reine Artist« in Amerika. Bei mir war die Poesie keine Tendenz, sondern eine Leidenschaft, sagte Poe. Er träumte davon, wie einer der »Kavaliere« in den Südstaaten zu leben. Er hatte seine Jugend in Virginia verbracht. Mit sechs Jahren hat er mit den Allans eine Weile auch in London und Schottland gelebt. Er hatte sich dem »Kobold des Perversen« geweiht. Ein Künstler, schrieb er, ist man nur kraft seines erlesenen Sinnes für Schönheit, zur selben Zeit muß man auch einen ebenso erlesenen Sinn für die Häßlichkeit haben, für Mißgestalt und Mißverhältnis. Der Präsident der Yale Universität lehnte es ab, in die Ruhmeshalle der Universität diesen »schwarzgalligen Säufer« einzulassen, »der wie ein Trunkenbold schrieb und nicht die Gewohnheit hatte, seine Schulden zu bezahlen«.

Zu jener Zeit trafen sich Walt Whitman und andre New Yorker Literaten in *Pfaffs Keller,* einer Speisewirtschaft am Broadway nahe der Bleeker Street. Schließlich zerstreute der Bürgerkrieg alle.

Walt Whitman, auf Long Island geboren, wuchs in Brooklyn auf und lebte lange in New York. Die großen Dichter von *the frontier,* der Wildnis, waren meist Großstädter, wie Washington Irving, Fenimore Cooper, Mark Twain, Bret Harte, Jack London, Sinclair Lewis, Willa Cather. Whitman glaubte zugleich an die demokratische Gleichheit und an die individuelle Rebellion gegen jeden Zwang der Gesellschaft. Er hielt sich zugleich für den normalen Mann und für den Übermenschen, den *superman.* Kurze Zeit war er ein Beamter, wurde aber entlassen, weil man sein Versbuch *Die Grashalme* für unmoralisch erklärt hatte.

Nach New York, sagte ich, kamen drei Einwanderergruppen. Einmal die Millionen Emigranten. Sie kamen aus hundert Gründen und hundert Ländern. Sie trugen Elemente ihrer hundert Sprachen in die englische Sprache und machten eine neue Sprache daraus, die amerikanische. Sie brachten hundert neue Ideen und Temperamente und Mythen. Manche kamen sogar um der Freiheit willen, wie viele Deutsche nach 1848 und nach 1933. Diese Einwanderer schufen stets neue Kolonien mitten in New York. Dann kam die Einwanderung aus den Südstaaten, hauptsächlich Neger, die erst vor der Sklaverei, dann vor der Diskrimination, der Rassenunterscheidung und Rassentrennung und vor der aussichtslosen Armut flohen und in Harlem eine eigene Stadt in New York bildeten. Und dann kamen die Einwanderer aus allen Vereinigten Staaten von Amerika, die Unternehmenden, die Konquistadoren, die Kolonisatoren, die früher zur *frontier* gerannt waren, um die Neue Welt zu erobern, und die jetzt nach New York rannten, um Wallstreet zu erobern, oder Shubert Alley, das ist die Welt der Theater und der Oper, oder die Welt der bildenden Künste, der Musik, der Verleger, der Literatur, der Museen, Universitäten und Zeitungen.

Ende des neunzehnten Jahrhunderts entstanden Literaturdörfer im Zentrum von New York, erzählte Professor Mark, es gab die Greenwich Village Autoren, die Harlem Autoren. Es gab die Tin Pan Alley, das ist der New Yorker Distrikt von der vierzehnten Straße West bis zur fünfzigsten Straße etwa, wo die Tanzsäle, Kabaretts, Theater, Filmateliers, Radiozentren und der hauptstädtische Amüsierbetrieb rund um Times Square mit dem Haus der »New York Times« und der Metropolitan Oper zentralisiert sind. Greenwich Village, das in der Kolonialzeit ein unabhängiger Ort war, ist das »Montmartre« von New York.

Da haben Thomas Paine und Edgar Allan Poe und Richard Harding Davis gelebt. Da war die ganze Boheme von New York, Maler, Musiker, Dichter wie Eugene O'Neill und die Lyrikerin Edna St. Vincent Millay und Emma Goldman, die Sängerin der Freiheit. Da wankte der stets betrunkene Dichter und Erzbohemien Maxwell Bodenheim von dem Bohemelokal *Rienzi* zur *Minetta Tavern* in der Minetta Street und zur *San Remo Bar* in der McDougall Street, bis er 1954 einem Mord zum Opfer fiel (in einem armseligen Zimmer – *a coldwater room* –, einem Zimmer ohne warmes Wasser und Heizung für fünf Dollar die Woche, in der untern Third Avenue). In diesem Künstlerquartier, wo meist italienische Einwanderer wohnen, wurden Meisterwerke geschrieben und Lebensläufe abgeschnitten, Talente geschaffen oder zerstört, durch Armut Laster oder Charakterschwäche.

Hier wohnten Sinclair Lewis und Upton Sinclair, Theodore Dreiser und Willa Cather. Bodenheim hieß Greenwich Village *the Coney Island of the Soul*, den Rummelplatz der Seele.

Das war zur Zeit der »Prohibition«, der Epoche nach dem ersten Weltkrieg, mit schlechtem Alkohol, Jazz und Kommunismus, als Bodenheim oder Harry Kemp, der Vagabundenpoet, und ihre Freunde aufs Land flohn und nach St. Marks in der Bowery, nach Provincetown auf Cape Cod, nach Woodstock im Staat New York oder nach Westport, wo sie alles reformierten, die Welt und USA, Literatur, Künste und Tanz, und die Herren zu lange Haare und Hosen und die Mädchen zu kurze Haare und Röcke trugen. Sie saßen in *Greenwich Village*, im *Greenwich House*, in *Jones Street*, im *Pepperpot*, in the *Open Door*, in the *Black Cat*, in the *Jolly Friars*, in the *Black Parrot Tea Shoppe*, in *Hobo-Henna*, bei *Spanish Willie's* in Third Street, im *Jumble Shop*.

Im kleinen Kellerrestaurant von *Romani Marie* aß der junge O'Neill gratis und zahlte erst Jahre später.

Da wuchs die Revolte gegen die Konventionen Amerikas, gegen die Devise des Präsidenten Calvin Coolidge: *»The business of the government is business.«* »Das Geschäft der Regierung sind die Geschäfte.« Es wimmelte von Dichterinnen und Tänzerinnen, Schauspielern und Homosexuellen, halben und falschen Dichtern, von Mäzenen und Narren, von Idealisten und verzweifelten Nihilisten, von kleinen Weltreformern und Rauschgifthändlern.

Und hier und da gab es einen großen Dichter. Hier entstanden die kleinen idealistischen Zeitschriften in rauher Menge, wie *Masses*, die 1911 begann und 1922 eine kommunistische Zeitschrift wurde, *The Little Review, The Seven Arts, The Bohemian, The Pagan, The Playboy*. Hier schufen die »Provincetown Players« das Greenwich Village Theater. In Provincetown in Massachusetts, einem kleinen Hafenort, wo portugiesische Fischer und ihre amerikanischen Kinder und Enkel leben und O'Neill und Dos Passos wohnten, hatten im Jahre 1915 Schauspieler, Künstler und Autoren ihre kleine Theatergruppe gegründet und zuerst in einem Fischerschuppen, später in einem kleinen Theater, dem *Wharf Theater,* modernes Theater gespielt. In zehn Jahren wurden dreiundneunzig Stücke von siebenundvierzig Dramatikern uraufgeführt, darunter fast alle Stücke von O'Neill, Dramen von Edna St. Vincent Millay, Sherwood Anderson und Edna Ferber. Diese Gruppe führte nun in einem kleinen Theater in der Village in New York experimentelle Stücke auf, bis sie eines Tages zum Broadway kamen und die »Theatergilde« gründeten. In der Second Avenue saßen die jiddischen Dichter von New York, im *Café Royal.*

In den Jahren der Depression war die *Waldorf Cafeteria* der Sammelpunkt vieler Schriftsteller und Maler und Künstler von Greenwich Village. Es war die Zeit des Bundes-Theater-Projekts und des »Federal Writer's Projects«, von 1935 bis 1939, der Hilfsaktionen für arbeitslose Schriftsteller, Journalisten, Verleger und Wissenschaftler. Das Projekt beschäftigte bis zu 6600 Autoren. Im Auftrag der Bundesregierung wurde eine Serie amerikanischer Baedeker geschaffen. In neuern Zeiten traten in den Vereinigten Staaten von Amerika neben die individuellen Mäzene die großen Stiftungen der Milliardäre, wie Guggenheim und Rockefeller und Ford, die mit einem Kapital von fünfzig oder fünfhundert Millionen Dollars ganze Generationen von Malern, Dichtern, Wissenschaftlern finanzieren. Freilich führt solch ein Stiftungswesen zur Bürokratisierung des Mäzenatentums und zur sozialen Trennung von Millionären und Künstlern.

Ist das ein Schaden? fragte Fräulein Engel.

Wer soll die Porträts der amerikanischen Millionäre liefern? fragte ich.

An die Stelle von literarischen Salons oder Cafés traten Schriftstellervereine und Akademien, erzählte Mark. 1904 wurde die »American Academy of Arts and Letters«, die amerikanische Akademie der Künste und Literatur gegründet, mit fünfzig Mitgliedern. Sie ist eine Unterabteilung des »Nationalen Instituts für Künste und Literatur«, das 1898 nach dem Muster der Académie Française gegründet worden war, mit zweihundertfünfzig Mitgliedern, in den Sektionen Kunst, Literatur und Musik. Zu den Gründungsmitgliedern gehörten Mark Twain, Henry Adams und Henry James.

Henry James, sagte ich, war einer der ersten Amerikaner, welche die These aufstellten, daß Amerika ein unwirtliches Land für alle Künste sei und keine passenden Stoffe den Künstlern liefere. Diese These, welche auch der Literaturhistoriker Van Wyck Brooks in seinen Büchern über Mark Twain und Henry James aufnahm, bekräftigte Matthew Josephson 1930 in seinem Buch *Porträt des amerikanischen Künstlers*. Josephson konstatierte, das industrielle Amerika sei kunstfeindlich und kunstzerstörend. Henry James, der berühmte amerikanische Romancier, zog die Konsequenz und emigrierte nach Europa. 1915 wurde er englischer Staatsbürger. Seitdem sind viele amerikanische Autoren nach Europa emigriert, wie Robert Frost, den London anzog, der aber bald heimkehrte, und T. S. Eliot, der ein englischer Verleger und ein Konvertit wurde. Nach dem ersten Weltkrieg gab es eine Gruppe der »Expatriierten«, die auf dem linken Seineufer in Paris wie im Exil lebten, darunter Hemingway, Gertrude Stein, Leo Stein, Matthew Josephson, Malcolm Cowley, Scott Fitzgerald, John Dos Passos. In Paris hatten sie ihre kleinen Zeitschriften, wie *The Broom,* und ihre Literatursalons. Diese zwanziger Jahre heißt man in Amerika das »Jazz-Zeitalter«. Viele amerikanische Literaturkritiker behaupten, in den zwanziger Jahren sei die amerikanische Literatur zum erstenmal eine erwachsene Literatur, eine unabhängige *amerikanische* Literatur geworden, also eben da sie reif fürs »Exil« wurde.

Mein lieber Freund, fragte Mark, was folgern Sie daraus, insbesondere für Ihren Freund, Herrn Dr. Blume?

Daß die Literatur vorwegnimmt, was sicherlich im Laufe dieses und des folgenden Jahrhunderts kommen wird: Das Verschwinden der Nationalstaaten und der abgeschlossenen

Nationalliteraturen. Schon bislang erscheinen die Nationalliteraturen viel abgeschlossener als sie sind, infolge der literarischen oder politischen Fälschungen der Literaturhistoriker. Die nationalen Grenzen sind Feinde der Menschheit und Feinde der Kultur. Nationale Grenzen sind für die Literatur menschenfeindliche Fiktionen. Die Behauptung der amerikanischen Literaturkritiker, die amerikanische Literatur sei erst in unserer Generation wahrhaft erwachsen und wahrhaft amerikanisch geworden, bedeutet also nur, daß sie kosmopolitisch, ja »europäisch« geworden ist.

Ich verstehe, sagte Blume. Sie wollen sagen, mein ganzes Problem existiere nicht. Es mache keinen großen Unterschied aus, ob ich ein deutscher Schriftsteller in München, Hamburg, Berlin oder ein amerikanischer Schriftsteller in New York, Paris oder London bin?

Es macht zumindest keinen idealen, keinen formalen, keinen künstlerischen Unterschied. Amerika ist keine europäische Kolonie mehr. Europa ist nicht mehr jenes Europa, das wir kannten. Die »dunkeln« Kontinente sind amerikanisiert wie Europa. Amerika und Europa und Asien und Afrika und Australien haben nur ein Schicksal, einen Frieden, wie sie alle, wenn es dazu käme, nur einen Weltkrieg und einen Weltuntergang hätten.

Soll also Dr. Blume nach New York gehen? fragte Professor Mark. Oder in London bleiben? Oder in München, Hamburg, Berlin die deutsche Literatur, den deutschen Rundfunk, die deutsche Politik, das deutsche Volk studieren und das Leben der Deutschen erzählen?

Ja, kommen Sie nach Deutschland, bat lächelnd Ilse Engel, besonders wenn Sie Talent haben. Sie werden sehr bald einen Preis und gute Preise, mehrere Verleger und einen Volkswagen bekommen.

Ich will keinen Volkswagen und keine Literaturpreise, erwiderte mit einem Mal aufgebracht der junge Mann. Ich will Weltstoffe, Weltideen und Welterlebnisse. Ich bleibe in New York.

347

Sie sind willkommen! sagte Mark.

Nur vergessen Sie nicht, sagte ich: Was immer Sie tun werden, aus Ihnen wird nichts andres, als was Sie sind! Mir gefällt es, daß Sie sich überall auf Erden zu Hause fühlen. Die Literatur der Zukunft wird weltbürgerlich, oder nichts sein.

Trinken wir auf die Zukunft der Literatur! bat Mark und füllte unsere Gläser.

Auf die Zukunft der Menschheit! sagte ich.

Auf die Zukunft von Herrn Blume, in New York oder in Deutschland! rief Ilse Engel.

Sind Sie durch unser Gespräch klüger geworden, lieber Herr Blume? fragte ich.

Dostojewski sagt: Es ist immer angenehm, mit klugen Menschen sich zu unterhalten, erwiderte der junge Mann.

Eine Bedingung des Dichters scheint die andere auszuschließen, sagte ich. Er muß die Menschen kennen und also mit ihnen leben, mitten in der Gesellschaft. Und er braucht zur Arbeit Muße und Einsamkeit und muß die Gesellschaft fliehen. Darum gehen so viele amerikanische Dichter abwechselnd in die entferntesten Gegenden von Amerika, um zu arbeiten, und kehren in die großen Städte zurück, um die Menschen zu beobachten. In keinem andern Land scheinen die Schriftsteller einander so sehr zu fliehen. In keinem andern Land ahmen sie einander so massenhaft nach, was sie oft ungewöhnlich trivial macht. Nirgends bilden so viele Dichter ihre privaten Mythen, weil das amerikanische Volk zu jung für nationale Mythen ist. Nirgends wird die Literatur so offen als ein Handwerk betrieben, das man lehren und lernen kann, an vielen Universitäten bildet man junge Schriftsteller heran, und erfolgreiche Dichter sind die Professoren. Es gibt ganze Sommerfrischen, wo es von Dichtern wimmelt, die mit Malern, Bildhauern und neuerdings mit Psychoanalytikern zusammenleben, wie in Woodstock im Staate New York und in Provincetown im Staate Massachusetts oder auf Martha's Vineyard, einer Insel im Atlantischen Ozean.

Es gibt auch private Stiftungen für eine Art von Schriftstellerfarmen, Bruthäuser für Bücher oder Theaterstücke, wo auf einem Landgut kleine Studios bereitstehen für junge oder ältere Schriftsteller, die acht Stunden am Tag mitten zwischen Feldern oder in einem Park vor einem Schreibtisch und einer Schreibmaschine sitzen und das Mittagessen in einem Picknickkorb empfangen, zum gemeinsamen Abendessen aber mit den andern Schriftstellern und Malern oder Musikern zusammenkommen. Frau und Kinder darf man auf diese Poeten-Farmen nicht mitnehmen. Man kann zwei, drei Monate umsonst dort leben und arbeiten. James Jones, der Autor des Romans *Verdammt in alle Ewigkeit,* hat sein Buch auf einer solchen Literatur-Farm geschrieben und nach seinem Erfolg einen Teil seines Honorars für diese Farm zugunsten anderer junger Literaten gestiftet.

Solch eine Schriftstellerfarm ist die MacDowell Colony in New Hampshire, oder die Kolonie in Yaddo im Staat New York, oder die Huntington Hartford Foundation bei Los Angeles. Nach Yaddo kann man zu jeder Jahreszeit gehn. MacDowell ist nur im Sommer geöffnet. Die Gäste werden eingeladen. Man darf sich bewerben, muß aber empfohlen sein.

In den dreißiger Jahren gab es in den Wintermonaten eine Menge Literaten in Key West. In den vierziger und fünfziger Jahren gab es Schriftstellerkolonien in Santa Fé in New Mexico, in East und West Hampton auf Long Island, in den Badeorten und Fischerorten an der Küste von Maine und auf manchen der zahlreichen kleinen Inseln entlang der Küste, ferner in Westport in Connecticut.

In New York treffen sich Literaten und Maler von Zeit zu Zeit in irgendwelchen kleinen, meist italienischen Restaurants oder Espressobars, südlich und westlich vom Washington Square oder in der Nähe vom Museum of Modern Arts. Auch bei *21* traf man Literaten.

Es gab einige halbliterarische Clubs, wie den »Coffee House Club«, »The Players« und »The Century«. Es gibt Familienfreundschaften zwischen amerikanischen Schriftstellern, doch dauern sie meist nicht lange, da die eine oder andere Familie bald aufs Land zieht. Malcolm Cowley sagt, amerikanische Schriftsteller lebten zwar nicht in der Gesellschaft, aber im Volk. Natürlich gibt es in New York die Cocktail Parties der Verleger und den alljährlichen Empfang des National Institute of Arts and Letters. Die amerikanischen Literaten, sagt Malcolm Cowley, schreiben zuweilen über Ideen, sprechen aber selten darüber.

Und gibt es heute in New York Lokale, wo man Schriftsteller regelmäßig treffen kann? fragte Fräulein Engel.

Freilich, sagte ich. Da es in New York keine rechten Kaffeehäuser gibt, versammeln sich die Schriftsteller in Hotels und Restaurants. Das alte *Hotel Breevoort* nahe der Fifth Avenue und dem Washington Square war ein Treffpunkt der Literatur, ebenso das *Hotel Lafayette* und später das *Hotel Algonquin,* nahe Times Square, wo viele Schriftsteller abstiegen und aßen, und der »vicious circle« am Rundtisch saß, und jetzt noch Theateragenten und literarische Agenten ihre Kunden zum lunch treffen.

Theaterleute treffen sich in *Jim Downey's Steak House,* einem Restaurant in 8th Avenue. Da sah man Tennessee Williams, William Inge, Arthur Miller, Thornton Wilder, lauter Pulitzerpreisträger. Joseph Pulitzer, ein Ungar, der mit siebzehn Jahren nach St. Louis gekommen und ein reicher Zeitungsbesitzer geworden war, stiftete zweieinhalb Millionen Dollars für die »Schule für Journalismus« an der Columbia Universität und Literaturpreise, für den besten Roman des Jahres, das beste Drama, die beste Biographie etc. Nach Theaterpremieren treffen sich viele Theaterleute auch bei *Sardi's,* einem Restaurant nahe Times Square.

Dem New Yorker Zentrum des PEN-Clubs, dieses internationalen Autorenvereins, gehören mehrere hundert New Yorker Schriftsteller an. Jede Woche gibt der Club eine Cocktailparty in einem Hotel, und jeden Monat findet ein Abendessen mit einer literarischen Diskussion statt, etwa über die Situation der ungarischen Schriftsteller oder die Bedeutung der Psychoanalyse für die moderne Literatur oder über die internationalen Möglichkeiten des nationalen Humors oder über Autoren und die Ehe oder über aktuelle Bücher.

Der arme Herr Blume, erklärte Ilse Engel. Er wird nicht einmal ein literarisches Kaffeehaus in New York finden. Und welcher Richtung wollen Sie sich eigentlich anschließen? Sie wollen ein amerikanischer Schriftsteller werden und in New York leben? Wen bewundern Sie?

Mir gefallen viele der neuen Amerikaner, erwiderte lachend Blume, aber ich möchte keinen nachahmen, der selber ein Nachahmer von besseren Europäern ist. Im neunzehnten Jahrhundert haben sich die amerikanischen Autoren vom geistigen Joch Englands befreien wollen, indem sie die Autoren des europäischen Kontinents studierten. Im zwanzigsten Jahrhundert studierten die amerikanischen Autoren die französischen Symbolisten und die deutschen Expressionisten und glaubten sich mit einem Male unabhängig und meinten, nun sei die amerikanische Literatur erwachsen, zugleich bodenständig und weltläufig. Oft macht ein Irrtum glücklich.

Die jungen Amerikaner nach dem ersten Weltkrieg waren enttäuscht, erklärte Mark, soweit sie dem Präsidenten Wilson geglaubt hatten, jener Krieg sei *the war to end the wars*, der Krieg, um Kriege zu beenden und die Welt *safe for democracy* (sicher für die Demokratie) zu machen. Statt inmitten von übermütigen Kriegsgewinnlern selber zu Nachkriegsgewinnlern und reich zu werden wie das ganze Land, verloren viele der stärksten Talente ihre Illusionen und gingen in jenes falsche Exil nach Europa.

Zwischen 1910 und 1920 wurde also die amerikanische Literatur »erwachsen«. Die liberalen Präsidenten Theodor Roosevelt und Woodrow Wilson und der Kampf gegen den neuen Puritanismus hatte die Literaten aufgeweckt. Die »literarischen Radikalen« hatten gesiegt, mit Dreiser und Sinclair Lewis und Upton Sinclair, mit den »radikalen« Literaturkritikern Randolph Bourne und Van Wyck Brooks und H. L. Mencken, die den Tod des »Puritanertums« feierten. Zu ihnen stießen Lewis Mumford und Waldo Frank und Ludwig Lewisohn und George Jean Nathan. Sie entdeckten den Naturalismus und Freud und Marx und Nietzsche und Shaw und Lenin und Proust.

Van Wyck Brooks zeigte die beiden paradigmatischen Wege der amerikanischen Literaten am Ende des neunzehnten Jahrhunderts, *The Ordeal of Mark Twain*, (*die Prüfung von Mark Twain*) und *The Pilgrimage of Henry James*, (*die Pilgerschaft von Henry James*), das heißt also den Weg zur Korruption in Amerika oder ins Exil nach Europa.

Mumford trieb Kulturkritik, Kunstkritik, Literaturkritik, Geschäftskritik in einem.

Lewisohn brachte in die Literaturkritik den Freud, Eastman den Marx, Waldo Frank die Kultur Südamerikas. Mencken studierte die amerikanische Sprache und griff alles Falsche und Verlogene an, in seiner Zeitschrift *Smart Set,* die er von 1914 bis 1924 mit George Jean Nathan herausgab und darnach im *American Mercury.*

Zu den Radikalen, die nach allen Richtungen auseinandergingen, zum Kommunismus, wie Upton Sinclair und Theodore Dreiser und zur Antidemokratie wie Mencken und zur Bürgersatire wie Sinclair Lewis, stießen die Neohumanisten Irving Babbitt, Brownell und Paul Elmer More. Babbitt sah die Gefahr für die Integrität des Menschen nicht, wie die Humanisten, im Dogmatismus der Religion, sondern im Dogmatismus der Wissenschaft. Die Neohumanisten bekämpften den Naturalismus der Radikalen. Gegen beide Gruppen traten die Ästhetizisten auf, eine neue Gruppe, der J. E. Spingarn 1911 den neuen Weg und ein neues Schlagwort lieferte, mit seinem Essay *The New Criticism,* wo er die Ästhetik und den Ästhetizismus von Benedetto Croce darlegte und übernahm.

1912 hatte Marriet Monroe in Chicago eine kleine Zeitschrift gegründet, *Poetry: A Magazine of Verse* (*Poesie, eine Zeitschrift für Verse),* die in den nächsten Jahrzehnten Epoche machte. Sie entdeckte die naturalistischen Poeten Rachel Lindsay, Robert Frost, Edgar Lee Masters, Carl Sand-

Theodore Dreiser 1871–1945   *Henry James 1843–1916*

Im »Club der Autoren« in New York

Der junge Upton Sinclair geb. 1878   *Sinclair Lewis 1885–1951*

W. H. Auden geb. 1907   *Eugene O'Neill 1888–1953*

burg und Robinson Jeffers, aber auch die neuen Metaphysiker und Antidemokraten Ezra Pound, Amy Lowell, T. S. Eliot und die Imagisten.

Die führenden Literaturkritiker zwischen den beiden Weltkriegen waren Malcolm Cowley und Edmund Wilson. Mit seinem Buch *Exile's Return, 1934, (Heimkehr des Exilierten)* bereitete Cowley dem Exil der sogenannten »Verlorenen Generation« ein literarisches Ende. Er fand, die europäischen Literaten hätten weniger Illusionen als die jungen Amerikaner. Im Umgang mit mittelmäßigen europäischen Literaten verloren die jungen amerikanischen Literaten das Gefühl der Inferiorität. Sie glaubten, Amerika habe eine eigene Zivilisation, eine eigene Sprache, wie ihnen H. L. Mencken bewiesen hatte, sie konnten einige künstlerische Formen entwickeln und sie hatten ihre eigene Folklore. Sie hatten den Mythus von der »Verlorenen Generation« aufgebracht, nach einer Wendung der Gertrude Stein oder des Joseph Roth oder eines andern europäischen Literaten, nun vergaßen sie den dummen Mythus und hatten die großen Erfolge in Amerika, Francis Scott Fitzgerald ging nach Hollywood und machte Geld mit Filmen und Kurzgeschichten für die großen Magazine.

Ernest Hemingway schrieb Kurzgeschichten für die großen illustrierten Zeitschriften und schrieb einen bitter satirischen und schlechten Roman gegen Sherwood Anderson, der sein literarischer Lehrer war, der ihm den ersten Verlag verschafft hatte, und der sein Freund war. Hemingway kokettierte mit dem Nihilismus und mit der Impotenz, er kokettierte mit dem Kommunismus, kokettierte mit dem Spanischen Bürgerkrieg, kokettierte im zweiten Weltkrieg mit dem Chauvinismus und empfahl, alle Deutschen zu kastrieren. Er kokettierte mit der Mode der *tough boys,* der rüden Jungen voll brutaler Sentimentalität, die stammeln und saufen, und verdarb mit seinem kunstvoll schlechten Stil eine halbe Generation in Amerika und Europa. Zuletzt kokettierte er mit der Religion in der Preisfechtergeschichte vom Fischer und Fisch (mal lag er oben, mal lag ich unten). Malcolm Cowley ging heim. Matthew Josephson schrieb über die *Robber Barons,* gegen die Großindustriellen und ausgezeichnete Biographien über Zola, Hugo und Stendhal.

Thomas Wolfe lebte kurze Zeit unter den Nazis, zerstritt sich mit seinem Editor Perkins, von dem die Sage ging, Thomas Wolfe bringe das Manuskript seines Romans im Lastauto zu Perkins beim Verlag Scribner und trage es im Taxi wieder zurück; denn dieser Dichter konnte kein Ende finden, und so schnitt ihm sein Verleger jedes Romanmanuskript auf ein Drittel oder Fünftel zusammen. Einmal zerstritt sich also Thomas Wolfe mit Perkins und ging zu Harper's und starb 1938, mit achtunddreißig Jahren. Er war ein Riese und ein Trinker und ein Poet in Prosa.

Und Dos Passos denunzierte die Gesellschaft Amerikas und kokettierte mit dem Kommunismus oder wenigstens mit Karl Marx und schrieb seine Romane nach den neuesten Methoden des amerikanischen Journalismus, wie einst Defoe seine Romane nach den Methoden des damaligen englischen Journalismus geschrieben hatte, und beide haben Schule gemacht. Und Dos Passos bekehrte sich und wurde älter und schrieb Romane gegen den Kommunismus und gegen den Nationalsozialismus und gegen den »New Deal«, von Franklin Delano Roosevelt, und die liberalen Kritiker hießen ihn einen alten Reaktionär. Und John Steinbeck flirtete mit dem Kommunismus und vergaß bald die Ideale seiner Jugend. So wurden aus den jungen Radikalen alte Nihilisten oder Konformisten.

Die Reaktionäre und »Artisten« behaupteten das Feld, Pound und Eliot. Oder die Gruppe um John Crowe Ransom, die *Fugitives,* die Flüchtigen, an der Vanderbilt Universität, die aus dem Leben ein reines Kunstwerk, reine Poesie machen und Agrarier im Süden werden wollten und den »practical criticism« betrieben, sie wollten die Bedeutung eines Gedichts für den Leser analysieren und fragten weder nach der Person des Autors noch nach seiner Absicht.

T. S. Eliot schrieb fromme Theaterstücke. Ezra Pound hielt am italienischen Rundfunk unter Mussolini im zweiten Weltkrieg Brandreden gegen die Amerikaner und Juden und Neger und für den Faschismus, und die Amerikaner sperrten ihn in einen Käfig, brachten ihn nach Washington ins Irrenhaus und entließen ihn im Jahre 1958 als irr und irresponsibel, und er ging wieder nach Italien und ist immer noch ein Antisemit und ein Feind der Neger, und er hat einen Schüler, John Kasper, der in den Südstaaten gegen die ärmsten Neger hetzt, mit der Billigung seines Meisters Pound.

Nach 1945 behaupteten die großen amerikanischen Literaturkritiker, es sei die Epoche der großen Literaturkritiker in USA. Inzwischen hatten einige junge Leute Erfolg, mit neuen Stücken, neuen Gedichten, neuen Romanen. Und zu welcher Gruppe wollen Sie nun gehn, Mr. Blume? Da ist die Schule von Chicago. Da ist die Schule aus den Südstaaten. Da ist die Schule von New York. Da ist, nach der »lost generation«, der verlorenen Generation, die »beat generation«, die geschlagene Generation, die »Beatniks«, die Jan Kerouac, Allen Ginsberg, Lawrence Ferlinghetti und Kenneth Rexroth. Da sind die Söhne der Radikalen oder die Kryptokommunisten oder die Neofaschisten oder die Lokaldichter, vom nahen Westen, vom fernen Westen, die Schüler der »Indians«, oder die Söhne Europas, und Nachahmer europäischer Literaturmoden, wie Thornton Wilder und Henry Miller und Arthur Miller und Tennessee Williams und William Inge, Bastarde von Strindberg und Sigmund Freud. Wem wollen Sie folgen? Vor welchem Europa wollen Sie entfliehn?

Archibald MacLeish, Poet, Professor, ehemaliger Unterstaatssekretär und Berater der Library of Congress in Washington, berichtete, er habe auf seinen Reisen in der Welt entdeckt, daß man Amerika mißachte, weil Amerika seine eigenen Schriftsteller und Künstler als Bürger zweiter Klasse behandle. Daran seien aber die amerikanischen Künstler und Literaten selber schuld.

Das glaube ich, sagte ich. Auch die deutschen Literaten sind schuld, wenn man sie in Deutschland minder achtet als Beamte, Offiziere, Industrielle, Politiker oder Bankiers.

Professor Mark fuhr fort: Archibald MacLeish behauptet, von ferne sehe es aus, als lebten die amerikanischen Schriftsteller in einer Art heimischem Exil. Die Zeitungen sprechen von ihnen, wenn die Autoren sterben, oder einen Roman sehr teuer nach Hollywood verkaufen, oder zum siebenten Male heiraten, aber das Publikum fragt nicht nach ihren Meinungen in öffentlichen Angelegenheiten. Und die Europäer sahen, daß der amerikanische Großinquisitor von gestern, der Senator McCarthy, hauptsächlich amerikanische Schriftsteller, Künstler und Wissenschaftler verfolgte und hetzte. Aber, sagt Mac Leish, wenn es so wäre, so sei es gleichfalls die Schuld der amerikanischen Künstler und Literaten. Die »politisierte Kunst« der dreißiger Jahre sei in Amerika heute in Verruf gekommen, nicht aus politischen, sondern aus ästhetischen Gründen. Heute muß man ein »reiner Künstler« sein, ein Ästhet.

Es sind die Schüler von Poe, die Schüler der Symbolisten, sagte ich. Es gibt diese Art auch in Deutschland, die Ästheten ohne Moral, wie Gottfried Benn.

Wir haben in USA auch Ästheten mit Moral, versicherte Professor Mark. Die amerikanischen Ästheten, sagt Archibald MacLeish, gehn nicht ganz so weit wie jene Londoner Literaten in den neunziger Jahren, zur Zeit von Oscar Wilde, vor denen Yeats sich abwandte, weil ihnen die Kunst eine »furchtbare Göttin« war, der sie das Leben opferten. Heute machen sie aus der Kunst eine kleinere Gottheit, abseits vom gewöhnlichen Leben. Einer dieser Literaten erklärte in einer feierlichen Rede, die gefährlichste Versuchung für den Künstler sei die Versuchung, die öffentlichen Pflichten zu erfüllen. Ein andrer erklärte einem Negerschriftsteller, ein Neger könne keinen Negerroman schreiben; denn es müßte ja ein Protestroman werden, also ein unkünstlerisches Tendenzwerk. Wollen Sie, lieber Blume, vor den Ästheten von Europa zu den Ästheten von Amerika fliehen? Die amerikanische Literatur ist »erwachsen« und das große Geschäft, oder sie ist »reine Kunst« und ein großes Geschäft.

Und Greenwich Village ist tot oder halbtot oder noch nicht wieder auferstanden.

Guter Gott, rief Blume, Sie wollen also, daß ich morgen heimfahre, nach London oder München?

Im Gegenteil, erklärte Professor Mark, es ist höchste Zeit, daß wieder einmal einige Europäer herüberkommen, mit neuen Ideen und neuen Talenten. Wir sind ein Land der Einwanderer. Das hat uns groß gemacht. Wir haben Europa nicht gefressen, wie unsere Gegner sagen. Aber wir haben Europa ganz gut verdaut.

WIEN

Als ich zum erstenmal in Wien vor einem Kaffeehaustisch auf der Straße saß, da kam es mir vor, als sei jeder zweite Wiener ein Bettler. Es war im Sommer 1922, zur Zeit der Inflation. Das Kaffeehaus war voll, und da schienen nur reiche Leute zu sitzen; denn sie gaben den Bettlern nichts.

Ich bin seitdem oft nach Wien gekommen und habe mich in den Wiener Kaffeehäusern zu Hause gefühlt, der treffliche Kaffee, das gute Wasser, die vielen Zeitungen, das Gebäck, die hübschen Wienerinnen, die Oberkellner, die wie Hofräte aussehen ... Mich störte nur die Hochstapelei der Kellner, denen ihre gutbürgerlichen Gäste nicht fein genug sind und die sie falsch titulieren, Herr Baron, mindestens Herr Doktor. Mich verdrossen die händeküssenden Kavaliere, die sogar den Herren ihr Küßdiehand entgegentragen. Mich empörte der alteingesessene Antisemitismus, der lange ziemlich »gemütlich« war und plötzlich mörderisch wurde, in jenen Jahren, da Wien eine deutsche Provinzstadt war und fanatische Wiener die jüdischen Dichter vertrieben haben, und sogar christliche Dichter ins Exil gingen und im Exil gestorben sind, lauter Kaffeehausliteraten; denn in Wien gibt es kaum einen Dichter, der nicht ins Kaffeehaus geht.

Franz Theodor Csokor, der österreichische Dramatiker, der 1938 ins Exil gegangen war, nach Polen und Jugoslawien, wo er auf der Insel Kocula mit den Partisanen gelebt hatte (wie er in seinem Buch *Auf fremden Straßen* beschrieben hat, einer der nobeln Autobiographien des 20. Jahrhunderts, das an ignobeln Autobiographien so reich ist), Csokor hatte mich zum *Café Herrenhof* in der Herrengasse gebracht, einem Literaturcafé im Herzen von Wien, wo ich zwei alte Bekannte traf, Herrn Josef Pilz und seine Frau Marie. Csokor war nicht mitgekommen.

Das literarische Ehepaar saß schon da, jüngere streitlustige Leute, er war wie ein Älpler gekleidet, oder als käme er gerade von einer Hochgebirgstour, sie trug ein elegantes seidenes Kleidchen, mit Ausschnitt und einem blaublitzenden Schal, er hatte grüne Augen, sie hatte blaue Augen, sie hatte blonde Haare, er hatte keine Haare, beide sprachen in der lautersten Bemühung, mit mir hochdeutsch zu reden, ein unverfälschtes Wienerisch, das ich nicht wiedergebe; denn wohin würde es mich führen?

Da sitzen Sie nun, sagte Herr Pilz sogleich, noch ehe ich mich umschauen konnte, ob nicht der Friedrich Torberg dasaß, ein heimgekehrter Stammgast, da sitzen Sie nun, sagte Pilz (Baron Pilz? Dr. Pilz) im *Herrenhof* mit zwei österreichischen Schriftstellern und wollen also vielleicht andeuten, daß es, bei Licht besehn, gar keine österreichische Literatur gibt? Das ist paradox.

Paradox, bestätigte ohne Gnade Frau Pilz. Lebte nicht Walther von der Vogelweide, der erste große deutsche Dichter, in Österreich?

Da sagen Sie es, stimmte ich freudig bei, die Österreicher wie Franz Grillparzer und Franz Kafka und Adalbert Stifter und Joseph Roth sind deutsche Dichter.

Wie? fragte Pilz empört. Der sicherste geistige Besitz eines Volks ist seine Literatur. Sie wollen nicht aus der gesamten österreichischen Literatur ein Kapitel der deutschen Literatur machen?

Was ist das für eine Nationalliteratur, fragte ich, die erst im Biedermeier lebendig wird, mit den vier großen Sonderlingen, den beiden Possendichtern Raimund und Nestroy und den beiden Goethe-Nachfolgern Grillparzer und Stifter? Die spezifischen Österreicher, von Grillparzer bis Hofmannsthal, leihen sich die Sprache des alten Frankfurters Goethe aus und seinen Klang und seinen Geist.

Eine gemeinsame Sprache macht noch keine gemeinsame Literatur, entgegnete Pilz. Sie kennen den Ausspruch von Bernard Shaw, England und Amerika seien nur durch ihre

Sprache getrennt. Möchten Sie die gemeinsame Geschichte der englischen und amerikanischen Literatur schreiben?

Es ist geschehn, sagte ich, und man sollte es immer tun. Der Provinzialismus ist der Tod der Literatur. Jean Jacques Rousseau und Gottfried Keller waren Schweizer, aber der eine gereicht der französischen, der andere der deutschen Literatur zum Ruhm. Es gibt zu viele Grenzen in der Welt. Sollen wir künstliche geistige Grenzen schaffen?

Sind Sie vielleicht ein Großdeutscher?

Ich bin ein Weltbürger, der in die deutsche Literatur verliebt ist und nicht in die jeweiligen Grenzen der deutschen Länder.

Unterschätzen Sie nicht den *genius loci*? fragte er.

Im Gegenteil! rief ich. Eben den Genius von Wien und Österreich will ich zum Exempel nehmen. Österreich verstand, viele Völker und Kulturen zu mischen. Es empfing die Besten aus vielen Ländern. Es nahm und gab verschwenderisch. Solange die Fremden in Wien zu Hause waren, Kroaten und Ungarn, Italiener und Tschechen, Polen und Ostjuden, solange blühte Wien.

Wien war das Herz von Deutschland, laut dem Schwabendichter Justinus Kerner, erklärte Frau Pilz. Zu Wien saßen viele römische Kaiser deutscher Nation. Wir regierten in den Niederlanden und in Italien, in Böhmen und Ungarn. Der Wiener Kongreß schuf die neue Ordnung Europas und einen langen Frieden.

Diese reaktionäre Ordnung von Metternichs Gnaden, bemerkte ich, war das Unglück der österreichischen Dichter. Und Metternich kaufte und korrumpierte auch ausländische Schriftsteller, wie den Realisten Friedrich von Gentz oder den Romantiker Adam Müller oder den Friedrich Schlegel, der die Tochter eines jüdischen Philosophen geheiratet hatte, um mit ihr katholisch zu werden. Schon im Jahre 1804 schrieb Ernst Moritz Arndt über die Wiener Cafés: »... was gesprochen wird, bleibt in der Furchtsamkeit des Flüsterns. Und so geht man weiter und hat zwar genug Menschen gehört, aber keinen gesprochen.«

Immerhin gab es endlich österreichische Dichter von erstem Rang. Noch im 18. Jahrhundert war der kaiserliche Hofpoet zu Wien der Italiener Metastasio, der für Gluck und Mozart italienische Operntexte schrieb! Und das war ein Glück für Wien. Die großen Komponisten kamen zu Metastasio. Weil Wien die Fremden liebte, liebten die Fremden Wien. Das waren die Leute, die ihr Herz in Wien verloren hatten. Der Schwabendichter Kerner ging auf einen Ball im Wiener *Apollosaal* und schrieb an den Schwabendichter Ludwig Uhland: »In diesem Saal übersiehst du mit einem Blick so viele schöne Mädchen, als Tübingen Einwohner hat.« In Österreich gediehen die Mädchen und die Fremden, die Kaffeehäuser, das Feuilleton, die Psychoanalyse, die Lieder und die Musik.

Gibt es eine zweite Stadt in der Welt, wo so viele große Musiker gelebt haben und zu Lebzeiten verkannt wurden? Haydn und Mozart, Beethoven und Schubert, Johann Strauß und Bruckner, Mahler und Schönberg?

Und die Wiener Theater? fragte Pilz. Laube hat gesagt: »Wäre das Theater nicht erfunden, die Österreicher erfänden es.« Und erst unsere Schauspieler! Da ist der Liebling der Wiener: Hanswurst ... der erste hieß Stranitzky und begründete das Wiener Theater und die Wiener Posse. In der Komödie sind wir Meister, von Nestroy und Raimund bis zu Hofmannsthal und Schnitzler und Oedoen von Horvath. Gab es ein besseres deutsches Theater als in Wien?

Die größten Theaterdichter Österreichs, Franz Grillparzer und Hugo von Hofmannsthal, wurden in Wien auf der Höhe ihrer Kunst mißachtet, entgegnete ich. Grillparzer wurde einundachtzig Jahre alt, aber mit fünfundvierzig Jahren zog er sich vom literarischen Leben zurück, weil er mit seinem Lustspiel *Weh dem der lügt* in Wien durchgefallen war und weil die Zensur gerade seine patriotisch österreichischen Stücke unterdrückte. Hofmannsthal hatte als Librettist in der ganzen Welt Erfolg, aber spielten die Wiener seine Komödien? Schon der österreichische Emigrant Charles Sealsfield alias Postl, der Autor des *Kajütenbuchs,* sagte: »Die Musik ist der Stolz der

Wiener und auch so ziemlich der wichtigste Teil ihrer Bildung.« Hofmannsthal sagte: »Österreich ist zuerst Geist geworden in seiner Musik, und in dieser Form hat es die Welt erobert.«

Die Wiener wollen es eben leicht haben, besonders in der Literatur, gab Frau Pilz zu. Darum blüht bei uns das Feuilleton, die Prosafassung des Wiener Lieds. Auf kleinstem Raum in einer Weise zu plaudern, die alles Oberste und alles Innerste anrührt und nichts wirklich betrifft, das ist schon mehr als Kunsthandwerk. So witzig und graziös zu schreiben, als verwandelte man einen Walzer in Prosa, das konnte nur in Wien sich ereignen.

Diese Kunst aus dem Wiener Kaffeehaus stammt in Wahrheit aus Deutschland und Paris und London, sagte ich. Hat nicht der Wiener Feuilletonist Karl Kraus den Heinrich Heine zum Vater des Feuilletons gemacht, um den Heine damit abzutun (samt andern Vätern des Feuilletons, wie Lukian und Lawrence Sterne, Addison und Diderot)? Immerhin gab es im 20. Jahrhundert österreichische Meister des Feuilletons, wie Alfred Polgar, Joseph Roth, Robert Musil, Franz Kafka.

Also die Komödie und das Feuilleton blühten in Österreich, und da soll es keine spezifische österreichische Literatur geben? fragte Frau Pilz.

Große österreichische Dichter genug, sagte ich. Aber was ist die österreichische Literatur? Unter der Herrschaft der Kaiser zu Wien lebten neapolitanische und polnische Dichter, ungarische und niederländische, tschechische und kroatische.

Wir sprechen nur von der deutsch-österreichischen Literatur, mahnte Pilz.

Es gibt viele Sorten Deutsch-Österreicher, sagte ich. Die Wiener, die Älpler, die Sudetendeutschen und die Deutschen aus den früheren Provinzen Österreichs, aus Prag und Triest, aus Budapest und Czernowitz, aus Krakau und Brody und Zagreb, aus Schwabendorf und Podwoloczyska. Sie lebten alle mit fremden Völkern. Das machte sie zu spezifischen Österreichern, diese Völkermischung und die Kulturmischung und die hergeholten Traditionen aus ganz Europa. Wieviel vom spezifisch Wienerischen kommt aus aller Welt! Die Wiener Mehlspeisen stammen aus Böhmen und Ungarn, die Musik aus Italien, manche Sitten aus Spanien. Der größte österreichische General, Prinz Eugen, war ein in Frankreich erzogener Italiener. Österreichs berühmtester Staatsmann, der Metternich, kam aus dem Rheinland, Beethoven ward in Bonn geboren. Und die Habsburger kamen aus der Schweiz und Lothringen. Es sind mehr große Männer in Wien gestorben, als dort geboren wurden. Wien ist eine gesellige Stadt. Die großen Männer kamen ja nach Wien, um dort zu leben, Hebbel und Brahms, Mozart und Sigmund Freud. Auch mein alter Freund Casanova fühlte sich wohl in Wien und teilte sein Wiener Mädel mit dem Kaiser. Schon im Jahre 1438 schrieb einer: »Selten ist eine Wienerin mit *einem* Mann zufrieden.« Und ein Deutscher, der Abgeordnete im Konvent der Französischen Revolution wurde, schrieb aus Wien: »So sind die Frauenzimmer hier: sie sind hübsch, sind artig, witzig und auf die angenehmste Art ungeniert.« Die Wiener sind halt gesellig. Sie lieben den verfeinerten sinnlichen Genuß, singen gern und schmausen gut, trinken ihren Heurigen und machen Musik.

Wir haben Gemüt, erläuterte Pilz. Wir lebten mit unsern Künstlern simpel wie Brüder. Haydn war der Kapellmeister des ungarischen Fürsten Esterházy in Eisenstadt. Beethoven stand in Gunst in den adligen Salons des Fürsten Lichnowsky und des Grafen Waldstein. Beethoven und Josef Lanner und Johann Strauß spielten in den Kaffeehäusern für alles Volk. 1814 war Beethoven ein Klavierspieler im Sommerpavillon von Benk im Prater, wo später Lanner Kapellmeister war. Unsere österreichischen Dichter waren freilich nicht für Salons geschaffen. So viele waren Außenseiter, griesgrämige Raunzer wie Grillparzer. So viele endeten durch Selbstmord wie Raimund und Stifter oder Stefan Zweig. So viele starben im Exil, wie Musil und Broch, Roth und Werfel, Salten, Roda Roda und Beer-Hofmann. Soviele lebten in Armut. Die Monarchie war ein Stück von einem Weltreich, aber das deutsche

Österreich war eine Provinz. Viele unserer Dichter waren satirische Melancholiker mit menschenfeindlichen Zügen. In der geselligsten Stadt bevorzugten sie ihre eigene Gesellschaft. Der berühmteste Salon in Wien gehörte der Dichterin Karoline Pichler. Aber in den literarischen Cafés, wie dem *Silbernen Kaffeehaus,* dem *Griensteidl,* dem *Central,* saßen alle gern beisammen. Vielleicht waren sie auch im Lärm der Kaffeehäuser einsam.

Habt ihr denn immer noch viele Dichter in Wien? fragte ich.

Ganze Kaffeehäuser kann man damit füllen! rief stolz Frau Pilz.

Und sind viele Genies darunter? fragte ich.

Gewiß nicht, erwiderte ihr Mann. Aber da ist endlich der Ober!

Der Herr bitte? Schon befohlen? fragte der Kellner und wiederholte unsere Bestellung: Eine Teeschale Braun, mehr licht mit Schlag, bitte! Eine Nußschale Gold! Einen Kapuziner mit Schlag, bittschön!

Und bald! bat ich.

Nur schön langsam! sagen die Wiener, erklärte Frau Pilz. Wir haben auch mit der Literatur und mit den Salons hübsch lange gebraucht. Uns hat es die Zeit angetan. Ein echter Österreicher kennt keine Gegenwart. Er hat immer in jenen guten alten Zeiten gelebt, von denen man nur träumt. Die Zeit und Träume sind ewige Themen unserer Literatur.

Joseph Roth, der große österreichische Prosaist, sagte ich, der in den meisten österreichischen Literaturgeschichten kaum erwähnt wird, weil er in Ostgalizien geboren und zu Paris im Exil gestorben ist, hat in einem Aufsatz über Grillparzer geschrieben: »Österreich hat nur Friedhöfe und eine Kapuzinergruft und kein Pantheon. Es ist recht so. Unterm Rasen liegen sie alle: Beethoven, Bruckner, Stifter, Raimund, Nestroy, Grillparzer – Österreichisches repräsentieren heißt: zu Lebzeiten mißverstanden und mißhandelt, nach dem Tod verkannt und durch Gedenkfeiern gelegentlich zur Vergessenheit emporgehoben zu werden.«

Wir Wiener, erläuterte Pilz, verweisen Tragödien untern Strich. Wir waren immer Reaktionäre. Wir waren immer ein bißchen hintennach. Wir leben in mehreren Zeiten zugleich und sind aus dem Stoff, aus dem man Träume macht.

Mein Mann hat recht. Und wenn ein Genie zu uns kommt, etwa aus Mähren, wie der Sigmund Freud, der zu London im Exil starb, so macht er aus Träumen den psychologischen Schlüssel und ist der Menschheit um ein Menschenalter voraus – wie der Dr. Semmelweis, der die Mütter vorm Kindbettfieber bewahrt hat.

Bitte sehr, eine Teeschale Braun, mehr licht mit Schlag! Eine Nußschale Gold! Und einen Kapuziner mit Schlag! Und Gebäck, sagte der Kellner. Er sah stattlich und würdevoll aus, merkantil und geistig zugleich, fast wie ein Verleger.

In der Stadt Wien, wo es an reichen Adligen aus ganz Europa nicht fehlte, führte eine bürgerliche Schriftstellerin also, diese Karoline Pichler, den berühmtesten literarischen Salon? fragte ich.

Die Wienerin hat einen bürgerlichen Zug, erläuterte Frau Pilz. Als die Kaiserin Maria Theresia einen Enkel bekam, rannte sie während der Vorstellung ins Burgtheater hinüber und rief, über die Logenbrüstung gebeugt, ins Publikum: »Der Poldl hat an Buam!« Hofmannsthal, zuweilen ein übertrieben österreichischer Lokalpatriot, sagte von der Kaiserin: »Hier ist die vollkommenste Rundung und gar keine Kontur.« Eine Wienerin also? Aber die Fürstin Lori Schwarzenberg empfing aus Prinzip in ihrem Salon nur ausländische Schriftsteller. Die perversen Patrioten glauben, ein Landsmann kann kein Genie sein.

In Deutschland weiß man nichts mehr von der Karoline Pichler, obwohl Goethe ihren ersten Roman gelobt hat, gestand ich. Aber ein literarisches Lob von Goethe galt für einen untrüglichen Beweis der Mittelmäßigkeit. Auch Hofmannsthal hat lieber die mittelmäßigen Dichter gelobt. Wie kam die Pichler zu einem Salon?

Aus Tradition, erzählte Frau Pilz. Ihr Vater, der Hofrat

Greiner, und ihre Mutter führten schon einen Salon. Diese Mutter war das Kind eines hannoveranischen Offiziers, das die Kaiserin Maria Theresia auf ihre Kosten erziehen ließ und zu ihrer Kammerdienerin ernannte. Diese Dienerinnen lasen der Kaiserin kniend die Post vor und kämmten ihr das Haar. Wenn eine Kammerdienerin in die Stadt fuhr, hatte sie eine eigene sechsspännige Equipage. Im Salon dieser Kammerdienerin Greiner spielten Haydn, Mozart und Salieri Klavier, da bildete man private Akademien und stritt zum Beispiel um die Abschaffung der Todesstrafe, wobei die Hofrätin für die Beibehaltung der Todesstrafe eintrat, »aus humanen Gründen«. Immerhin gehörte zu ihren Freunden jener Josef Sonnenfels, ein Literat, Reformator der Bühne und Präsident der Akademie der bildenden Künste, der sich um die Abschaffung der Tortur verdient gemacht hat. Ihre Tochter Karoline schrieb Romane und ihre Denkwürdigkeiten. Da heißt es: »Der Mensch ist zur Geselligkeit geboren.«

Ihren Mann hatte sie sich erschrieben. Ihr Bruder gründete als junger Mensch mit andern Altersgenossen eine »Akademie«, und jeder »Akademiker« mußte zu einem bestimmten Thema ein Referat verfassen. Karoline beteiligte sich als einziges Mädchen daran, unter dem Pseudonym »Der Unbekannte«. Jedesmal stimmten die Thesen ihrer Referate mit jenen eines Jünglings namens Pichler überein. Kurz entschlossen heiratete Karoline diesen Pichler.

Liebe Maria, es gibt in Wien genug glückliche Ehen, trotz dem Leichtsinn, den man der Wienerin nachsagt.

Mein Mann hat recht. Fünfzig Jahre lang hat Karoline Pichler ihren Salon geführt. Die Politik war tabu; das war im zensurwütigen Österreich vor und unter Metternich nicht anders möglich. Es war ein christlicher, gemütlicher Salon, wo nur manche Gäste Geist bewiesen, im Gegensatz zu den literarischen Salons der Berliner Jüdinnen, der Rahel Varnhagen, Dorothea Veit und Henriette Herz, die selber geistreich waren.

Die Pichler war eine hübsche Person. In ihrer Jugend war sie, wie ihr lebenslänglicher Freund, der Historiker von Hormayr, versicherte, eine »klare Christin«, und »von echt deutscher Gesinnung«, kaisertreu und keines Snobismus verdächtig. Als Madame de Staël, die große Feindin Napoleons, zum »Jour« ins sogenannte »blaue Zimmer« von Karoline kam, mit ihrem Freund August Wilhelm von Schlegel, dem Übersetzer Shakespeares und Lehrer Heines, da saßen die Wiener Damen im Kreis und strickten. Madame de Staël sagte geschwind ein Bonmot und verschwand mit ihrem deutschen Dichter, um im Salon einer Wiener Gräfin über die wackeren *Tricoteuses de la commune* zu lachen, worauf Karoline in ihrem »blauen Zimmer« sich weidlich amüsierte über die »mohrenhafte« Tochter des großen Necker und ihren geckenhaft aufgeputzten Verehrer und Cavaliere servente August Wilhelm von Schlegel, über dessen Geschlecht Heine im Unsichern zu sein behauptete. Die Pichler lachte über Deutschlands größten Übersetzer, den verwöhnten Damenliebling, den Rilke des neunzehnten Jahrhunderts, der zerstreut, während die Pichler ihm ihre dilettantischen Gedichte vorlas, »am Busenstreifen herumfingert, am *coup de vent* korrigiert ...«

Sie war kein Genie wie die Staël. Eine Zeitlang sagte man, es gebe zwei Wahrzeichen von Wien, den Stephansdom und das »blaue Zimmer« der Pichler. Sie war empfindlich, wenn man nicht zu ihr kam. Aber als Theodor Körner oder Lenau endlich kamen, verzieh sie ihnen sogleich. In ihrem Salon erschienen Grillparzer und Raimund, Oehlenschläger und Thorwaldsen, Metastasio, der kaiserliche Wiener Hofpoet, und der berühmte Orientalist Hammer Purgstall, Franz Schubert, der einige ihrer Lieder komponiert hat, und Adalbert Stifter, damals der Vorleser der Fürstin Schwarzenberg. Der geistreiche Friedrich Schlegel, die schöne Schauspielerin Therese Krones und Ludwig Uhland wohnten sogar gelegentlich bei der Pichler. Es tauchten die Großen von gestern auf, wie Feuchtersleben, der gedichtet hat: »Es ist bestimmt in Gottes Rat«, und der Maler Moritz von Schwind, samt den andern Freunden von Franz Schubert.

Fünfzig Jahre lang ein literarischer Salon? fragte ich. Und

was kam heraus? Lauter Biedermeier. Und die Denkwürdigkeiten der Pichler, wo sie übers Wetter, über Literaten und über die Not mit den Dienstmädchen schreibt.

Ein Salon ist so alt wie seine Herrin, sagte die Pilz. Karoline Pichler wurde im Alter zu fromm und übellaunig. Im halbdunkeln Nebenzimmer saß ein Geistlicher, und Herr Pichler eröffnete seinen Gästen, die etwa Karten spielten, sie bräuchten nur ins Nebenzimmer zu gehen, wenn sie in einer Pause des Spiels beichten wollten.

So schildert die Pichler den ersten Besuch Grillparzers: »Denselben Herbst sprach man viel von der Erwartung eines ersten Produkts eines bisher ganz unbekannten Dichters, Herrn Grillparzers, dessen wahrlich sehr unromantischer Name bei dieser Gelegenheit zum ersten Male genannt wurde, und von dem wenige Jahre darauf Lord Byron, der gewiß *juge compétent* war, mit Recht und prophetischem Geist sagen konnte: Die Welt und Nachwelt werde diesen etwas seltsamen Namen schon aussprechen lernen. Endlich führte uns Schreyvogl seinen jungen Schützling, den Verfasser der *Ahnfrau* vor, die indessen gegeben worden war, und wodurch die Augen nicht bloß der Stadt, sondern Deutschlands, ja Europas, auf denselben gerichtet worden, wie jenes Wort Lord Byrons beweist. Nie werde ich den Abend vergessen und den allgemein günstigen Eindruck, den seine Erscheinung hervorbrachte; Grillparzer war nicht hübsch zu nennen, aber eine schlanke Gestalt, von mehr als Mittelgröße, schöne blaue Augen, die über die blassen Züge den Ausdruck von Geistestiefe und Güte verbreiteten, und eine Fülle von dunkelblonden Locken machten ihn zu einer Erscheinung, die man gewiß nicht so leicht vergaß, wenn man auch ihren Namen nicht kannte, wenn auch der Reichtum eines höchst gebildeten Geistes und eines edlen Gemüts sich nicht so deutlich in allem, was er tat und sprach, gezeigt hätte. Dieser Eindruck war allgemein in der kleinen Gesellschaft, die sich an jenem Abend in unserm Garten versammelt hatte, und es mochte sich auch der junge Dichter durch das, was er hier gefunden, auf genügende Art angesprochen gefühlt haben, denn

Johann Nestroy 1801–1862   *Ferdinand Raimund 1790–1836*

Die Kassiererin im Silbernen Kaffeehaus in Wien. Rechts Lanner,
Strauß, Raimund, Schuster

Das Kaffeehaus Griensteidl. Im Vordergrund rechts Peter Altenberg

Sigmund Freud 1856–1939

Arthur Schnitzler 1862–1931

er kam von nun an zuweilen und gegen den Winter zu immer öfter.«

Joseph Roth hat diesen Wiener Literaten besser beschrieben: »Verdrossen, verschlossen, griesgrämig, verbarg er seine Scheu, erfüllte, nährte, fütterte das Begehren mit der Entsagung. Also ›erkannte‹ er die Frau nicht, wie es in der Bibel heißt. Und auch Männer wurden nicht seine wirklichen Freunde ... Äußere Erfolge genoß er mit Bitterkeit, beinahe wie Mißerfolge ...« Joseph Roth, ein Wiener Literat im Mantel eines Weltbürgers, führte durch Europa seinen literarischen Salon auf Reisen in seine zahllosen Hotels und Cafés. Wo er sich zum Trinken und Schreiben niederließ, da scharten sich wie auf den Wink eines Zauberstabs seine Freunde um ihn, sie waren Legion und stammten aus aller Herren Ländern.

Werden Sie schließlich die Akademie zu Athen das »peripathetische Philosophenkaffeehaus« des Aristoteles heißen? fragte Pilz.

Mein lieber Herr Kesten, versicherte Frau Pilz, auch die Karoline Pichler sah schärfer, wenn sie scharf wurde. Über Ferdinand Raimund sagte sie: »Seine Gestalt erinnerte an Grillparzer, und schon dieser eine Umstand sprach bei uns zu Raimunds Vorteil. Im Verlauf der Unterhaltung aber offenbarte sich ein so tiefes und anspruchsloses Gemüt, eine so herzlich einfache Weise sich auszudrücken, daß er meinem Mann und mir Achtung und Wohlwollen einflößte und wir nur im stillen bedauerten, daß bei ihm ebensowenig wie bei Grillparzer auf einen bleibenden freundschaftlichen Verkehr zu hoffen war; denn diese beiden ausgezeichneten Menschen glichen sich, wie in schönen geistigen Anlagen und einer seltenen Gemütstiefe, auch an trüber hypochondrischer Laune, welche sie jeden Umgang fliehen machte.«

Ein anderer typischer Wiener Literat, Hugo von Hofmannsthal schrieb: »Raimund ist nicht der Verherrlicher von Wien; auch nicht einmal sein Schilderer, noch weniger – was später Nestroy werden sollte – sein Satiriker. Er ist das Wesen, in dem dieses Wien irgendwie Geist wurde.«

»Irgendwie Geist wurde ...?« fragte ich. »Das Wesen, in dem dieses Wien irgendwie ...?« Ist es nicht sonderbar, daß ein großer Prosaist wie Hofmannsthal, ein Virtuose der deutschen Sprache, oftmals gestellt, gespreizt, ja »irgendwie« verschmockt bleibt? Ist das die Wiener Schule unter dem Einfluß der Wiener Kaffeehäuser? Auch Stefan Zweig schrieb allzuoft »irgendwie«. Sie kamen aus demselben Kaffeehaus, Enkel oder Urenkel von Rabbinern, nur bewunderte der Hugo von Hofmannsthal die Aristokraten, und Stefan Zweig bewunderte den Hugo von Hofmannsthal.

Hofmannsthal, fuhr Frau Pilz fort, schreibt über Raimund: »Er ist Schauspieler, Theaterdirektor, Theaterdichter. Er will gefallen, will unterhalten und gibt sich dabei nicht preis. Er ist innerlich einsam, maßlos empfindlich, leicht verschreckt und geängstigt. Etwas Düsteres steht immer neben ihm. Bald ist es die Mißgunst der Menschen, ihre Gemeinheit, der hämische Neid; bald die Melancholie, die ihn von innen heraus verfinstert. Die Berge ängstigen ihn, vor dem Biß eines Hundes fürchtet er sich sein Leben lang. Am Schluß, einsam und traurig trotz der Freundin, entzückt und geplagt von Träumen, fühlt er, wie eine Hand aus dem Dunkel nach ihm greift; es ist kaum ein Widerstand in ihm – all dieses Dunkel strömt ja aus ihm selber; so ist er schnell dahin. Auch dieser Tod ist unendlich seltsam, so auf der Grenze zwischen furchtbarer und dabei grotesker Wirklichkeit und Märchen mit dem echt Raimundschen Einschlag von Phantasterei, Hypochondrie – ganz nahe dem Handeln und Leiden seiner Figuren. Die Einheit aller dieser Dinge ist vollkommen – und das gibt ihnen das eigentümlich Magische ... Es ist der wienerische Volksgeist, ein ungenauer und zutraulich inniger Geist, an den Raimund alles heranbringt ... Es ist der Geist einer großstädtischen Bevölkerung im Anfang des 19. Jahrhunderts ...«

Die Galerie der österreichischen Dichter, erwiderte ich, gehört nicht ins walzende Wien! Da ist dieser Grillparzer, der in der Mitte des Lebens zu schreiben aufhört oder nur heimlich schreibt, weil man ihn gekränkt hat, dieser Mensch, der ein ganzes Leben lang seine Kathi Fröhlich nicht berührt, keusch und verdrossen. Jahrzehnte lebte er mit seiner ewigen Braut Tür an Tür, »mit dem grillenhaften Vorsatz, das Mädchen nicht zu genießen«, wie er sagte. Und dieser Lenau, ein österreichischer Dichter, der aus Ungarn kommt und zur Schwabenschule gehört, der seine Freundin Sophie, eine verheiratete Frau, geküßt hat und mehr nicht und im Wahnsinn endet. Und der Idylliker Adalbert Stifter, der sich mit dem Rasiermesser den Hals durchschneidet. Oder der glückliche Millionär Stefan Zweig, der seine zweite Frau und sich vergiftet, weil er nicht mehr jung ist, und weil die Welt einen andern Weg geht, als ihm behagt. Oder dieser Prager Kafka, der aus seinen Ticks eine Theologie macht, am Vater und an TB leidet und zeitlebens keine tausend Leser findet, um nach dem Tode mit jenen unfertigen Büchern Weltruhm zu gewinnen, die er für mißglückt hielt und zu verbrennen befahl. Und Hofmannsthal, der, als Knabe berühmt, in den besten Mannesjahren, trotz einem falschen Weltruhm, mit Recht unter seiner Verkennung leidet und berühmt und halbvergessen überm Selbstmord eines Sohnes stirbt. Oder Robert Musil, der mitten in der reichen Schweiz schier verhungerte, verschollen im Exil, und schrieb: »Es ist mir verwehrt, in Österreich ein Dichter zu werden.« Dieser Komiker Raimund bringt sich um. Der Joseph Roth trinkt sich zu Tod. Dieser Georg Trakl, halbumnachtet, verkam früh, vor lauter Rauschgiften halluzinierend. Dieser lange Zug von Literatur-Exilierten, die im Ausland Hungers sterben, wie sie in Österreich schon hungerten! Diese vielen Literaturbettler wie Peter Altenberg und Theodor Däubler und Rainer Maria Rilke und jener Anton Kuh, der angesichts eines Photos von Hitler gesagt hat: »Deutschland ist in den Abort gefallen« und nach Amerika mit dem Bekenntnis ging: »Schnorrer braucht man überall.« Und Anzengruber, der nur Tragödien schreiben wollte, lebte von den Honoraren der Witzblätter!

Wir hatten auch glückliche und erfolgreiche Schriftsteller in Österreich, wie Peter Rosegger, beteuerte Frau Pilz.

Das eben meine ich, rief ich. Die Provinzler haben in Österreich Erfolg und Glück. Viele österreichische Dichter verwechselten das Leben mit dem Theater. Sie spielten im Leben die tragischen Rollen ihrer eigenen Figuren. Viele hatten diesen zu weit getriebenen komödiantischen Zug, dieses Vergnügen am Maskenspiel, diesen Spaß mit Späßen am Rand des Todes. Da gab es so viele Parodisten, die aus lauter Leidenschaft für die Parodie des Tragischen schließlich mit den Tragödien Ernst machten.

Sie sind schon mitten in einer Charakterkunde der österreichischen Literatur, sagte Pilz.

Ich leugne ja nicht, daß es genug Ansätze dazu gibt, besonders in den literarischen Kaffeehäusern von Wien.

Ihre Paradoxe, lieber Freund Kesten, werden immer gefährlicher.

Mein Mann hat recht. Das deutsche Publikum hat sowieso kein rechtes Vertrauen zur Literatur. Höchstens ein Ausländer, denkt man bei uns, kann ein Genie sein. Und wenn Sie erst anfangen, Witze über die deutsche oder die österreichische Literatur zu machen ... Das deutsche Publikum liebt keine Witze. Das deutsche Publikum will ernst genommen werden und dafür das Leben und die Literatur ernst nehmen. Man hat bei uns dem Schiller nie geglaubt, daß die Kunst heiter sei. Man wird es auch Ihnen nicht glauben, ebensowenig, daß der Schriftsteller ein Moralist sein müsse. Wir sind keine Engel, denken die Leser, und sind tüchtig genug und kommen voran und leisten etwas. Also dürfen auch unsere Dichter ordinär sein.

Ich mache keine Witze, behauptete ich lachend. Gewisse Wahrheiten kommen uns wie Witze vor. Die Wahrheit ist paradox. Wie in allen Literaturen treten die großen Talente auch in Österreich truppweise oder in Bündeln auf. Das trifft für die Epoche von Grillparzer zu und für den Beginn unseres Jahrhunderts. Schon der berühmte Dichter Pickel, ein entflohener Sohn eines fränkischen Winzers, gründete, als er vom Kaiser in Nürnberg zum *poeta laureatus* gekrönt worden war, unter dem Namen Conrad Celtes, und nach Wien als Universitätsprofessor für Dichtkunst berufen wurde, die »danubische gelehrte Gesellschaft«. Das Werk wächst nicht durch Dichterbünde oder Akademien, aber vielleicht seine Wirkung?

Das war anfangs des 16. Jahrhunderts, sagte Pilz. Aber in der zweiten Hälfte des 18. Jahrhunderts kamen die Wiener Gelehrten, Professoren, Künstler und Literaten im *Kramerschen Kaffeehaus* zusammen, man hieß es das *Gelehrte Kaffeehaus*. Da saß der Feldmarschall Ayrenhoff, mit dem das gebildete österreichische Drama begann, und daneben der Dichter Blumauer, der die *Aeneis* des Vergil unflätig travestiert hat, und daneben der junge Georg Forster, der spätere Mainzer Abgeordnete im Konvent zu Paris. In der *Kramerschen Kaffeehöhle* ward er sozusagen für die Französische Revolution reif, im Gewimmel der bezahlten Polizeispitzel, die sich schon damals in allen Wiener Cafés tummelten, in allen möglichen Verkleidungen, als Kellner, Offiziere, gewöhnliche Kaffeehausgäste und sogar als Literaten. Und alle, Literaten und Spitzel, profitierten von der Wiener Redefreiheit.

Das nächste berühmte Literaturkaffeehaus war das *Café Neuner*, das *Silberne Kaffeehaus*. Es gibt eine Lithographie, wo die Verehrer der schönen Kaffeehauskassiererin um sie gruppiert sind, Josef Lanner und Johann Strauß und der Ferdinand Raimund, es sind im ganzen sieben Verehrer. Dort verkehrten auch Grillparzer und Lenau und Adalbert Stifter. Aber fragen Sie nicht, was für literarische Folgen diese Literaturcafés hatten.

Die Wiener gehn ins Kaffeehaus, weil sie da erstens nicht zu Hause sind und zweitens nicht in der frischen Luft. Auch Literaten wollen sich im Café miteinander unterhalten oder schöne Fraun sehn oder Kaffee trinken. Alfred Polgar schrieb: »Seit zehn Jahren sitzen die zwei jeden Tag stundenlang, ganz allein, im Kaffeehaus. Das ist eine gute Ehe! Nein, das ist ein gutes Kaffeehaus.« Und über das *Café Central* schrieb er: »Das Wiener *Café Central* ist nämlich kein Kaffeehaus wie andere Kaffeehäuser, sondern eine Weltanschauung, und zwar eine, deren innerster Inhalt es ist, die Welt nicht anzuschauen.«

Mein Mann hat recht. Mozart saß häufig im Café des Johann Lang, das jetzt *Café Mozart* heißt. Was tat er dort? Er spielte nach dem Mittagessen Billard. Lenau wohnte im Haus, wo das *Café Neuner* war. Zweiundzwanzig Jahre lang ging er mehrmals am Tag ins *Café Neuner*, trank Kaffee, rauchte seine Pfeife ... Die Dichter Zedlitz und Bauernfeld lasen im Damenzimmer des *Café Neuner* die literarischen Zeitschriften oder sie spielten Billard. Wenn Grillparzer ins *Café Neuner* kam, gab ihm der Marqueur sogleich eine lange Pfeife und ein Glas Zuckerwasser, und Grillparzer sah den Billardspielern zu. Er war hager, sah leidend aus, gestikulierte heftig und sprach mit weinerlicher Stimme ein recht ordinäres Wienerisch. Er war melancholisch, stritt ewig mit seiner ewigen Braut, der Kathi Fröhlich, die gar nicht fröhlich werden konnte. Ein Bruder von Grillparzer hatte sich im Wahnsinn ertränkt. Ein anderer Bruder, fälschlich eines Mordes bezichtigt, war der Unterschlagung öffentlicher Gelder überführt worden. Auch den Beethoven traf Grillparzer im Kaffeehaus.

Ein Gegner Kierkegaards, der dänische Bischof Martensen, schrieb: »Jedoch wurde dergleichen nur in gedämpften Tönen ausgesprochen, denn das *Neunersche Café* selbst war von der Regierung nicht wohl angesehen, weil man ein Gefühl davon hatte, hier rege sich ein Geist, welcher für das Bestehende bedrohlich werden könne. Und man darf allerdings auch sagen, daß das *Neunersche Café* in ziemlich starkem Grade dazu beigetragen hat, die Begebenheiten des Jahres 1848 vorzubereiten.«

Im *Café Bogner* saßen Schuberts Freunde täglich von fünf bis sieben und zuweilen bis in die Nacht hinein, der Maler Moritz von Schwind, der Komponist Lachner, die Schriftsteller Feuchtersleben und Bauernfeld. Das berühmteste literarische Café war das *Griensteidl*; es lebte fünfzig Jahre lang, bis es 1897 demoliert wurde. Da saß neben einem stadtbekannten Anarchisten oder einem fanatischen Vegetarier der berüchtigte Antisemit Georg von Schönerer, ein Antiklerikaler mit der Devise: »Los von Rom!« Wien war die Wiege der deut-

patriotischen Partei, nämlich den Historiker Sybel und den Begründer der organischen Chemie, Justus von Liebig, und den Lübecker Emanuel Geibel, im Frühjahr 1852, und Dingelstedt, den er zum Intendanten machte, und auf Vorschlag Geibels den vierundzwanzigjährigen Berliner Paul Heyse. König Max gab seinen Poeten ein auskömmliches Jahresgehalt, wofür sie nichts anderes zu leisten hatten, als in München zu wohnen und an der »geistigen Tafelrunde« des Königs Max teilzunehmen, den sogenannten »Symposien«. Man wurde erst am Morgen oder am Mittag zu diesen königlichen Abenden eingeladen und hatte in Frack und *schwarzer* Krawatte zu erscheinen. Im Vorzimmer nahmen Lakaien den Mantel ab, im nächsten Raum empfing der Adjutant oder der Hofmarschall. Als alle versammelt waren, erschien der König. Man setzte sich an einen langen ovalen Tisch, es gab belegte Brote und Bier. Die Poeten lasen ihre neuen Werke vor, die Gelehrten hielten Vorträge, darnach führte man ästhetische oder wissenschaftliche Diskussionen. Einmal wurden alle bedeutenden Architekten Münchens eingeladen, um zu beraten, ob man einen neuen Baustil schaffen könne; das war eine Lieblingsidee des Königs. Heyse schlug dem König auch Mörike und Fontane zu »Hofdichtern« vor, dazu kam es nie. Durchreisende wurden zu den Symposien eingeladen, andre zu Besuchen aufgefordert, wie der Däne Hans Christian Andersen, wie Fontane, Helmholtz und Leopold von Ranke.

Kein Zweifel, daß nur Dichter berufen wurden, die zur Gesellschaft von Königen taugten. Aber in München wurde ein Beispiel gegeben, wie ein literarischer Salon – und das waren die Symposien des Königs Max – zur literarischen Blüte einer Stadt führen konnte, die viel eher gemacht schien, eine verschlafene, klerikal reaktionäre Residenzstadt zu bleiben. Die Dichter, die berufen wurden, waren liberaler als die eingeborenen Dichter. Den Berufenen folgten Unberufene, in höherm Sinn Berufene. In München lebten der Optiker Fraunhofer, der Lithograph Senefelder aus Prag, der in München geborene Stenograph Gabelsberger und Lujo Brentano und

mit Geld. Doch glaubten viele Künstler in diesem katholischen Land frei wie in Phäakien zu leben. Der König und seine Maler liebten die hübschen Münchnerinnen. Ludwig I. schuf sich ein »gemaltes Serail«. Heine sagte in seinen Lobgesängen auf König Ludwig:

> »Das ist Herr Ludwig von Baierland,
> Desgleichen gibt es wenig;
> Das Volk der Bavaren verehrt in ihm
> Den angestammelten König.
> Er liebt die Kunst, und die schönsten Fraun
> Die läßt er porträtieren;
> Er geht in diesem gemalten Serail
> Als Kunst-Eunuch spazieren.
> Bei Regensburg läßt er erbaun
> Eine marmorne Schädelstätte,
> Und er hat höchstselbst für jeden Kopf
> Verfertigt die Etikette.
> »Walhallagenossen«, ein Meisterwerk,
> Worin er jedweden Mannes
> Verdienste, Charakter und Taten gerühmt,
> Von Teut bis Schinderhannes ...
> Herr Ludwig ist ein großer Poet,
> Und singt er, so stürzt Apollo
> Vor ihm auf die Knie und bittet und fleht:
> »Halt ein! ich werde sonst toll, o!« ...

Aber Schelling, damals vor Hegel der berühmteste deutsche Philosoph, war nach München gekommen, wie Joseph Görres, Clemens Brentano, Platen, Rückert und Hebbel und Arthur Schopenhauer.

Und sie gingen so schnell wieder, wie sie gekommen waren.

Aber viele blieben, Maler, Bildhauer, Architekten, die Ludwig I. angezogen hatte. Als er zurücktreten mußte, kam sein Sohn Max und berief Wissenschaftler und Dichter, gegen die Interessen der herrschenden klerikalen, reaktionären, lokal-

schen Antisemiten. Aus der Schönerer-Partei wurde 1904 die Deutsche Arbeitspartei, aus der 1918 die Nationalsozialistische Deutsche Arbeiterpartei entstand. Die Antisemiten saßen im Wiener Kaffeehaus, der Georg Schönerer und der Adolf Hitler, der Otto Weininger (ein Jude) und der Karl Lueger. Vielleicht wurde darum Wien auch die Wiege des Zionismus? Anfangs war der Zionismus ein Café-Traum des Feuilletonredakteurs der *Neuen Freien Presse* zu Wien, des Theodor Herzl, der erst glaubte, die Taufe sei eine Rettung vor den Antisemiten, dann aber die Idee des »Judenstaats« faßte. Der Staat Israel und »Das Dritte Reich« mögen also das Wiener Kaffeehaus zu ihren Geburtsstätten rechnen.

Im *Griensteidl* hatte die Polizei ihre berühmten Vigilanten oder Polizeispitzel, erst den Marqueur Schorsch, dann den Zahlkellner Franz. Da saßen die Schauspieler vom Burgtheater und ihr Direktor Heinrich Laube, der Freund von Heinrich Heine. Es waren vier bis fünf niedrige gewölbte Zimmer mit rauchgeschwärzten, einst weißen Tapeten. Da saßen auch die Sozialisten von der *Arbeiterzeitung*, der Viktor Adler und der Friedrich Austerlitz. Da saß, an die zwanzig Jahre, Ludwig Anzengruber, ein echter Kaffeehausliterat, an seinem Stammtisch, in der Mitte vom *Griensteidl*.

Aber die Literatur scharte sich um Hermann Bahr. Das war das »Junge Wien«, das eine literarische Revolution ohne politische Tendenzen begann. Am Tisch von Bahr saßen Arthur Schnitzler, schon ein Doktor der Medizin, und der noch unbekannte Komponist Hugo Wolf und der junge Hofmannsthal, der noch »Loris« hieß, ein Gymnasiast in kurzen Hosen. Da saßen Peter Altenberg und Felix Salten, Richard Beer-Hofman und Karl Kraus, lauter Anfänger, und daneben die Arrivierten, deren Namen heute Staub sind.

Als damals eine Anthologie neuer Wiener Lyriker vorbereitet wurde, weigerten sich die »Arrivierten« Lemmermeyer, Hango, Christel und Kitir teilzunehmen, weil solche Dilettanten aus dem *Café Griensteidl* wie Arthur Schnitzler und Hugo von Hofmannsthal um Beiträge ersucht worden waren.

Als das *Café Griensteidl* 1897 geschlossen wurde, schrieb Karl Kraus sein witziges Pamphlet »Die demolierte Literatur«, wo er das »Junge Wien« zu begraben dachte. Er hatte bei vielen Pamphleten das peinliche Pech, unrecht zu haben. Seine Pamphlete wurden Pamphlete gegen ihn. Der Heinrich Heine überlebte das Pamphlet des Karl Kraus, und das »Junge Wien« überlebte es in seinen besten Vertretern. Kraus verspottete die Literaten, die »Posen aus zweiter Hand haben und auf Affektationen subabonniert sind«. Loris, den jungen Hofmannsthal, heißt er den »Goethe auf der Schulbank«, der »von seinen Eltern selbst ins Kaffeehaus gebracht«, darangeht, ein »Fragment« zu schreiben, das er seiner »Abgeklärtheit schuldig« ist, indes er bereits seine »Manuskripte für den Nachlaß vorbereitet«. Da ist der Freiherr Andrian, der seine »Maneriertheit bis auf die Kreuzzüge zurückleite« und der Aristokrat Baumgartner, dessen »Adel schon mehrere Degenerationen umfasse«, und Beer-Hofman, der »seit Jahren an der dritten Zeile einer Novelle arbeitet, weil er jedes Wort in mehreren Toiletten überlegt«, und Felix Salten, »der sich aus schüchternen Anfängen zum Freunde des Burgtheaterautors emporrang ... ein Parvenu der Gesten, der seinen literarischen Tischgenossen alles abgeguckt hat und ihnen die Kenntnis der wichtigsten Posen verdankt und bald jener schneidige, unabhängige Kritiker ward, der zunächst einen Wachmann nach der Lage des Theaters fragt, dessen Tradition zu bekämpfen er entschlossen war«, und der unter »Hintansetzung aller grammatikalischen Rücksichten gegen Übelstände energisch Stellung zu nehmen bereit ist«. Dann gab es jenen »lebhaften Jüngling, der sich dadurch, daß man ihn noch niemals sitzen sah, zu einer stehenden Figur des *Griensteidl* herausbildete«, und jenen, der »bei seiner Jugend heute schon ein geübter Greis ist«, und jenen, der mit dem Ruf das Lokal betritt: »Kellner, rasch alle Witzblätter! Ich bin nicht zu meinem Vergnügen da!«

In jenem *Café Griensteidl*, sagte ich, wollte Hermann Bahr die »Österreichische Literatur« gründen. Österreichische Autoren, schrieb er, »wollen mit der deutschen Literatur, der sie viel verdanken, gute Freundschaft halten, wie mit der französischen oder italienischen, aber sie verhehlen nicht, daß sie ihnen eine *fremde* Literatur ist.«

Das geht zu weit, erklärte Pilz.

Mein Mann hat recht. Das geht zu weit.

Stefan Zweig, sagte ich, ein alter Wiener Kaffeehausgast, dachte besser vom Wiener Literatencafé. Er schrieb, das Kaffeehaus sei »unsere beste Bildungsstätte für alles Neue. Um dies zu verstehen, muß man wissen, daß das Wiener Kaffeehaus eine Institution besonderer Art darstellt, die mit keiner ähnlichen der Welt zu vergleichen ist. Es ist eigentlich eine Art demokratischer, jedem für eine billige Schale Kaffee zugänglicher Club, wo jeder Gast für diesen kleinen Obolus stundenlang sitzen, diskutieren, schreiben, Karten spielen, seine Post empfangen und vor allem eine unbegrenzte Zahl von Zeitungen und Zeitschriften konsumieren kann«.

In dem Sammelbuch *Der große Europäer Stefan Zweig*, das Hanns Arens herausgegeben hat, erzählt Oskar Maurus Fontana, wie er mit einundzwanzig Jahren durch Herbert Eulenberg den Stefan Zweig kennen lernte. Zweig lud den jungen Dichter sogleich ins *Café Beethoven* ein. An einem Abend der Woche saß Zweig regelmäßig etwa mit einem Dutzend junger Leute beisammen, mit jungen Autoren, Malern, Schauspielern, Musikern, »Lauter Männer«, schreibt Fontana, »Frauen habe ich nie an seinem Tisch gesehen ... Er blieb der Voyeur im Vagen« und »ein Freund der Jugend«. Fontana erzählt auch, wie Stefan Zweig ältere Autoren wie Siegfried Trebitsch seinen jungen Freunden vorstellte. »Einmal kam Arthur Schnitzler und sah uns erstaunt und ein wenig traurig an.«

Im *Café Herrenhof* gab es zwischen den beiden Weltkriegen die sonderbare Figur des »Vaters«, Jakob Moreno Levy, den ich einmal im Verlag Gustav Kiepenheuer in Berlin getroffen habe, wo Levys Bücher in einer Sonderabteilung »Der Verlag des Vaters« erschienen. Dieser Levy war ein Arzt, ein Röntgenologe und Psychoanalytiker, der ein Stegreiftheater gegründet hatte und ein Lehrer von Elisabeth Bergner und Peter

Lorre war. Levy bildete sich ein oder gab vor zu glauben, er sei der liebe Gott. Wenn Anton Kuh, der mit seinem Freund und Spezi Karl Tschuppik ein Stammgast im *Herrenhof* war, am Nebentisch ausrief: Lieber Gott, was soll ich trinken? antwortete Levy sogleich: Wie bitte?

Anton Kuh und Karl Tschuppik waren eines der witzigsten und komischsten Freundespaare der Literatur. Ich habe sie oft in Berliner und Pariser Cafés und in den Wohnungen oder Hotelzimmern gemeinsamer Freunde wie Valeriu Marcu und Joseph Roth, fast hätte ich gesagt gemeinsam auftreten sehen. Denn sie bildeten, wenn sie wollten, eines der großartigsten Komikerpaare, die ich je gesehen und gehört habe, so witzig wie Karl Valentin und Liesl Karlstadt oder wie die Prager Komiker Voskovec und Werich oder wie Pat und Patachon. Anton Kuh aus der Familie des Freundes und Biographen Hebbels, Emil Kuh, ein witziger Feuilletonist und Feuilletonsprecher in vielen literarischen Vorträgen, ist im Exil gestorben, drei Monate nach seiner Hochzeit, in New York, im Frack sozusagen, in der Nacht nach seinem Vortrag: Wie überleben wir Adolf Hitler? Er war einer der nervösesten Menschen, unruhiger als Quecksilber, mit einem Dutzend Manien und von Bosheit funkelnd. Karl Tschuppik, ein politischer Journalist und Biograph von Ludendorff und der Kaiserin Maria Theresia, schien einer der gelassensten Männer (und Ehemänner) und die Gutmütigkeit selber zu sein. Beide waren geübte Erzähler und viel komischer, als ihre Bücher ahnen lassen, ja Tschuppik hatte in seinen Biographien einen vielmehr trockenen, sachlich ernsthaften Stil, etwa wie ein Wiener Kaffeehausliterat, der wie ein Universitätsprofessor schreiben wollte.

Zusammen aber hatten sie das Talent, Possenszenen aus dem Stegreif zu erfinden und naturgetreue Typen darzustellen. Während wir Zuhörer vor Lachen schier barsten, spielten sie in unerschütterlichem Ernst ihre parodierten Figuren und sprachen ihre erzkomischen Dialoge, Tschuppik in äußerster Ruhe, Kuh in äußerster Unruhe.

Ich habe in meinem Roman *Die Zwillinge von Nürnberg*

Karl Tschuppik ausführlicher geschildert, ebenso wie Ernst Weiß und Joseph Roth und Benjamin Cremieux und andere Freunde aus Wiener und Pariser Kaffeehäusern.

Im *Café Museum,* das Adolf Loos erbaut hat, gab es zwei feste Künstlertische, der eine war der Musikertisch, an dem Franz Lehar präsidierte, und wo Korngold, Alban Berg und Oskar Strauß saßen, am andern Tisch saßen Oskar Maurus Fontana und Paris von Gütersloh, Klimt, Schiele, Oskar Kokoschka und die Meister der Wiener Werkstätten und Robert Musil und Franz Blei, einer von hundert deutschen Schriftstellern, denen ich geholfen habe, vor Hitler nach Amerika zu entkommen, und der leider in Amerika Hungers gestorben ist.

Das *Café Central* war das Lokal von Peter Altenberg, dem »Sokrates von Wien«, einem Feuilletonisten, dessen beste Feuilletons seine Person und sein Leben waren, seine ungeschriebenen Feuilletons. Er ging von Tisch zu Tisch, trank häufig »Reste« und war berühmt für seine Wutanfälle und Skizzen. Alfred Polgar sagte vom *Central,* es liege am Meridian der Einsamkeit. Franz Werfel beschrieb dieses Kaffeehaus in seinem Roman *Barbara oder die Frömmigkeit* als das »Schattenreich«. Und Sigmund Freud spielte Karten dort!

Auch Trotzki spielte Schach im *Café Central.* Als er Volkskommissar wurde, fragten die Wiener: Der Trotzki vom *Central,* der immer Schach gespielt hat? Oder wie Friedrich Torberg mir schreibt: »Es kam da nämlich an jenem Oktobertag des Jahres 1917 der Sekretär des damaligen k. und k. Außenministers Czernin hereingestürmt und meldete aufgeregt: »Exzellenz, in Rußland ist Revolution!« Und es blickte nämlich der damalige k. und k. Außenminister gar nicht von seinen Akten auf, sondern sagte nur ganz nebenbei: »Gehn's, gehn's! Wer soll denn in Rußland Revolution machen? Vielleicht der Herr Trotzki aus dem *Café Central?*«

Im *Café Imperial* lernte Rainer Maria Rilke den gefürchteten Wiener Satiriker Karl Kraus, den »Fackel-Kraus« kennen, der die kleinsten Wiener Kaffeehausliteraten und Mitarbeiter des *Neuen Wiener Journal* und der *Neuen Freien Presse* und andere Wiener Lokalfiguren mit seinem treffsicheren Witz bis aufs Blut quälte, für ihre abscheulichen Sprachsünden und anderen moralischen Fehler (ist nicht ein Schriftsteller, der seine eigene Sprache mißhandelt, auch unmoralisch?), aber dem zu Adolf Hitler leider »nichts mehr einfiel«.

Übrigens könnte ich für meine These, daß es keine »österreichische Literatur« gibt, viele Österreicher als Kronzeugen anführen. Denn viele Österreicher haben die Gewohnheit, ihr Land, ihre Kultur, ihre eigene geistige Existenz zu schmälern, zu verspotten, zu verleugnen.

Solch ein Österreicher, Robert Musil, der im Österreicher den »Mann ohne Eigenschaften« erkannt hat, schrieb 1926 im *Interview mit Polgar*: »Denn diese Stadt ist von den Türken belagert und von den Polen tapfer verteidigt worden, sie war im 18. Jahrhundert die größte italienische Stadt, sie ist stolz auf ihre Mehlspeisen, die aus Böhmen und Ungarn kommen, und bewies durch Jahrhunderte, daß man sehr schöne, ja auch tiefe Dinge hervorbringen kann, wenn man keinen Charakter hat.«

Und in *Buridans Österreich* hat Musil schon 1919 geschrieben: »Da entdeckt der gute Österreicher die österreichische Kultur. Österreich hat Grillparzer und Karl Kraus, es hat Bahr und Hugo von Hofmannsthal. Für alle Fälle auch die *Neue Freie Presse* und den *Esprit de finesse*. Kralik und Kernstock. Einige seiner bedeutenden Söhne hat es allerdings nicht, die sich rechtzeitig geistig ins Ausland geflüchtet haben. Immerhin; immerhin bleibt – nein, es bleibt *nicht* eine österreichische Kultur, sondern ein begabtes Land, das einen Überschuß an Denkern, Dichtern, Schauspielern, Kellnern und Friseuren erzeugt. Ein Land des geistigen und persönlichen Geschmacks; wer würde das bestreiten?«

Gibt es also eine österreichische Literatur?

MÜNCHEN

Es ist schwer zu entscheiden, ob München noch ein überdimensionales Dorf oder mit seiner Million Einwohnern schon eine Weltstadt ist. München ist achthundert Jahre alt, und seit hundert oder hundertfünfzig Jahren zog diese bäuerliche Stadt am Rand der Alpen viele deutsche und ausländische Dichter und Künstler an, als wäre München ein deutsches Florenz. Was lockt Männer und Frauen von Geist und Talent in diese Stadt, die ein Paradies der Spießbürger ist, wo die Männer ihre nackten Beine zeigen und die Frauen ihren bloßen Busen, und wenn er üppig ist, so heißt es, die Dame habe ein »großes Herz«?

Kürzlich saß ich mit einer Münchner Freundin namens Franziska, einer gelehrten und geistreichen Dame, in einem der drei Cafés im Hofgarten, wo ich schon oft unter den windigen, blauen Himmeln von München mit Freunden über Deutschland und die deutsche Literatur gesprochen habe.

Franziska, fragte ich, kurz bevor vielleicht vernünftige Menschen ins Exil fliegen, auf den Mond oder Mars, wollen Sie einen literarischen Salon gründen, und noch dazu in München?

Warum nicht? Hier lebe ich, hier gefällt es mir. Viele Schriftsteller und Maler kommen zu uns ins Haus ...

Sie haben Geld und Geist, sagte ich, und Jugend und Tugend. Sicherlich werden Sie Ihre schöne Absicht verwirklichen. Wenig Großes geschieht von selber. Man muß dem Zufall nachhelfen. Man wird, was man aus sich macht. Auch die Kunststadt München wurde eines Tages beschlossen.

Ich weiß nie genau, gestand mir Franziska lächelnd, wo bei Ihnen die Ironie aufhört und das Kompliment beginnt.

Ironie ist häufig ein Kompliment, sie schafft oft ein zärtliches Verhältnis, einen romantischen Dialog. Was immer ich Ihnen sage, wird ohne mein Verdienst zum Kompliment.

Danke. Forschen Sie schon nach meinen Motiven? Als ich ein Kind war, hörte ich einmal, wie die Erwachsenen in meiner Gegenwart von der Neuen Welt sprachen, wie man drüben freier lebe und reicher sei, wie neu diese Welt sei, wie sorglos. Ich war zu schüchtern, um mich zu erkundigen, was diese Neue Welt sei. Damals bekam ich zum Geburtstag drei Bücher geschenkt, den *Don Quichote*, den *Robinson Crusoe* und den *Gulliver*. Ich las zuerst den Swift, dann den Cervantes, dann den Defoe. Jedesmal sagte ich mir: Das ist die Neue Welt! Und das Unheimliche war, daß ich mich sogleich so heimisch fühlte, so heimlich lieb, als wäre diese Neue Welt in Wahrheit meine alte Welt gewesen, und wie durch ein Versehen wäre ich in meine alltägliche Welt verbannt worden. Ich wurde größer und hatte immer stärker die Empfindung, nur erfundene Welten seien wahr. Nur die Poesie sei das richtige Leben. Ohne Gefühl und Phantasie sei die ganze Erde ein erloschener Stern, dem Untergang nahe.

Aber Franziska, so hüpfen Sie vom poetischen Gefühl zum literarischen Salon, von der Natur zur Gesellschaft, von der Kunst zum Betrieb?

Wer von einem Buch entzückt ist, fragte sie, fängt der nicht an, den imaginierten Autor zu lieben? Wünscht man nicht, den Autor, der einen verzaubert, kennen zu lernen? Hat man nicht gerade bei den besten Büchern die Idee, das tiefste Geheimnis hätte der weise Autor nicht preisgegeben? Aber könnte man mit ihm reden, mit ihm gut Freund werden, so müßte er es einem verraten, sogar gegen seinen Willen.

Sie möchten also mit Goethe Walzer tanzen, mit Shakespeare zu Abend essen, mit Platen die Frage abhandeln, ob es eine bayerische Literatur von Weltrang gebe?

Sie machen sich über mich lustig. Hören Sie, wie die Vögel zwitschern? Sehen Sie den Krokus? Der Himmel glänzt so blau über München, als säßen wir in Rom auf dem Pincio. Weshalb glauben Sie eigentlich, daß ich an einem so strahlenden Tag mit Ihnen im Hofgarten sitze? Ich bin glücklich verheiratet. Ich habe drei Kinder. Ich erinnere mich nicht an einen

Tag, an dem ich mich gelangweilt hätte. Aber ich liebe die Unterhaltung mit Menschen, weil ich die Menschen liebe, und man ihnen nie so freundschaftlich nahe kommt wie im klugen Gespräch.

Und warum sollen es Literaten sein, denen Sie freundschaftlich näher kommen wollen?

Ich bin eine leidenschaftliche Leserin. Und Sie können fast alles aus Büchern erfahren, fast das ganze Leben mit Büchern nachträumen. Fehlt nur der warme fühlende Hauch des Lebens? Nur der beseelte Blick eines Menschen?

Auch die Abwesenheit der Autoren hat gewisse Vorteile. Viele Bücher sind geistreicher, schöner, besser als ihre Autoren.

Sie haben oft gesagt, lieber Kesten, daß im Grunde die Bücher wie die Autoren sind. Man muß nur beide aufmerksam zu lesen wissen, Bücher und Menschen. Warum ich die Gesellschaft von Autoren suche? Es ist ihr Geschäft, gut zu reden.

Aber manche Literaten haben nichts gelernt.

Die geistreichen Schriftsteller haben über fast alles in der Welt schon einmal nachgedacht. Die Sprache des Volks denkt in ihnen, spricht aus ihnen.

Da Sie Bücher und Autoren lieben, brauchen Sie nur mit einer gewissen Regelmäßigkeit ein offenes Haus für unsere Münchner Literaten zu halten, ihnen gut zu essen, gut zu trinken zu geben, die Partei eines jeden zu ergreifen, keinem zu widersprechen, die offenen Geheimnisse eines jeden und hier und da ein unveröffentlichtes Manuskript zu hören, einigen den Eindruck zu geben, sie würden nirgends besser verstanden, andere glauben zu machen, es sei wichtig, bei Ihnen gesehen zu werden, man erhalte Beziehungen, Ruf, Rang durch Ihren Salon. Ich und viele andere werden zu Ihnen kommen, weil *Sie* empfangen.

Sie wohnen gar nicht in München, lieber Kesten.

Wie schade, liebe Franziska.

Haben wir genug Dichter in München? Und ist es nicht hinderlich, daß weder ich noch mein Mann geborene Münchner sind?

Im Gegenteil, die meisten Genies im Isar-Athen waren

Zugereiste, weder in München geboren, noch in Bayern, außer Richard Strauß.

Es gibt sogar Schriftsteller, die in München geboren wurden, zum Beispiel Annette Kolb und der flämische Autor Charles de Coster, Joseph Ruederer und Christian Morgenstern. Johannes R. Becher, Lion Feuchtwanger und Klaus Mann. Und zählt man die bayerischen Provinzen zu den Vororten von München, so kommt man auf Jean Paul und August Graf von Platen, Leonhard Frank und Bert Brecht, Luise Rinser und Mechthilde Lichnowsky und Ernst Penzoldt und die altbayerischen Lokalgenies wie Ludwig Thoma und Oskar Maria Graf.

In den letzten hundertfünfzig Jahren kamen viele deutsche Dichter nach München und lebten gerne dort und gingen wieder gerne; auch viele Maler und Musiker und Gelehrte kamen und gingen. Manche wurden von den Königen Bayerns berufen. Andere kamen freiwillig: Das ist ein Münchner Mirakel. Und doch! Wenn ich statt in Rom, Paris, London oder New York in einer deutschen Stadt leben sollte, würde ich wahrscheinlich nach München ziehn, mindestens solange Berlin eine umzingelte Stadt bleibt. Aber was lockt mich an München? Schubart traf dort 1773 »eine Derbheit, dicht an der Grenze der Grobheit«, die Münchner seien »zum Niedrig-Komischen aufgelegt ... Ihr Scherz ist massiv ...« Ferdinand Gregorovius schrieb 1874: »München ist ein großes Dorf«, Thomas Mann 1918: »Diese Stadt ist völlig unliterarisch, die Literatur hat hier gar keinen Boden«, Ricarda Huch spricht 1930 vom »bier- und schönheitsseligen München«, und Oskar Maria Graf spricht von der »unaufdringlichen Respektlosigkeit« der Münchner. Der Charme der Bevölkerung also? Einer der Reize Münchens ist, daß Literaten und Künstler wie auf einer Insel leben, abseits der Bevölkerung.

Künstler, und insbesondere Schriftsteller, sollen nicht auf Inseln leben, rief Franziska, sondern im Getümmel, im Volk, zumindest mitten in der Bevölkerung. Ein Dichter ist kein Eremit, sondern ein soziales Wesen, gemacht, um mit andern zu reden, mit andern zu leben, für andre zu sprechen, das Leben

Hugo v. Hofmannsthal 1874–1929   *Stefan Zweig 1881–1942*

Karl Kraus 1874–1936   *Franz Kafka 1883–1924*

Franz Werfel 1890–1945

Georg Trakl 1887–1914

Alfred Polgar 1875–1955

Robert Musil 1880–1942

anderer, ihre Konflikte, ihre Empfindungen auszudrücken, wie sie es gerne selber ausdrücken würden.

Aber wenn Sie auch mit Recht vom Schriftsteller erwarten, daß er ein Sohn der Zeit sei, so braucht er die Muße, die eine so gemächliche, auf Behaglichkeit versessene Stadt wie München ihm geben kann. Und weil Künstler und Dichter nur Außenseiter in München sind, Kunstzigeuner aus dem Montmartre Münchens, »Schwabinger«, eben darum haben sie mehr als anderswo Gruppen und Cliquen gebildet, besonders auch, weil sie ja meistens Ausländer waren, etwa Preußen, oder nicht einmal Deutsche wie Orlando di Lasso und Cuvilliés, Strindberg und Ibsen, Pascin, Alfred Kubin, Paul Klee, Jawlensky und Kandinksy, Rilke, Eduard Keyserling und Gottfried Keller.

Drei Wittelsbacher Könige waren Kunstmäzene: Ludwig I., der Freund der Tänzerin Lola Montez, der ihretwegen oder bei der achtundvierziger Revolution den Thron verlor. König Maximilian II., der Freund von Geibel und Heyse. Ludwig II., der Freund von Richard Wagner und Bauherr grotesker Schlösser, der erst im Wahnsinn, dann im Starnberger See ertrunken ist.

Die Münchner sagen, München sei eine liberale Stadt, und die Wittelsbacher hätten ein liberales Regime geführt. Der Münchner Poet Max Haushofer hat geschrieben: »Wenn wir einen Blick ... werfen ... auf München in der ersten Hälfte des neunzehnten Jahrhunderts, finden wir, daß es ein ziemlich rauher Boden war, rauh wie die ganze Hochebene, über welchen die Frauentürme hinschauen. Kein Goethe und kein Schiller, kein Lessing und kein Wieland hatten diesen Boden mit geistiger Saat befruchtet. München war eine Stadt von Kleinbürgern, von Staatsbeamten und Hofbediensteten, in welcher als lebhafteste Gäste die Schrannenbauern mit ihrer schallenden Geißel und die Tölzer Flößer mit ihren blanken Äxten und ihren qualmenden Pfeifen einkehrten. Und dennoch war dieser Kulturboden kein hoffnungsloser. Denn in die alte Hochburg der Jesuiten war die Akademie der Wissenschaften eingezogen; ... in der Prannerstraße tagte schon um dreißig Jahre früher als in dem klugen Berlin eine Volksvertretung unter dem Schirm einer volksfreundlichen Verfassung, und in der Residenz thronte ein Fürst von lebhaftem Geist, von feurigen Idealen und beseelt von dem unermüdlichen Willen, aus seiner Stadt München etwas zu machen, das in ganz Deutschland nicht war.«

Kurt Kersten erzählt in seinem Buch *Die deutsche Revolution 1848–1849* von dem Würzburger Bürgermeister, der eines freien Wortes wegen kniend vor dem Bild des bayerischen Königs Abbitte leisten mußte und für fünfzehn Jahre ins Gefängnis ging, mitten im neunzehnten Jahrhundert! Kersten sagt: »Man schrieb unter einem furchtbaren Druck, wie in jedem Polizeistaat, unter jeder Diktatur.«

War nicht sogar Heinrich Heine nach München gezogen, weil er sich in München mehr Freiheit erhoffte als im preußischen Berlin?

Cotta, der Stuttgarter Verleger von Goethe und Schiller, hatte Heine 1827 eingeladen, in München die Redaktion der *Politischen Annalen* zu übernehmen. Heine hoffte, Professor an der Universität zu werden. Aber er fühlte sich »umlagert von Feinden und intrigierenden Pfaffen«, Feinden wie Ignaz Döllinger, dem Begründer des Altkatholizismus, und dem Turnmeister, Germanisten und Nationalisten Massmann und dem Grafen Platen. Heine blieb in München ein halbes Jahr und schrieb an seinen Freund Moser: »Man glaubt in München, ich würde jetzt nicht mehr so sehr gegen den Adel losziehen, da ich im Foyer der Aristokratie lebe und die liebenswürdigsten Aristokratinnen liebe – und von ihnen geliebt werde. Aber man irrt sich. Meine Liebe für Menschengleichheit, mein Haß gegen Adel und Klerus war nie stärker als jetzt, ich werde fast dadurch einseitig. Aber eben um zu handeln, muß der Mensch einseitig sein.«

Ludwig I. machte München zur »ersten Kunststadt Deutschlands«. Durch seine großen Aufträge zog er Künstler aller Art an. Er zahlte bei seinen Aufträgen zwar lieber mit Titeln als

Björnstjerne Björnson 1832–1910   Henrik Ibsen 1828–1906

Ball im Überbrettl, in der Mitte Ernst von Wolzogen 1855–1934

Ludwig Thoma 1867–1921   Frank Wedekind 1864–1918

Robert Neumann geb. 1897   Thomas Theodor Heine 1867–1948

Pettenkofer und Richard Strauß. So wurde München in gewissen Epochen eine Stätte moderner Literatur und Kunst. Erst gründeten Künstler und Literaten gleichsam eine Kolonie in München, lebten wie im Ausland, später begannen sie, München zu ihrer Kolonie zu machen. Die bayerischen Bauerntöchter und die preußischen Künstler hatten ähnliche erotische Sitten. Die Münchner lernten Feste zu feiern. Die ganze Stadt schien zuweilen halb Kunst, halb Karneval zu sein. Biertrinker saßen neben Poeten, Schlawiner neben Spießern. Es war des deutschen Spießers goldnes Wunderhorn und eine Geburtsstätte deutscher Literatur, von Kunstbewegungen und Witzblättern, von Opernhäusern und Gesamtkunstwerken, von Weißwürsten und moderner Musik.

Schon vor der Berufung der auswärtigen Poeten gab es Dichtervereine, versicherte Franziska mit dem hitzigen Patriotismus der Zugereisten. Im Münchner Bürgertum gab es im vorigen Jahrhundert keine rechte Geselligkeit. Die Männer gingen abends in die Wirtschaft zum Bier, die Frauen saßen im Negligée zu Hause. Der Münchner empfing auswärtige Gäste im Wirtshaus, oder die Magd holte für den Gast Speis und Trank aus dem nächsten Wirtshaus »über die Gasse«. Zuweilen zahlten die privaten Gäste sogar in einer Privatwohnung für ihr Glas Bier. Dafür saßen beim Maibock Minister neben Kutschern, Pedelle neben Professoren, sogar neben Studenten, in der Demokratie des Rausches.

Schon 1848 entstand der »Verein für deutsche Dichtkunst«, der bald ein *Jahrbuch* herausbrachte. 1858 gab Graf Franz von Pocci, vom König angeregt, ein *Münchner Album* mit vielen Münchner Dilettanten heraus. Es entstand der »Poetenverein an der Isar« unter dem Vorsitz des dichtenden Papierfabrikanten Medicus. Obgleich es eine Reihe von Häusern gab, wo regelmäßig Literaten empfangen wurden, wie bei Justus von Liebig, beim Intendanten Dingelstedt, beim Maler Kaulbach und beim Schweizer Bluntschli, also bei lauter Zugereisten, glaubte Heyse, kaum in München angekommen, er müsse einen neuen literarischen Verein gründen, die »Krokodile«. Dabei hatten Heyse und sein ehrwürdiger Freund Geibel noch einen speziellen literarischen Salon bei der verwitweten Staatsrat von Ledebour, einer geborenen Russin; Geibel und Heyse wohnten beide um die Ecke, weshalb sie den Salon der Ledebour »Die Ecke« hießen. Da las der Kunsthistoriker Wilhelm Riehl aus seinen Werken vor. Da stellte man scherzhafte literarische Preisaufgaben. Da machte man Hausmusik. Da spielte Graf Schack, der Begründer der Schackgalerie, Klavier.

Heyse war trotz seiner Jugend schon in Berlin Mitglied eines Berliner literarischen Kreises gewesen, den der Humorist Moritz Saphir gegründet hatte. Die Berliner Gesellschaft hieß »Tunnel über der Spree« und versammelte sich jeden Sonntagnachmittag hinter der katholischen Kirche in einem Kaffeehaus, wo die Mitglieder einander ihre dichterischen Arbeiten vorlasen und darüber zu Gericht saßen. Geibel hieß diese Gesellschaft die »Kleindichterbewahranstalt«. Es gab da eine Menge Dilettanten unter den zwanzig bis dreißig poesiebeflissenen Berlinern, aber auch einen Theodor Fontane und einen Theodor Storm. In München vereinte Heyse im Kaffeehaus *Zur Stadt München* die Münchner und die zugereisten Poeten, Geibel und Felix Dahn und Hermann Lingg, Hans Hopfen und Heinrich Leuthold, Scheffel und Schack. Es war eine Münchner Kopie der Pariser »Parnassiens«. Der Verein hieß »Die Krokodile« nach einem Gedicht von Hermann Lingg: *Das Krokodil zu Singapur.*

Ich ging in ein Bayerisches Gymnasium und habe das Gedicht auswendig gelernt:

> *»Im heilgen Teich zu Singapur*
> *Da liegt ein altes Krokodil*
> *Von äußerst grämlicher Natur*
> *Und kaut an einem Lotosstil.*
> *Es ist ganz alt und völlig blind,*
> *Und wenn es einmal friert des Nachts,*
> *So weint es wie ein kleines Kind,*
> *Doch wenn ein schöner Tag ist, lacht's.«*

Bravo! rief Franziska. Jedes Mitglied der »Krokodile« wurde nach einem Reptil genannt, Heyse hieß die Eidechse, Geibel das Urkrokodil, Schack das Ehrenkrokodil. Geibel dichtete drei Krokodillieder: *Ich bin ein altes Krokodil, ich sah schon die Osirisfeier,* und *Ein lustger Musikante spazierte einst am Nil,* usw.

An solchen Liedern sieht man die Folgen literarischer Gesellschaften, versicherte ich.

Sie glauben, sagte Franziska, an die Wirkung des Wortes und an die Lebendigkeit der Literatur?

Aber von jenem »Münchner Dichterkreis« ist nichts geblieben, als einige anständige Übersetzungen und einige Verse, wie Geibels *Der Mai ist gekommen ... Die Bäume schlagen aus.*

Damit kann man keinen Staat machen. Es waren die falschen Dichter, vielleicht auch die falschen Mäzene. Aber Ludwig II. brachte den Richard Wagner nach Bayern und Bayreuth. Ein Mäzen muß den richtigen Geschmack haben, wenn er lange berühmt bleiben will. Er muß dem Horaz ein Landhaus schenken, nicht dem Heyse. Und doch haben die falschen Mäzene und falschen Dichter es bewirkt, daß die echten Dichter nach München kamen, daß in München Kunstrevolutionen und literarische Revolutionen ausgefochten wurden. In München und in Berlin wurde der deutsche Naturalismus geboren und in München durch die Gegenbewegung der Impressionisten, Dekadenten, Formalisten wieder zu Fall gebracht. In München wie in Berlin entstanden die neuen literarischen Kabaretts. In München gab es die modernistische Kunstzeitschrift *Die Jugend* und das beste deutsche Witzblatt *Der Simplizissimus,* wo Thomas Mann, Ludwig Thoma und Jakob Wassermann Redakteure waren, wo Pascin, Th. Th. Heine und Olaf Gulbransson, Karl Arnold und Thöny und Wilke zeichneten, Roda Roda, Strindberg und Wedekind schrieben. In München gab Wilhelm Herzog, Herausgeber der Zeitschrift »Forum«, die »Weltliteratur« heraus, wo man nach dem ersten Weltkrieg für zehn Pfennige ganze Bücher im Rotationsdruck auf Zeitungspapier kaufen konnte. In München entstanden große deutsche Verlage, wie Albert Langen, Georg Müller, Piper und die Zeitschrift *Die Insel*, die zum Inselverlag führte, hier wurden Kurt Wolff und Kurt Desch groß.

Von allen deutschen Städten schien München künstlerisch am ehesten in der Nachbarschaft von Wien, Paris und Rom zu liegen. Es blühten Karl Valentin und nach dem zweiten Weltkrieg Kästners »Schaubude« und »Die kleine Freiheit«.

Dabei sind Münchens Sitten, Geist und Bewohner durchaus lokaler Natur. Vor hundert Jahren hatte München hundertfünfzigtausend Einwohner, um die Jahrhundertwende eine halbe Million. Die Altbayern, künstlerisch begabt und konservativ und insbesondere die als Städter verkleideten Bauern und Bauernsöhne sind abgeneigt allen Neuerungen und geistigen Unruhen, Propheten der Ruhe – der königlich bayerischen Ruh' ...

Eben die innere Wurstigkeit der Münchner, ihr bauernmäßiges Mißtrauen gegen alles, was jenseits des Kirchturms liegt, ja, der Widerstand der alten Münchner gegen das ganze Künstlerwesen, machten München zu einem Platz, wo die Künstler, Literaten und Schlawiner aus allen Gegenden Deutschlands und Europas frei sich tummeln konnten, freier als anderswo, sozusagen im leeren Raum einer mittleren Großstadt. Sie gaben der Stadt Farben, Schwung und lachende Laune, die Stadt gab ihnen den Föhn. Eben darum kam es hier zu Kunstrevolutionen, es gab die »Sezession«, »Den blauen Reiter«, mit Kandinsky und Franz Marc und Jawlensky, den Frühnaturalismus, befördert von Michael Georg Conrad. In München gab es den ersten linksrevolutionären Putsch in Deutschland mit lauter Literaten an der Spitze wie Kurt Eisner, Ernst Toller, Gustav Landauer, Erich Mühsam, Levin und Leviné-Nissen und den ersten nationalsozialistischen Putsch mit lauter Schlawinern, wie Adolf Hitler und Erich Ludendorff. Kein Wunder, daß die politischen Zigeuner und Revolteure hier scheiterten, weil sie im leeren Raum sozusagen wirkten.

Offenbar fehlt den Münchnern der bittere Ernst, und darum

sind von allen Kunstunternehmungen am populärsten die Künstlerbälle im Fasching. Sogar Literatenvereine wie die »Argonauten« arteten in Argonautenbälle und Faschingsfeste mit »Anbahnungsautomaten« samt »erotischer Rutschbahn« aus, also in bäurisch wahllose Liebesfeste. Aber die »Argonauten«, zu deren Leitern Ernst Penzoldt und Ernst Heimeran gehörten, gesellten sich alle vierzehn Tage in der *Osteria Bavaria* beim Bier und veranstalteten Vortragsabende.

Mehr als in anderen Städten bilden hier die Künstler ihr eigenes Publikum. Hier lesen die Dichter einander ihre Werke vor. Gegen den traditionell hinwelkenden Formalismus der Kaulbach und Lenbach und Paul Heyse hatte Michael Georg Conrad, der Anhänger von Zola und Goncourt, seine Zeitschriften *Die Gesellschaft* und die *Gesellschaft für modernes Leben* gegründet. Der bayerische Dramatiker Joseph Ruederer hatte gegen beide Richtungen seinen Dichterverein die »Nebenregierung« geschaffen, wo Max Halbe und Frank Wedekind ihre Stücke lasen, im *Café Minerva,* und wo auch der Maler Lovis Corinth ein Mitglied war.

Ende des neunzehnten Jahrhunderts gab man auch in München »literarische Tees«. Ernst von Wolzogen, der von Berlin kam, der Gründer des Berliner »Überbrettl«, machte einen literarischen Salon in seinem Haus in der Werneckstraße in Schwabing und gründete 1898 mit Ludwig Ganghofer die »Münchner Literarische Gesellschaft«. Auch Ganghofer führte ein großes Haus mit literarischen Empfängen, im Stil der Münchner Malerfürsten Wilhelm Kaulbach, Franz Lenbach und Franz Stuck.

Vor dem ersten Weltkrieg saßen die Dichter in der *Torggelstube,* in vielen Weinstuben und Wirtschaften in Schwabing und insbesondere im berühmten *Café Stefanie,* dem Münchner *Café Größenwahn,* wo Otto Erich Hartleben und Otto Julius Bierbaum Stammgäste waren, und Max Halbe und Franz Wedekind, die bald Freunde, bald Feinde waren, und Heinrich Mann und Thomas Mann, Stefan George und Peter Altenberg, Hermann Bahr und Henrik Ibsen und August Strind-

393

berg, Paul Klee und Alfred Kubin und Jules Pascin, Ricarda Huch und Papa Rössler, der Autor der *Fünf Frankfurter*, und Leonhard Frank und Gustav Meyrink. Auch Lenin lebte zeitweise in München.

Da saßen also die Repräsentanten von einem Dutzend moderner Stile und geistiger und weltanschaulicher Bewegungen in denselben Cafés zusammen, sie trafen sich in den gleichen literarischen Salons, im Englischen Garten und in den Brauereien. In andern Städten schieden sich die Geister und Richtungen viel schärfer. In München war man oft radikaler als anderswo. Aber es bedeutete weniger. Ist das kein Vorzug?

Wie man es nimmt. Geistige Exzesse ohne Folgen? Wenn eine geistig gemischte Gesellschaft gewisse Exzesse zwar nicht vermeidet, aber doch nicht zu ernst nimmt, bringt es gewisse menschliche und künstlerische Vorteile, führt aber auch dazu, daß man schließlich Kunst und Geist, Weltanschauung und Politik, ja das ganze Leben nicht mehr ernst nimmt. Das rettet vor Pedanterie, aber nicht vor den Konsequenzen der Umwälzungen. Statt zu den Initiatoren zu gehören, wird man zu ihren Opfern. Um das düstere Beispiel zu geben: Der Putsch von Adolf Hitler scheiterte in München, rettete aber die Stadt nicht vor dem Nationalsozialismus.

Die Literaten saßen bei der Münchner Boheme-Wirtin Kathi Kobus. Sie war ein Bauernmädchen aus dem Chiemgau. In ihrem alten Lokal, der *Dichtelei,* saßen Detlev von Liliencron, Michael Georg Conrad und Otto Julius Bierbaum. Dann war sie in ihr neues Lokal, den *Simplizissimus* oder *Simpl,* gezogen, in höhlenartige Räume, mit unzähligen Bildern, meist Gegengaben der jungen Maler für Freitisch und Freibier. Und die Kobus mit ihrem tiefschwarz gefärbten Haar und mit ihrem weißblitzenden Kunstgebiß trat auf, und das Publikum sang den Refrain ihrer Gstanzerln mit.

Das Kabarett der »Elf Scharfrichter« wurde im *Goldenen Hirschen* in der Türkenstraße im April 1901 eröffnet, nach dem Muster von *Le Chat Noir* am Montmartre und der Diseuse Yvette Guilbert. Bei den »Elf Scharfrichtern« traten der

Pariser Marc Henry und die Elsässerin Marya Delvard auf, der Berliner Ernst von Wolzogen und der Münchner Hans von Gumppenberg, der die Parodien *Das teutsche Dichterroß* geschrieben hatte. Da brachte man Chansons von Detlev von Liliencron und Otto Julius Bierbaum, von Richard Dehmel und Frank Wedekind, Gumppenberg führte seine Fünf-minutensketsche auf. Und später kam Frank Wedekind mit der Klampfn, der schon auf der Straße wie ein Brettlheld aussah. Er trug damals sozusagen sechs bis sieben Bärte im Gesicht, zwei Bartkoteletten, einen Schnurrbart, einen zur Brust reichenden Bocksbart etc. Er trug eine gelbkarierte Pepitahose, einen grauen Gehrock, einen glänzend neuen Zylinder und gelbe Glacéhandschuhe, und im übrigen »trug er« den verkannten Dichter Wedekind, den Sexualreformer, Welt- und Bühnenstürmer und abenteuerlichen Moralisten. Und er war trotzdem einer der interessantesten deutschen Dramatiker.

Damals wurde München zum Thema der Literatur. Heine, der München in der *Reise von München nach Genua* gezeichnet hat, schrieb schon 1820: »Daß man die ganze Stadt ein neues Athen nennt, ist, unter uns gesagt, etwas ridikül ...« Schließlich heißt er München das Hauptquartier der katholischen Propaganda. Michael Georg Conrad schilderte im Roman *Was die Isar rauscht*, das Schwabinger Milieu, mit »Münchens fünftausend Malern«, wie Paul Klee schrieb, mit Mäzenen und Ballettmädchen. Modellen und Malweibern und dem Recht, sich »auszuleben«. Heinrich Mann und Annette Kolb, Alfred Neumann und Lion Feuchtwanger, Ricarda Huch und Thomas Mann schrieben Romane oder Novellen, worin München eine Hauptrolle spielt. Und die Komtesse aus Lübeck, Franziska von Reventlow, eine uneheliche Mutter in Schwabing, beschrieb humoristisch ihre Bettgeschichten, die von »Paul zu Pedro« führten.

Hundert Literaten lebten in München, Björnstjerne Björnson, dessen Schwiegersohn der Verleger Albert Langen war, und Rilke, der hier Lou Andreas-Salomé besuchte, und Stefan George, der seinen Gott oder Abgott Maximin in einem Münch-

ner Vorstadt-Buben fand, und Ricarda Huch und Karl Wolfs-
kehl, Franz Blei und Carl Sternheim und Alfred Neumann,
Bruno Frank und Ernst Toller, Klabund, Joachim Ringelnatz
und Ernst Penzoldt, W. E. Süskind und Heinrich Wölfflin und
Karl Vossler, und es formte sich ein Kreis nach dem andern,
der Kreis um Stefan George, bis es zum »Schwabinger Krach«
kam, und der Kreis um Ludwig Klages und der Kreis um
Thomas Mann.

Die halbe deutsche Literatur wohnte im zwanzigsten Jahrhundert vorübergehend oder länger in München, ohne daß
es zu einer Münchner Dichterschule kam. München ist kein
Prägstock für Dichter. Man kann ein halbes Leben in München zugebracht haben und ist kein Münchner Dichter geworden. Berlin, Paris, London, New York verwandeln und
prägen die Literaten, die dort groß geworden sind.

München ist eine echte Fremdenstadt. Nach einem halben
Leben in München bleibt man ein Zugereister. Auch ist es
trotz dem Föhn eine Art Badestadt, eine Rentnerstadt, eine
Dult, eine Museumsstadt. Die verschiedensten Geister hausen
nebeneinander, und es hat gar keine geistigen Konsequenzen.

Zwischen den beiden Weltkriegen wohnte der abendlän-
dische Untergangsphilosoph Oswald Spengler in derselben
Stadt München wie der »Zivilisationsliterat« Heinrich Mann,
der Schwarmgeist Adolf Hitler neben dem Schwarmgeist Erich
Mühsam, die Provinzdichter Josef Ponten, Hans Carossa
und Friedrich Huch neben den Weltbürgern Thomas Mann
und Leonhard Frank, ja in derselben Redaktion des *Simplizis-
sismus* saßen Olaf Gulbransson und Th. Th. Heine, sie stießen
mit dem Ellbogen aneinander, und im Frühjahr 1933 denunzierte Gulbransson den Heine, wie der letzte Redakteur des
»Simplizissimus« vor Hitler, Franz Schoenberner, in den zwei
Bänden seiner witzigen Autobiographie »Confessions of a Euro-
pean Intellectual« und »The Inside Story of an Outsider«
beschrieben hat. Es ist aber wahr, daß wir alle in derselben
Welt leben, der Heilige und der Verbrecher, der Narr und
der Weise, der Dichter und der Soldat, die Nonne und das

Rainer Maria Rilke 1875–1926   Stefan George 1868–1933

Ricarda Huch 1864–1947   Kasimir Edschmid geb. 1890

Lion Feuchtwanger
1884–1958

Joachim Ringelnatz (1883–1934)
trägt im Simpl Gedichte vor

Bertholt Brecht 1898–1956

Hermann Kesten geb. 1900

Freudenmädchen. Keines Menschen Welt, wie sehr er sich auch abschließen möchte, wäre komplett ohne die ganze Zeitgenossenschaft. Dasselbe gilt fürs literarische und geistige Leben einer Stadt. Wenn sie auch »Welten apart« voneinander lebten, diese alle und noch dreihundert Poeten und Maler und Musiker und Schwarmgeister und Politiker und Theaterleute und Journalisten und Priester und Beamte, so gehörten sie doch alle in diese bäuerlich bunte scharfkolorierte Münchner Welt. So hat einer auf den andern eingewirkt, im Guten und im Bösen. Und jedes Einzelnen Welt wäre unvollkommen ohne das gesamte ungeheuerlich gemischte Personal.

Übrigens hat es auch nach dem zweiten Weltkrieg nicht an neuen und alten literarischen Vereinen und Gruppen und Cliquen und Einzelgängern gefehlt. Ein norddeutscher Fischersohn und Münchner Schriftsteller, Hans Werner Richter, hat die »Gruppe 47« gegründet, einen typischen Münchner Verein, obgleich seine nicht genau definierten Mitglieder aus ganz Deutschland und Österreich und der Schweiz, ja sogar aus Holland sich rekrutierten. Aber auch sie kommen (meist zwar nicht in München) wie echte Münchner Dichter zusammen, um einander vorzulesen, wobei jeder des andern *Richter* sein soll. In der *Kanne* versammeln sich unter dem seriösen Präsidium des witzigen Erich Kästner die Münchner Mitglieder des PEN-Clubs, jeden Monat einmal, und lesen einander nichts vor. Schmitt-Sulzthal leitet den »Tukan«, wo regelmäßig Dichter vorlesen.

Das ist zu wenig, erklärte Franziska entschlossen. München, die Stadt der Vereine, die Stadt der literarischen Cafés, die Stadt der Mäzene! Höchste Zeit, daß ich meinen Salon aufmache. Sonst vergessen die Münchner, trotz ihrem Münchner Dichterpreis, trotz ihren lebendigen Verlagen und Buchhandlungen, trotz ihren Zeitungen und Zeitschriften, trotz ihren Theatern, Konzerten und Museen, trotz dem Schock Dichter, den tausend Malern und dem Dutzend Komponisten, daß München das neue Athen an der Isar spielen muß, mehr als je, da Berlin wie ein politisches Dornröschen im Halbschlaf liegt, und andere deutsche Städte, wo man einst die Literatur pflegte, nur noch den Handel und Wandel pflegen, und nur die Schwerindustrie den Mäzen von industriegenehmen Dichtern spielt. Vergessen die Deutschen, daß ohne den Geist alles verderben muß? Daß Dichter kein unbequemer Luxus sind, sondern die Bewahrer der alten und Schöpfer der neuen Welt? Daß man sich ganz gut eine Gesellschaft ohne Großindustrielle und Diktatoren, Soldaten und Zöllner vorstellen kann, aber daß eine Welt ohne Dichter eine tote Welt wäre?

BERLIN

Als ich zum erstenmal nach Berlin kam, im Jahre 1927, ein Dichter aus Nürnberg, und auf die Straße lief, um mir die Berliner anzusehen, und in die Kaffeehäuser ging, um sie sprechen zu hören, klang mir diese preußisch-exotische Sprache, das Berolinische, zuweilen beinahe wie Russisch, besonders in der Gegend von Charlottenburg, und wenn ich gar – zu Studienzwecken – ein Fräulein ansprach (denn ich bin ein Romancier, und mein größtes Pläsier war das Studium von Menschen) und grüßdichgott sagte, konnte es geschehn, daß mir die Dame auf russisch antwortete; denn es wimmelte damals von Russen in Berlin, lauter Emigranten, die unbegreiflicherweise entflohen waren, obwohl ihnen die neuen Herren von Rußland den Himmel auf Erden versprachen, sobald erst mal die Revolution fundiert, die Bourgeoisie liquidiert und das Proletariat entproletarisiert sei, nächste Woche schon, oder in fünf Jahren, genau nach dem Plan, oder nach einem halben Dutzend Fünfjahresplänen.

Die Berliner hielten diese Russen von Charlottenburg für harmlose Irre, es gab überraschend viele Großfürsten darunter, man hatte offenbar nicht erkannt, wie fruchtbar die Romanows waren, manche lebten wirklich von Diamanten und Perlen. Sie okkupierten statt Provinzen Kaffeehäuser, gründeten statt revolutionärer Parteien Restaurants, diskutierten bis in den grauen Morgen den Sturz von Lenin und Trotzki, in einer Woche, oder nach fünf Jahren, nach einem genauen Plan, tanzten als Donkosaken verkleidet, sangen das Wolgalied, das sie in Tränen und Wodka tunkten, erließen kein Fraternisierungsverbot und zogen nach einigen Jahren ins zweite Exil nach Paris oder Shanghai und ins dritte Exil nach New York. Ich hatte manchen Freund unter ihnen. Ich beobachtete ihr scheinbar irres Leben, das so typisch für politische Emigranten war, dieses Leben in der Wartehalle sozusagen, diese schattenhafte Fortführung verjährter Konflikte und abgestandener Liebesaffären mit einer Braut, die einen die Treppe hinuntergeworfen hat, das Vaterland nämlich. Aber ich hätte nur laut gelacht, wenn mir einer prophezeit hätte, ein paar Jahre später würde ich, nunmehr schon ein Berliner Dichter, ganz ebenso im Exil sitzen, diesmal in Paris, und die französischen Dichter würden uns mit demselben soziologischen Interesse studieren, mit einem mitleidig amüsierten Lächeln, zwischen Wohlwollen und Verlegenheit, wie wir kürzlich die Russen in Charlottenburg.

Als ich nach »den tausend Jahren« zum erstenmal nach Berlin wiederkam, im Juni 1950, da gab es wieder haufenweise Russen in Berlin, sie wohnten diesmal unter den Linden, am Alexanderplatz und in Pankow. Großfürsten gab es nicht mehr darunter, statt der Brillanten verpfändeten sie ihre Ehrenwörter, es waren keine tanzenden Weißrussen mehr, keine Sozialisten, Liberale, Reaktionäre und »vorzeitige Faschisten«. Es waren marschierende rote Russen in Uniform, mit uniformierten Gedanken und Gesprächen. Wo andre Menschen das Herz haben, trugen alle das Bild von Stalin, und mancher darüber einen Stern, einen Sowjetstern.

Sie verkauften nicht mehr in kleinen fliederduftenden Restaurants Borschtsch und Blintzis, sondern in ihren Zeitungen und koordinierten Zeitschriften das *Hirselied* des »Originalgenies« Bert Brecht mit dem österreichischen Reservepaß und dem schweizerischen Not-Bankkonto, jenes *Hirselied,* worin er Stalin den Agronomen feierte, und das *Haferlied* des altgedienten schlesischen Pazifisten Arnold Zweig, der denselben Herrn aus ähnlichen Gründen besang, Bert Brechts Hirse war Arnold Zweigs Hafer, und die sonnigen Feuilletons der Mainzer Stalinpreisträgerin Anna Seghers, welche in Johannes R. Bechers *Sonntag* die marxistisch dekorierten Schaufenster in Prag analysierte, und die Serenissimo submissest nachempfundenen Nationalhymnen jenes preisgekrönten leeren Bechers.

Auch unter diesen Russen habe ich vielleicht einige ver-

G. E. Lessing 1729–1781

Friedr. Wilh. Schelling 1775–1854

Wilhelm von Humboldt
1767–1835

Felix Mendelsohn-Bartholdy
1809–1847

Rahel Varnhagen von Ense
geb. Levin 1771–1833

Henriette Herz
1764–1847

Elisa von der Recke 1756–1833

Bettina von Arnim 1785–1859

schämte Freunde, die Hitlers »unbekannten Dichter« Heinrich Heine zitieren: *Und grüß' mich nicht unter den Linden!* Und ich wünschte mir von Herzen, die Herren alle in ihrem zweiten Exil wiederzutreffen, in Paris oder New York, und in ihrem dritten und vierten Exil. Vor Freude würde ich gern das Wolgalied singen, ohne Wodka, ohne Tränen.

Es war immer einer der Reize von Berlin, neben der großen Schnauze der Berliner, dem hurtigen Wort, ihrer nackten Ironie und der scharfen Luft, anregend wie märkischer Champagner, wenn es einen gäbe, oder wie die klassische Berliner Asphalt-literatur von Theodor Fontane bis Heinrich Mann, daß so viele Fremde zu Hause waren in Berlin, die dazugehörten, die Wahl-Berliner, wie einst unter dem Großen Kurfürsten die Hugenotten und unter dem zweiten Friedrich die französischen Litera-ten von La Mettrie bis Voltaire. Früher sagte man, jeder zweite Berliner stammte aus Breslau. Wie man weiß, sind oft die neusten Landsleute die Super-Landsleute; die Herren aus Bres-lau oder Besançon, aus Budapest oder Bayern waren oft ber-linerischer als die alten Berliner; sie waren oft die kesseren und kessten.

Als ich Deutschland im März 1933 verließ, hat mir Berlin gefehlt, aber ich behielt viele Berliner; denn viele meiner Berliner Freunde sind erst nach Paris und dann nach New York mitgezogen. Die Berliner hört man aus jeder Menge heraus, die scharfe Sprache, die scharfe Luft, das übertrugen sie nach Paris und Shanghai, nach Rom und London und New York.

In den Vereinigten Staaten von Amerika gibt es ein halbes Dutzend von Städten und Dörfern, die Berlin heißen. Mitten in New York gibt es ganze Kolonien von alten und weniger alten Berlinern und mitunter auffallend hübschen Berlinerin-nen. New York, dieses Super-Babel, ist eine Anhäufung von Kleinstädten aus aller Welt. Alle paar Straßen hat sich eine andere Völkerschaft angesiedelt, Iren neben Juden, Deutsche neben Negern, Franzosen neben Portorikanern, Italiener neben Chinesen oder Schweden, jede Siedlung komplett mit Küche,

Kirche und Sprache, mit Vorurteilen und Traditionen und Konfessionen, und alle amerikanisiert und konformistisch.

Die Deutschen haben zwei Hauptsiedlungen in New York, Yorkville, mit Handwerkern, die vor oder kurz nach dem ersten Weltkrieg kamen, und Washington Heights, wo viele Anti-Hitler-Emigranten wohnen, im sogenannten »Vierten Reich«.

Die Berliner bringen es sogar fertig, amerikanisch auf berlinisch zu sprechen. Aber die Berliner haben mehr beibehalten, als nur den Dialekt ihrer Sprache und ihres Geistes, die Ausgereisten und die Daheimgebliebenen, die Urberliner und die Wahlberliner, zu denen auch ich mich zähle; denn in meinen sechs Berliner Jahren wurde ich zum Berliner, wie in meinen sieben Pariser Jahren zum Pariser, in meinen zwölf New Yorker Jahren zum New Yorker, in meinen sechs römischen Jahren zum alten Römer, und in meinem halben Londoner Jahr zum Londoner.

Der Berliner ist immer noch der einzige Weltbürger unter Deutschlands Großstädtern. Schon seit Jahrzehnten hat der eine Berliner seine Augen und Ohren für New York geöffnet, und der andere für Moskau, ja manche versuchen, ihre Nase in beide Weltkuchen zugleich zu stecken.

Der Berliner ist immer noch der unheroische und skeptische Spötter inmitten so vieler pathetischer Deutscher in der Provinz, die alle paar Jahre mit absoluter Überzeugung an eine neue Religion glauben; er ist ein Anti-Heros sogar in tragischen Situationen, die er mit der geschwinden Schicksalsbereitschaft des Weltstädters ironisiert oder tragikomisch sehen kann. Er ist der Eulenspiegel unter lauter seriösen Helden und Philistern, die ihm gram sind, weil er immer recht hat, und ihn zuweilen heimlich lieben.

Immer noch lacht der Berliner am lautesten und leidet am wenigsten unter den neuesten deutschen Kinderkrankheiten, dem schlechten Gewissen oder dem totalen Mangel eines Gewissens, der automatischen Selbstrechtfertigung oder hemmungslosen Weltanklage. Immer noch lieben die Berliner die klare Vernunft und mißtrauen jener fatalen deutschen Tiefe, die in Zungen redet, die sie selber nicht versteht. Immer noch sind die Berliner heitere Rationalisten und hassen die Heuchelei und die Prätentionen, den falschen Ton, das falsche Wort, die falschen Herren.

In alledem war ich ein Berliner, bevor ich nach Berlin ging, mit dem kosmopolitischen Geschmack und der weltstädtischen Ironie. Auch in Dörfern wachsen künftige Weltstädter auf. Darum bin ich ein Berliner geblieben, nachdem ich Berlin verlassen hatte. Darum spielen Berlin und die Berliner in vielen meiner Romane eine überwiegende Rolle, in *Ein ausschweifender Mensch, Glückliche Menschen, Der Scharlatan* und in den *Zwillingen von Nürnberg,* und in meinem Roman *Die Abenteuer eines Moralisten.*

Das gute alte Berlin mit seinen Millionen echter Berliner aus der besten deutschen Provinz steht nicht mehr da, wie ich es im März 1933 verlassen habe, als die »Märzgefallenen« wie die Lilien auf dem Felde wuchsen.

Als ich wieder einmal nach Berlin kam, im Herbst 1957, ein »Gast der Stadt Berlin«, hatte Berlin sich schon wieder verjüngt, ja die Stadt war so frisch erbaut, daß sie geradezu einen märchenhaften Charakter bekommen hat, sozusagen den Zug ins Irreale, und nun manchmal wie eine Hauptstadt aussieht, die es gar nicht gibt und, im Gegensatz zu den Potemkinschen Dörfern, wie die geniale Attrappe einer Weltstadt erscheint, ein Potemkinsches Berlin.

Ach, mein liebes, altes, fröhliches Berlin, das bei aller Häßlichkeit strahlte und leuchtete und funkelte; in seinen besten Zeiten war Berlin ein häßliches Entlein, von dem man in jeder historischen Stunde neu erwartete, daß ein wunderschöner Schwan hervorkommen würde. Es glänzte von Witz, es brillierte von Geist, es spiegelte eine sparsame Vergangenheit und eine üppige Zukunft. Es repräsentierte das alte Preußen der Hohenzollern, das neureiche wilhelminische Kaiserreich, die Weimarer Republik voll schwankender Ideale und phosphoreszierte noch im satanischen Dritten Reich, bis es von diesem Dritten Reich zerschlagen wurde und wie ein verkohlter

Strunk dastand, wie eine überdimensionale Stadtleiche, wie ein zerbrochener Riesensarkophag von Deutschlands Weltreichträumen.

Heute scheint Berlin eine dritte Art Vogel zu sein, ein phantastischer Phönix, der aus den Flammen schöner hervortritt. Die Stadt schwebt zwischen den Dimensionen und Provisorien, ein Symbol des provisorischen und vieldimensionalen Daseins des Menschen. Ja, es schwebt auf der Riesenschaukel zwischen Fiktion und Realität. Berlin ist eine belagerte Festung inmitten einer okkupierten Zone, die wiederum der Diktaturbastard eines Diktaturmolochs ist. Es ist die fingierte rotgeschminkte Hauptstadt eines pomphaft neureichen, von frischen Säften überquellenden deutschen Reiches, aber eine Hauptstadt im Ausland.

Wo gab es schon die Hauptstadt eines großen Reiches, die im feindlichen Ausland lag, im bruderfeindlichen Ausland?

Berlin ist eine Hauptstadt, in welche die Bürger des Reiches nicht ohne Paß und Genehmigung gehn können. Manche müssen sogar hineinfliegen, andre sollten herausfliegen. Es ist eine Stadt, um die herum nichts wächst. Da führen wunderbare neue Straßen nirgendwohin. Da warten wunderbare neue Institutionen und Paläste auf eine reiche Zukunft. Da wird die halbe Stadt eingerichtet für den Tag X. Wann und wie wird er kommen?

In der ganzen Welt gibt es keine zweite so sonderbare, tragikomische, hoffnungsschwangere, eingesperrte, wie auf Eis gelegte Stadt, die geviertteilt oder halbiert ist, diese Hauptstadt der Deutschen mit den grotesken Zahnlücken, infolge ganzer in die Luft geflogener Häuserblöcke, eine Riesenstadt, die sich aus grandiosen Lücken und bunten Hoffnungen zusammensetzt.

Überall fehlt mehr als da ist. Doch steht jede Woche ein neuer Wolkenkratzer auf. Jeden Monat bauen die Berliner ein neues Viertel, zum Beispiel das neue Hansaviertel. So hübsch war Berlin noch nie.

Bald nehmen sie auch die Spree und waschen und putzen sie auf und bauen sie um, und siehe da, sie wird ein hübscher, dekorativer Fluß werden, und modern, wie die Berliner sind, das Neueste vom Neuen.

Die Stadt Berlin ist ein Altberliner Märchen und die allerneuste deutsche Wirklichkeit, Deutschlands vertrackte Zukunft.

1958 kam ich wieder nach Berlin und saß im *Café Kempinsky* am Kurfürstendamm mit dem jungen Theaterkritiker Dr. Arnim Kaltwasser.

Ungleich vielen Berlinern, sagte er, bin ich in Berlin geboren, glaube an Gott und erwarte von ihm viele Wunder, zum Beispiel daß er Berlin bald befreie und zur Hauptstadt eines geeinten Deutschlands mache. Lieber Gott, bete ich jeden Sonntagmorgen in der Kirche, schenke uns ein goldenes Zeitalter fürs deutsche Theater und die deutsche Literatur. Ich bete so aus Egoismus. Wie soll ich ein großer Kritiker werden, wenn die Zeiten dürr sind?

Sie haben recht. Die großen Literaturen blühten in den Hauptstädten, im kaiserlichen Peking, in Schiras, in Jerusalem, im alten Athen, im alten Rom, in London, Madrid, Paris, St. Petersburg und Moskau. Die Deutschen hatten sogar zwei Hauptstädte, Wien und Berlin. Aber allzuviele deutsche Dichter blieben in der Provinz sitzen. In ihren Träumen und Gedichten universale Geister, sind sie in ihrer Prosa »die deutschen Kleinstädter«. Der barocke Reichtum der deutschen Literatur stammt freilich aus der Provinz, ihr Idealismus, ihr Individualismus, das Knorrige, Kauzige, Eigenwüchsige, Närrisch-Vertrackte und Poetisch-Verrückte.

Aber auch die Subalternität und die Vereinsamung, versicherte Kaltwasser. Die meisten Berliner Dichter sind hier nicht geboren und hier nicht gestorben. Achim von Arnim, Ludwig Tieck, Wilhelm Wackenroder, Karl Gutzkow sind geborene Berliner. In Berlin begraben sind E. Th. A. Hoffmann, Heinrich von Kleist, Adalbert von Chamisso, Theodor Fontane, Georg Heym, Gottfried Benn, Bert Brecht, Ferdinand Bruckner. Berlin ist eine junge Stadt. Als New York 1612 gegründet wurde, war Berlin nicht viel mehr als ein großes Dorf. Um 1650 war es kleiner als Prenzlau oder Stendal.

Das literarische Leben in Berlin begann in der Mitte des achtzehnten Jahrhunderts, mit einem Genie und einem Buchhändler und einem Juden. Das waren die Väter der deutschen Aufklärung, drei Freunde, nämlich Gotthold Ephraim Lessing, Friedrich Nicolai und Moses Mendelssohn, drei oppositionelle Individuen. Die Könige, Kaiser und Präsidenten, die in Berlin regierten, waren keine Freunde der deutschen Literatur. Friedrich der Große berief Voltaire und andere Franzosen nach Berlin und schrieb ein Pamphlet gegen die deutsche Literatur. Lessing und Schiller wurden von Preußens Königen abgelehnt, ebenso die Brüder Jakob und Wilhelm Grimm. Den »romantisierenden« Friedrich Wilhelm IV. hieß Heinrich Heine einen aufgeklärten Obskuranten, der zugleich von Sophokles und der Knute schwärmte. Kaiser Wilhelm II. förderte Kitschautoren wie Wildenbruch und Karl Rosner. Hindenburg rühmte sich öffentlich, seit seiner Konfirmation kein Buch gelesen zu haben. Hitler las Karl May. Friedrich Ebert gab ein einziges Mal einen Empfang für Schriftsteller, Künstler und Professoren. Wer waren die Freunde der Literatur? Die Berliner Bevölkerung, einzelne Berliner, Außenseiter der Gesellschaft, fremde Literaten, die nach Berlin kamen, Berliner Jüdinnen mit ihren berühmten Salons, Berliner Journalisten und Kritiker, Berliner Professoren, Berliner Theaterdirektoren und die Berliner literarischen Kaffeehäuser.

1828 schrieb Heine: »Berlin ist gar keine Stadt, sondern Berlin gibt bloß den Ort dazu her, wo sich eine Menge Menschen, und zwar darunter viele Menschen von Geist, versammeln, denen der Ort ganz gleichgültig ist; diese bilden das geistige Berlin.«

Sind wir eine Stadt oder zwei Städte: Ostberlin und Westberlin? Mitten durch Berlin geht die Grenze zweier Weltreiche. Ist Berlin die Hauptstadt der Zone, wo der russische Bär berlinert? Oder die »vergessene« Hauptstadt im Eisschrank der Bundesrepublik?

Goethe sagte von Berlin: »Dort lebt ein verwegener Menschenschlag.« Friedrich II. sagte: »Die Berliner taugen nichts«, weil sie ihm zu stark räsonierten. Nirgends war die Bevölkerung so gemischt wie in Berlin, und darum so unabhängig. Die westliche Welt, Paris, London, New York, Rom traf in Berlin auf die östliche Welt, Warschau, Moskau, Jerusalem und den Balkan. Heute gilt es mehr als je. Und gibt es nicht immer noch genug Theater, Verlage, Museen und Dichter in beiden Berlin?

Nicht genug für ein literarisches Kaffeehaus, erklärte Kaltwasser. In Westberlin gibt es Luft und Schnurre, Scholtis und Scholz. Ruth Hoffmann und Martin Kessel, Gerhart Pohl und Günther Birkenfeld und Hugo Hartung. Dafür sitzen sie in Ostberlin im Haufen und sprechen wie aus einem Mund, die Regierung dichtet für sie. So wurden aus Revolutionären erzreaktionäre Regierungsdichter, lauter *cidevants*.

Seit Lessing in Berlin an der *Vossischen Zeitung* und an den *Briefen, die neuste Literatur betreffend* mitgearbeitet hat, sagte ich, wurde aus Berlin, schrittweis und sprungweis, ein literarisches Zentrum. Hier waren sogar die Journalisten Genies, wie Gotthold Ephraim Lessing und Heinrich von Kleist.

Sogar die Theaterkritiker hatten hier Talent, gestand Kaltwasser, wie Lessing und Fontane.

Die Berliner, sagte ich, wurden die neugierigsten und fortschrittlichsten Buchleser und Buchkäufer in Deutschland. Berlin schuf die literarische Meinung und den literarischen Ruhm. Als Goethe noch einer von einem Dutzend oder zwei Dutzend deutscher Dichter war, erhoben ihn einige Berliner Jüdinnen, entlaufene Monotheistinnen, in ihren Salons zu ihrem Abgott und zum größten Dichter der Deutschen, übrigens beteten ihn auch einige Christinnen an. Da gab es die Salons der Rahel Levin und der schönen Henriette Herz und der Bettina Brentano und der Caroline Schlegel und der Dorothea Veit, der Tochter von Moses Mendelssohn.

Schon zuvor, erinnerte Kaltwasser, gab es einige literarische Salons in Berlin, bei Elisa von der Recke, beim Fürsten Radziwill, beim Verleger Sander und seiner Frau Sophie, von der Chamisso geschwärmt hat. Zu Sander kamen Heinrich von

Kleist und Wilhelm von Humboldt und der Komponist Zelter, Goethes Freund.

Aber erst mit der Rahel Levin und der Henriette Herz traten die schwärmerischen, geistreichen und unabhängigen Berlinerinnen als Musen mit Musenhöfen auf, mit Literatursalons, wie bei der äolischen Dichterin Sappho. Diese jungen Berlinerinnen schwärmten aber nicht für einander, sondern für ihre Freunde, die Dichter oder Philosophen, Prinzen des Genielands, ja auch Prinzen von Preußen, wie Rahels Liebling, Louis Ferdinand, der 1806 bei Saalfeld gefallen ist. Diese Töchter der Emanzipation und der Aufklärung wurden die Freundinnen und Gattinnen der Romantiker, aber auch die Musen und Prophetinnen des »Jungen Deutschland«. Durch mehrere Generationen übten sie einen Einfluß auf Philosophie und Literatur und die Emanzipation der Frauen. Diese Mädchen fanden Geschmack an Genies, und die Genies fanden Geschmack an ihnen. Es war ein geistiger Frühling in Deutschland. Mit einer behenden und kühnen Grazie emanzipierten sich diese deutschen Mädchen geistig, moralisch, sittlich, sinnlich.

Die Dichter der Aufklärung und der ältern Romantik wollten mit ihren Frauen ganz irdisch leben, in geistiger und sinnlicher Harmonie. Den Himmel, sagte später Heine, überlassen wir den Engeln und den Spatzen. Diese Dichter wollten die Männer *und* die Frauen von der alten Tyrannei befreien. Die Demokratie, die politische Gleichheit aller Menschen sollte auch in der Ehe und im Geschlechtsleben gelten. Rahel sagte: »Daß in Europa Männer und Weiber zwei verschiedene Nationen sind, ist hart. Die einen sittlich, die anderen nicht; das geht nimmermehr – ohne Verstellung.«

Diese jungen Mädchen, gestern noch im Getto, die man unwissend lassen wollte, weil man annahm, eine Hausfrau und Mutter brauche nichts zu wissen, und Unwissende fügten sich leichter in den ehelichen Gehorsam, sie sahen eine Welt offen. Sie waren gierig nach Bildung. Sie verließen ihre Kasten. Sie achteten keine falsche Grenze. Sie suchten und fanden die Gesellschaft der Gebildeten aller Klassen. Sie schufen einen neuen

Begriff der Bildung. Sie vergeistigten die bürgerliche Gesellschaft. Sie begründeten die Kunst des Gesprächs von neuem.

Zur passenden historischen Stunde erscheinen die passenden Personen. Sie geben ein Exempel, als schüfen sie erst ihre Epoche, als bildeten sie ihre Zeit. Indes bildet die Zeit erst sie. Im Leben jedes denkenden und fühlenden Menschen gibt es diese wunderbare Periode, da sein Geist zum ersten Male sich aufschwingt, wie aus einem Halbschlaf erwacht, und die ganze Welt wie zum ersten Male erfaßt, als hätte kein andrer Mensch sie zuvor in solchem Glanz gesehn. Solche jugendtrunkenen Perioden gibt es auch im Leben der Völker und in ihren Literaturen.

Diese geistreichen deutschen Mädchen und Frauen hatten ein überströmendes Talent für die Liebe, für die Konversation und den intellektuellen Flirt. Treu gegen sich selber liebten sie, aus Freude am reichen Schicksal, mehrfach, zuweilen mehrere mit aller Leidenschaft. Es ist kurios, daß so viele von ihnen zu alte oder zu junge Partner wählten. Dorothea trennte sich von ihrem Gatten Simon Veit und heiratete den um neun Jahre jüngeren Friedrich Schlegel. Caroline, die Professorentochter und junge Witwe, heiratete den um vier Jahre jüngeren August Wilhelm Schlegel und ließ sich von diesem vielleicht nur spirituellen Gatten mit Goethes Hilfe scheiden und heiratete den Philosophen Schelling, der um zwölf Jahre jünger war als sie. Rahel Levin heiratete den Schriftsteller und preußischen Diplomaten Karl Varnhagen von Ense, der um vierzehn Jahre jünger war als sie. Bettina Brentano, deren Gatte Achim von Arnim nur um vier Jahre jünger war als sie, verliebte sich fortwährend in alte Männer, wie Goethe, Tieck und Beethoven. Varnhagen sagte: »Bettina liebte nie ein Herz, nie einen Menschen, sondern glänzende Eigenschaften, Berühmtheiten ... Stellungen ...«

Henriette Herz, Rahel Varnhagen, Dorothea Schlegel, Bettina Arnim wetteiferten mit einander in ihren Salons. Die Freundinnen empfingen zum Teil dieselben großen Männer. Die schöne Henriette Herz hatte in ihrem Hofstaat den Friedrich Schlegel, der später Dorotheas Mann wurde, den Varnhagen von Ense, der Rahels Mann wurde, den Friedrich Gentz, die Brüder Wilhelm und Alexander Humboldt, den Mirabeau, den Ludwig Börne, den Zelter, den Chamisso und den Philosophen Friedrich Schleiermacher, ihren Liebling. Ein Schwede schrieb über diesen protestantischen Theologen und Philosophen: »Schleiermacher, Platons Übersetzer, ist von Gestalt klein, schmächtig und bucklig, hat ein wohlgebildetes, lebhaftes und determiniertes Gesicht, trägt eine Brille auf der Nase und diese hoch in der Luft.«

Rahel hatte zweimal einen Salon, zuerst in ihrem Dachstübchen, in der Jägerstraße 55, bis Napoleon Preußen und ihren Salon zerschlug, dann nach 1819 als Gattin des Varnhagen von Ense. Dieser schilderte ihren ersten Salon: »Rahel wohnte damals ... in Obhut der trefflichen Mutter. Prinz Louis Ferdinand, Männer wie Gentz und Friedrich Schlegel und beide Humboldt waren diesem Kreis zugetan; der schwedische Diplomat Brinckmann, Friedrich und Ludwig Tieck, der Prince de Ligne, Fürst Reuss und so viele andre Diplomaten, Militärs und Künstler. Von ausgezeichneten Frauen Karoline von Humboldt, Dorothea Veit, die Gräfin Schlabrendorf, die liebliche Schauspielerin Friedrike Unzelmann und die merkwürdigste eigentümlichste und reizendste von allen, Pauline Wiesel, die Freundin des Prinzen Louis Ferdinand ... Die Liebe und Verehrung für Goethe war durch Rahel im Kreis ihrer Freunde längst zu einer Art von Kultus gediehen, ehe die beiden Schlegel und ihre Anhänger diese Richtung in der Literatur festzustellen unternahmen.« Damals kamen zu ihr Schleiermacher, Johann Gottlieb Fichte, August Wilhelm Schlegel, Friedrich de la Motte-Fouqué, gelegentlich auch Madame de Staël. 1806 wurde Rahels »Dachstübchen« durch Fichte zu einem politisch-patriotischen Zentrum, aber im Herbst zerstreute sich der ganze Kreis. Als 1819 Rahel wieder empfing, kamen hauptsächlich Staatsmänner und Historiker zu ihr und die alten Freunde und Fürst Pückler-Muskau, Bettina von Arnim, Charlotte von Kalb, die Freundin Schillers, die

Historiker Leopold von Ranke und Friedrich von Raumer, die Philosophen Cousin und Hegel. Heinrich Heine führte bei der Rahel sein berühmtes Gespräch mit Hegel am Fenster angesichts des Sternenhimmels.

Rahel vermochte es, jeden Gast glänzender erscheinen zu lassen, als er es verdiente, ihn gesellschaftlich zu verschönern. Sie sagte: »Meinen Tadel spare ich für meine Freunde. Meine Freigeisterei, meinen Stolz, meine Verachtung aller Vorurteile gehören für die Klügsten, Vertrautesten. Aber der gemischten Gesellschaft, die sich bei mir versammelt, muß ich Gutmütigkeit und Anmut umsonst anbieten, wie Tee oder Gefrorenes. Schweigen und reden müssen wir, wenn wir gefallen wollen, nicht wie uns der Schnabel gewachsen ist, sondern wie den andern die Ohren.«

Die Rahel war nicht einmal schön, nicht einmal elegant und sah leidend aus. Sie liebte unglücklich einen märkischen Junker und den Spanier Urquijo. Sie sagte: »Klarheit und Glück gibt es nur in uns. Aus der Welt hat mich meine Geburt gestoßen, das Glück hat mich nicht eingelassen. Ich halte mich einzig an die Kraft meines Herzens und Geistes, als Zuschauerin des Lebens. Ich liebe immer wieder neue Menschen. Und wir sind eigentlich wie wir sein möchten, und nicht so wie wir sind. Es muß ein jeder überschätzt werden, sonst würde er gar nicht geschätzt.«

Ihre Freundin Unzelmann war in Weimar mit großem Erfolg aufgetreten und dabei von Goethe so bezaubert worden, daß sie seine *Iphigenie* als Benefizvorstellung geben wollte, was ihrem Berliner Theaterdirektor Iffland nicht paßte, da er selber Dramen schrieb, die er für viel besser hielt als die Stücke von Goethe und Schiller. Friedrich Schlegel behauptete, daß die Unzelmann über Goethes *Iphigenie* die dümmsten Sachen sage und daß sie von ihren eigenen Rollen nichts verstehe. Rahel erwiderte: »Genug, sie spielt sie und läßt den Kritiker räsonieren. Von der himmlischen Frau verlangen, daß sie räsoniert, heißt von Ihnen, lieber Friedrich Schlegel, fordern, daß Sie Theater spielen.«

411

Schlegel war wütend auf Friedrich von Gentz, den er damals einen feilen Schreiber, einen nichtswürdigen Feind der Freiheit hieß; Schlegel war, wie auch der Bruder der Rahel, ein Anbeter der Unzelmann.

Die Rahel sagte: »Persönliche Satire, Parodie und Travestie ist ein Mißbrauch der Dichtkunst, sie trägt Böses in sich und dient der gemeinen Schadenfreude. Nur den großen allgemeinen Unwillen und Zorn, den respektiere ich.« Das hinderte sie nicht, die Xenien von Goethe und Schiller zu bewundern, die nur wenige lebende Dichter neben sich gelten ließen und die meisten andern gnadenlos verspotteten. Die Rahel sagte: »Auch wir lieben nur die, welche wir kennen« und »Immer Gerechtigkeit für andre, Mut für uns selbst; das sind die zwei Tugenden, worin alle andern bestehen«, und: »Immer dasselbe, oder immer etwas anderes lieben, heißt beständig lieben. Nichts lieben können, ist unbeständig sein!« Sie sagte: »Die Menschen lieben sich zu ungleichen Stunden« und »Niemand ist gnädig gegen uns als Gott und unser Gewissen« und »Wir machen keine neuen Erfahrungen. Aber es sind immer neue Menschen, die alte Erfahrungen machen.«

Sie sehen, sagte ich zu Kaltwasser, daß die Rahel und die andern Berlinerinnen, die literarische Salons machten, nicht nur geistreiche Männer um sich sammelten, sondern auch geistreiche Frauen waren.

Es gab viele literarische Salons in Berlin, wie den Kuglerschen Salon, oder das Haus Mendelssohn mit dem Wunderkind Felix Mendelssohn-Bartholdy, dem Wiedererwecker von Bach und Händel.

Der sozialistische Führer und Revolutionär von 1848, Ferdinand Lassalle, der Begründer des »Allgemeinen deutschen Arbeitervereins«, empfing seine Freunde bei sich, den jungen Karl Marx, mit dem er sich noch nicht entzweit hatte, den alten Varnhagen von Ense, Ernst Dohm und Hedwig Dohm, die Großeltern von Katja Mann, der Frau von Thomas Mann, den Kapellmeister Hans von Bülow oder den Autor der *Briefe eines Verstorbenen,* Fürst Pückler-Muskau.

Aber Berlin hatte schon einen französischen Literatursalon in der berüchtigten Tafelrunde von Friedrich II. und seiner Akademiker besessen. Friedrich sprach deutsch, wie er selber sagte, wie ein »cocher«. Leibnitz hatte die Akademie der Wissenschaften in Berlin gegründet und ihr die Pflege der deutschen Sprache empfohlen. Sie war wie die Akademie der Künste schnell verfallen. Nun machte Friedrich II. Maupertuis zum Präsidenten. Er berief auch einige deutsche Gelehrte, Wolff, Euler und Sulzer. Er holte den Marquis d'Argens, La Mettrie, Arnaud, den Freund Casanovas, Graf Algarotti, und die »verführerischste Creatur« Voltaire. Damals waren die Sachsen, besonders die Leipziger und Dresdner, gebildeter als die Preußen. Winckelmann sagte in Dresden, er denke an Preußen nur mit Schaudern. Friedrich II. hieß zugleich der »Einsiedler oder Philosoph von Sanssouci« und der »Schinder der Völker«.

Lessing, den der Literat Sulzer damals einen »Zeitungsschreiber bei einem hiesigen Buchführer« geheißen hatte, trat 1752 mit diesem Verleger Voss dem »Montagsclub« bei, den der schweizerische Theologe Schulthess angeregt hatte. Da saßen die Literaten Sulzer und Ramler, der Flötist Quantz, der Kupferstecher Meil, der Autor und Buchhändler Nicolai. Aus der Ferne schrieb Lessing: »Alle Freitag abends klopft mir das Herz, und ich weiß nicht, was ich darum gäbe, wenn ich mich noch itzt alle Wochen einmal in Gesellschaft so vieler rechtschaffener Leute satt essen, satt lachen und satt zanken könnte, besonders über Dinge satt zanken könnte, die ich nicht verstehe ...«

Mit Ramler und andern Freunden traf sich Lessing auch in der *Baumannshöhle,* dem Keller des Weinwirts Baumann. Lessing war ein typischer Kaffeehausliterat und saß in den Breslauer Kneipen und Kaffeehäusern mit den preußischen Offizieren herum und pokulierte und spielte Pharo, und Goethe schrieb später: »Lessing, der, im Gegensatze von Klopstock und Gleim, die persönliche Würde gern wegwarf, weil er sich zutraute, sie jeden Augenblick wieder ergreifen und aufnehmen zu können, gefiel sich in einem zerstreuten Wirtshaus-

und Weltleben, da er gegen sein mächtig arbeitendes Innere stets ein gewaltiges Gegengewicht brauchte, und so hatte er sich auch in das Gefolge des Generals Tauentzien begeben.«

Lessing saß in Leipzig in *Richters Kaffeehaus,* wo auch Gellert und später der junge Schiller hinkamen, indes Goethe mit seiner Leipziger Freundin Käthchen Schönkopf das *Händelsche Kaffeehaus* frequentierte und, wie er in *Dichtung und Wahrheit* schildert, ein Gedicht auf den Cafetier an die Wand schrieb. Auch in Braunschweig traf Lessing, wenn er von Wolfenbüttel kam, im *Großen Kaffeehaus* seine Freunde Gleim, Eschenburg, Leisewitz, den Autor des *Julius von Tarent,* und Johann Georg Forster.

Die Berliner Literaten saßen in allen Kaffeehäusern von Berlin, erklärte Kaltwasser. Bei *Lutter und Wegener* trafen sich regelmäßig E. Th. A. Hoffmann und sein Zechkumpan, der Schauspieler Devrient, und Chamisso, der Autor des *Peter Schlemihl,* und das versoffene Theatergenie Christian Dietrich Grabbe und zuweilen der ohne Wein trunkene Heinrich Heine. Grabbe, im Zuchthaus geboren, machte Witze über den Juden Heine. Aber Heine pries den Grabbe, wie er als einer der ersten den Heinrich von Kleist und seinen *Prinzen von Homburg* gepriesen hat.

Hoffmann und Heine und das halbe »Junge Deutschland«, Karl Gutzkow und Heinrich Laube und Ferdinand Freiligrath und Ludolf Wienbarg saßen im alten *Café Stehely,* auch Willibald Alexis, der Häring hieß, und Max Stirner, der Schmidt hieß, der Autor vom *Einzigen und seinem Eigentum.* Die »Jungen Deutschen« Laube und Gutzkow »saßen« wegen ihrer freien Schriften auch in den Berliner Gefängnissen.

E. Th. A. Hoffmann las in seinem Stammcafé *Manderlee,* Unter den Linden, seinen Freunden Chamisso und Contessa und Hitzig seine neue Novelle *Die Abenteuer einer Sylvesternacht* vor.

Man hieß Berlin die Stadt der Rationalisten, die nüchternste Stadt von Deutschland. Aber die Dichter der Romantik schrieben die sonderbarsten Novellen und zauberische Mär-

414

chen im nüchternen Berlin, oder nahe Berlin, wie Chamisso, Ludwig Tieck, wie E. Th. A. Hoffmann, wie Achim von Arnim. Die deutsche Romantik siegte in den Salons der vernunfthellen, witzigen, aufklärerischen Berliner Jüdinnen und Christinnen. Auch das romantische Theater siegte in Berlin, auch die romantische Musik des Felix Mendelssohn-Bartholdy und des Carl Maria von Weber. Freilich siegte dort auch, wie in München, der nüchterne Naturalismus, mit der Freien Bühne und mit Schlaf und Holz und Hauptmann. Aber auch die Expressionisten triumphierten später in Berlin.

Berlin war ein trefflicher Ort, um Kunstbewegungen zu beginnen und zu beenden, sagte ich. Einmal saß ich mit meinem Freund Joseph Roth bei *Mampe* am Kurfürstendamm, oberhalb der Uhlandstraße, wo damals das *Café Dobrin* war, und lachend entwarfen wir, am selben Tisch zur selben Stunde, ein Pamphlet gegen die »Neue Sachlichkeit«, das Roth schrieb, und ein Pamphlet für die »Neue Sachlichkeit«, das ich schrieb, zum Vorwort meiner Anthologie *24 Neue deutsche Erzähler,* mit einer Erzählung von Joseph Roth als erstem Beitrag. Roths Pamphlet gegen die »Neue Sachlichkeit« erschien in der *Frankfurter Zeitung*; er hatte erst 1927, zwei Jahre zuvor, in einer knappen Einleitung zu seinem Roman *Flucht ohne Ende* einige Thesen der »Neuen Sachlichkeit« leidenschaftlich statuiert. Aber von vier Initiatoren der »Neuen Sachlichkeit«, den vier abtrünnigen Romantikern Joseph Roth, Bert Brecht, Erich Kästner und Hermann Kesten, trieb nur Brecht die »Neue Sachlichkeit« bis zum wahrhaft blutigen Exzeß, ja bis zur literarischen Mordaufforderung wie in seiner *Maßnahme.*

Die ironische Behandlung neuster Kunsttheorien erscheint mir sehr berlinisch, erklärte Kaltwasser. Die Berliner sind neuerungssüchtig und neuigkeitsdurstig. Am Abend vergessen sie schon, was sie am Morgen erst entdeckt haben. Die Rahel hat gesagt: »In Berlin hält sich nichts, alles kommt herunter, alles wird ruppig, ja wenn der Papst nach Berlin käme, so bliebe er nicht lange Papst, er würde was Ordinäres, ein Bereiter etwa.«

Der Brecht hielt sich lange genug in Ostberlin, versicherte ich.

Ja, mit Gewalt ..., erwiderte Kaltwasser. Die Kommunisten der ganzen Welt brauchen neben dem politischen auch einen literarischen Papst. Erst hatten sie den Maxim Gorki, der wirklich ein guter Schriftsteller war, dann hatten sie den Ilja Ehrenburg, der den Stalin überlebt hat, trotz seinem Witz, dann stellten die Ostdeutschen den Heinrich Mann auf, aber er starb in Kalifornien, dann wollten sie den halben Thomas Mann präsentieren, und zuletzt erkoren sie den Brecht. Nun ist er tot, und sie können Friedrich Schlegel zitieren: »Es fehlt, behaupte ich, unserer Poesie an einem Mittelpunkt.« Es fehlen sogar die literarischen Cafés, die es so reichlich in Berlin gegeben hat.

Im *Tunnel* saßen Theodor Fontane und der junge Paul Heyse. Gottfried Keller und Jakob Burckhardt saßen mitten unter preußischen Literaten. Theodor Fontane ging 1862 mit Theodor Storm ins *Café Kranzler* und schämte sich seines Freundes vor den Gardekürassieren, die vor dem Kaffeehaus in der Sonne saßen, weil Storm nach seinem eigenen Geschmack gekleidet war, er trug leinene Hosen, eine leinene Weste, die wie gelbe Seide glänzte und furchtbare Falten warf, und darüber ein grünes Röckchen, einen Reisehut und einen Schal rund um den Hals, mit zwei Strippen vorn herunter, und an jeder hing eine Puschel, die hin und her pendelte.

Carl Ludwig Schleich erzählt, wie er einmal in der Künstlerkneipe *Das schwarze Ferkel* saß, mit den Stammgästen, dem norwegischen Maler Edward Munch und dem norwegischen Romanschreiber Knut Hamsun und mit Richard Dehmel, der das Lied vom Industriearbeiter schrieb, dem »nur Zeit« fehle, um glücklich zu sein, und dem man heute in Deutschland erzählen würde, die Industriearbeiter hätten zu viel freie Zeit, um glücklich zu sein, und mit Otto Erich Hartleben, der die *Geschichte vom abgerissenen Knopf* geschrieben hat, und mit dem Phantasten Paul Scheerbart und dem Przybyszewski, der mit deutscher Prosa begann und mit polnischer Prosa endete, und mit August Strindberg, der zuweilen zur Gitarre eine Bal-

Theodor Fontane 1819–1898   *Heinrich Heine 1797–1856*

E. Th. A. Hoffmann erzählt Ludwig Devrient und den Freunden
im Weinkeller von Lutter und Wegener Gespenstergeschichten

Im Café Josty am Potsdamer Platz um 1880

Thomas Mann 1875–1955   *Heinrich Mann 1871–1950*

lade sang. Damals kam der alte schwedische Dichter Holger Drachmann mit einer wunderschönen jungen Frau, die umherblickte und laut fragte: Wo ist der August Strindberg? und ein Glas Sekt ergriff und trank, und als man ihr in der Ecke den schwedischen Poeten zeigte, breitete sie ihre schönen Arme aus und sagte: Strindberg! Komm her und gib mir einen Kuß! Worauf Strindberg mit gravitätischer Entschlossenheit seinen Frack auszog und die schöne Frau so lange küßte, daß Drachmann die Uhr zog und erklärte: Zwei Minuten ist lange!

Endlich gab Strindberg die Frau frei, ging an seinen alten Platz und zog seinen Frack wieder an. Der Weiberfeind Strindberg hat seine Feindinnen genossen.

Was findet also ein Literat im Literaturcafé? fragte Kaltwasser. Freunde oder Ideen? Muße oder Anregungen? Einen Titel oder phantastische Geschichten, wie E. Th. A. Hoffmann und Chamisso oder Meyrink? Ein neues Schlagwort, ein Literaturprogramm oder Kredit, wie die jungen Genies vor dem ersten Weltkrieg im *Café Größenwahn*, dem *Café des Westens*? Da saßen René Schickele, ein Elsässer, der erst als Schulkind deutsch lernte, und Alexander Roda Roda, der Anekdotenerzähler, in seiner bekannten roten Weste, und Johannes Schlaf und der bärtige Anarchist Erich Mühsam, den die Nazis im KZ Oranienburg am 11. Juli 1934 ermordet haben. Im Wachlokal des KZ hatte ihm SS-Sturmführer Ehrat eröffnet: »Also Sie sind Herr Mühsam? Doch der Mühsam aus der Münchner Räterepublik? Also hören Sie, was ich Ihnen jetzt sage. Bis morgen früh haben Sie sich aufzuhängen ... Sie verstehen doch, was ich meine, so um den Hals rum aufzuhängen. Wenn Sie diesen Befehl nicht ausführen, erledigen wir das selbst!«

Mühsam erklärte später seinen Mitgefangenen, er werde diesen Befehl nicht ausführen. »Am nächsten Morgen fand man ihn an einem Strick hängend, auf dem Abtritt Nr. 4; seine Füße hingen in das Abtrittsloch nieder. Der Knoten war so kunstgerecht geknüpft, wie ihn der halbblinde Mühsam niemals fertigbekommen hätte«, berichtete ein Mitgefangener.

Neben Erich Mühsam saß im *Café des Westens* Hanns Heinz Ewers, der mit Mühsam Zimmer an Zimmer in der Augsburger Straße wohnte und mit Mühsam gelegentlich ein Kinderbuch zusammen geschrieben hat und einen *Führer durch die moderne Literatur* für den Globus-Verlag, mit dem Untertitel *300 Würdigungen der hervorragenden Schriftsteller unserer Zeit.* Herausgegeben von Dr. H. H. Ewers unter Mitwirkung der Schriftsteller: Victor Hadwiger, Erich Mühsam, René Schickele und Dr. Walter Bläsing, wobei Bläsing, eine erfundene Figur, als Autor jener Beiträge diente, die keiner signieren wollte. Derselbe Ewers schrieb erst nur phantastischen Sexual-Kitsch und später antisemitischen Mordkitsch. Mühsam erzählt in einem Erinnerungsbuch *Namen und Menschen,* das postum 1949 in Leipzig erschienen ist, wie er zuweilen quartierlose Freunde aus dem *Café des Westens* in seine Bude zum Übernachten mitgenommen habe, wo es ein zweischläfriges Bett und ein breites Sofa gab, etwa die beiden Literaturvagabunden Peter Hille und Paul Scheerbart. Ins *Café des Westens* kamen Ferdinand Hardekopf, der Übersetzer, und Wilhelm Meyer-Förster, der vergessene Autor des ›unsterblichen‹ *Alt-Heidelberg,* und die Lyrikerin Else Lasker Schüler, die ›postlagernd‹ wohnte, als »Prinz von Theben«, oder »Schwan von Israel« signierte, aus Elberfeld war, und so lange im *Café des Westens* saß, bis ihr ein Kollege den Kaffee endlich zahlte. Später ging sie ins Exil nach Zürich und starb in Israel.

Um die Jahrhundertwende gründeten die beiden Naturalisten-Brüder Julius Hart und Heinrich Hart mit Gustav Landauer und Felix Holländer »Die Neue Gemeinschaft«, einen »Orden vom wahren Leben«, mit einer Gemeinschaftswohnung in der Uhlandstraße, wo Gustav Landauer, der radikale Shakespeare-Kommentator, und Erich Mühsam, der Anarchist, bürgerlich kochten, wo Martin Buber und Magnus Hirschfeld abwechselnd religiöse und sexuelle Vorträge hielten und Peter Hille seine Gedichte vorlas. Der »Orden« kaufte auch ein Gemeinschaftshaus in Schlachtensee, wo Hille endlich ein Frei-Zimmer erhielt. Die Naturalisten und andere Revolteure machten Ausflüge nach Schlachtensee, wie Cäsar Flaischlen, der die Sonne im Herzen hatte, oder die Brüder Gerhart und Carl Hauptmann oder das Freundespaar Wilhelm Bölsche und Bruno Wille oder Max Reinhardt und Max Kretzer, Fidus und Ernst Häckel, Arno Holz und Johannes Schlaf. Am Müggelsee in Friedrichshagen gründeten die Naturalisten eine ganze Wohnkolonie.

Im *Nollendorf-Casino* in der Kleiststraße tagten jeden Freitag »Die Kommenden«, ein lockerer Dichterverein, von Ludwig Jacobowski gegründet, und dann von Dr. Rudolf Steiner, dem späteren Theosophen, geleitet.

Alle kamen ins *Café des Westens,* und viele hatten Kredit beim Geschäftsführer Hahn oder beim Oberkellner Franz oder beim buckligen, rothaarigen Zeitungsträger Richard, dem »roten Richard«.

Wie verschollen diese künftigen Genies nach einem halben Jahrhundert sind, sagte ich. Die Kellner vom *Café Größenwahn* wirken lebendiger als die Literaten.

Machen Sie Witze über Literaten? fragte Kaltwasser.

Keineswegs, sagte ich. Das könnte meinem Ruf schaden. Ich bin vielleicht der einzige deutsche Dichter, der sich mit einigem Stolz einen Literaten heißt.

Das deutsche Publikum ist besser als sein Ruf, versicherte der junge Kaltwasser. Am Ende bestimmen wir Schriftsteller den Rang und Ruhm von Schriftstellern. Es ist das Beste, was Schriftstellern geschehen kann. Kamen Sie in viele literarische Kaffeehäuser in Ihren sechs Berliner Jahren?

Vom März 1927 bis zum März 1933? In jenen Jahren war die Literatur freier als je in Deutschland. Es wohnten hunderte Literaten in Berlin. Ausländische Schriftsteller kamen aus aller Welt. Die Berliner Theater, Zeitungen, Zeitschriften, Verlage, Universitäten, Museen, Kunsthandlungen und die Filmindustrie florierten. Es gab stadtbekannte literarische Cafés, das *Romanische Café, Schwannecke* ...

Saßen Sie oft im *Romanischen Café* und bei *Schwannecke?*

Kaum ein dutzendmal in sechs Jahren. Ich schreibe gern in

Cafés, aber nicht, wo mir die Kollegen und Kritiker über die Schulter schauen. Ich mache mir meine eigenen literarischen Cafés. Wo ich lebe, tut sich ein literarisches Kaffeehaus auf.

Aber literarische Salons besuchen Sie sicherlich gern? fragte mich Kaltwasser.

Ich bewundere literarische Salons, aber ich besuche sie kaum. Ich erinnere mich an den »Literarischen Salon« meines Freundes Werner Hegemann in Berlin. Er hat im »Steinernen Berlin« die Könige Preußens angegriffen, die Berlin zur Festung gemacht haben, zum steinernen Kerker, mit fünf und sechs und sieben Hinterhöfen. Er war ein Architekt, ein Pamphletist. Er hat in San Franzisko die erste Weltausstellung für Städtebau geleitet, hatte eine amerikanische Frau und ist im Exil in New York gestorben, als Professor der Columbia University. Er kämpfte gegen die Legenden von Christus, Napoleon, Friedrich dem Großen und Hitler, wie gegen Windmühlen. Er schrieb seine meisten Bücher, wie Plato, in Dialogen. Er liebte es, schlechte Autoren dem Gelächter preiszugeben, indem er sie zitierte. Er empfing regelmäßig in seiner Villa am Nicolassee, wenn möglich Männer von Geist und hübsche Frauen, setzte seine Gäste in pamphletistischer Absicht zusammen, wie für seine erfundenen Dialoge. Er besaß die Kunst, seine Gäste zu enthüllenden Gesprächen zu reizen und sie zum Glanz oder zu Fall zu bringen. Er schürte den geistigen Streit und schlichtete ihn, wenn es nottat. Wenn ein Abend glückte, war es ein Komödienabend mit Possenszenen und Ausflügen in die Poesie.

Er wollte sich und andere amüsieren, aber es ging ihm wie in seinen Büchern zuerst um moralische Erziehung. Die Moralisten, die Lehrer der Menschheit, haben immer Stoff und Anlaß zum Reden; die Erziehung der Menschheit hat kein Ende. Die Humoristen hingegen haben ewigen Stoff, mit andern zu lachen, über sich und die Welt; denn wenn man entschlossen ist, die Welt und sich nicht tragisch zu nehmen, kommt man aus dem Gelächter kaum mehr heraus.

Wer zuletzt lacht, lacht am besten? Lachen wir also!

EPILOG

In dem Kaffeehaus zur Erde
Bist du ein ungeladner Gast.
Und wenn du ausgetrunken hast,
Führen dich fort die schwarzen Pferde.

Der Kellner wartet schon vor der Tür.
Warst du ein Bettler, warst ein Held,
Dein Leben war dein Taschengeld.
Den Tod hast du ohne Gebühr.

Mit Freunden hast du gegessen
Zwischen Narren, Poeten und Dieben,
Hast gedacht, gelacht und geschrieben
Und verschwendet, was du besessen:

Die Liebe, die Zeit, und – dich.
Wie oft hat es Sterne geregnet?
Wie oft bist du dir begegnet?
Das warst du? Ein zerfallendes Ich?

Du zahlst die Zeche. Man schließt das Lokal.
Schon morgen sitzt, wie Kirschen frisch,
Ein neuer Gast an deinem Tisch
Und schillert von Leben wie ein Opal.

PERSONENREGISTER

Abälard, Pierre 41
Abel, Sohn von Adam und Eva 230
Ablancourt, Perrot d' 249
Abusch, Alexander 76
Achilles 303
Adam, Mme siehe Juliette Lamber
Adams, Henry 346
Addison, Joseph 86, 127, 149, 153, 159, 160, 162, 172, 180, 188, 191, 192, 193, 194, 196, 197, 198, 199, 200, 201, 202, 210, 212, 235, 236, 252, 261, 276, 321, 322, 326, 362,
Adler, Viktor 375
Adolphe (Roman von Constant) 63
Adone (Dichtung von Marini) 312
Aeneis (Vergil) 309, 373
Afrika (Petrarca) 311
Agoult, Marie de Flavigny, Comtesse d' 61
Aiguillon, Herzogin von 42
Ajax, der rasende, der Telamonier 303
Alarich, König der Westgoten 310
Albani, Kardinal 317
Albany, Gräfin 312, 313
Albon, Mme d' 31
Albon, Monsieur d' 31
Alciphron (von Berkeley) 179
Aldington, Richard 88
Alembert, Le Rond, Jean, d'
Alexander der Große 22
Alexander VI., Papst 303, 312 28, 30, 31, 32, 37, 38, 39, 43, 49, 53
Alexis, Paul 65
Alexis, Willibald (Häring) 414
Alfieri, Graf Vittorio 313
Alfred (Professor) 100, 101, 103, 104, 106, 107, 108, 114, 115, 116, 117, 119, 120, 122, 126, 129, 132, 136, 138, 139, 140, 141, 142, 143, 146, 148, 150, 157, 158, 159, 161, 168, 181, 184, 186, 187, 196, 197, 201, 202, 227, 247, 249, 251, 252, 258, 265, 267
Algarotti, Graf François 413
Alkibiades 308
Allah 11
Allan, John 332, 342
Allans, die Pflegeeltern Poes 342
Allemagna (literarischer Preis) 320

Altenberg, Peter 371, 375, 379, 393
Amon 204, 205
Amoroso, Ferruccio 320
Ampère, André Marie 61, 315
Anakreon 277
Ancelot, Marguerite Chardon 61
Andersen, Hans Christian 315, 388
Anderson, Sherwood 345, 353
Andreas-Salomé, Lou 395
Andrian, Leopold Freiher von 376
Anglesey, Earl of 128
Anne, Königin von England 120, 125, 128, 130, 158, 162, 172, 200, 233, 236, 240, 249, 267
Annunzio, Gabriele d' 319
Anouilh, Jean 78
Anthony siehe Low-Beer
Antigone 313
Antoine, Saint 65
Antonius, Marcus A. 309
Anzengruber, Ludwig 371, 375
Apoll(o) 7, 387
Apollinaire, Guillaume 68, 69, 79
Apollo (Ben Jonsons Club) 84
Appius 210
Applebee 144
Apulejus 310
Aragon, Louis 76
Aranda, Graf Pedro d' 32
Arbuthnot, Dr. John 158, 159, 160, 161, 162, 172, 188, 197, 198, 212, 216, 221, 223, 249, 253, 259
Arens, Hanns 377
Aretino, Pietro 308, 312
Argens, Marquis Jean Baptiste d' 413
Argenson, Marc Pierre d' 53
Argenson, Marquis Marc-René d' 44
Argenson, Marquis René-Louis d' 44
Argonauten 393
Ariost, Lodovico 312
Aristophanes 163, 307
Aristoteles 10, 369
Arlecchino 322
Arnaud 413
Arndt, Ernst Moritz 360
Arnim, Achim von 405, 409, 415
Arnold, Karl 391
Arp, Hans 68, 69

Asch, Schalom 52
Äsculap 300
Asgill 235
Ashe, Bischof 180
Astaldi, Maria Luise 320
Astor, Familie in New York 341
Astor, Lady 293
Astruc, Dr. 45
Atabay, Cyrus 292
Atalanta 241
Atons (Hund) 289
Atterbury, Bischof 162
Atticus, Titus Pomponius 307
Auden, Wystan Hugh 88, 293, 335
Augustinus, Aurelius, Bischof 310
Augustus, Kaiser 14, 305, 308, 309, 310
Aurelius, Marcus, Kaiser 306
Aurora 321
Austerlitz, Friedrich 375
Ayrenhoff, von, Feldmarschall 373

Baal, semitische Gottheit 120
Babbitt, Irving 352
Bachmann, Ingeborg 327
Bacon, Francis 155
Bahr, Hermann 375, 376, 393
Bajocco, Bettler im „Greco" 314
Ball, Hugo 68
Ballanche, Pierre Simon 60
Balzac, Honoré de 50
Barbara (Roman von Werfel) 379
Barber, Mrs. 166, 173
Barberini, Piazza 299
Barbey d'Aurevilly, Jules 55, 61
Bardini, Jérôme (Roman von Giraudoux) 76
Barnave, Joseph 57
Barras, Vicomte Paul de 58, 59
Barrès, Maurice 68
Bathurst, Lord 254
Baucis 172, 235
Baudelaire, Charles 55, 60, 61, 64, 67, 73, 333
Bauernfeld, Eduard von 374
Baumann, Weinwirt 413
Baumgartner 376
Beaumarchais, Pierre Augustin, Caron de 26, 48, 283, 313
Beaumont, Francis 83
Beauveau, Comtesse de 60
Beauvoir, Simone de 79

428

430

VERZEICHNIS DER BILDTAFELN

ROM

Kronprinz Ludwig von Bayern im Kreise der deutschen Künstler in der Spanischen Weinstube auf dem Ripa Grande. Linke Bank: hinten Ludwig, Mitte Thorwaldsen, vorn Graf Seinsheim. Rechte Bank: von hinten nach vorn: Bildhauer Wagner, Phil. Veit, Dr. Ringeis (stehend), Schnorr, Hofmarschall v. Gumppenberg. Hintere Schmalseite: Baumeister Klenze, vordere Schmalseite: der Maler dieses Bildes. Gemälde von Franz Catel, Rom 1824. :

BERLIN

DIE WERKE VON HERMANN KESTEN

ROMANE

JOSEF SUCHT DIE FREIHEIT. Berlin 1928

EIN AUSSCHWEIFENDER MENSCH. Berlin 1929

GLÜCKLICHE MENSCHEN. Berlin 1931; Kassel 1948, mit Einleitung von Erich Kästner

DER SCHARLATAN. Berlin 1932

DER GERECHTE. Amsterdam 1934

FERDINAND UND ISABELLA. Amsterdam 1936

KÖNIG PHILIPP II. Amsterdam 1938; München 1950, Verlag Kurt Desch

DIE KINDER VON GERNIKA. Amsterdam 1939; Wiesbaden 1947; Hamburg 1955, mit Vorwort von Thomas Mann, Rowohlt Verlag

DIE ZWILLINGE VON NÜRNBERG. Amsterdam 1947; Frankfurt am Main 1950, S. Fischer

DIE FREMDEN GÖTTER. Amsterdam, Wien, Frankfurt am Main 1949, S. Fischer

UM DIE KRONE – DER MOHR VON KASTILIEN. München 1952; München 1956, Verlag Kurt Desch

SIEG DER DÄMONEN – FERDINAND UND ISABELLA. München 1953, Verlag Kurt Desch

DER SOHN DES GLÜCKS. München 1955, Verlag Kurt Desch

BIOGRAPHIEN UND ESSAYS

COPERNICUS UND SEINE WELT. Amsterdam 1948; Frankfurt am Main 1952; München 1953, Verlag Kurt Desch, mit Vorwort von Erich Kästner

CASANOVA. München 1952 und 1959, Verlag Kurt Desch

MEINE FREUNDE DIE POETEN. Wien-München 1953

DICHTER IM CAFÉ. München 1959, Verlag Kurt Desch

NOVELLEN

DIE LIEBESEHE. Zwei Novellen; Berlin 1929

DIE LIEBESEHE. Achtzehn Novellen, Wien 1948

MIT GEDULD KANN MAN SOGAR DAS LEBEN AUSHALTEN. Sieben Novellen, mit Nachwort von Willi Fehse, Stuttgart 1957, Reclam

DIE RACHE. Schulausgabe, New York 1948

DIE RACHE. Schulausgabe; Tokyo 1954, Ikubundo Verlag

OBERST KOCK UND VIER WEITERE NOVELLEN. Schulausgabe, Tokyo 1958, Nankodo Verlag

DR. SCHATTE – MUSIK. Schulausgabe, Tokyo 1958, Sansynsya Verlag

DRAMEN

MAUD LIEBT BEIDE. Berlin 1928

ADMET. Berlin 1928

BABEL ODER DER WEG ZUR MACHT. Berlin 1929

WOHNUNGSNOT oder DIE HEILIGE FAMILIE. Berlin 1929

EINER SAGT DIE WAHRHEIT. Berlin 1930

WUNDER IN AMERIKA (mit Ernst Toller). Berlin 1931

ANTHOLOGIEN

24 NEUE DEUTSCHE ERZÄHLER. Berlin 1929

NEUE FRANZÖSISCHE ERZÄHLER (mit Vorwort von Felix Bertaux). Berlin 1930

NOVELLEN DEUTSCHER DICHTER DER GEGENWART (Der Scheiterhaufen). Amsterdam 1933

HEART OF EUROPE, an anthology of creative writing in Europe, 1920–1940 (mit Klaus Mann). New York 1943

THE BLUE FLOWER, best stories of the Romanticists. New York 1946

DIE BLAUE BLUME, die schönsten Geschichten der Romantiker. Köln 1955

UNSERE ZEIT, die besten deutschen Erzählungen des 20. Jahrhunderts. Köln 1956

HERAUSGEBER ODER VERFASSER DES VORWORTES

RENÉ SCHICKELE, Heimkehr. Straßburg 1938

HEINRICH HEINE, Meisterwerke in Vers und Prosa. Amsterdam-Stockholm 1939

HEINRICH HEINE, Works of Prose. New York 1943, A. A. Wyn und London 1944, Secker & Warburg

HEINRICH HEINE, Germany. New York 1944, A. A. Wyn

EMILE ZOLA, The Masterpiece. New York 1946, Howell Soskin

IRMGARD KEUN, Ferdinand. Düsseldorf 1951

JOSEF KALLINIKOW, Frauen und Mönche. Berlin 1952

JOSEPH ROTH, Gesammelte Werke in 3 Bänden. Köln-Amsterdam 1956

DIE SCHÖNSTEN LIEBESGESCHICHTEN DER WELT, München 1957, Verlag Kurt Desch

KURT TUCHOLSKY, Man sollte mal ... Frankfurt am Main 1957

ERICH KÄSTNER, Gesammelte Werke in 7 Bänden. Köln und Zürich 1958

Übersetzungen der Werke von Hermann Kesten erschienen in folgenden Sprachen: Chinesisch, Dänisch, Englisch (Großbritannien, Kanada, USA), Französisch, Hebräisch, Holländisch, Italienisch, Japanisch, Jiddisch, Norwegisch, Polnisch, Portugiesisch, Schwedisch, Serbokroatisch, Spanisch (Spanien, Argentinien, Chile, Mexiko), Tschechisch, Ungarisch usw.